D0309497

TE VOET DOOR AFRIKA

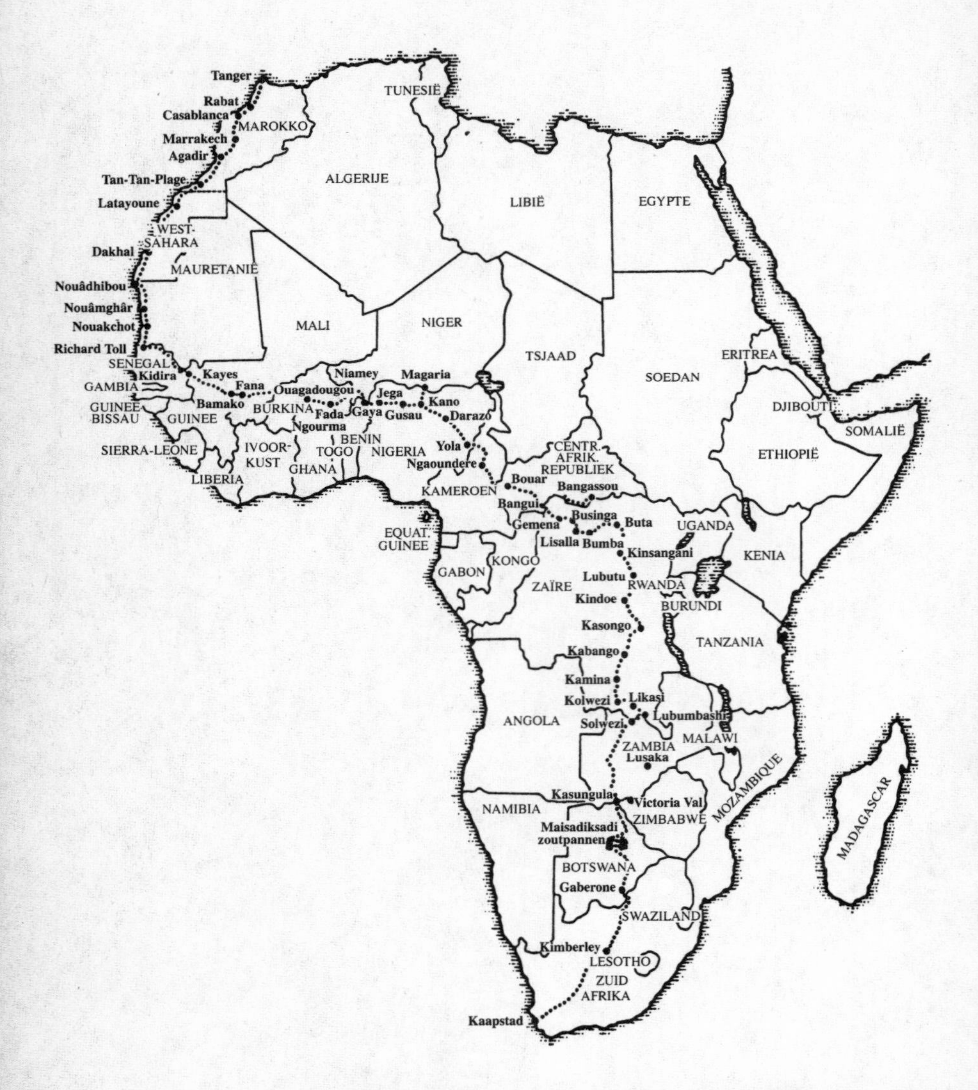

Tussen 2 april 1991 en 1 september 1993 liep Ffyona Campbell elke stap vanaf Kaapstad naar Tanger, over een totale afstand van 16.088 kilometer.

Ffyona Campbell

TE VOET DOOR AFRIKA

Gemeentelijke Openbare Bibliotheek
Erpe - Mere
Oudenaardsesteenweg 458
9420 ERPE - MERE

Uitgeverij Luitingh ~ Sijthoff

Deeltijdse Plaatselijke
Openbare Bibliotheek
96/283 R

Oorspronkelijke titel
On foot through Africa
Uitgave
Orion Books, Londen
© 1994 by Ffyona Campbell

Vertaling
Gerda Wolfswinkel
Omslagontwerp
Jan de Boer
Omslagdia
John Evans

All rights reserved.
Niets uit deze uitgave mag worden verveelvoudigd en/of openbaar gemaakt door middel van druk, fotokopie, microfilm of op welke andere wijze ook, zonder voorafgaande schriftelijke toestemming van de uitgever.

ISBN 90 245 2393 1 CIP NUGI 470

Voor mijn vader
en
voor de mannen die mee zijn gegaan

‘Mogelijk is niet datgene wat je kunt,
maar wat je wilt.’

Ian Fleming

Chauffeur: ‘Waarom doe je dit eigenlijk?’
Loper: ‘Omdat ik heb gezegd dat ik het zou doen.’
Chauffeur: ‘En tegen wie heb je dat gezegd?’
Loper: ‘Tegen mezelf.’

Dankwoord

Van al die honderden mensen die ik verzocht heb geld en goederen in de reis te steken en me door die twee jaar heen te helpen, was er slechts een gering aantal dat het lef had om ja te zeggen. Ik wil hen graag bedanken, niet alleen maar voor hun hulp (die ik buitengewoon op prijs heb gesteld), maar vooral voor hun geloof in mij. Dankzij hen haalde ik het tot aan de startstreep.

Mijn financiële sponsors waren: Scholl, Bill Skerrett, het tijdschrift You, Nick Gordon, Hi-Tec Sports, Niagara Therapy, Nicholas Duncan, Tony Seaney, Freddie Mitman, John Paul Mitchell Systems, Harold Leighton, Sabona of London, Detmar Hackman.

Sponsors die mij hielpen met produkten en dienstverlening waren: De Beers, Olympus Optical, Berghaus, Snowsled (Ventile), Ever Ready, Coleman, British Airways (voor de vaccinaties), Parlour Products, Safariquip, Survival Aids, Blacks of Manchester, Schwartzkopf, L'Oriel, RPM Records, Piz Buin, CCS Camera Care, Raleigh Industries (Nigeria) Graham Plain (SARBE).

Maar er zijn meer mensen geweest die me hun tijd hebben geschonken toen ik nog in het stadium van plannen maken zat. Zij brachten mij in contact met sponsors, gaven advies over de route en de logistiek, naast duizenden andere details, zonder iets van mij terug te verlangen. Ik wil daarvoor in het bijzonder bedanken: Michael en Mariantoinetta Asher, kol. John Blashford-Snell, Warren Burton (van Encounter Overland), Belinda Boyd, Lord en Lady Chelsea, Chris Cook, Jerry Callow, Lord en Lady Coleridge, Nick Cater, Simon Costain, Nicholas Duncan, Judy Drake, kapt. Robert Guy, Abel Haddon, Andrew Harwich, Jim Hargreaves, Mark Harvey, Brian Hanson, Sally Hancock, Alan Hooper, Paul Harris, Anthony Howard, Tony Jones (van Encounter Overland) en Stan, Trevor Jones, Phillip Jones, dr. Ken Kingsbury, Mark Lucas, Luly Thomson, Alan Massam, Renske Mann, Iain McDonald, Andrew Muir, Jean-Pierre Peulerée, Richard Robinson, maj. John Reeve, Jonathan Shalit, Alison Scott, John Stevens, Richard Snailham, Pippa Snook, Kurt Sartorious, Bertie Way, Shane Winser, Anthony Willoughby, Graham Wallace.

Ook wil ik graag de volgende mensen bedanken voor hun vriendelijke hulpvaardigheid tijdens de tocht zelf, wat voor velen van hen heel wat ongerief met zich meebracht: Vasilios Anagnostellis, Helga Baak, Karen Baak, Harold, Karen en Cherina Blackburne, Nick Byers, Del en Jack Craig, Rene Craane, Brian Donaldson, Kevin Grotts, Chris Hill, Zaven Keorkinyan, de heer en mevrouw Gordon Pirie, Sir en Lady Allan Ramsay, Janet en Ali Reda, Jeff Roy, Johnnie Simpson, Dan en Libby Simpson, Andy Sutcliff, Stephanie Sweet, kol. Adrian Wray.

Van Survival International dank ik Stephen Corry, Honor Drysdale en Charlotte Sankey voor hun enthousiasme.

Van het thuisfront dank ik mijn weldoener Robin Hanbury-Tenison OBE voor zijn ondersteuning en Robin Allen voor zijn stille ondersteuning en zijn geloof in mijn voettocht. Hartelijk dank aan mijn vader, dat hij heeft willen luisteren, en aan mijn moeder, dat ze de pers met zoveel humor te woord heeft gestaan – uiteindelijk kunnen jullie toch nog al die dingen lezen die ik niet heb willen vertellen! En Max Arthur, voor zijn aanmoedigingen als ik in de put zat en voor de feestjes als ik daar niet in zat. Martyn Forrester voor zijn steun. Luly Thomson voor haar aanvankelijke enthousiasme, en mijn zuster Shuna, voor die acht maanden waarin ze alles heeft geregeld zonder in te storten.

Bij de voorbereiding van dit boek wil ik 's werelds grootste schrijversheld, Mark Lucas, en zijn wederhelft, Lavinia Barnes, bedanken, alsmede Yvette Goulden en Nick McDowell van Orion, voor hun enthousiasme.

Maar als ik al die goede mensen niet bij me had gehad, dan was ik nu dood en opgegeten, of zat ik in een hoekje naar de muur te staren. Mijn zeer speciale dank gaat uit naar degenen die dat extraatje konden opbrengen: Bill Preston, Blake Rose, Raymond Mears, Tom Metcalfe en Peter Gray.

Mijn diepe bewondering gaat echter uit naar het Afrikaanse volk zelf. Dat heeft een moeilijker weg te gaan dan die van mij ooit is geweest – omdat de mensen dat volk willen veranderen.

Ffyona Campbell

1

Het *Guinness Book of Records* hanteert een aantal regels waaraan een voettocht rond de wereld moet voldoen: je moet op dezelfde plek beginnen en eindigen, vier continenten bestrijken en minstens 26.400 kilometer afleggen. Twee mannen hebben het vóór mij gedaan, net als ik met tussenstops waarin werd gewerkt, maar geen vrouwen.

Mijn wandeling rond de wereld begon op mijn zestiende, bij John O'Groats. Met mijn haar in dreadlocks en een hamster in mijn bagage liep ik in negenenveertig dagen de 1.600 kilometer naar Land's End; een gemiddelde van veertig kilometer per dag.

Twee jaar later liep ik dwars door Amerika van New York naar Los Angeles. Toen was ik achttien en maakte voor het eerst kennis met paranoia. Bij iedere stad dreigde mijn sponsor zich terug te trekken. Maar ik voltooide die 5.600 kilometer in honderdeenenvijftig dagen; opnieuw een gemiddelde van veertig kilometer per dag.

Daarna kwam Australië. 5.100 kilometer van Sydney naar Perth, gepland over een periode van honderdvijftig dagen. Ik deed er twee jaar over om de financiën rond te krijgen, maar op de avond voor de afmars belde mijn hoofdsponsor op met de mededeling: 'Hallo Ffyona. Ik heb contact gehad met ons kantoor in Australië. Daar zijn ze momenteel bezig met een reclamecampagne die haaks staat op de jouwe. Ik vrees dat wij deze gelegenheid voorbij moeten laten gaan'. Kortom, ik had het geld niet om dat werelddeel in een tempo van veertig kilometer per dag te doorkruisen, dus liep ik er tachtig per dag.

Het zwaarste deel van die tocht was de 1.600 kilometer door de Nullabor Plain. Dat was mijn mentale oefenterrein voor Afrika. Daar leerde ik dat je nooit aan het eind van de reis moet denken, zelfs niet aan het eind van de dag.

Mijn voorgangers hadden met succes Europa, Azië, Australië en Amerika gedaan. Ik besloot Azië door Afrika te vervangen. Ik houd ervan om van het ene eind van een werelddeel naar het andere eind te lopen, en in Azië waren te veel onbegaanbare stukken.

Mijn goede vriend Anthony Willoughby stelde de oude route van de ontdekkingsreizigers voor, van Kaapstad naar Caïro. Ik trok een rechte lijn en zag dat ik geen minister van Buitenlandse Zaken hoefde te zijn om te weten dat ik op moeilijkheden zou stuiten: om te beginnen woedde er in Soedan een grote oorlog. Maar ik huldigde de mening dat ik gewoon flexibel genoeg moest zijn om eventueel oplaaiende brandhaarden te omzeilen.

Na onderzocht te hebben hoe het stond met de aanwezigheid van water en voedsel, merkte ik dat op verscheidene uitgestrekte stukken beide tamelijk schaars waren. Ik zou ondersteuning nodig hebben. Ik ben geen reiziger; ik ga niet zomaar op goed geluk lopen. Mijn expedities zijn gerichter. De geplande route strekte zich uit over 10.000 kilometer (6.300 mijl), en in mijn normale tempo zou ik er een jaar over doen. Ik was nooit eerder in Afrika geweest en wilde ook niet op verkenning uit. Als je niet weet hoe erg het kan worden, ga je er altijd van uit dat het morgen beter gaat.

Ik besloot een voertuig mee te nemen en twee chauffeurs, die in dienst waren bij One Ten Expeditions, een bedrijf dat gespecialiseerd is in het ondersteunen van expedities. Ik betaalde voor een volledig uitgeruste Land Rover, brandstof, documenten, de vliegreis van de chauffeurs, hun salaris en voedsel voor een heel jaar. Mijn steun en toeverlaat op het kantoor was Luly Thomson, de rechterhand van Bob Geldof tijdens Band-Aid. Het was een leuk mens om mee om te gaan en ze voorzag me van ouderwets goede morele steun. Ik hoopte dat ze ook mijn familie en vrienden op de hoogte zou houden van mijn vorderingen en mijn sponsors van inlichtingen zou voorzien.

Al mijn wandelingen hebben een goed doel gediend omdat ze daar de mogelijkheid toe bieden – dus waarom niet? Ik wilde dat de bevolking van de landen die ik op mijn route aandeed er beter van zou worden. Er waren al genoeg hulpacties in Kenia, Tanzania, Zimbabwe en Nigeria, maar in de landen daartussenin maar weinig. Tijdens mijn onderzoek stuitte ik op Survival International, een organisatie die zich inzet voor de rechten van bedreigde inheemse stammen.

Nu moest ik alleen de sponsors zelf nog benaderen. Daar besteedde ik de volgende twee jaar aan.

Mijn doel was één hoofdsponsor te vinden, aangezien de kleintjes vaak een veel hoger rendement verwachten en hun geïnvesteerde geld er zelden uithalen. Ik was maar één keer door een sponsor afgewezen na een persoonlijk onderhoud met de beslissingsbevoegde personen, maar nu wilde niemand me zelfs maar ontvangen. De recessie was hard aangekomen, Saddam Hoessein was Koeweit binnengevallen en kort daarvoor waren in een Keniaans wildpark de verkoolde resten van een Engels meisje, Julie Ward, gevonden. Bedrijven houden er zelfs in rustige tijden niet van individuele acties te sponsoren, vanwege de grote kans op mislukking. En ze houden al helemaal niet van een lijk met hun logo erop.

Bijna vertwijfeld bezocht ik in augustus 1990 de Britse schoenenbeurs in Olympia, in de hoop marketing-directors te kunnen benaderen. Het was de verkeerde beurs; allemaal hoge hakken en schoenen met bandjes en gespen. Kinderpantoffels met olifantjes erop waren nog het meest Afrikaans van alles. Maar Hi-Tec stond er ook, als een vreemde eend in de bijt. Ik pakte hun wandelschoenen en las de aanbevelingstekst. 'Getest tijdens expedities rond de wereld', stond erin.

Dus vroeg ik aan de man van de stand: 'Tijdens wat voor expedities?'

Dat wist hij niet. Ik vertelde hem van mijn voettocht en zei dat hij mij moest sponsoren als hij ze werkelijk wilde testen. Luly en ik werden uitgenodigd voor een onderhoud bij hem op kantoor. Het gesprek verliep gunstig en ze beloofden binnen veertien dagen contact met me op te nemen.

Drie maanden later werd ik opgebeld met de mededeling dat ze niet meededen. Dit vernam ik op vrijdagavond, maar op maandagochtend had ik ze zover dat ze de helft zouden bijdragen, op voorwaarde dat ik de rest tegen het eind van februari bij elkaar had. Nog maar 25.000 pond binnen twee maanden dus.

Nick Gordon, uitgever van het tijdschrift *You*, overbrugde die kloof voor een deel tijdens een partijtje tapijtgolf in zijn kantoor. Ik was erg blij dat hij direct terzake kwam, omdat ik geen golf speel maar wel aan de beurt was.

Ik reisde begin februari naar Sydney om *Feet of Clay* te promoten, het boek dat ik geschreven had over mijn voettocht door Australië. Hopend op een wonder, werkte ik het hele land in westelijke richting af. Een vertegenwoordiger in benodigdheden ter behandeling van sportblessures had me, toen hij van kantoor naar huis reed, tijdens een vraaggesprek voor de radio in Perth, gehoord. Hij belde op met een aanbod: een gratis massage in mijn hotelkamer. Mijn eerste reactie was wat hij dan met zijn benodigdheden ter behandeling van sportblessures kon doen, maar het dineetje nam ik aan. Over een met kaarslicht beschenen tafel deed ik hem het verzoek sponsor te worden en hij stemde in. Ik antwoordde dat ik dat al eens eerder had gehoord.

De volgende ochtend werd ik op de luchthaven via de luidspreker opgeroepen. Nicholas Duncan had zijn bedrijf, Niagary Therapy, ertoe kunnen overhalen 5.000 Australische dollars bij te dragen. Met nog twee weken te gaan voordat ik naar Afrika vertrok, kwam ik nog altijd 12.500 pond te kort.

Toen ik terugkeerde op het kantoor van One Ten Expedition in Londen, stond daar een doos met shampoo op me te wachten. Deze was gestuurd door de marketing-director van John Paul Mitchell, een bedrijf dat haarverzorgingsprodukten voor kappers op de markt brengt. Op het begeleidend briefje stond: 'Omdat ik je stem op de radio heb gehoord en meende dat je wel prachtig haar moet hebben'.

Ik belde hem op om te bedanken en vroeg om geld. Vier dagen later hadden we een afspraak in Kensington en hij was bereid 2.000 pond bij te dragen aan het begin, en nog eens 2.000 pond aan het eind van de tocht. We namen afscheid en toen ik bij mijn auto aankwam, zag ik dat die opengebroken was. Ik had mijn portefeuille met paspoort, creditcard en sleutels erin achtergelaten. Ik liet mijn creditcard blokkeren, maar kon niet van de parkeerplaats komen omdat ik geen contant geld bij me had. Toen bedacht ik dat ik van de moeder van mijn vriend voor mijn verjaardag twintig pond had gekregen om voor onderweg een badstoffen ochtendjas te kopen – die veel praktischer is dan een handdoek – en ik had het geld in de asbak verstopt.

Ik kwam voor het geplande budget nog altijd 10.500 pond te kort, maar besloot toch niet langer te wachten. Er bleef niets over in de pot om Luly van te betalen, maar zij was zo sympathiek voor me te willen werken en achteraf haar honorarium te krijgen. De Land Rover van One Ten werd op tijd naar Kaapstad verscheept, compleet uitgerust met gereedschap en proviand voor de afgelegen trajecten, zodat we op 2 april 1991 van start konden gaan. Op het laatst zagen de pagina's in mijn agenda eruit als een muur vol graffiti, tot op de laatste dag, toen het gekrabbel zelfs een prioriteitsnummer had gekregen:

1. Embleem op laat aangekomen jack naaien. 2. Aangepaste inlegzolen bij Simon afhalen. 3. Naar de bank, nieuwe creditcard ophalen, geld opnemen, traveller's cheques. 4. Tante Rabbit bellen. 5. Vier (zes?) cheques ondertekenen voor Nic i.v.m. oude parkeerbonnen. 6. Mark i.v.m. afspraak foto's. 7. Auto in garage zetten. 8. Video meenemen. 9. Alle bederfelijke waar wegdoen. 10. Bot voor Fraz. 11. PAKKEN! 12. Boodschap op antwoordapparaat inspreken – 'Hallo, met Ffyona Campbell, ik ben een ommetje maken...'

Ik vind het nooit leuk om afscheid te nemen, vooral niet van mannen op wie ik verliefd ben.

Zes maanden geleden had ik een overlevingscursus van een week gevolgd bij de school van Raymond Mears in Surrey. Raymond was deskundige op het gebied van overleven in de wildernis en hij schreef boeken en hield veel lezingen over dat onderwerp. Hij had de selectieweekends voor Operation Raleigh opgezet. Hij ging te werk volgens de filosofie van de Noordamerikaanse Indianen en had een sterke affiniteit met hun manier van leven. Al na twee dagen kwam ik erachter dat ik een sterke affiniteit met hem had.

De dag voordat ik naar Kaapstad zou afreizen, was tegelijk de vooravond van een nieuwe overlevingscursus, dus namen we in Selborne afscheid. Geen van de leerlingen was al aangekomen, en dus konden we de nacht alleen in het bos doorbrengen. Raymond gaf me een tand van een vos die we hadden gekend. Hij had het skelet opgegraven en helemaal wit gekookt. Daarna had hij er een stuk ruw wildleer doorheen gehaald om hem om je nek te kunnen hangen. Het diende ter bescherming. Hij had er ook een voor zichzelf gemaakt en wij hingen ze elkaar om.

Raymond had ook een leren omhulsel en een handvat van hertegewei gemaakt voor het koolstofstalen mes dat ik om mijn hals droeg en dat hij speciaal voor mij bij Wilkinson Sword had besteld. Het koord had hij donkerrood geverfd, als teken dat ik mijn sporen had verdiend in de kunst van het overleven. Ten slotte gaf hij me zijn mocassins. Toen begon ik mijn medicijnzakje klaar te maken. Ik vond het belangrijk deze rituelen uit te voeren; ze gaven me het gevoel bijzonder te zijn, alsof ik in een geheim werd ingewijd.

Toen ik de volgende ochtend naar Heathrow reed, zat ik te huilen. Mijn ouders waren uit Devon gekomen om me uit te zwaaien en mijn zus Shuna uit Londen. Drie snikkende vrouwen in de vertrekhal. Belachelijk eigenlijk dat we er zo'n toestand van maakten. Maar ik miste Raymonds adviezen en troost nu al en ik was bang voor Afrika.

Ik ben naar Kaapstad gevlogen met mijn vuurboog op mijn schoot en het mes aan mijn rechterkant: *Trek het met ere, Fi, en hul het in moed.* De vossetand hing om mijn nek. Geen van beide totems beschermde me tegen de eerste aanvaring met de Afrikaanse bureaucratie.

'Wilt u alstublieft geen stempel in mijn pas zetten?' vroeg ik aan de douanebeambte, een blanke. 'Ik reis naar het noorden door Afrika en ze laten me in bepaalde landen niet toe als ze zien dat ik in Zuid-Afrika ben geweest.'

Dat leek me een heel normaal verzoek toe, maar met het stempel in de aanslag zei hij grof en met een afgemeten accent: 'Dan had je een brief met toestemming van de ambassade in Londen moeten vragen.'

'Ik ben bij de ambassadeur op de thee geweest,' zei ik, 'en hij heeft me dit helemaal niet gezegd.'

Een kort maar gruwelijk moment zag het ernaar uit dat mijn voettocht al voorbij was voordat ik één stap had gezet. Toen, met een overdreven theatrale zucht, pakte hij het vel papier dat ik hem had gegeven en zette zijn stempel daarop.

Buiten stonden de Zuidafrikaanse media me al op te wachten. Ze stonden bij een vlag van Hi-Tec met het motto: 'Geef nooit op'. Ze wilden dat ik in korte broek en een hardloopvest poseerde als fotomodel. Ik vond dat sportieve imago niet erg, het stelde de confrontatie met zandkleur en het echte Afrika nog even uit. Bovendien bedacht ik dat het voor de mensen in de beschaafde wereld geruststellend werkte als ze me in een hokje konden plaatsen.

Toen Brad, de directeur van de dochteronderneming van Hi-Tec in Zuid-Afrika, me naar mijn hotel reed, liet hij een bom vallen: hij had het begin van de voettocht twee weken uitgesteld, want hij wilde dat ik een paar promotie-activiteiten deed.

'Je moet tòch wachten,' zei hij. 'Het geld uit Londen is nog niet binnen.'

'Waarom niet?'

'Vanwege de wisselkoersen. Je wilde het in ponden.'

'Ik kan toch niet helemaal door Afrika gaan lopen met alleen maar rands op zak, nietwaar?' zei ik, met mijn tanden op elkaar geklemd.

Die avond was het vollemaan en ik voelde Raymonds aanwezigheid heel sterk. Wij hadden afgesproken om naar de maan te kijken en op die manier met elkaar 'te praten'. Dat was iets wat de Noordamerikaanse Indianen deden. Ik klampte me heel stevig vast aan dit soort dingen. In mijn geest had ik een beeld van hem gemaakt, iemand om naartoe te lopen. Ik had iets heel sterks nodig om me vooruit te trekken, zeker nu ik de woede jegens mijn vader niet meer als stuwkracht had. Die had me op mijn tocht door Australië van de benodigde brandstof voorzien. Na die wandeling had hij me de zwaarste klap toegediend die maar mogelijk was door me te prijzen, en nu stond ik helemaal beneden in Afrika zonder een reden om naar boven te lopen.

3

23 maart: *Opnieuw onder het Zuiderkruis. Ver weg hoor je bij het vallen van de avond het insektenleven zoemend ontwaken – toch kun je in het westen de gele gloed van de ondergaande zon nog zien. Afrika wordt een heel andere tocht. Dit is meer dan alleen maar kilometers aaneenrijgen; dit wordt een periode van leren en van het vormen van mijn toekomst. De weg naar huis heeft me nooit zo lang geleken en is me nooit zo dierbaar geweest. Dit is mijn voettocht, mijn reis en mijn leerschool voor het leven.*

Brad liet me kennismaken met Andrew Muir, leider van de Wilderness Leadership School. Het doel van de school was mensen met verschillende etnische, economische en maatschappelijke achtergronden samen op pad te krijgen, om ze te leren samenwerken. Ondertussen werden ze onderwezen over de wildernis, hoe kwetsbaar die is en waarom ze moet blijven bestaan.

De volgende dag arriveerde een van de chauffeurs, Oliver Ryder, vanuit Londen. Wij hadden hem pas een week later verwacht, maar hij zei dat hij zich verveelde. Oli was pas eenentwintig en een lange slungel van een meter negentig. Zijn bruine haar was trendy geknipt, hij had helderblauwe ogen en een lage upperclass stem.

De volgende dag vertrokken hij en ik, met Andrew en zijn vriendin, om vijf uur 's ochtends naar een boerderij in de Karoo. Andrew wilde daar een groep Bosjesmannen leren kennen, die door een paar boeren uit Namibië gehaald waren – deze Bosjesmannen wilden hun eigen traditionele manier van leven in ere herstellen, na ontsnapt te zijn aan een toestand die gelijkkwam aan slavernij bij een stel Portugezen. Andrew wilde ook ontdekken waarom Zuidafrikaanse boeren de Bosjesmannen een tehuis hadden gegeven en zien of hij enkele van die mannen kon opleiden tot gidsen voor de Wilderness Leadership School.

We brachten er twee dagen door. Wij hadden algauw in de gaten dat het geen missie van barmhartigheid was geweest: de boeren hadden honderd vakantiehuisjes gebouwd in de semi-woestijn en wilden bezoekers trekken. De Bosjesmannen waren de attractie en hun verhaal had de aandacht van de media getrokken. De dag daarvoor waren ze naar Kaapstad gebracht om op de foto te gaan. Ze hadden in hun huiden gehuld rond moeten paraderen. Het was een vernederende toestand geweest. Ze waren veel van hun vaardigheden kwijt en konden niet jagen. De stamoudste, Davit, was aan de drank. En zoals altijd waren het de vrouwen die de boel staande hielden.

De boeren hadden de bungalows op een heilige plaats gebouwd. Daar bevond zich een natuurlijke bron tussen rotsen van zandsteen, overdekt met de kunst van de Bosjesmannen. De boeren hadden er beton gestort en er een zwembad van gemaakt met een betegelde bodem en ladders.

Toen we vertrokken, zag ik een glanzend zwarte, boze cobra onder een rots zitten. Bang geworden, spuwde hij zijn gif naar de manager, die echter beschermd was door zijn brilleglazen. Een paar plaatselijke jongens probeerden de cobra te vangen, maar zij waren níet door brillen beschermd.

'Maakt niet uit,' zei de manager, 'er zijn er hier genoeg.'

Ik snapte hem niet. 'Spuwende cobra's?' vroeg ik.

'Jongens,' lachte hij.

Andrew nam me ook mee naar twee barakkendorpen buiten Kaapstad.

De totale bevolking van Khayelitsha en Crossroads: 15.000.

Totaal aantal toiletten: twee.

Kinderen renden af en aan tussen de brandende afvalhopen en raakten lachend en nieuwsgierig onze huid aan.

Toen we dit gebied verlieten, zagen we verscheidene jonge jongens die beschilderd waren met witte kalk langs de autoweg staan. Dit maakte deel uit van hun besnijdenisritueel, legde Andrew uit. Ze moeten twee weken alleen in de wildernis doorbrengen en al hun vaardigheden gebruiken om te overleven. Bij gebrek aan wildernis stonden deze jongens langs de autoweg.

Terwijl ik in Londen bezig was de route uit te stippelen, hoorde ik van Pippa Snook, een waterbouwkundig ingenieur die op de motor de voetstappen van Livingstone wilde volgen. Zij woonde in Devon en we deden een poging elkaar te ontmoeten, maar toen ik tijdens een hevige storm naar haar huis reed, stuitte ik op een omgewaaide boom die dwars over de weg lag. Nu belde ze op om te zeggen dat ze in Durban was en liftend op weg hierheen om de start mee te maken. Na haar aankomst spreidden we de kaart uit en ze vertelde zonder omwegen dat ik op veel plaatsen in Afrika geen veertig kilometer per dag kon afleggen. Zij was door Zaïre gelopen, maar de route die ik wilde nemen, was blijkbaar onbegaanbaar voor voertuigen.

'Die brug nemen we wel als we zover zijn,' zei ik.

'Welke brug?' zei ze.

De Land Rover arriveerde in de haven. Maar de laadbrief, het autopaspoort en andere documenten ontbraken. Die waren al verscheidene dagen eerder door DHL uit Londen opgestuurd, maar de douane ter plekke kon ze niet achterhalen. Daarom verrichtte ik zelf enig speurwerk. Ik ontdekte dat ze in Johannesburg lagen en dat we ze pas over drie dagen konden hebben. Ik begon inzicht te krijgen in Afrikaanse efficiëntie.

Charles Norwood, de eigenaar van One Ten Expeditions, had nagelaten me in te lichten over het feit dat Oliver in Zaïre zou afhaken, omdat hij een baan in Londen had. Over de andere chauffeur, Gerry Moffatt, had hij me niet meer verteld dan dat hij een Schot was en een aardige kerel – maar niets waaruit je kon opmaken hoelang hij zou blijven. Charles wist precies hoe je een vrouw op haar gemak kunt stellen.

Charles en Gerry Moffatt arriveerden. Wij gingen met ons vieren ergens eten, samen met Brad en zijn vrouw en verschillende andere mensen van Hi-Tec. Het restaurant had geen drankvergunning, maar de eigenaars hadden daar hun eigen oplossing voor bedacht.

'O, mijnheer,' zei de ober om de zoveel tijd, 'bedoelt u die fles droge witte wijn die u buiten heeft laten staan? Ik zal hem even voor u halen.'

Charlie hield een rustig, aanmoedigend praatje – dat ik iedere dag moest nemen zoals die kwam. Hij was in mijn buurt geweest tijdens het schrijven van de definitieve versie van *Feet of Clay* en wist hoeveel ik van Australië had gemist, omdat de tocht zo doorspekt was geweest met fysieke pijn en ik geen tijd had gehad goed om me heen te kijken. Hij zei tegen me dat ik er plezier aan moest beleven omdat de tocht zo lang was.

Ik keek over de tafel naar Gerry. Hij was zesentwintig, een meter vijfenzeventig lang, zag er sterk en pezig uit en hij had zeer sprekende bruine ogen. Charlie had verteld dat hij tot de vijf beste kanovaarders ter wereld behoorde en een bekwame bergbeklimmer en skiër was. De laatste vier jaar was hij chauffeur en gids geweest tijdens vlotreizen van Encounter Overland. Hij leek erg gezellig en bezat een aanstekelijke humor, die hij met een hoog stemmetje en een sterk Edinburghs accent uitte. Hij dronk en rookte te veel. Maar het leed geen twijfel dat hij het hele gezelschap levendig wist te vermaken. Ik dacht dat hij precies de juiste persoon was die ik zocht, maar zei wel tegen Charlie dat ik me afvroeg hoe hoog zijn vervelingsdrempel was. Hij hoorde me niet.

Op zondag brachten we stickers aan op de Land Rover en controleerden de uitrusting. Charlie gaf aan dat deze controle en het inpakken van de bagage het werk van Oli en Gerry was.

'Dit is hun taak,' zei hij. 'Ze moeten samen een werkroutine opzetten en op deze manier wennen ze er vast aan voordat jullie op weg gaan.'

Dit was het eerste van de vele seintjes dat ik me niet moest bemoeien met het back-up-systeem.

Die avond zaten we in een straatcafé, ieder met een vel papier voor zich, om de taken te verdelen. We moesten een politie-escorte regelen als we Kaapstad verlieten, want gedurende het eerste uur zou er een groep hardlopers met me meelopen. En we moesten een route door de stad uitstippelen, de hotelrekening betalen en een verzekering regelen.

Ik ging vroeg naar bed met een fles cognac. Ik belde mijn familie en Raymond, om te zeggen dat ik van ze hield. Toen nam ik een lang, warm bad, maakte me helemaal goed schoon, keek televisie en genoot van de privacy achter een gesloten deur. Ik deed bewust allerlei dingen die ik voorlopig niet zou doen, zoals het toilet doortrekken, op bed liggen zonder last te hebben van muggen en uit een glas drinken.

Ik had het gevoel alsof ik een veilige toekomst met de man van wie ik hield en een stabiel en gemakkelijk leven de rug had toegekeerd – alles waarvoor ik de halve wereld rondgewandeld was. Ik had nog nooit zoveel opgefokte toestanden bij de start van een tocht meegemaakt en ik kreeg er de zenuwen van dat ik dat niet van me af kon schudden. Ik was bang voor Afrika en bang voor het lopen – vooral omdat ik niet met Hi-Tec-schoenen had getraind. Pas na ongeveer driehonderd kilometer weet je of een paar schoenen goed zijn en ik had de afgelopen zes maanden niet meer gelopen dan een keer acht kilometer aan één stuk, omdat ik zo hard had moeten pezen om geld bij elkaar krijgen en de logistieke kanten van de tocht te regelen. Dit nam zoveel tijd in beslag dat ik dacht, toen het zover was: 'Goddank, dat is voorbij'. Pas dan dringt het tot je door dat je nog moet gaan en de tocht volbrengen. En dat je *helemaal niet* getraind hebt.

Ik deed die nacht een soort mentale warming-up, herinnerde mezelf eraan iedere dag te nemen zoals die kwam, nooit aan het eind ervan te denken, te onthouden dat er gelachen moest worden en dat ik er plezier aan moest beleven, niet naar de grond moest kijken maar met opgeheven hoofd doorlopen en rondkijken. Ik voelde me al een stuk beter bij het idee dat mijn dagelijkse schema slechts de helft besloeg van wat ik in Australië had gedaan. Daar was ik gedwongen geweest zulke krankzinnige dagmarsen af te leggen, dat ik als een geestelijk en lichamelijk wrak in Perth was aangekomen.

We stonden vroeg op en bespraken voor het laatst de logistiek. We moesten om tien uur bij het Camps Bay Hotel aan de Atlantische kust zijn voor de officiële startceremonie van Hi-Tec.

Ik ging naar een bank en moest drie kwartier in de rij staan om geld op te nemen met mijn creditcard. Charlie regelde de verzekering, en Oli en Gerry gingen inkopen doen. Op straat botste Gerry tegen een lantarenpaal op. Die galmde toen de metalen plaat in zijn hoofd ertegenaan kwam. Niet wetend waardoor hij geraakt was, stond hij op, klaar om te vechten.

Oli reed met de fiets naar Camps Bay en Charlie, Gerry en ik gingen met de Land Rover. We brachten nog wat tijd op het strand door, waar we met de burgemeester van Kaapstad, de vertegenwoordiger van De Beers en nog een paar andere hoogwaardigheidsbekleders een champagnecocktail dronken. Mavis Hutchinson, bijgenaamd 'de galopperende grootmoeder', zou de eerste tien kilometer met me meelopen. Zij had, toen ze midden vijftig was, nog heel Amerika en Engeland doorkruist. Er was veel belangstelling van de media, maar ik kon niet oneindig de oceaan in en uit blijven hollen. Ik deed het nog een laatste keer, alleen voor mezelf, en zei in mijn binnenste: 'De wandeling is begonnen.'

Gerry maakte video-opnamen en Charlie nam foto's. Ik wendde me tot de camera en zei, zoals ik altijd deed voordat ik aan een werelddeel begon: 'Maak je geen zorgen, Fi, je gaat gewoon een ommetje maken.' Toen vulde ik een 35-mm filmhoudertje voor de helft met zand. De andere helft zou ik met zand van de Middellandse Zee vullen als ik in Caïro aankwam.

Ik liep het met gras begroeide duin op, waar de helemaal met Hi-Tec-logo's beplakte Land Rover stond. Wij gingen bij elkaar staan voor de groepsfoto en de burgemeester deed me een sjaal cadeau. Ik hield een toespraakje, niet zo heel erg goed, over het belang van sport als een manier om mensen tot elkaar te brengen.

Toen bedankte ik iedereen en sprak: 'Ik ben vertrokken!'

Iedereen dacht dat ik nog wat aan het proefhollen was voor de camera's en bleef hangen om champagne te drinken en hapjes te eten.

Maar ik was ècht vertrokken.

Tien minuten later kreeg ik een steek. Nadat het hele verzamelde gezelschap in de klaarstaande auto's met airconditioning was gestapt, zwoegde ik voort door het centrum van Kaapstad, verhit en nogal wankel op mijn benen. Oli haalde me in op de fiets. Wij passeerden in een flink tempo enkele ruwe industrieterreinen en kwamen toen in die vreselijke troep terecht die zo kenmerkend is voor de buitenwijken van iedere stad.

Die avond stopten we in Goodwood, waar de Holiday Inn ons onderdak verschafte. Ik had maar zevenentwintig kilometer gelopen, maar we waren ook wel erg laat gestart. Tot dusverre zaten de schoenen prima, maar aan de rechterkant kreeg ik pijn in mijn kuitspieren. Gedurende de eerste twee weken van de voettocht door Australië had ik daar erg veel last van gehad en ik moest er niet aan denken dat ik weer zoveel pijn zou gaan krijgen. Ik had een paar inlegzolen laten maken om de pronatie van mijn tred te corrigeren en het risico te vermijden dat de blessure zou terugkeren, maar dat werkte blijkbaar niet. Ik kreeg meestal last van mijn kuitspieren in heuvelachtig gebied, maar hier was het terrein vlak. Ik vreesde het ergste.

Wij namen een douche en daarna hadden Charlie en ik een gesprek over het geld. Hij wilde geld hebben voor het transporteren van mijn uitrusting in de Land Rover, ook al had het hem geen duit gekost, met de redenatie dat als hij het niet had gedaan, ik iemand anders ervoor had moeten betalen om het te doen. Ik zei dat ik hem 25.000 pond had betaald voor de huur van de Land Rover voor een heel jaar, inclusief de chauffeurs. Hij zei dat hij zijn budget had overschreden. De passagiers die hij naar Zuid-Afrika had willen brengen, hadden afgezegd. Daardoor had hij, in plaats van winst te maken door de Land Rover over land te brengen, 2.000 pond verlies geleden doordat hij hem had moeten verschepen. Hij vroeg of ik hem kon helpen door het eten van de chauffeurs te betalen. Daar stemde ik ten slotte mee in, toen hij me had verzekerd dat het eten in Afrika erg goedkoop was. Wist ik veel!

Ik had besloten de afstanden, net als ik in Australië had gedaan, in te delen in 'kwarten'. Op de tocht van Sydney naar Perth moest ik vijf etappes per dag afleggen, maar ik kon er niet aan wennen ze 'vijfden' te noemen. Mijn geplande routine voor de eerste twee weken was tweeëneenhalf 'kwart' per dag: Zestien kilometer tot het ontbijt, zestien tot aan de lunch en acht tot aan het eind van de dagmars om twee uur 's middags.

Tot mijn grote ergernis stond Charlie erop dat een van de chauffeurs altijd met me mee zou lopen – maar hij kende Afrika en ik niet.

De tweede ochtend liep ik samen met Gerry. De bewoonde wereld werd teruggebracht tot hier en daar een snackbar, vervolgens zag je alleen nog roestige oude treinrails en gras dat ruw was van rode aarde en toen witte gombladeren – oude vrienden van me. Ik was verhit, uitgedroogd en prikkelbaar.

Lopen is niet gemakkelijk. Als je zonnebrand en buikloop krijgt, je kuiten zeer doen, de blaren verschijnen, je nagels gaan loslaten, de spieren verstijven en je hele lichaam pijn gaat doen, dan is het in het begin erg moeilijk niet geïrriteerd te raken door de chauffeurs, ook al doen ze helemaal niets verkeerd. Tot op zekere hoogte werd mijn ergernis door hen juist minder, omdat ze ieder een kwart per dag met me meeliepen, maar als ik aan het eind van een pauze opstond om aan de volgende zestien pijnlijke kilometers te beginnen, in de wetenschap dat zij alleen maar achter het stuur van de Land Rover hoefden te gaan zitten – dan zat me dat hoog. Ik benijdde hen dat zij mochten rijden. Ik benijdde hen om het plezier en het vooruitzicht van een nieuwe dag zonder blaren. Het is nogal eenzaam onderweg, zonder iemand om samen mee te mopperen en het leed te verzachten met humor. Even pauzeren en je schoenen en sokken afpellen geeft een eenzaam gevoel. Ik heb pijn en wil dit eigenlijk helemaal niet – maar ik ben wel degene die de tocht voortgang moet laten vinden, dus ik ga het bijltje er niet bij neergooien. Ik moet een heel strikte routine handhaven, anders overbrug ik de afstand niet. Ik had twee jaar voor mijzelf gewerkt; als ik iets niet wilde doen, dan deed ik het gewoon niet. Dat kun je in de stad doen, daar creëert het leven zijn eigen impulsen. Maar onderweg gebeurt er niets als ik niet ga.

Ik had met Robert Swan, de poolwandelaar, over back-up gesproken – hij vond het een geweldig idee aan het eind van de dag het kamp voor je op te laten zetten.

'Ja, dat is het ook,' zei ik, 'maar hoe zou jij het vinden uitgeput en met pijn door de kou te moeten ploeteren, in de wetenschap dat ergens verderop een sneeuwmobiel staat met alle andere teamleden erin, die knus en warm bij elkaar zitten en onder het genot van hete chocola plezier maken?'

Ran Fiennes bevoer een rivier in de wouden van Canada, terwijl hij vanaf de oever door een cameraploeg werd gefilmd, die worstelde met de zware apparatuur. De leider wilde lastpaarden voor hen laten komen, maar Fiennes vond dat steun van buitenaf niet strookte met de regels van de expeditie, een riviertocht. 'Ik kan niet van mijn mannen verwachten dat ze met zware rugzakken verder zwoegen, terwijl er een paar meter achter hen een paar pony's lopen die met gemak ook onze spullen zouden kunnen dragen, samen met die van jullie,' zei hij. Hij oogstte een lawine van kritiek, maar ik snapte heel goed wat hij bedoelde.

's Middags liep Charlie met me mee. Hij sprak van zweefparachutisme en we keken naar de thermiekbellen die zich achter de nevelige, scherpgerande bergpieken in de verte verhieven. De weg begon steeds meer op het Afrika te lijken waar ik naar uit had gezien. Ik ging op de zandbermen lopen om de pijnlijke spieren in mijn kuiten te verlichten. Er kwamen vrachtwagens voorbij met arbeiders die opstonden in de wind en naar me zwaaiden. Ik zag vrouwen en schoolkinderen. Een van hen droeg een doos met kranten op haar hoofd. Waarschijnlijk woonde ze in een van de barakkendorpen waar we zojuist doorheen gekomen waren. Dat dorp was vol afvalhopen geweest, omdat het vuilnis er niet wordt opgehaald en alles verbrand moet worden en de rest verspreid. De huizen waren opgetrokken uit golfplaat en hout, sommige hadden één enkel raam. Kleine kinderen zwaaiden en lachten naar ons. Zij waren de eersten die naar me zwaaiden sinds het begin van de tocht. Eentje groette me met de gebalde vuist van Black Power.

In de verte doemde Paarl op, met zijn ronde, rotsachtige heuveltop en beschilderde monument van de Afrikaanse taal.

Er was nog steeds een cameraploeg van de BBC in de buurt. Ze arriveerden juist toen Charlie en ik bij een tweesprong waren gekomen en over de route stonden te discussiëren. We namen de afslag waarvan we dachten dat het de juiste was, in afwachting van de Land Rover waarin de kaart lag. Dat was mijn fout – ik had de kaart mee moeten nemen of in ieder geval de route in mijn hoofd moeten prenten. Ik kon niet verwachten dat de Land Rover altijd op tijd bij iedere hoek zou staan wachten. De chauffeurs hadden hun timing nog niet rond en in een auto kun je het belang van de afstanden niet goed inschatten – een aantal kilometers te veel maakt niet uit. Een half uur later haalde de Land Rover ons in. We waren de verkeerde weg ingeslagen. Verspilde voetstappen.

De mannen hadden een gratis plek gereserveerd op een kampeerplaats. Ik zette aan het eind van de dag met een oranje spuitbus een teken op de weg en we reden naar de kampeerplaats. Omdat ik een fanatiekeling ben, die ieder stukje van de weg ook werkelijk gelopen wil hebben, moest ik de weg zó goed markeren dat ik de plek de volgende ochtend in het donker terug kon vinden. Dat ging het gemakkelijkst als ik naar een boom of telegraafpaal of iets dergelijks liep, deze 's avonds aanraakte en de volgende ochtend bij vertrek opnieuw even aanraakte.

De kampeerplaats was prachtig groen, met heel veel bloemen. Het avondlicht in Zuid-Afrika is goudkleurig en dat blijft minstens een uur zo. Ik was die avond erg stijf en Gerry masseerde mijn benen, nadat ik mijn rekoefeningen had gedaan.

Het was de beurt van Oli om te koken. Zonder te vragen wat ik kon doen, hielp ik een handje mee en begon de kaas te raspen, terwijl hij de macaroni op de petroleumbrander zette. Charlie nam me opnieuw terzijde en zei tegen me dat ik de jongens hun taken moest laten doen. Ik voelde me er verlegen onder; het toonde aan dat ik de stand van zaken niet kende. Maar ik wil tijdens mijn wandelingen ook betrokken zijn bij wat er in het kamp gebeurt, omdat het me het gevoel geeft dat ik deel uitmaak van de ploeg en deelneem aan het proces van het opzetten van een tehuis. Ik moet geestelijk en lichamelijk ook kunnen opgaan in iets anders dan alleen lopen. Acht uur lang dagelijks dezelfde bewegingen met je lichaam maken en dan gaan zitten niets doen, afgezien van het schrijven of het verzorgen van mijn voeten, maakt me onhandig. In Australië had ik buiten die marsen van 120 uur per week nauwelijks tijd om iets anders te doen dan blaren uit te drukken en schoon te maken, te eten en te slapen. Het was een reis, geen manier van leven. Maar op rustdagen was er niets dat me meer plezier deed dan het busje schoonmaken en een eigen plek creëren in de wildernis. David, de bestuurder van de back-up-auto, had beslist geen bezwaar gemaakt.

Toen de zon onderging, kwam de cameraploeg afscheid nemen. Nu werd het ernst. Ik was jaloers op hen dat ze de vrijheid hadden weg te gaan.

4

Ik werd om halfzes 's ochtends gewekt met een metalen mok thee, die in mijn daktent werd geschoven. Aardig gebaar, jongens! Na een ontbijt dat uit vruchten bestond, ging ik een half uur later bij zonsopgang van start.

Pas twee uur later passeerde de Land Rover mij op weg naar de eerste halteplaats. De jongens hadden nog niet door dat ik geruster was als ze snel inpakten, voor me uit reden en ontbeten tijdens die paar uren dat ze moesten wachten tot ik hen weer ingehaald had.

Ik houd ervan pittig door te stappen – acht kilometer (vijf mijl) per uur. Deze oefening geeft me een licht gevoel en het betekent dat ik de dagmars snel achter de rug heb. Het was mijn plan om zestien kilometer te lopen en samen met hen te ontbijten. Dan nam ik een half uur pauze en begon ik aan de volgende etappe terwijl zij inpakten. Tijdens die zestien kilometer zouden ze me weer passeren en op me wachten met de lunch, bestaande uit sandwiches, pasta of restjes van de vorige dag en thee. Dan begon ik na een pauze van een uur aan het laatste kwart, waarna ik me weer bij hen voegde voor het avondkamp. De jongens moesten eraan wennen de afstand zeer precies te schatten – ze zetten de mijlenteller steeds op nul als ze van de halteplaats vertrokken, maar wanneer ze de stad in moesten, hetzij achter me of voor me uit, dan moesten ze eraan denken die afstanden de corrigeren.

De mensen schijnen te denken dat het back-up-voertuig iedere meter van de weg achter me aankruipt. Dat is dè manier om zowel de back-up als de loper tot zelfmoord tę drijven. Het is juist heel belangrijk dat de auto uit het zicht en buiten gehoorsafstand blijft, en *voor me uit* rijdt, want als zij achter mij blijven steken, dan houdt dat in dat ik ergens strandt met alleen datgene wat ik bij me heb – een dagrantsoen met een plastic literfles met water, toiletpapier, een klein flesje met talkpoeder voor wonden, bananen, een zonnebril en zinkzalf voor mijn neus.

Ik ging op weg naar Ceres en Charlie liep die ochtend met me mee. Zij aan zij liepen we in de pas en praatten over zijn ervaringen in Afrika. Niets scheen hem te deren omdat er altijd wel een oplossing was. Hij was een goede monteur in de jungle en in veel opzichten bezag hij het leven alsof het de motor van een Land Rover betrof. Wàt het probleem ook was, het kon verholpen worden – je moest hem alleen de goede onderdelen aanreiken, goed gereedschap en biceps hebben.

Aan weerszijden van de weg lagen geblakerde tarwevelden, zwarte en okerkleurige stukken, onderbroken door de lange repen staal van de spoorlijn die ik al dagenlang tegenkwam. Een machinist zwaaide naar ons en trok breed lachend met zijn armen als een snelwandelaar. Aan de rechterkant bleven de bergen ver weg. Nergens schenen ze dichterbij te komen.

Gerry vond een goede kampeerplaats, hoewel hij veel van zijn charme moest aanwenden om de eigenaar zover te krijgen dat we er mochten staan. Wij moesten tenten opslaan en de man accepteerde alleen caravans. In de late namiddag zaten we in een kom tussen de bergen waar de lucht tamelijk koel was. Op veel hellingen waren wijngaarden geplant. Dit was een van de beroemdste wijngebieden van Zuid-Afrika en de enige plaats waar de druiven soms 's nachts worden geoogst om ze een speciale smaak te geven.

Hier moesten we uiteraard van proeven. Gerry kookte een stoofschotel met kip en na het eten opende Charlie, bijna eerbiedig, de fles whisky die hij al bij zich had sinds hij uit Londen was vertrokken. Deze fles was met verbazingwekkende snelheid leeg, maar de jongens veerden op toen de baas van het kampeerterrein arriveerde met een fles cognac. Deze werd weggespoeld met flessen rode wijn, één mousserende en twee andere met gewoon druivenat.

Er was een plaatselijke Boer bijgekomen in een kaki-uniform met epauletten, een schriel mannetje met een naar, dun getrimd snorretje, een boerenlul vol snobistische vooroordelen. Hij werd steeds kwader naarmate de jongens meer bezopen werden en hem maar bleven onderbreken tijdens zijn monologen over het blanke koloniale regime en de onbeschaafdheid van de 'blecks in South Efrica'. Hij vertelde over een recente aardbeving, maar dat was niet zo heel erg geweest – er waren geen doden gevallen. Er waren een paar zwarten omgekomen, maar er waren geen doden gevallen.

De volgende ochtend zag Gerry, geteisterd door een gigantische kater, eruit alsof hij bereid was zijn ziel te verkopen aan de eerste de beste die de pijn kon wegnemen. Om het nog erger te maken, woei er een huilende natte wind uit het zuidoosten, die de jonge boompjes bijna platdrukte en alles dreigde mee te nemen wat niet vastgesjord was.

Tot dusver was dit het zwaarste bergachtige gedeelte – de tocht door de Michell Pas. Deze was in de jaren tachtig van de vorige eeuw aangelegd door mannen in de greep van de goudkoorts, om de ossekarren door te laten die op weg waren naar Transvaal. Zij droomden van het fortuin dat slechts enkele centimeters onder het aardoppervlak op hen lag te wachten.

Rechts van ons hoorde Gerry het donderende geraas van water over de rotsen. Hij vertelde me het verhaal van zijn kunstmatig herstelde voeten. Tien jaar geleden, hij was zestien geweest, was hij in Oostenrijk gaan kanovaren. Hij was in een stroomversnelling geraakt en via een verkeerde hoek in een poel terechtgekomen. De neus van de kano klapte tegen de rotsen, waardoor zijn bovenlichaam naar voren werd geslagen en zijn voeten in de punt klem kwamen te zitten. Zijn tenen waren achterwaarts over zijn voeten gedrukt. Zijn pols en ribben waren gebroken en hij had een schedelbasisfractuur gehad. Maar het ergste kwam nog.

Bewusteloos onder water liggend, gevangen in zijn kajak, werd Gerry een hele minuut door de stroom meegesleurd, waarbij zijn hoofd tegen onder water liggende rotsen sloeg. Toen was hij eindelijk in stil water terechtgekomen en kon hij in veiligheid worden gebracht. Men had mond-op-mond-beademing toegepast.

Gerry mocht van geluk spreken dat hij nog leefde, maar hij besefte ook dat hij niet verzekerd was en dat hij, noch zijn ouders, de ziekenhuisrekeningen konden betalen. Hij zei tegen de artsen dat hij een vlucht naar Schotland geboekt had en ontsloeg zichzelf uit het ziekenhuis. Maar in plaats daarvan reed een vriend met hem op de achterbank veertien uur door de nacht, terwijl hij ondraaglijke pijn leed. Terug in Engeland brachten ze een metalen plaat in zijn hoofd aan en werden zijn voeten opnieuw gebroken en in het gips gezet. Ze zouden echter nooit meer helemaal in orde komen.

In de bergen die om ons heen oprezen, zat een enorme verholen energie, en de ruwe pieken die door de wolken afgekoeld werden, straalden macht uit. Het deed ons allebei denken aan Glen Coe in Schotland, waar wij onze eigen, afzonderlijke ervaring hadden opgedaan met de kou en de nattigheid die daar heersen.

De bavianen verspreidden zich naar de hoger gelegen delen als we voorbijkwamen. Wij pakten stenen voor het geval we ons moesten verdedigen. Normaal gesproken vallen ze niet aan, maar de tanden van een baviaan kunnen een antiloop neerhalen, en of ze nu jong of oud zijn, ze vertonen weinig angst voor mensen. Als er voedsel in de buurt is, vinden ze het, ook al houdt dat in dat ze autodeuren moeten openbreken of de touwen van het dekzeil van een laadbak losmaken.

Een groot mannetje sloeg ons nauwlettend gade, starend naar dat gekke stel in hun Gore-Tex outfit, en liet toen verscheidene grote stenen over de rand van de rots rollen om te zien of we het op een lopen zouden zetten.

Mijn opdrukoefeningen gingen goed en ik kon er een flink tempo in blijven zetten. Gedurende die eerste paar dagen was ik erg bezig geweest met mijn eigen fitness en angsten. Ik werkte hard aan mijn mentale training, want ik moest niet vooruitdenken, dan zou ik in paniek raken bij de gedachte aan de immense afstand. Ik had dat nodig om me op de been te houden en gestaag door het regenwoud te lopen, waar de levensomstandigheden slecht zouden zijn, de spanning zou oplopen en waar je niet kon stoppen en weggaan. Ik ben soms tijdens een tocht in paniek geraakt en dan moet ik de teugels aantrekken om me te beheersen. Soms zijn ontberingen gemakkelijker om mee om te gaan, omdat je dan iets tastbaars hebt waartegen je kunt knokken; makkelijke stukken zijn niet altijd zo makkelijk als ze lijken. Het is de geest die me erdoorheen sleept – het lichaam volgt wel. Het helpt als je lichaam in een goede conditie verkeert en opgewassen is tegen zijn taak, maar mijn lichaam was verslapt – ik was gewend om voorverpakt voedsel uit de supermarkt te eten, iedere dag een douche te nemen, ik was niet door insekten gebeten en had niet de hele dag in de zon doorgebracht.

Bij dat alles had ik geen tijd om te overwegen hoe Oli, Gerry en Charlie zich erdoorheen sloegen. Dit was allemaal erg nieuw voor ze en iedere dag leerden ze iets bij. Back-up verzorgen tijdens een voettocht is van vitaal belang, maar het tempo ligt laag. Je krijgt niet iedere dag een stoot adrenaline als gevolg van iets avontuurlijks, en de mijlen kruipen voort in plaats van verslonden te worden. De taak zelf is heel vervelend als je die na een paar dagen onder de knie hebt.

Vooral Gerry scheen niet te begrijpen dat je je eigen tempo moest bepalen en niet vooruit moest kijken naar maanden van hetzelfde – ik had getracht het uit te leggen, om hen op die manier met het tempo te verzoenen, maar had op mijn donder gekregen omdat ik een lange-afstandsveteraan wilde leren hoe hij eieren moet eten. Het was ook in andere opzichten een vreemde bedoening voor hem. Ik was twee jaar bezig geweest met het plannen van de tocht; hij was net aangekomen. Toch wist ik niets van Afrika en hij wel. Tegelijkertijd kreeg ik alle aandacht omdat ik degene was die de tocht ondernam; hij nam het voortouw maar ontving daarvoor geen enkele vorm van openlijke of persoonlijke erkenning van mij.

Er werd gemurmureerd in de gelederen. Toen ik tegen Gerry zei hoe goed hij die ochtend had gelopen, legde hij dat uit als neerbuigendheid. En toen ik, koud en nat geworden, aan Charlie en Oli om een kop bouillon voor ons beiden vroeg, keken ze elkaar aan alsof ze wilden zeggen: 'Wie denkt ze wel dat ze is?'

Gerry probeerde nog: 'Kom op jongens, daar krijgen we het warm van, we zijn behoorlijk verkleumd.'

Eindelijk werd er dan toch een ketel opgezet en stonden Charlie en Oli uit protest buiten in de regen, terwijl Gerry en ik in de Land Rover zaten. Dat was volstrekt onnodig. Binnen een paar minuten hadden ze het geteerde zeildoek op kunnen trekken om droog te zitten.

Tijdens iedere pauze zat ik te schrijven, wat de jongens ook erg irritant schenen te vinden, zeker als er spanningen waren. Dan pakte ik de tas met dagelijkse benodigdheden voor onderweg, zette een spiegeltje neer om een dikke laag vochtinbrengende crème op te brengen, zinkzalf op mijn neus te smeren en zonnebrandcrème in te wrijven. Ik werd er ongenadig mee gepest, maar mijn huid kan nu eenmaal niet tien uur lang de hete zon doorstaan.

We hadden nog een lange weg te gaan en het was onheilspellend dat er nu al kleingeestige jaloezie en ruzies bovenkwamen. Ik was blij dat Charlie niet langer dan twee weken bij ons bleef. Hij was een man van stemmingen en kon erg stug zijn. Dat was niet geweldig voor het moreel.

Die avond zetten we de tent op onder hoge pijnbomen en aten rijst met bolognesesaus. Het was een koude, winderige avond. Ik kroop lekker onder mijn donzen dekbed en rolde me op als een bal, luisterend naar het gekreun van de bomen. Nu we op de open grasvlakten waren gekomen, begon het meer op Afrika te lijken. Dit was weids, en alleen in mijn cocon voelde ik me kleiner dan ooit.

Mijn daktent was vervaardigd uit geel, middelgewicht canvas en was half over de breedte ingevouwen, zodat het plat op het imperiaal kon liggen. De slaapzakken, hittebestendige spullen en tent lagen daaroverheen. Over dat alles was een donkerblauw waterdicht zeildoek van zwaar plastic gespannen, dat met een touw bevestigd werd. Dat touw was door gaten aan de zijkant van het zeildoek geregen en werd om haken heen geslagen. Als ik mijn tent wilde opzetten, klom ik op het reservewiel op de motorkap, greep de zijkant van de houten vloerplaat, trok die omhoog en daarna naar beneden over mijn hoofd. De vloerplaat stak negentig centimeter boven de motorkap uit en de tent vouwde zich automatisch uit, met twee U-vormige metalen stangen in de vorm van een waaier.

Er lag een schuimrubbermatras van vijf centimeter dik, waar een donkerblauw katoenen hoeslaken omheen zat. Ik haat slaapzakken – ze zitten te strak om je heen, ze zijn heet en zweterig. Ik gebruik altijd een donzen dekbed en lakens. Dat dekbed had ik al gekregen toen ik zes was en voor het eerst naar kostschool ging. Aan de voor- en achterkant van de tent zaten deurflappen. Achterin stond de rij jerrycans met water en diesel en er was een ruimte waar ik vier donkerblauwe nylon plunjezakken met kleren had, zodat ik me daarboven kon omkleden. Tijdens heldere nachten sloeg ik de flap open over het dak, legde mijn kussen op de plunjezakken en ging onder de sterren liggen. De deuropening en de vier driehoekige raampjes waren bedekt met muskietengaas, maar dat was zó slecht dat ze scheurden. Het was niet mugvrij. In de gebieden waar muggen veelvuldig voorkwamen, hing ik een net op binnen in de tent, van de daksteunen naar beneden, en stopte dat in onder het matras. Maar de openingen tussen de bevestigingspunten aan de zijkanten lieten muggen binnen. Dit was het goedkoopste geweest dat er in de handel was; voor een paar stuivers meer had ik een waterdichte, insektenvrije zone gehad.

Langs de zijkant achterin lag een plunjezak met wasgoed, mijn vuurmaker en de tas met kleine schatten die ik nooit gebruikte. Ik borg mijn schoenen op in de ruimte tussen de vloerplaat en het dak van de Land Rover. Ik hield van mijn tent. Het was een toevluchtsoord, en met mijn hoofdlamp aan de steunpaal baadde ik daarbinnen in een warme, gele gloed, mijn favoriete kleur. Het enige nare was dat je 's nachts naar beneden moest klimmen als je naar het toilet moest.

Omdat Ceres in een kom ligt, omgeven door bergen, moesten we er via een pas uit, net zo een als we waren gepasseerd toen we binnenkwamen. De eerste vijftien kilometer ging bergopwaarts, door Hottentot's Kloof, waar ik aankwam in het steeds helderder wordende ochtendlicht. Deze keer liep ik alleen en nam Charlie foto's vanuit de Land Rover, met de ruige bergpieken als achtergrond. Het ochtendlicht wierp lange schaduwen, die de bergen het aanzien gaven alsof ze in oud, bruin fluweel gehuld waren, afstekend tegen een volmaakt blauwe hemel. De zon scheen helder in mijn gezicht toen ik oostwaarts ging.

Ik stapte flink tegen berghellingen op, die zó steil waren dat de versnellingsbakken van auto's en vrachtwagens het begaven. Mijn snelheid nam toe – negen kilometer per uur tegen de heuvel op in topsnelheid. Dat móest wel fout gaan.

Mijn rechterkuit begon weer op te spelen, wat vreemd was, omdat ik normaal altijd last had van de linkerkant. Tegelijkertijd zakte mijn energiepeil en ik was blij de Land Rover op regelmatige afstanden geparkeerd te zien staan om foto's te maken, zodat ik wat fruit kon eten en weer kon bijkomen.

Ik droeg geen horloge, omdat ik er onder het lopen steeds op zou kijken en de tijd dan voorbijkroop. Ik wist wel wanneer er een pauze kwam, omdat ik rond de dertien kilometer stijve dijbeenspieren kreeg, enigszins licht in mijn hoofd werd en geen energie meer had. Dan verwachtte ik de Land Rover bij iedere horizon te zien staan, wat erg frustrerend was als ik had lopen dagdromen en niet wist hoe laat het was. Ik merkte dat als ik vlak voor ik vertrok een banaan at, de smaak ervan na acht kilometer niet meer in mijn mond was en dan wist ik dat ik halverwege was.

De aanblik van de Land Rover was altijd zo heerlijk, alsof het een verrassing was – drie keer per dag gaf het me een gevoel alsof ik naar een schat liep te zoeken. Dat was ook een manier om voor mezelf te bewijzen dat ik niet smokkelde, omdat ik altijd op precies dezelfde tijd op de rustplaats aankwam, vijf à tien minuten daargelaten, afhankelijk van de hitte, het terrein en buikloop – dat was onmogelijk als je smokkelde.

Toen ik de top had bereikt en op een klein, vlak plateau stond, rezen de bergtoppen aan mijn linkerhand nog hoger op. Op een verbrand stukje grond bevond zich een boomgaard en aan de rand ervan stond een eenzame appelboom, die zijn vruchten liet vallen voor de vogels en de insekten.

Het uitzicht was fantastisch en ik werd vervuld met een gevoel van voldaanheid na het gezwoeg. Ik ontwaarde een harig beest dat de stekelige bosjes inschoot en sloop erachteraan. Het was maar een bleekrode kater, half verhongerd en bang, ook al wilde hij niet van de weg gaan toen de Land Rover passeerde. In de verte blafte een jakhals en ik begreep dat die kater alle reden had om bang te zijn.

De jongens hadden de auto slim geparkeerd, zó dat de Land Rover tussen ons en de weg stond en we in de schaduw en in afzondering konden eten. Ze hadden de campingtafel al opgezet. Deze was gemaakt van wit formica met een donkerblauwe rand en twee U-vormige poten, die je kon inklappen. Hij stond tegen de Land Rover aan, zodat hij niet kon omvallen. We hadden drie vouwstoeltjes, twee met gewatteerde kussens en rugleuning en één met een dikke plastic bespanning. De laatste was onbruikbaar in muggenland – die gingen eronder zitten en beten je in je kont.

Naast de tafel stond de kist met dagelijkse benodigdheden. Daarin zaten aardewerk borden, metalen mokken, bestek, kruiden, groene kruiden, specerijen en potten met marmite, marmelade, Afrikaanse boter die je praktisch moet koken voordat hij smelt, een hakblok, een fles kaliumpermanganaat en een met Chloromin T, een desinfecteermiddel. Het ene was voor het wassen van fruit en groente – die moet je drie kwartier onder water laten staan met een lichte oplossing ervan – het andere was voor de elektrische waterpomp, die stilstaand water moest zuiveren. Slechts een beetje op het achtereind van een lucifer was voldoende voor een hele jerrycan. Als het water goed was, dronken we veel thee, maar ik stapte op koffie over zogauw het water te zilt was of te onbetrouwbaar en er dus meer chloor in moest.

Wij hadden drie verschillende bakken van het soort dat je voor de afwas gebruikt op een rij staan – één om je handen en je lichaam te wassen, één voor het fruit en de groente (kaliumpermanganaat maakt overal bruine vlekken op, hoewel het er paars uitziet) en één voor de afwas. Spoelen deden we in de groente- en fruitbak.

Sommige dingen die Charlie als uitrusting had gekozen, waren waardeloos. De tweepits Coleman benzinebrander die op loodvrije benzine brandde, was continu verstopt omdat er geen loodvrije benzine was. Ik snapte ook niet waarom ze niet op houtvuur kookten – een kampvuur is veel eenvoudiger, leuker, kan meer pannen tegelijk verwarmen, je hoeft achteraf niets schoon te maken, er is geen roet en het ruikt lekkerder. Maar Charlie had één belangrijk ding wèl: de waterzuiveringspomp was uitstekend. Hij liep op de tweede accu van de Land Rover en zuiverde het water door middel van een houtskoolfiltersysteem met ultraviolet licht om alles wat eroverbleef te doden. Er zat een douchekop op en het water kwam er met voldoende druk uit voor een redelijke sproeier.

Tijdens de eerste pauze masseerde Gerry het onderste gedeelte van mijn kuit en scheenbeen en zwachtelde het in. Ik trok een grotere maat schoen aan mijn rechtervoet en begon weer te lopen. Het duurde niet lang of ik voelde de dalende helling in mijn kuiten en de dreiging van helse pijn in mijn scheenbeen. Ik wist uit ervaring dat dit niet over zou gaan.

Charlie drong erop aan te stoppen, maar ik ging door tot ik absoluut niet meer verder kon en hield er toen mee op. Dat was het verstandigste wat ik kon doen, zeker omdat de tocht pas was begonnen en ik nog ver te gaan had. Ik stopte al na zestien kilometer.

We waren nu zes dagen onderweg en er was weinig overredingskracht nodig om terug te keren naar de caravancamping in Tulbagh voor de rustdag. Daar konden we ons ontspannen in een leegstaand chalet en zwemmen. Ik markeerde de zijkant van de weg met oranje verf en klauterde in de Land Rover, waar ik mijn rechteronderbeen kon verzorgen.

Gerry liep met me mee toen we de bergen achter ons lieten en de Little Karoo betraden, een semi-woestijn. Het bestond uit open land, begroeid met struiken op zanderige grond. Voor het eerst namen we een fles water, toiletpapier en een camera mee in de kleine rugzak. De jongens waren naar Ceres om mijn schoenen en inlegzooltjes op te halen, een telex naar Londen te sturen en op antwoord te wachten. Tegen de middag zouden ze terug zijn.

Naarmate de weg steeds meer een effen zandpad werd, begon mijn been steeds minder pijn te doen. Het is wel prettig, maar als er iemand met je meeloopt, krijg je weinig kans om te dagdromen. In de verte konden we vaag een rij bergen zien liggen. Gerry en ik sloten een weddenschap af dat we er vóór het vallen van de avond zouden zijn. Hoewel ik er de voorkeur aan gaf alleen te lopen, maakte Gerry me aan het lachen en hield hij het moreel hoog. Zozeer als ik op mijn eigen gezelschap gesteld was, zo was Gerry een gezelschapsdier tot in het extreme.

Het was een stoffig geploeter tegen de wind in, die aanvoelde als zonnebrandlotion, en de hitte uit de wolkeloos blauwe hemel verkoelde. Gemiddeld een keer per uur zagen we een auto. Toen ik de waterfles pakte, zei ik nog hoe stom het was geweest de semi-woestijn in te gaan met zo weinig water en zo veel vertrouwen in het tijdschema van de jongens. Ik vroeg me af hoelang we konden overleven als zij niet tegen het middaguur opdaagden. Er was niet genoeg water om terug te keren.

Ons speeksel was inmiddels ingedikt en de laatste druppels in de fles begonnen warm te worden, toen Pippa Snook in een gammele Land Rover kwam aanrijden met de twee Israëlische meisjes die we gisteren hadden ontmoet. Dat was puur mazzel.

Ook zij hadden maar weinig water. De meisjes hadden er bij de chauffeur op aangedrongen nog even water te tanken in Ceres, maar ze waren al aan de late kant en hadden besloten door te rijden naar Sutherland. We dronken en vulden onze fles bij en liepen weer door met Pip naast ons. De Land Rover van de Israëli's haalde ons in en ze offerden nog meer van hun beperkte hoeveelheid water. Pippa maakte zich zorgen over ons in de woestijn, maar ik stelde haar gerust dat de jongens ons weldra achterop zouden komen. Ze vertrok.

Er was geen schaduw en het had geen nut om te stoppen tot we die gevonden hadden. Maar terwijl we doorstapten en steeds verder uitdroogden en stilvielen, begon de angst bij iedere stap meer te knagen. Ik keek voortdurend achterom en luisterde of ik de motor van de Land Rover hoorde. Het watergebrek en de onzekerheid waren nu niet leuk meer. Als ik alleen was geweest, zou ik razend, doodsbenauwd en waarschijnlijk in tranen zijn.

Er verstreek nòg een uur en nog altijd geen teken. Plotseling doemde de gedachte aan sterven in de woestijn levensgroot voor me op. Dit was waanzin, maar je kon niets anders doen dan verder lopen. Het was uren geleden sinds we de laatste auto hadden gezien en de fles was alweer leeg, op een paar druppels na.

Gerry liep met zijn hoofd voorover, zijn ogen gefixeerd op de tenen van zijn herbouwde voeten. We hadden geen energie meer om te praten. Dit begon snel een kwestie van overleven te worden. Ik de verte zag ik een boom en we liepen stevig door, in de hoop beschutting te vinden in de beperkte hoeveelheid schaduw tot de jongens arriveerden.

Toen hoorde ik de motor. Oli en Charlie waren een en al glimlach. Er was geen telex. Ze hadden een lekke band moeten verwisselen en het wiel repareren. Toen ik een liter water had verzwolgen, bedacht ik wat er had kunnen gebeuren als Pippa's Land Rover ons niet was tegengekomen. Dat was een mooi verhaal geweest voor de kranten thuis. 'Onverschrokken wandelaars komen om in woestijn'.

We hadden bijna de hele dagmars gelopen, maar het zou een strijd zonder glorie zijn geweest als we die niet helemaal afmaakten. Gerry was moedig en na een aantal liters water en een saffie begonnen we aan de drie laatste kilometers. Aan het eind van de dag reden Gerry en ik, op het reservewiel van de Land Rover gezeten, de kampeerplaats op, lachend als een stelletje krankzinnigen.

Charlie vertrok.

Zijn afscheidswoorden waren: 'Zorg goed voor de jongens.' Ik voelde me schuldig. Ze hadden zo goed voor mijn maaltijden en mijn welzijn gezorgd en ik kon zo weinig voor hen terugdoen. Van meet af aan had Charlie erop aangedrongen dat er voor de veiligheid iedere dag iemand met me meeliep, maar ik vond dat niet prettig. Anderzijds kende ik Afrika nog niet en vonden zij de oefening prettig, dus had ik het hart niet het te weigeren.

Ofschoon Oli en Gerry totaal verschillende levens leidden, hadden hun paden elkaar in Afrika gekruist vanwege mijn tocht. Ik benijdde ze allebei: ze hadden allebei maar één thuis gehad en één school.

Oli had een heerlijke jeugd gehad. Hij was graag naar school en de universiteit gegaan en had beide op zijn sloffen doorlopen. Er lag al een baan voor hem in het verschiet bij Kleinworts in Londen, een van de vijf die hem aangeboden waren. Hij had gezegd dat ze nog even moesten wachten en was toen naar Afrika vertrokken. Dit was zijn grote avontuur alvorens zich ergens vast te leggen.

Gerry kwam uit een gezin van intellectuelen. Hij was op een katholieke school geweest en had op zijn zestiende het ouderlijke huis en zijn vier zusters verlaten om de wereld te verkennen. Sindsdien was zijn leven één grote expeditie geweest.

Mijn opvoeding stak er enorm bij af. Ik denk dat mijn vader had besloten zijn dochters er op wat voor manier dan ook doorheen te slepen, maar hij was zó zuinig, dat ik vermoed dat hij aannam dat de school voor ons zou zorgen en mensen van ons zou maken. Misschien had hij belangstelling voor ons gehad als we jongens waren geweest. Wat mij betreft, weet ik dat ik buiten de boot viel. Ik groeide op als een buitenbeentje. Sport, skiën, zeilen, paardrijden en bergbeklimmen – noem maar op, ik kreeg nooit de kans om het te doen, omdat we telkens verhuisden en mijn ouders graag op afgelegen plaatsen woonden. Dus creëerde ik mijn eigen avonturen, en altijd alleen, omdat er geen andere kinderen in de buurt waren. Ik fietste en wandelde, nam mijn schilderspullen mee en stak mijn energie in het organiseren van nieuwe doelen. Onze huishouding was kenmerkend voor dat van een militair. Wij hadden de houding aangenomen altijd te wachten tot er iets gebeurde dat alles zou veranderen, 'wacht maar tot we in het nieuwe huis zitten...' Maar daar wilde ik niet meer op wachten. Ik barstte van de energie om op ontdekking te gaan en een uitdaging aan te nemen, ik verveelde me stierlijk. Ik wilde iets van de wereld zien en de enige manier die ik kon bedenken, was te gaan lopen.

De mensen hebben me vaak naar mijn motieven gevraagd. 'Waarom wil je om de wereld lopen?' 'Waarom naar Afrika?' Als ik geluk had, zeiden ze nog net niet dat ik krankzinnig was. Ik had veel uiteenlopende antwoorden. Die veranderden vaak, al naar gelang mijn stemming. Maar eigenlijk wilde ik mijn inwijdingsrite ondergaan, ik had die reizen nodig om me door mijn puberteit heen te slaan naar de volwassenheid, en onderweg zelfrespect op te doen. Stamculturen begrijpen dat heel goed, maar ik raakte altijd verward als ik door mijn eigen mensen werd ondervraagd.

De lage ruwe struiken in de okerkleurige aarde leek op de melde in Midden- Australië, ze boden geen enkele beschutting tegen de zon. De horizon was de lijn van een bergrug, aangezet in verschillende tinten purper, roodomrand door de opkomende zon. De wolken stegen op als was het de onthulling van een schilderij.

Door de nieuwe inlegzolen kwamen mijn voeten hoger in mijn schoenen te liggen, waardoor de wreven pijnlijk tegen de veters drukten en gezwollen raakten. En mijn kuitspieren speelden weer op. Ik liep onder een blakerende zon en in een droge wind over de hete macadamweg. Deze begon te hellen in de richting van de bergen van Sutherland, de hoogstgelegen stad van Zuid-Afrika. Tegen de tijd dat ik op 1.800 meter hoogte zat, was mijn ene voet pijnlijk opgezet en lag mijn haar nat vastgeplakt op mijn schedeldak. Het was helemaal niet leuk meer, tot ik een bord langs de weg zag: 'Gevaarlijke weg – ruw wegdek. Veiligheidsriemen vastmaken en kunstgebitten uitdoen'.

Gerry ging de stad in om ijs te halen, maar kon het niet krijgen. Hij improviseerde wat en bracht een aantal flesjes gekoeld bier mee, om tijdens de rustpauzes op mijn dikke voeten te leggen. Ik was die ochtend om zeven uur vertrokken, veel te laat om de hitte voor te blijven, en dat afschuwelijke gevoel van 'nog een uurtje maar' jaagde me op. Ik haatte dat.

Ik stapte voort over de zandweg met de wind in mijn haar en de zon in mijn rug, terwijl de dagdromen de werkelijkheid in- en uitdreven. Er ontrolde zich een film in mijn hoofd die mijn voeten aanzette me te volgen. Dat dagdromen houdt me geestelijk gezond. Ik kan genieten van de koelte bij het aanbreken van de dag en van de woeste schoonheid van dit door de zon geblakerde land en in een trance geraken waarin de tijd sneller voorbijgaat. Aan het begin van een voettocht geef ik mezelf toestemming om onbegrensd te dromen, mij personen voor de geest te halen en taferelen uit mijn toekomstige leven door te spelen. Alles mag, als ik het eind maar haal. Daarna moet ik de fantasie en de werkelijkheid van elkaar weten te scheiden.

Wat de pijn erger maakte, of misschien juist door de pijn, miste ik Raymond verschrikkelijk. We waren zes maanden bij elkaar geweest, lang genoeg om een gebroken hart te hebben bij het afscheid en hevig naar huis te verlangen. Ik hield van de manier waarop Raymond met de natuur omging. Hij scheen zich in de bossen even goed op zijn gemak te voelen als een bruine beer. Onder de bomen, mijlen verwijderd van de dichtstbijzijnde stad, kregen zijn ogen een sterke en moedige uitdrukking. Hij was er in mijn dromen nog steeds en trok me verder voorwaarts. Hij was een constante, vergelijkbaar met de foto's die soldaten meenemen in de strijd.

6

Ik loop zes dagen en neem dan een dag vrij. Dat noem ik een rustdag, maar in feite wordt er dan alleen niet gelopen. Op die dag wassen we onze kleren, nemen we een bad, maken we het gereedschap schoon en schrobben en repareren we de Land Rover. Sinds Charlie weg was, kookte ik op de avond voor het 'weekend' en stond ik de volgende dag als eerste op om de chauffeurs thee op bed te brengen en het ontbijt klaar te maken. In het begin ging het koken in de rimboe me slecht af, dus was het voor de chauffeurs de laatste beproeving van de week voordat de rustdag aanbrak.

Ik hield aan het eind van iedere dag een logboek bij voor het *Guinness Book of Records*. Ik noteerde de plaats waar ik was, de afstand die ik die dag had afgelegd en de naam van een getuige en zijn of haar adres als we gedurende de dag iemand tegenkwamen. Het was een flinke oppepper voor me om de kolom met dagelijkse afstanden door te nemen en een constante lijn van volledige dagmarsen te zien. Gedurende de eerste twee weken liep ik veertig kilometer per dag, maar als we om twee uur 's middags stopten, begonnen we ons daarna erg te vervelen. Daarom voegde ik er nog acht kilometer per dag aan toe. Dat hield in dat ik aan het eind van vijf dagen één dag voorlag op mijn schema. Die dag hield ik in reserve voor het geval we vertraging opliepen bij het passeren van landsgrenzen, door panne of ziekte.

Ik begon langzamerhand te genieten van het vrije zwerven over de zandpaden, die wemelden van de sporen van inheemse schepselen – en waaraan ons team zijn eigen sporen toevoegde.

De arme Oli was naar aanleiding van zijn constipatie ongenadig door Gerry geplaagd; ikzelf had ook gauw last van verstopping. Misschien kwam het door de alcohol. Als we na het eten om het kampvuur zaten, begon Oli te zuchten en ging vervolgens met een schepje en een rol toiletpapier de duisternis in, hopend op resultaat. Na veel gegrom en tandengeknars kwam hij teleurgesteld terug.

Afgezien van vers fruit en groente waren we bijna geheel voorzien van alles wat we nodig hadden. Ieder leeg plekje in de Land Rover was opgevuld met voorraden, potten, pannen, tenten, jerrycans met water en brandstof, reserve-onderdelen en persoonlijke spullen. Iedere middag begon Gerry na aankomst op onze kampplaats onmiddellijk de wagen te controleren, olie en water bij te gieten en een paar diagnostische tests uit te voeren. Onze confrontatie met een bijna-ramp in de Little Karoo had me ongerust gemaakt over de mogelijkheid van panne met de Land Rover, zodat die er niet zou staan als het tijd was voor een rustpauze. Ondertussen zette Oli de tenten op. Gerry en Oli kookten om beurten.

Gerry had jarenlange ervaring met het bereiden van iets eetbaars met behulp van een blik gekookte ham en een zak rijst. Met wat kruiden en specerijen kon hij alles lekker maken, inclusief mijn lievelingskostje, pasta met tomaat en klodders saladedressing. Oli daarentegen was het soort kok die vond dat de kerel die de marmite had uitgevonden in aanmerking kwam voor de Nobelprijs.

Iedere avond, of vroeg in de ochtend vóór we het kamp opbraken, moest er een gat gegraven worden waarin alle afval werd verbrand. Dat was voor Gerry een beetje een obsessie. Hij zei tegen Oli dat hij de pepermolen moest verbranden als de peperkorrels op waren en ook de kaasrasp als er geen kaas meer was. Hoe dan ook, we zorgden ervoor dat er geen spoortje overbleef van ons verblijf, behalve dan de koude as van het kampvuur. Ik had al gezien hoeveel rommel er langs de kant van de weg lag: lege sigarettenpakjes, lege blikjes, plastic flessen, allemaal achteloos uit voorbijrijdende auto's gegooid. Als er meer mensen over deze wegen wandelden, zouden ze eens zien hoe hun rotzooi de aanblik van het landschap verpest.

Maar sommig afval was te recyclen. De jongens hadden al snel in de gaten dat je de zilveren binnenzakken van de wijnpakken kon opblazen tot prima kussentjes. Wat natuurlijk een perfect excuus werd om de inhoud snel soldaat te maken.

Het vliegtuig van zeven uur vanuit Kaapstad naar Johannesburg kwam tien minuten later over dan normaal. Dat was een klein teken dat we vooruitgang boekten en we de Karoo bijna hadden genomen.

Iedere voorbijkomende auto wierp enorme hoeveelheden stof op, dat uitwolkte als de staart van een raket. Ook al zie je de wolk al van mijlen ver aankomen, er kan in die vlakte toch heel gemakkelijk een ongeluk gebeuren.

Ik had slecht geslapen, wakker gehouden door sprinkhanen die een geluid voortbrengen alsof ze aangedreven worden door de motor van een grasmaaier. Dankbaar dat dit een koele ochtend was, bracht ik evengoed vrachten vaseline op mijn gebarsten lippen aan. Samen met Gerry de stofwolken ontwijkend, liep ik te dagdromen.

Ik merkte het stuk brandhout dat op de weg lag nauwelijks op en stapte er pardoes overheen. Gerry bleef stokstijf staan.

'Het is een slang,' zei hij, opzij deinzend.

Ik lachte. 'Doe niet zo gek.'

'Kijk maar! Daar, zie je zijn tong?'

En jawel, ik zag heel duidelijk die onheilspellende tong de lucht in gaan.

'Jezus Mina, ik had er bijna tegenaan getrapt,' fluisterde ik met een sprong achteruit, toen de bruine slang langzaam kronkelend in de struiken verdween.

Later hoorden we, dat als er iemand van ons gebeten was, hij of zij binnen het uur geen adem meer had gehaald.

De Great Karoo gaf me een veel gastvrijer gevoel dan zijn kleine broertje, hoewel het gebied over het algemeen hetzelfde was. Kleine, wilskrachtige struiken langs verdroogde rivierbeddingen en een eenzame boorpomp. Dit is zanderig terrein met ruwe heuvels, waarvan de grillig gevormde lagen goed te zien waren. Vanaf het begin had ik uitgekeken naar het landschap dat overeenkwam met mijn idee van het werkelijke Afrika. Tot dusverre had ik door gebieden gelopen die me deden denken aan het Middellandse-Zeegebied, Australië en Schotland. Deze harde, afgeplatte bergtoppen en woestijnbodem leken op het zuiden van Idaho, de traditionele achtergrond van talloze westerns.

Om de dertig tot veertig kilometer staan er in de Karoo schapenfarms en op alle plaatsen waar een oase is. Een van de boeren zag ons lopen en nam ons mee naar huis voor een *braai* (barbecue) van gekruide lamsworstjes, een douche en een schoon bed. Toen belde hij zijn vriend veertig kilometer verderop om ons de volgende avond op te halen. Op deze manier kwam een hele keten van gastvrijheid in werking.

De Afrikaaners zijn zware drinkers en als ze zich hebben laten vollopen, willen ze over politiek praten. Ze ontmoeten niet zoveel buitenlanders en hebben er grote behoefte aan de ingewikkelde situatie waarin ze leven uit te leggen op een manier die de internationale pers schijnt te ignoreren. Dat was heel informatief. Soms putten ze zich uit in gastvrijheid. Soms wilden we alleen maar een lekker rustig kampvuurtje buiten onder de sterren. Gerry was een gezellige prater en de gastvrijheid die we ontvingen, was voor een groot deel aan hem te danken. Maar aan de manier waarop hij telkens over zijn toekomstplannen praatte, merkte ik dat hij besefte dat hij was vastgelopen en daarmee worstelde.

Hij gaf het op toen we in Canarvon aankwamen. We reden naar de stad om een paar biertjes te drinken, waar ik werd verzocht naar het stadhuis te komen. De burgemeester had vernomen dat we eraankwamen en hij wilde ons gratis logies in een hotel aanbieden. Gevaarlijk genoeg was daar ook een bar, en de jongens hoefden niet twee keer uitgenodigd te worden. Na hun derde of vierde biertje bezetten ze de biljarttafel en organiseerden een toernooi. Helaas nodigden ze ook een plaatselijke inwoner uit die al twee keer kampioen van het district was geweest. Uit hetgeen ze mij de volgende dag vertelden, maakte ik op dat ze zich in die bar hadden bevonden te midden van mannen die zich in bruine hemden en legerlaarzen zeer prettig zouden hebben gevoeld.

De volgende ochtend liep ik door een zwarte woonwijk aan de rand van Canarvon, waar de stank van kadavers me tegemoetkwam als een walm die me bijna deed kokhalzen. Er speelden daar kleine kinderen in vodden in het stof. Ze keken met hun schitterende bruine ogen naar me op toen ik voorbijkwam. Ze wuifden en lachten zo vol plezier dat ik moest walgen van de mannen die we de vorige avond in de bar hadden ontmoet.

Het enige wat nu in mijn leven telde, was de voettocht. Er bestond voor mij niets anders, totdat ik de streep had gehaald. Toen ik luisterde naar de verhalen van Oli over wat hij zou doen als hij terug was, een pint bier heffen, scheuren met zijn vaders auto en naar de vogels in de tuin luisteren, drong het tot me door hoe hopeloos het was hen beiden er werkelijk bij te betrekken. Ik wou dat ze van de reis genoten en zich niet gekooid voelden. Maar de aard van hun werk zelf sloot dat uit – ze reden tien minuten in drie uur. Zij wilden mij ertoe bewegen als een team te opereren, maar we deelden niet hetzelfde doel en zij brachten in de verste verte niet dezelfde offers, ook niet in die korte periode dat ze de reis maakten. De spanning van het gemakkelijke traject in Zuid-Afrika brak hun moreel. Hoe meer ze er een hekel aan kregen, des te sterker werd ik het brandpunt van hun haat.

Die avond zat ik te drinken in de geur van margrieten en geraniums en proefde van de cactusvijg, een gele vrucht met zwarte zaden die over grote gebieden van de grasvlakte wordt geteeld. Ik pelde hem af met een mes vanwege de stekels. Hij smaakte zoet.

De man die het meeste water in de woestijn heeft, is winnaar. Sommigen zijn heel rijk. Rondom een van de boerderijen die we passeerden, had men de stekelige woestijnstruiken vervangen door een lommerrijke vallei, waar palmbomen en zware bomen met vochtige bladeren en dikke stammen groeiden. Het koele, witgepleisterde huis was begroeid met schitterende bougainvillea.

Oli en ik tuurden tussen de bomen door naar de stenen muren en de grazige omheinde weitjes, waar goed doorvoede schapen liepen. Het waren schapen zoals ze behoorden te zijn, niet de schriele variëteit met zwarte snoeten die je in het droge, borstelige struikgewas aantreft. Om de hoek steeg de temperatuur zo'n tien graden en stonden we weer in de woestijn.

Dit gebied in de Karoo is bezaaid met fossielen van dinosaurussen. De hoge, afgeplatte bergen die ons omringden, gaven aan tot waar de aardkorst ooit gereikt had. Ik zag een hagedis over de weg schieten en de begraafplaats van zijn prehistorische voorouders binnengaan.

We hadden besloten een paar dagen stevig door te lopen, zodat we in Prieska onze rustdag konden houden. Dit, gekoppeld aan de extra vijf kilometer per dag, toonde aan hoe goed mijn mentale spelletjes werkten. Ik ontspande me in het ritme van het lopen en verzette me er niet tegen, zoals de jongens.

Ik houd van de stilte van de dageraad, met alleen maar het geknars van mijn voetstappen en mijn angsten als achtergrondgezoem. De rust werd verstoord door een stel jonge Hottentotten, die in een oude roestbak van een auto met een paard ervoor de hoek om kwamen scheuren. Ze stopten plotseling toen ze mij zagen. Misschien waren ze hem aan het testen.

Tijdens de eerste rustpauze zag ik dat we gebrek aan sigaretten hadden. We hadden minder dan een pakje met z'n tweeën en waren negentig kilometer van een stad verwijderd. Ik begon ook te hallucineren over mijn lievelingskostjes. Ik zag een wolk in de vorm van Cornish pasty en een halve liter wijn. Toen doemden er twee bergen op die eruitzagen als emmers en ik begon te verlangen naar een warm pitta-broodje met kaas en uien.

Die middag gingen we op zoek naar een boorgat en een frisse duik. We hadden ze dagenlang over het landschap verspreid zien liggen en het was niet bij ons opgekomen dat wij dit kostbare water konden gebruiken om af te koelen en onszelf schoon te maken. Nu we daar eindelijk opgekomen waren, gingen we van gat tot gat, maar ontdekten dat de randen bezaaid lagen met schapekeutels en overdekt met een laag dode vliegen en insekten. We moesten erom lachen, ook al zaten we onder het zweet en het stof.

Toen ik de volgende ochtend wakker werd en aan mijn dagmars begon, hadden de jongens een kater. Gedurende de nacht had ik, vervuld van heimwee, besloten door te gaan met mijn pogingen achtenveertig kilometer per dag te lopen zolang ik het volhield. Dan zou ik veertig dagen minder hoeven lopen en eerder thuis zijn. Omdat het land zo vlak was, leek dat een redelijke taak.

Om kwart over zes was het nog donker, maar de dageraad was glorieus. Ik wilde niet nadenken over de jongens, die hun whisky en bierroes uitsliepen terwijl ik op pad was gegaan.

Rond het midden van de ochtend zwermden de vliegen om mijn gezicht, alleen mijn zonnebril voorkwam dat ze niet in mijn ogen kwamen. Soms ontwaarde ik vossen met witte punten aan hun staarten. Soms rook ik de dood van heel nabij. De sprinkhanen vlogen voor mijn voeten op als zandwolkjes die je op het strand voor je uit schopt.

Na acht dagen van stevig doorstappen – de langste etappe tot dusver – arriveerden we in Prieska. Hoge, bleke gombomen stonden langs de oevers van de Oranje Rivier en daaronder liep een oude man de bladeren aan te harken. Het was prettig om weer bomen te zien.

Die ochtend zag ik voor het eerst een rouwkrekel, een soort kevertje in een zwart jasje met gele streepjes. De plaatselijke bevolking noemt ze tok-toks, vanwege het geluid dat ze maken als ze met hun achterpoten tegen elkaar wrijven. Het exemplaar dat ik zag, kwam uit een hele zwerm die uit de wildernis was geblazen door de hoge noordenwind, die ook regen bracht. Toen Gerry vooruitreed om in Prieska voedsel te kopen, kwam hij in een zwerm van vijf kilometer breed terecht. Weldra liep ook ik hen te verpletteren en hoorde ik steeds een akelig geplop. Ik liet een spoor van gele drab achter.

Mijn sponsorgeld veroorloofde ons niet de regelmatige luxe van een bed en douche; daarvoor moesten we het hebben van de gastvrijheid van de mensen en onze avontuurlijke geest. De volgende vijf avonden kookten we voor de burgemeester en zijn vrouw, in ruil voor het gebruik van hun videoapparatuur, en werden we dronken met wetenschappers van een naburig proefstation voor munitie. Ook was er een knaap die zeventig kilometer met een krat bier had gereden, alleen maar om ons te ontmoeten.

Het regende die hele rustdag. Ik ging op de achterbank van de Land Rover zitten en Gerry kwam erbij. We bespraken de gespannen sfeer van de afgelopen week. Hij dacht dat ik kwaad op hem was.

'Nee,' zei ik. 'Ik heb gewoon de ruimte nodig. Met al die mensen om ons heen ben ik helemaal niet in staat tot mezelf te komen.' Ik liet me niet opzadelen met de ontevredenheid van de back-up – of ze luisterden naar mijn advies wat betreft ons tempo en gingen door met hun werk, of ze moesten accepteren dat ik me van hen distantieerde. Ik gooide het er allemaal uit.

Gerry zweeg. We luisterden naar de regen op het metalen dak en keken naar de uiteenspattende druppels op de voorruit.

'Ik ben bang voor Zambia,' fluisterde hij. 'Er gebeuren daar heel verschrikkelijke dingen en wij zijn daar erg kwetsbaar. Misschien moeten we een militair inhuren om ons erdoor te loodsen.'

'Een lijfwacht?' vroeg ik.

'Noem het extra bescherming. In Zambia is het wild-west. Een volkomen wetteloze jungle. We zouden zomaar in de rimboe kunnen verdwijnen zonder dat iemand ooit een spoor van ons of van de Land Rover terugvindt.'

Op een vreemde manier voelde ik me gerustgesteld. Ondanks al dat zuipen en feesten, was Gerry nog altijd met zijn hoofd bij zijn werk.

Die avond lagen we naar het nieuws op de wereldontvanger te luisteren, terwijl het maar doorregende. De tranen sprongen me in de ogen toen ik hoorde dat onze jongens uit de Golf naar huis terugkeerden en over de hopeloze toestand van de sjiitische vluchtelingen in Iran.

Ik was blij dat we Prieska's gastvrije, maar achterlijke en onverdraagzame bevolking achter ons lieten. Onze volgende rustdag was pas in Kimberley en ik wilde tot die tijd flink doorzetten.

Het was heerlijk om weer buiten te zijn, sandwiches in de open lucht te eten en in de bosjes je behoefte doen. Toiletten zijn zo beperkend. Eerst moet je ernaar op zoek en dan zijn ze vaak nog smerig ook. Ik kon erg goed hurken en een gat graven met mijn hiel om de spetters tegen te houden. Er bestaat niets ergers dan in natte schoenen rond te lopen.

Oli kondigde aan dat hij in Lusaka afscheid zou nemen, over zes weken dus, en niet na vier maanden, zoals ik had gedacht. Lusaka was de enige plaats waar hij op het vliegtuig kon stappen, anders moest hij helemaal teruggereden worden naar Zaïre, omdat er geen openbaar vervoer was. Ik had geen idee wie hem zou vervangen. Charles wist dat ook niet toen ik hem belde. Zijn kracht lag in het bedenken van een oplossing op het moment dat hij ergens mee geconfronteerd werd, niet in het vooruitplannen. Hij liet het aan Luly over – maar dat was haar taak niet en zij moest wel de kost verdienen. Ik begreep dat mijn tocht niet serieus genomen werd en daar werd ik woest over.

Ik maakte me zorgen om Gerry. Ik had de indruk dat hij nog steeds moeite had met mijn totale autoriteit, waarschijnlijk omdat ik niets van Afrika of Land Rovers af wist. Dit was een nieuwe status voor hem. Toen hij voor Encounter werkte, had hij altijd de leiding tijdens de reizen. Maar dit was anders. Ik speelde de hoofdrol. Maar tot dusverre was het Gerry's ster die tijdens ontmoetingen met mensen had geschenen, alsof het hele project te zamen met het uiteindelijke resultaat volledig om hem draaide.

Aan de andere kant kon het me niet schelen wat de mensen dachten. Dit was mijn voettocht en het succes ervan berustte in mijn handen, of liever gezegd, op mijn voeten.

De avocadosandwiches zagen eruit alsof ze gevuld waren met gestampte tok-tok, maar het maakte me niet uit. Ik had al de hele ochtend gedroomd van pannekoeken met chocoladesaus en cappuccino's met een centimeters dikke, bruisende kop erop.

Zestien kilometer ten noorden van Prieska, op een vlak stuk weg omringd door landbouwgrond, zag Oli een hertje dat gevangen zat in een hek van prikkeldraad. Zijn kop en een poot zaten vast aan de ene kant van het hek, zodat het onmogelijk kon ontsnappen.

Van de andere kant naderden in hoog tempo twee zwarte mannen. Zij sprongen de berm op, duidelijk van plan die avond vers vlees op tafel te brengen.

Gerry hoorde Oli schreeuwen en sprong uit de Land Rover. Hij sprintte de berm over en sloeg zijn armen om de hals van het bange dier toen de jagers, die hun kans schoon zagen, op het punt stonden het dood te stenigen. Het hert gaf een erbarmelijke kreet en kronkelde in de armen van Gerry, die pogingen deed het uit het prikkeldraad te bevrijden. Het beest had snijwonden over zijn ogen, die bloedden als rode tranen.

De mannen schreeuwden kwaad, in de mening dat wij probeerden hun prooi te stelen, maar keken volkomen verbijsterd toen Gerry het hert tegen zijn borst tilde en het daarna aan de andere kant van het hek neerzette, waar het onmiddellijk de vrijheid tegemoet sprong.

Pas later vroeg ik me af of die mannen thuis werden opgewacht door een hongerig gezin zonder iets op tafel te kunnen zetten.

Twee struisvogels voegden zich bij ons voor het ontbijt, maar gelukkig zaten ze aan de andere kant van een hek. Tina Turner zong op de cassetterecorder van de Land Rover en zij dansten met haar mee op de maat.

Na de lunch staken we de Oranje Rivier over, die bruin was door een kunstmatig aangelegde dam. Deze werd gebruikt om in de buurt gelegen boerderijen van water te voorzien. De jongens wilden zwemmen, maar besloten dat een uur uit te stellen tot ik het laatste kwart had afgelegd. Dat was aardig van hen – het is tamelijk moeilijk voortgaan als je je back-upteam lekker in het water ziet spartelen terwijl jij baadt in het zweet.

Die avond hielden we een vergadering. Charlie had me vóór zijn vertrek gezegd dat ik iedereen de kans moest geven zijn grieven te ventileren. We hadden het over de kwaliteit van de maaltijden en met hoeveel geld we moesten zien rond te komen. Sommige klachten waren niet meer dan muggezifterij, maar het was toch beter er uiting aan te geven.

Daarna zaten Gerry en ik tot laat in de nacht op de motorkap van de Land Rover door te praten. Hij zwoer helemaal mee te gaan tot Kisangani in Zaïre, in plaats van samen met Oli in Lusaka af te haken. Zambia en Zaïre zouden een echte beproeving worden en hij wilde zich ervan verzekeren dat het goed met me ging.

'Ik wil samen met jou ziek worden, gewicht verliezen en door de hel gaan,' zei hij. 'Onthoud dat ik er altijd zal zijn.'

Na alle inspanningen om een zeker evenwicht binnen dit team te vinden, was het opluchtend dat het niet voor niets was geweest.

Ik ging al op pad voordat de dag aanbrak. De maan schoof als een grote oranje schijf de wolken in en uit. Ik wilde het plaatsje Douglas zo snel mogelijk achter me laten om in Kimberley te komen, waar een zak met post op me lag te wachten.

Douglas is een leeg boerendorp, midden in de semi-woestijn waar geïrrigeerde agrarische bedrijven staan, die geen van alle de bevoorrechte of dankbare sfeer ademden die je in de Karoo aantrof. Ik had gelukkig het grootste stuk woestenij achter me – de eerste geografische horde zat erop.

Dit waren echt de binnenlanden van Zuid-Afrika. De kleurlingen woonden naast de zwarten en de zwarten woonden naast de blanken, maar de kloof was even breed als de Rift Valley. Bij het tellen van het inwonertal van vijftienhonderd zielen had niemand de vijfduizend zwarten en duizend kleurlingen meegerekend.

Ik houd van de woestenij. Ik houd niet van steden; ik vind het niet prettig om door buitenwijken te lopen, omdat ze smerig zijn. Terwijl de wolken zich samenpakten, passeerde ik de sintels van spoorlijnen, een telefooncentrale en de onvermijdelijke groep jongens die op een stoffig stuk grond aan het voetballen waren.

Toen we de Piet Rivier overstaken, gooide ik een steen in het water en richtte een bede tot de god van de dorstige reizigers. Overal om me heen zag ik hem met ronddraaiende sproei-installaties de begerige grond bewateren.

Het was zondag en er waren geen winkels open. We moesten het doen met wat we hadden en onze beperkte voorraad aanspreken. Het was drukkend in de atmosfeer en ik merkte dat ik wenste dat het zou gaan regenen.

Iedereen voelde zich bedrukt tijdens de rustpauzes; de jongens waren het zat en moe. Ik was in een routine gekomen en omdat ik mijn geest had geoefend niet verder te kijken dan de volgende horizon, waren de grenzen van mijn wereld erg smal. Dit is het grootste verschil tussen mij en een reiziger. Ik kijk in het begin niet rond, observeer niet en denk niet vooruit – als ik dat deed, zou ik verpletterd worden door de enorme afstand die nog voor me lag. Het gaat lang duren als je vooruitkijkt en dat kun je niet meten in kilometers op de kaart.

Ik was blij dat ik helemaal alleen op pad ging. In de blakerende hitte en druipend van het zweet stapte ik voort tussen tapijten van dik geel gras, dat dezelfde kleur had als mijn haar, luisterend naar het gesis en gezoem van nijvere, onzichtbare insekten.

Die nacht verbleven we op een kampeerterrein bij de Oranje Rivier – tussen de miljoenen muskieten. Ik werd wakker met een zere kont en zware buikloop. Het maakte niets uit dat ik mijn billen voor het naar bed gaan met talkpoeder inwreef. Ik liep ondanks de pijn door, te midden van een veranderend landschap met bomen en waar vee met lange horens graasde. Mijn anus begon te branden en ik kon er zoveel talk opsmeren als ik wilde, maar het vuur doofde niet. De twijfels rezen en tranen van ellende liepen over mijn wangen toen ik voelde hoe mijn darmen leegliepen. Mijn handen waren opgezet, zodat ik tijdens de pauzes nauwelijks kon schrijven.

Het laatste kwart was een pure hel. Er zaten hete kolen tussen mijn billen. Grote klodders talk en stukken toiletpapier verzachtten de pijn een beetje, maar pas toen ik de hoge torens van Kimberley in de verte zag, achter twee heuvels die stonden te zinderen in de hitte, kwam mijn zelfverzekerdheid een beetje terug.

Ik liet me in een stoel glijden maar schoot met een gil direct weer rechtop. Gerry overhandigde me lachend een beker wijn.

'Waar is dat voor?' vroeg ik.

'Je bent een eindje terug de duizend kilometer gepasseerd.'

'En je hebt me laten doorlopen?'

'Je scheen het erg naar je zin te hebben.'

De eerste fles was leeg vóór de kurk de kans had gekregen droog te worden. De tweede ging open en vervolgens de derde. Tegen zeven uur waren we allemaal laveloos en spoot ik de inhoud van een hele fles in het rond alsof ik de winnaar van de Grand Prix was.

De volgende ochtend zette ik mijn eerste voorzichtige stappen, in de vrees dat ik opnieuw een pijnlijke dag voor me had. Ik wilde me in de armen van Kimberley storten, om twee dagen te slapen en mijn pijnlijke plekken en uitslag te behandelen. De torens die ik gisteren had gezien, leken verder weg, optisch bedrog, veroorzaakt door de vlakheid van het landschap.

Pas tegen de middag wandelde ik door de buitenwijken van de stad, waar de straten stegen en daalden en me pap in de benen bezorgden.

Kimberley rook als een door de zon verhit luchtbed en zag eruit als het decor van een western. Ik stak dwars de stad door en er weer uit, over de weg naar Johannesburg. Niemand knikte of drukte op de claxon. We kwamen langs 'Big Hole', een van de beroemdste Zuidafrikaanse diamantmijnen. Aan het eind van de dag keerden we terug en reden met de Land Rover de stad in, waar Kevin van Hi-Tec ons met de brieven van thuis en de mogelijkheid van een krachtige koude douche opwachtte.

Er waren kamers gereserveerd in de Kimberley Club, een oud, koloniaal gebouw van De Beers. Om een of andere reden was mijn kamer vreselijk, maar de jongens hadden prachtige suites met douches. Ik was bijna te moe om me er druk over te maken, om een bad te nemen of om me te bukken en het schema te pakken dat onder mijn deur door was geschoven.

Ik ontplofte. De man van de public relationsafdeling van De Beers had twee volle dagen met interviews, recepties en afspraken gepland, beginnend om tien over halfzeven 's morgens en eindigend met een 'ontspannen avond'. Het was niet te geloven. Iedereen wilde zijn graantje meepikken en alles wat ik wilde was uitrusten. Opmerkelijk beheerst, vond ik zelf, verklaarde ik dat er slechts twee afspraken op zijn lijst stonden die ik wenste na te komen. Ik zou de receptie rond de lunch doen en de rondleiding van de Big Hole.

De free-lance journaliste van de plaatselijke krant kon mijn standpunt niet waarderen. Dat was zo'n opgedraaid, vreselijk georganiseerd comité-type, zo iemand die op ieder probleem reageert alsof het een totale, regelrechte ramp betrof. Ze blèrde woedend door de telefoon toen ze hoorde dat ik weigerde mee te werken. Gerry overhandigde mij een tweede biertje en ik moest grinniken om haar hoge jankgeluid. Haar grootste ergernis was dat ze geen foto van mij kon krijgen voor de krant van donderdag als we die niet in de ochtend maakten. Maar ik was niet van plan om eerder dan halftien klaar te staan om opgemaakt te worden voor een fotosessie. Ik moest op vrijdagochtend al om halfzeven foto's laten maken voor een poster voor Hi-Tec, en dit was mijn enige uitslaapdag. Die gaf ik niet op. Na nog twee biertjes begon ik me te ontspannen en kon ik weer lachen bij de kalmerende geluiden van kikkers in het maanlicht.

We zaten in de bar van de Kimberley Club met allemaal donkere houten balken, marmeren vloeren en glanzend gepoetste, koperen tapijtroeden. De wanden waren behangen met foto's van mannen die goudmijnen hadden gedolven en militairen – pioniers die de geschiedenis hadden gevormd. Diezelfde mannen met hun strakke bovenlippen hadden het gezelschap van vrouwen gemeden en de problemen van hun wereld buitengesloten als ze hier kwamen om te drinken.

Buiten op de overdekte veranda, die langs het hele bakstenen gebouw liep, stonden palmbomen in witgepleisterde aardewerk potten. De mahoniehouten deuren met de koperen deurknoppen en gordijntjes zoals je ze in treinrijtuigen aantreft, hielden de hitte buiten de deur.

Beter dan nu kon het niet worden, bedacht ik. En als ik dat moment kon vasthouden en meenemen in mijn dagransel, dan zou het me kunnen behoeden gek te worden als het moeilijk werd.

De volgende dag belde ik naar Londen en kreeg Luly aan te telefoon. Ze vertelde me dat ze een fax van de jongens had gekregen met de mededeling dat het moreel erg laag was en dat ze ermee wilden stoppen. Gerry had gevraagd in Lusaka weg te mogen omdat hij het zat was.

Ik was razend.

Ik confronteerde hem ermee waar Oli bij was en vroeg of het waar was.

Gerry gaf geen krimp. 'Ja, als Charlie het goedvindt. Ik heb het je niet willen zeggen, maar ik wilde niet dat je merkte dat ik er geen zin meer in had als ik mee had gemoeten naar Kisangani.'

'Waarom dan?'

'Ik moet een heleboel dingen doen die ik niet wil doen, maar kom op, het is een baan.'

Ik negeerde zijn dringende verzoek om te gaan zitten en liep weg om lucht te krijgen. Toen Gerry me ten slotte vond, vroeg ik hem naar de werkelijke reden.

Hij wilde terug naar Engeland om de eerste vlotreis over de rivier de Bramaputra te organiseren. Een groep Amerikanen was zo'n trip aan het plannen, en hij wilde niet verslagen worden. Gerry had zijn eigen droom en kon nooit veel enthousiasme of hartstocht opbrengen voor die van een ander. Dat nam ik hem niet kwalijk, want dat kòn ik ook niet.

De beslissing of Gerry kon vertrekken, werd in Londen genomen. Het hield in dat Charlie meer geld moest bijleggen, en daarom zei ik tegen Gerry dat ik zijn vliegreis zou betalen als hij er geen geld voor had. Ik wilde hem niet langer bij me hebben op de tocht, dat was beter voor ons allebei.

Gerry sprak altijd over ons als over een team. Dat vond ik ook een leuk idee, maar zo werkte het niet. Ik had al vroeg door dat ik niet met de jongens over mijn ervaringen onderweg kon praten – ze begrepen het niet. Ik kon me evenmin in hun anekdotes inleven en stond ver van hun ervaringen af. Als je niet dezelfde taken hebt, moet je op zijn minst hetzelfde doel hebben. Ik had geen andere keuze dan me vast te houden aan een soms vervelende, vermoeiende en zich herhalende droom, maar Gerry kon gaan en nieuwe avonturen bedenken. Het voorzichtig aftasten om elkaar te leren kennen was voorbij, inmiddels wisten we dat het niet werkte. Nu het doel naderde, werd het ook groter.

Ik hield mezelf voor dat het me niet deerde. 'Ik vind het prettig hier. Ik krijg zeven uur training in de buitenlucht per dag en bevind me in het gezelschap van een stel kerels die best leuk zijn en ik weet precies waar ik heen wil. Wat wil ik nog meer?' In de twee dagen die volgden, moest ik het volmaakte, vlees geworden reclamebord spelen, mijn sponsors tevreden stellen, glimlachen voor fotografen en hoogwaardigheidsbekleders.

Cosmopolitan vroeg wat ik zou doen als ik wakker werd en zou merken dat ik een man was.

'Dan zou ik me laten ombouwen,' zei ik.

De Beers had ons meegedeeld dat we met een aantal directeuren in de club zouden dineren en dus avondkleding dienden te dragen. Het was een hele prestatie voor de jongens om avondkleding uit te zoeken en die netjes te houden voor deze gelegenheid. We waren uren bezig met de voorbereiding. De PR-dame van De Beers kwam zeggen dat we de lunch met ons vieren zouden gebruiken en zij droeg jeans.

Onder het eten zei ik tegen haar hoe geschikt het voor De Beers zou zijn om geld in mijn tocht te steken. Van Kaapstad naar Caïro was de traditionele route door Afrika. Een van de eersten die dat hadden gedaan, was Ewart Grogan geweest. Hij had een boek geschreven met de nogal geflatteerde titel *From the Cape to Cairo on Foot*, want overal waar hij kon, had hij de boot of de trein genomen. Hij deed dat om de haalbaarheid van een spoorlijn van Kaapstad naar Caïro te testen, die Cecil Rhodes wilde aanleggen. Rhodes was de oprichter van De Beers. Aanvankelijk had hij geld verdiend met de import van een elektrische pomp voor Kimberley, die hij aan de diamantzoekers verhuurde wier exploitatiegebieden vaak onder water liepen. Hij kocht iedereen uit en formeerde De Beers, genoemd naar twee broers die dit land in bezit hadden gehad voordat de diamanten waren ontdekt.

Grogans tweede reden voor de reis was zich waardig te betonen voor de vrouw die hij beminde en wilde huwen. Hij had haar in Nieuw-Zeeland ontmoet toen hij herstelde van een ziekte. Hij vroeg om haar hand, maar had geen vooruitzichten en de vader wees hem af. En zou hij Gertrude waardig zijn als hij heel Afrika te voet doorkruiste? vroeg hij. Hij bereikte Caïro en trouwde met haar. Daarna vestigden ze zich in Kenya als oprichters van het Engelse protectoraat. Daar ging vervolgens het gerucht dat Grogan desnoods tweemaal Afrika had willen aflopen om van haar af te komen.

Tijdens mijn onderzoek naar andere voettochten door Afrika stuitte ik op een Australiër, Ronald Monson, die gedurende de jaren twintig van Kaapstad naar Caïro was gewandeld – hij had de hele route gelopen, minus vier dagen. De moerassen in Soedan hadden hem genoopt de boot te nemen. Net als Grogan huurde hij ploegen Afrikaanse dragers om de logistieke problemen te overwinnen, maar toch ontvingen zij weinig, zo geen enkele erkenning.

De Beers was zo vriendelijk geweest mij gastvrijheid aan te bieden in Kaapstad, Kimberley (de grootste diamantmijn ter wereld), Gaborone (hoofdstad van Botswana en het belangijkste centrum voor het sorteren van diamant), Orapa (een mijn die nog in exploitatie was), Lusaka (de hoofdstad van Zambia) en Kinshasa (de hoofdstad van Zaïre), waar ik mijn vrije maand kon doorbrengen als ik halverwege was.

Die avond kreeg Gerry het bericht dat hij de tocht in Lusaka kon verlaten. Hij was dolgelukkig en omhelsde me. Ik was nerveus toen ik weer op pad moest – er was in weinig tijd ook zoveel veranderd. Maar we waren al te lang op één plaats gebleven. Het werd tijd om verder te gaan.

Ik besloot de volgende twaalf dagen zonder onderbreking door te lopen, zodat we een extra dag konden doorbrengen in het gastenverblijf voor de directeuren van De Beers in Gaborone.

Het is erg belangrijk voor mij om doelen op korte termijn te stellen, maar die in mijn geest niet op te blazen. Twee weken vooruit plannen is werkelijk de limiet. Maar soms kon ik de opwinding niet onder controle houden, vooral niet als er mogelijk een Coke in het verschiet lag. Na weken van niets kwamen we in een plaatsje waar we het Coca Cola-logo zagen. Jippie! Maar nee hoor 'geen Coke, alleen Fanta,' en warme sinaasappel maakt veel misselijker dan warme groente-extracten. Dit werd het gezegde als we pech hadden.

Iedere dag moest ik op mijn tanden bijten. Ik kreeg het gevoel dat ik 'rond de wereld liep' als iemand die met zijn voeten een boomstam over een rivier moet rollen. Ergens naar uitzien tijdens een voettocht is zeker niet hetzelfde als je verheugen op de schoolvakantie. Die komt toch wel, hoe weinig werk je ook verzet; tijdens een voettocht meet je dat in voetstappen, niet in tijd. Hierom benijdde ik de jongens. Zij wachtten op de vakantie, ik deed de wandeling om zover te komen.

Ik had het gevoel alsof ik een zware last meesleepte. Dat merkte ik vooral als ik me omdraaide en naar de weg keek die ik had afgelegd en een paar stappen terugliep. Dat voelt aan alsof je voor de wind uit holt, in plaats van dwars ertegen in.

We moesten twee weken zien uit te komen met 800 rand tot we bij de grens van Botswana en de stad Gaborone kwamen. Ik wilde geen ponden meer wisselen. Om op 16 april in Gaborone aan te komen, moest ik in veertien dagen zevenenveertig kilometer per dag afleggen. Geen punt. Wij hadden vier kratten wijn gekregen van de South African Wine Growers Association. Daar hadden ze vernomen dat we de wijn lekker vonden en die moest op zijn voordat we de grens passeerden.

Wij hadden in Kimberley twee dagen extra vrij genomen en ons verrekend in de afstand die ik de eerste paar weken had afgelegd. Nu werden de afstanden cruciaal. Als ik niet vóór de achttiende Botswana bereikte, zou de grens wegens een nationale feestdag het hele weekend gesloten zijn.

Het was fijn weer op weg te zijn, hoewel ik maagkramp had en mijn bloedsuikergehalte was gedaald. De kilometerpaaltjes langs de spoorlijn die parallel liep aan de weg gaven me wat houvast omtrent de afstand, maar het maakte ook dat de tocht langzamer leek te verlopen. Ik negeerde ze en concentreerde me in plaats daarvan op de subtiele veranderingen in het landschap – de kastanjebruine koeien met witte snuiten die boven het gele gras uitstaken, de middeleeuws uitziende kevers die door het lage struikgewas schoten en de hangende vogelnestjes in de bomen, die leken op kerstversiering.

Ik ontving onze eerste donatie – vijf rand van een eenzame chauffeur die in Kimberley een krantebericht over mijn voettocht had gelezen. Vlak daarachter zat een wagen vol bejaarden, die klapten toen ze voorbijreden.

Gerry had de spijker op zijn kop geslagen toen hij de dodelijke verveling beschreef: 'Weet je wel dat de belangrijkste beslissing die ik iedere dag neem, is of ik wel of niet de groente zal kruiden?'

Dat is de grootste uitdaging van een voettocht, niet de lichamelijke kant ervan. Als Gerry niet in staat was de god van de verre einders nederig, eerbiedig en onderdanig tegemoet te treden, dan zou de strijd tegen de verveling zwaar zijn en het zou hem gedurende de volgende acht weken naar Lusaka opvreten. Hij zou de vreugde mislopen van een reis door een heel continent, omdat die zo langzaam verliep. Hij had zijn ogen er al voor gesloten.

De dageraad was rozevingerig vanwege het stof en de wolken wierpen schaduwen over de maïsvelden. De maïs stond op het veld te rijpen en op sommige plekken zag ik zonnebloemen staan die al over hun hoogtepunt waren. Er kwamen vaak fietsers voorbij, bruine fietsers in verschoten, door de wind bol geblazen westerse kleren op zware metalen fietsen. We verlieten eindelijk de Kaapprovincie en ik wandelde Transvaal binnen. Deze verandering kondigde zich aan door een bescheiden teken.

De hele ochtend had ik lopen dagdromen over het huren van een huisje in Dartmoor, waar ik een studeerkamer had met witgepleisterde stenen muren, plavuizen op de vloer en een wit bureau in het midden, met een fax, een fotokopieerapparaat, een koffiepercolator en een witte Apple-computer. Beneden zou er dagelijks schoongemaakt worden en er stond een Mercedes op de oprit. Ik had die droom in Australië al gehad, maar hij verloor nu zijn motiverende werking omdat hij nooit uitkwam. Ik zal een paar van die dromen tussen mijn voettochten moeten uitwerken, anders verliezen ze hun werkelijkheidswaarde.

Ik liep de hoofdweg af, om Christiana heen – een grote verzameling bungalows met leuke tuinen – voor ik me weer op de hoofdweg begaf. De zwarte kinderen lachten en klapten en gaven me een blij gevoel, maar de blanke kinderen gniffelden, wat ik onaangenaam vond.

Ik liep nu al de hele dag, na al die vragen in Kimberley die steeds herhaald werden, een lijst samen te stellen met vragen die je nooit aan een wandelaar moet stellen:

Vr.: Waarom?
A.: Het is persoonlijk en je krijgt nooit de ware reden te horen.
Vr.: Wat draag je aan je voeten?
A.: Kijk maar.
Vr.: Wat eet je?
A.: Kijk maar naar mijn bord. Een wandelaar eet voortdurend.
Vr. In welke richting loop je?
A.: Naar het noorden.
Vr.: Ben je alleen?
A.: Kijk maar om me heen. Ik ben nooit alleen.
Vr. Ben je bezig geld in te zamelen voor een goed doel?
A.: Let maar op mijn halo.

Die avond luisterden we naar de Wereldomroep Afrika en hoorden ons verhaal: 'Ffyona Campbell nadert Botswana', zei de omroeper. Oli werd enthousiast. Ik dacht aan alle mensen in dit uitgestrekte werelddeel die vanavond op dit station hadden afgestemd. Ik vroeg me af of ze me voortstuwden met hun wil. Ik vroeg me ook af of het hen iets kon schelen.

De volgende zeven dagen zetten we er flink de sokken in om zo vlot mogelijk in Gaborone aan te komen, zodat we drie dagen rust konden nemen.
Ik probeerde het niet al te zeer in mijn geest op te blazen, maar ik had een rustpauze hard nodig. Ik merkte dat ik liep te dagdromen over Tom Cruise, die met die dodelijk sexy glimlach van hem al goochelend met alcohol en ijs aan de bar cocktails voor me stond klaar te maken.
Opnieuw dreigde er die middag een onweer. De hemel werd al spoedig ondoorzichtig. Ik had het waterdichte jack van Gerry een tijdje gedragen, maar gaf het terug; ik regende liever nat. Al de hele middag scheurden er toeterende auto's voorbij, zodat ik op het punt stond te gaan gillen. Het is wel zó ongelooflijk misselijk, want je schrikt je lam.
We kampeerden op een parkeerplaats langs de weg, onder gombomen, beschut tegen de zuidenwind. Dit was niet zo verstandig. Al snel brak door een rukwind een zware tak af, die een paar meter van mijn tent terechtkwam.

We hadden de Land Rover Stormin' Norman genoemd, en hij begon er inderdaad uit te zien alsof hij bij een militaire actie was ingezet. Maar de meeste schade kwam door ons eigen dronken gedoe en ruwe kampeermethoden. De motorkap zat onder de rode wijnvlekken en klodders vet van Gerry's biefstukken, die hard geworden waren van het stof. We besloten hem niet schoon te maken voor we in Gaborone waren. Het stof was bijna een soort teken van eer.
Er waren veel mensen op de weg. Velen gingen goed gekleed, inclusief iemand met een blazer en witte broek, die liep te dansen met een radio tegen zijn oor. Ik danste lachend met hem mee.
De hemel zond een koel windje dat ons voortblies, en ik voelde me beter toen we de laatste maïsvelden voorbij waren. We picknickten onder een boom voor de lunch, waar we bezoek kregen van een oude zwarte man in gerafelde kleren die met touwtjes bij elkaar gehouden werden. Hij hield zijn hand op om iets te ontvangen en ik gaf hem een sinaasappel. Hij wierp me een kushand toe.
In de ochtenden hadden we te maken met een koude rugwind. De winter haalde ons in en ik vroeg me af hoever ik naar het noorden moest om

eraan te ontsnappen. Het was nog vierendertig kilometer naar Zeerust, de laatste grote stad voor we bij de grens kwamen.

Het was niet druk op de weg en ik stapte de hele ochtend stevig door. Mijn dijbenen voelden sterk aan op dit heuvelachtige stuk. Een paar uur later werden de hellingen steiler en begon mijn energie af te nemen. Maar in ieder geval wachtte ons in Zeerust een soort chalet met een hete douche.

Stormin' Norman voelde zich de volgende dag niet lekker – het rechtervoorwiel stond scheef en hij lekte olie. Gerry en Oli vonden een garage in de stad, terwijl ik een paar sandwiches klaarmaakte en alleen van start ging, een hele dag zonder hen.

Weldra kwam ik door een dorp dat niet op de kaart stond aangegeven en ook geen naam had. Ik wuifde naar de inwoners, die blootsvoets gingen en met plastic emmers met water op hun hoofden balanceerden.

Er lag een uitgebrand wrak van een containervrachtwagen langs de weg. Hij was volledig kromgetrokken, maar je kon nog wel de slogan van de firma lezen: 'Wij bezorgen uw dromen thuis'. Heuvelafwaarts liep ik in de richting van een vlakte die zich uitstrekte naar een rij purperkleurige bergen in de verte.

Er stopte een auto naast mij, waaruit een blozende man, gekleed in een overhemd met stropdas, kwam stappen. Ik wist bijna direct dat het Nick Byers was, de contactman van De Beers in Gaborone. Wij schudden elkaar de hand en hij kuste me op de wang. Nick liep een half uur met me mee en verklaarde dat de grensovergang de volgende dag helemaal in kannen en kruiken was. Hij had een hele stapel documenten meegebracht. Tot die tijd had ik alleen nog maar telefonisch vanuit Londen met hem gesproken – toen had het onmogelijk geleken dat ik ooit zover zou komen.

Toen hij wegreed, had ik nog heel wat kilometers voor de boeg. De jongens arriveerden laat, na bijna zes uur in Zeerust bezig te zijn geweest met het uit elkaar halen van de Land Rover. Ze hadden het probleem gevonden, maar niet de tijd gehad om de auto te repareren.

Mijn gezicht was verbrand en mijn lippen gebarsten, ondanks de crème. De rimpels kwamen snel opzetten, en ik zei tegen de jongens dat ik ze liet staan, net als zij hun baard. Met een air als Winston Churchill gaven zij ten antwoord dat het verschil was dat zij hun baard konden afscheren. Het was onze laatste nacht in Zuid-Afrika. Wij lachten van opluchting en waren vol goede hoop voor de ochtend.

Oli maakte me om drie uur wakker met koffie, die ik opdronk in een duisternis die vochtig was van dauw. Toen we een uur later aan de wandeling begonnen, wierp mijn voorhoofdlamp een dansende bundel licht over de vluchtstrook van de weg. Gerry brak het kamp op en reed de kortegolfradio plat die naast het wiel had gelegen.

De Beers onderhoudt betrekkingen met de regering van Botswana, die misschien wel de succesvolste zijn in heel Afrika. Ze zijn gelijke partners in de exploitatie van diamantmijnen, investeren evenveel geld en krijgen evenveel winst. Dit is een ordentelijk land, met niet veel corruptie in de regering en de inkomsten uit de mijnen wordt rechtstreeks in de infrastructuur geïnvesteerd.

Het plan was tegen tien uur bij de grens te zijn. Dat was wel iets meer dan een plan. Hooggeplaatste personen en ambtenaren uit Botswana zouden ons daar komen begroeten, mensen die niet graag opgehouden worden.

'Zou het niet prachtig zijn als we verkeerd gerekend hebben en het eigenlijk dichterbij is dan we dachten?' zei ik tegen Gerry, terwijl ik de doorns in mijn kont voelde prikken.

Ik trok mijn ondergoed uit om iets aan het schuren te doen.

Oli ging vooruit om de afstand naar de grens te controleren. Hij kwam een uur later terug.

'Slecht nieuws,' zei hij. 'Het is geen zestien, maar nog achtentwintig kilometer.'

'Niet te geloven!' schreeuwde ik. 'Waarom gaat dit steeds fout?'

Dit was nu al de derde keer dat de kaart, kilometerpalen en de teller van de Land Rover niet met elkaar klopten. Ik draaide me om en sloeg mijn handen voor mijn ogen in een poging kalm te worden. Ik kon wel janken.

Ik berekende dat we twee uur te laat zouden komen en zei tegen Oli en Gerry dat ze naar de grens moesten rijden en Nick bellen om zijn vertrek en dat van de hoge omes uit te stellen. Ik stapte stevig door, zingend 'God Save the Queen', 'Rule Britannia' en 'Onward Christian Soldiers' – allemaal vreselijk vals, maar ik deed het om het moreel hoog te houden. Op de top van een plateau keek ik naar het vlakke land onder me, en ik moest aan Ayers Rock in Australië denken. Ik voelde de steile helling bergafwaarts aan mijn kuiten trekken en begon stampend de weg af te rennen tot alles aan me hotste en botste en mijn longen het uitschreeuwden.

Een stel zeer bespraakte kerels stopte en vroeg of ik naar Caïro liep. Een van hen was een verslaggever uit Zambia, met als basis Johannesburg. Hij had het verhaal in Zambia gelezen.

'Ik las dat je dit doet om je vader iets te bewijzen,' zei hij.

Mijn hart sloeg over. Als mijn verhaal in het noorden gepubliceerd was, wilde dat zeggen dat de mensen in die landen wisten dat mijn voettocht in Kaapstad was begonnen. Al mijn pogingen om dit deel van de reis verborgen te houden door mijn paspoort vrij te houden van stempels, waren dan tevergeefs geweest.

De eerste pauze was om halfzeven, de tijd waarop we anders altijd vertrokken. Dit was honderd meter vóór de politiecontrolepost waar Nick me de vorige dag had verteld. Twee agenten zaten in zware overjassen sigaretterook in de koude lucht te blazen.

Nick Byers zag er fantastisch uit in zijn blazer, flanellen pantalon en stropdas van De Beers, toen hij ons met vier officials in pak in zijn kielzog begroette. In toeristische landen willen ze dat je bij aankomst en vertrek een valutadeclaratie invult. Dat is een manier om te voorkomen dat je geld wisselt op de zwarte markt. Je geeft aan hoeveel je hebt als je binnenkomt en overhandigt ze de bonnen van de banken wanneer je vertrekt, om aan te tonen dat je legaal gewisseld hebt. Wij werden snel naar het volle immigratiekantoor geloodst, waar een speciaal loket voor ons openging. Dat maakte geen indruk op de zweterige rij, die zich er onmiddellijk op stortte.

Onze paspoorten werden niet aangeraakt. Nick had het zó geregeld dat de inreisstempels in Gaborone werden gezet, zodat het leek alsof we rechtstreeks vanuit Londen waren komen vliegen en helemaal niet in de buurt van Zuid-Afrika waren geweest. Niet gek gedaan.

Geflankeerd door een politie-escorte liep ik over een rode, zanderige loper Botswana binnen. Toen we Zuid-Afrika achter ons lieten, draaide ik me om en fluisterde: 'Dank je wel.' Ik had in drieënveertig dagen 1.590,6 kilometer afgelegd.

Wij brachten drie dagen in weelde door in het gastenverblijf voor directeuren van De Beers die Gaborone bezochten. Er was een enorme zitkamer met een volledig gevulde bar aan één kant, een speelkamer met een biljart eveneens met een volledig gevulde bar, een zwembad en meer dan genoeg bediening om je een cocktail te laten serveren. Al onze was werd gedaan; we konden gebruik maken van de telefoon en er stond een enorme, volle doos van Quality Street naast de televisie en de stapel video's. Deze dagdroom was uitgekomen.

Ik belde Shuna. Raymond had haar opgebeld en gezegd dat hij zich zorgen over me maakte. Ik probeerde uit te leggen dat ik een gevoel van vrijheid had gevonden, dat Raymond me bond aan een manier van leven die ik achter me had gelaten en waarmee ik de banden wilde kappen. Ik was bezig een voettocht te maken, die moest ik alleen maken, en ik wilde niet dat hij ging zitten wachten tot ik terugkeerde.

'Is het dan niet beter dat je hem dat vertelt?' zei ze.

Zoals altijd had ze gelijk.

Ik belde Raymond.

Hij geloofde het niet toen ik zei dat ik niet meer van hem hield. We hadden een lang gesprek, waarbij ik mijn hart uitstortte. Ik deed mijn best niet hard te zijn maar hem gewoon uit te leggen hoe ik erover dacht. Wat ik van Raymond verlangde, was, dat er in Engeland iemand was die van me hield en me brieven schreef, maar ik wilde niet dat hij naar Afrika kwam. En ik wilde ook niet met hem trouwen. Ik zat in een dilemma. Hij was goed en lief en vertrouwenwekkend, maar hier was ik, ondanks alles, vrij.

We eindigden met de afspraak dat we er opnieuw over zouden praten.

Ik liet mijn haar knippen en wassen zodat het weer zacht en fris aanvoelde en het me bijna vreemd voorkwam. De jongens lieten hun haar ook knippen. Goddank was het haar van Gerry nog te herstellen na die hakbeurt die ik hem in het begin had gegeven.

Met een kater en een zware kop had ik nauwelijks een uur geslapen in de nacht voordat we Gaborone zouden verlaten. Ik sleepte me onder de douche en probeerde mezelf te motiveren voor de komende dag. Toen ik bij de Land Rover aankwam, hoorde ik dat de jongens al twintig minuten op me hadden staan wachten en niet onder de indruk waren.

Toen ik tegen Gerry zei dat hij niet mee hoefde te lopen, snauwde hij: 'Mooi zo!'

Lopen met een kater is fantastisch. Mijn lichaam slingerde gewoon moeiteloos voort onder dat bonzende hoofd. Binnen twee uur schuurde mijn kont en ik ontdekte dat het messcherpe gras even gemeen was als in Zuid-Afrika. De muggen waren in grote aantallen aanwezig, wat me ongerust maakte, omdat we die drie dagen in Kimberley vergeten waren onze malariapillen in te nemen. We moesten zonder mankeren iedere dag twee paludrinecapsules en twee maal per week twee nivaquinepillen innemen.

De weg liep bijna recht naar het noorden in de richting van Francistown, over glooiende heuvels en voorbij traditionele, met riet bedekte lemen hutten, omgeven door schuttingen van palen. Moeders die de aarden erven aanveegden met handbezems gingen overeind staan en legden hun handen over hun ogen tegen de zon toen ik naderde. Dan hieven ze een hand op om te groeten. De kippen krabden in de aarde rond hun enkels.

Ofschoon het een rustige weg was, was ik al een gekantelde vrachtwagen tegengekomen en merkte ik dat de chauffeurs zich hier weinig aantrokken van de verkeersregels. Vroeg in de middag haalden twee konvooien vrachtwagens elkaar in, uitzwenkend over de zachte vluchtstrook, waarbij ze mij bijna verpletterden.

De weg vanuit Gaborone naar het noorden bestond tot aan de afslag naar Serowe uit onbeschilderde macadamplaten en liep vrijwel rechtdoor. Ik kwam goed vooruit op de kaart, maar het was ongelooflijk saai. De jongens kochten een paar halters, met de aankondiging dat ze tot aan Victoria Falls op de gezonde toer gingen, want Gerry wilde de beruchte kloof in. Sterker nog, er zou niet meer gedronken worden, beslissing van het team, zei Oli. Ik hoorde het voor het eerst.

Ze liepen ongeveer drie dagen gewichten heffend met me mee, maar gaven het daarna op. Onze wederzijdse irritaties stonden op een zacht pitje te smeulen. De jongens schenen het me zelfs kwalijk te nemen dat ik aan het eind van de dag brieven zat te schrijven, ook al hadden zij zelf verscheidene uren overdag om dat te doen. Ik vermoed dat ze inmiddels aanstoot namen aan alles wat ik deed – evenals ik aanstoot aan hen nam.

Ik wist dat ik veel van hen vergde door te eisen dat ze zich aan dit leeftempo aanpasten. Ik had altijd het idee gehad dat het leven van een chauffeur met zoveel vrije tijd comfortabel was. Ik had me niet gerealiseerd dat ze geen vrije tijd wilden. Toch hadden ze aan het eind van de dag, wanneer ze wel wat te doen hadden, kritiek op mij dat ik niet meehielp, omdat ik moe was, en het voor de eerste keer was dat ik kon gaan zitten.

Ik was kwaad dat we 's avonds niet meer konden luisteren naar de BBC World Service, maar nog veel bozer dat het zo lang had geduurd voordat Gerry opbiechtte dat hij het apparaat kapot had gemaakt. Ik kon me niet meer lekker oprollen om naar een rustige, conservatieve BBC-stem te luisteren die meedeelde dat de wereld nog draaide, dat er nog steeds oorlogen werden gevoerd, dat de politici nog steeds hun retoriek rondstrooiden en Engeland nog steeds daar dreef waar het altijd had gedreven.

Ik sliep goed en ontwaakte met mijn tent vol dauw en mijn vingers gevoelloos van de kou.

De president van Botswana, Quett Masire, kwam 's ochtend in een Mercedes voorbijrijden, ergens achter gekleurd glas, geflankeerd door politiewagens. Ik vroeg me af hoe hij over zijn volk dacht als hij er vanuit zijn comfortabele wagen met airconditioning naar keek. Voelde hij ooit het stof tussen zijn tenen en proefde hij het achter in zijn keel? Rook hij de uitlaatgassen en de lucht van kadavers? Ik had gehoord dat hij een van de minst corrupte presidenten van Afrika was en veel goeds voor zijn volk deed.

Verderop stuitte ik op een nieuw ongeval met een vrachtwagen. Die had koeien en stieren vervoerd, afgeschermd door metalen hekken die nu naar binnen gedrukt zaten. Een aantal dieren was beklemd geraakt, evenals de arm van de chauffeur. Hij had een koe op de weg niet kunnen ontwijken, was gaan slingeren en de controle over het stuur kwijtgeraakt. Het arme beest lag dood aan de kant van de weg, een prooi voor de vliegen.

Er is vijf keer zoveel vee in Botswana als er inwoners zijn. Een paar jaar geleden was dat aantal zelfs acht keer zo hoog, tot er een epidemie van mond- en klauwzeer was uitgebroken die een hoge tol had geëist. Er waren omheiningen geplaatst om de verspreiding van de ziekte tegen te houden, maar duizenden stuks wild waren omgekomen omdat ze honderden mijlen hadden moeten omlopen om bij de drinkplaatsen te komen. Het was een ware ramp geweest.

Op iedere voettocht bestaat er een 'vijftigste dag-syndroom', te vergelijken met de pijngrens die iedere lange-afstandsloper moet doorbreken tijdens een marathon. Dit is de vervelingsbarrière. Alle nieuwigheid is ervan af, alles loopt zo langzamerhand enigszins gesmeerd, waarna het besef doordringt dat dit het dan is, dag in dag uit, week in week uit, en dat een jaar lang. Om daaraan het hoofd te bieden, moet ik een knop in mijn geest omdraaien. De wereld wordt kleiner, zodat ik niets verwacht dat voorbij mijn richtpunt ligt. De dagdromen worden langzamer, zodat ik alles zorgvuldig kan overwegen en elke gevoelsindruk kan doorleven. Ik was aan mijn dagmars begonnen met het aankleden van een heel huis tijdens één kwart. Tegen de tijd dat ik op dag vijftig was aangekomen, was ik de hele dag bezig met het nemen van een beslissing over een bepaalde kleur lamp. Deze geestesgesteldheid droeg ik mee tijdens het kamp.

Er bestaat geen remedie tegen. Wanneer het zich eenmaal in je genesteld heeft – voor zolang het duurt – kun je je òf bewusteloos zuipen, òf harder gaan werken om je geest af te leiden van de treurigheid en de lethargie. Aangezien we op dit moment 'droog stonden', was het laatste de enige keus.

Gerry werd overdreven sentimenteel, miste zijn vriendin en droomde ervan weer te gaan kanoën. Oli's hand raakte geïnfecteerd nadat hij in een doornbosje was gevallen en ik een uur lang bezig was geweest de stekels eruit te trekken. Zijn vingers waren opgezwollen en klopten. Hele perioden van stilzwijgen onderbrak hij met af en toe te zeggen: 'Ik denk dat het tijd wordt dat ik naar huis ga.' Wat mij betrof, ik deed erg mijn best om het feit te verwerken dat ik ze allebei kwijt zou zijn, omdat ik merkte dat iedere pijn en moeite verveelvuldigd werd.

Ik vond geen troost in het koele, vlakke land en ook niet in de wind in mijn rug. Iedere kilometer leek er vijf te zijn, iedere geur deed mijn neus krullen. Zelfs het melodieuze lachen van de mensen die ik onderweg tegenkwam, of het geluid van koeiebellen dat uit de struiken klonk, kon mij niet vrolijk stemmen.

Nick Byers arriveerde die avond met zes brieven voor ieder van ons. We hulden ons allen in stilte, Gerry op de motorkap, Oli in de open laadklep en ik languit in mijn tent, en lazen de berichten van thuis. Af en toe ritselde er papier of grinnikte er iemand.

Die beruchte vijftigste dag brak aan en ik had mijn bed bevuild. Dat is zacht uitgedrukt voor het feit dat ik 's nachts opeens overvallen werd door een hevige aanval van diarree, zodat ik geen tijd had de tent open te ritsen en op tijd buiten te staan.

Veel later dan de bedoeling was, ging ik alleen op pad, met alleen mijn dagrantsoen. Na acht kilometer passeerde ik de steenbokskeerkring – halverwege de zuidpool en de evenaar, volgens Gerry. De aarde was rood, begroeid met meloenranken en struikachtige bomen die voor voldoende schaduw zorgden tijdens de lunch.

Gerry had een dode slang onder een van de stoelen gelegd. Dat was voor mij bedoeld, maar Oli ging er het eerst zitten.

'Niet bewegen,' fluisterde Gerry.

Oli keek er even naar en begon te lachen.

De slang was ongeveer dertig centimeter lang, vingerdun met een bruinzwart ruitpatroon op zijn rug en een witte buik. Gerry had hem onthoofd in een boom gevonden.

Ik deed een hele middag over een lange, saaie helling, die bijna al mijn energie aansprak. Ik zoog aan de waterfles als een baby aan de borst en merkte dat mijn ogen dichtvielen van vermoeidheid. Ik verlangde naar het eind om mijn brieven te kunnen herlezen en er een paar terug te schrijven. Dit was de eerste keer sinds Kimberley dat we post hadden ontvangen.

Ik begon tegen Oli en Gerry te snauwen, vooral wanneer de periode van twintig minuten tussen de 'pit stops' om water te drinken zestig minuten werden: zij reden vooruit, parkeerden de Land Rover, zetten de tafels en stoelen op om hun brieven te kunnen schrijven.

Die avond maakte ik mijn excuses dat ik zo'n kreng was geweest en beloofde beterschap. Ik wilde bij God dat we weer aan de drank konden.

Vanaf het vertrek uit Gaborone was iedere dag vanzelf overgegaan in de volgende, zonder dat het landschap veel veranderde. Ik moest doorzetten.

In de lage struiken bewoog zich een schildpad en toen ik me bukte om hem op te pakken, ging hij er opmerkelijk snel vandoor. Hij deed me aan mezelf denken. Ik was een schildpad, die heel langzaam door Afrika kroop.

Vlak voor Mahalapye, de op één na grootste stad van Botswana, hoorden we dat Rajiv Gandhi van India was vermoord. Een vrouw met een bom op haar lichaam bevestigd overhandigde hem een bos bloemen toen hij zijn moeders graf bezocht.

Het begon overdag weer warm te worden – 30 °C – maar 's nachts daalde het kwik tot 10 °C. Het begon om halfzes 's middags te schemeren, waardoor we na iedere dagmars maar negentig minuten hadden om het kamp op te zetten. Nadat het eten was gekookt, genuttigd en er was afgewassen, keerde ieder terug naar zijn boeken en brieven.

Ik had weer een pijnlijk onderbeen, dat nodig gemasseerd moest worden, en ik voelde me groezelig na vijf dagen zonder douche. De rode, zanderige aarde zette zich snel vast op mijn transpirerende benen, waardoor het leek alsof ze door de zon verbrand waren. Ik maakte me zorgen dat de vliegen eitjes in mijn haar zouden leggen, aangezien ik merkte dat er een paar druk bezig waren zich op mijn schedel te nestelen. Afrikaanse vrouwen zijn zo wijs dat probleem te vermijden door het heel kort af te knippen of het heel stevig te vlechten.

Oli zag de slang het eerst. We hadden een schaduwrijke plek gevonden om te lunchen, weg van de overbelaste vrachtwagens die af en toe voorbijdenderden. Oli zat op een stoel van zijn sandwich te smikkelen toen een pofadder tot een paar centimeter van zijn voeten gleed.

'Jezus!' brulde hij. 'Ik maak dat ik wegkom!'

Hij had er alle reden toe. De pofadder veroorzaakt de meeste slachtoffers in Afrika, omdat hij de luiste slang van het struikgewas is en zich niet beweegt als hij je aan voelt komen. Na zich op veilige afstand te hebben teruggetrokken, ontwaakte bij Gerry het jachtinstinct. De slang was onder de Land Rover verdwenen, waardoor het riskant was deze te naderen. Er gaan verhalen over slangen die onder auto's naar boven klommen en op die manier honderden mijlen meegereden waren.

De tentpalen werden snel losgemaakt van het dakgeraamte en de jongens begonnen koortsachtig naar de moordenaar te speuren. Oli sprong achter het stuur en keerde de Land Rover, in de hoop hem te verpletteren. En ja hoor, de slang kwam regelrecht naar mij toe glijden.

Gerry mepte hem met een tentstok en sprong na iedere klap achteruit. Oli keerde de Land Rover en reed over de slang heen, waardoor het wriemelende lijf in de grond werd gedrukt. De staart sloeg nog heen en weer toen Gerry de punt van de tentstok door zijn kop boorde en hem omhooghield. Het gif droop uit de kaken.

Tegen het vallen van de avond hadden de jongens de details van deze jacht volledig doorgenomen en tot onherkenbare proporties opgeblazen. Gerry zei dat ik de hele tijd had lopen gillen – belachelijk, omdat ik dagelijks acht uur alleen door de bush loop, veel slangen tegenkom en heel wat kwetsbaarder ben dan zij als chauffeurs.

11

Wij kwamen onderweg een aantal interessante personen tegen, te voet of wachtend op een bus. Er was een meisje met littekens op haar gezicht en ik vroeg haar wat er gebeurd was. Toen ze klein was, had ze bloedende ogen gehad, daarom hadden ze in haar wangen gesneden en het bloed in haar ogen laten lopen om die te laten genezen.

'Een goede medicijn,' zei ze.

Ik wees op mijn vossetand. 'Goede medicijn.'

Ze knikte lachend. 'Houdt je gezond.'

Verderop zag ik een albino neger die zulk rood haar en sproeten had dat hij wel een Schot leek. Hij zou in de bar in Palapye niet opgevallen zijn, waar vier Schotten aan het zingen sloegen en beneveld raakten naarmate de drank vloeide. Eén van hen viel neer in een stoel en ik meende dat hij dronken was, tot iemand me toefluisterde dat hij kanker had en stervende was.

De alchohol deed zijn werk snel. De barman bleef maar dubbele whisky's inschenken en de aanvoerder van het stel Schotten, die een baret van Schotse ruitstof droeg, ging voor met dansen. Gerry begon tegen een of andere onschuldige kerel te brullen dat hij een 'Britse klootzak' was. Die knaap was een Ier en in een paar seconden regende het vuistslagen en vlogen er stoelen tegen schedels. Ik raakte erin verstrikt, tot Gerry weggetrokken werd en tegen de bar gezet. Hij was ergens kwaad over en zocht ruzie.

Gerry verdween het dorp in en kwam in de vroege uurtjes, met een kater, onbeholpen terugstrompelen. Ik probeerde hem weer in het gareel te krijgen, maar hij was niet in de stemming om me aan te horen.

'Als het tot je doordringt dat dit helemaal niet Ffyona Campbells geweldige voettocht door Afrika is...' begon hij, maar hij maakte het niet af.

Ik schreeuwde over hem heen en zei in niet mis te verstane bewoordingen hoe hard ik had moeten ploeteren om het geld bij elkaar te krijgen en dat ik dat door niemand op het spel zou laten zetten.

'Denk jij misschien dat ik een watje ben? Jij denkt zeker dat ik het nooit moeilijk heb gehad in mijn leven. Nou, dan heb je het mis. Ik ben er nog als het ruig begint te worden. En waar sta jij dan?'

Wij wisselden een paar verzengende blikken en hij droop af.

Ondanks mijn grote respect voor Gerry had ik heel gemakkelijk een gloeiende hekel aan hem kunnen krijgen. Kon ik het helpen dat het in Zuid-Afrika en Botswana zo gemakkelijk ging?

We zaten nu aan de rand van de Kalahari. De weg in noordelijke richting naar Letlakane zou heel gewoontjes zijn voordat het avontuur begon. Daarna zouden we ons door de zoutpannen moeten worstelen, waar groot wild huist en de zon schroeit.

Ik liep niet langer over macadamwegen. Ik gaf er de voorkeur aan voort teschuiven over de sporen in de rode aarde, waar door ezels getrokken karretjes voorbijrolden en jongens het vee voortdreven, het lichtjes aantikkend te midden van de stofwolken die ze met hun gespleten hoeven opwierpen.

Tot dusver had ik ongeveer 1.880 kilometer in vierenvijftig dagen kunnen afleggen, met tussenpozen van tweemaal drie rustdagen. Dat was ruw genomen 1.000 kilometer per maand, als je de totale duur van de voettocht op vijftien maanden stelde. De dagen verliepen tamelijk gemakkelijk, maar ik kreeg een ellendig gevoel bij de gedachte dat Oli over vijftien dagen bij Victoria Falls zou afhaken en Gerry veertien dagen daarna in Lusaka.

De tocht vanaf Serowe had geen best begin, toen mijn dronken pakpogingen boven op de Land Rover de vorige avond resulteerden in het verlies van een tent en twee slaapzakken. Toen we terugreden, konden we die van Oli nog terugvinden, maar die van Gerry was verdwenen. Die had hem tijdens vele reizen goed gediend en hij was er daarom bepaald niet blij mee. Ik probeerde het te compenseren door hem mijn reserveslaapzak te geven, maar zoals met alle dingen waaraan je gehecht bent, was hij niet zo gemakkelijk te vervangen.

De Kalahari was zanderig en er groeide melde, net als in Australië, maar er waren geen duinen. 's Morgens was het ijzig koud. Er vlogen vogels die een ander deuntje floten. Op dit vlakke land kon ik een gestaag ritme aanhouden. De hekken waren verdwenen, waardoor je een weidser gevoel kreeg.

Ik liep door een dorp waar het rook naar de binnenkant van een wasboon – de sappige geur van jong groen dat in de woestijn toch nog water weet te vinden. Rond het dorp was de vegetatie laag en stekelig. Het deed me denken aan de gerimpelde oude mannen in het dorp, wier gelaat er uitzag als boombast.

Vanaf Gaborone was mijn buik een onzekere factor geworden, wat inhield dat ik vaker moest stoppen. Ik speurde de struiken af met mijn stok voordat ik durfde te gaan zitten. Een eeuwenoude remedie tegen diarree is gewoon achtenveertig uur niet eten, maar ik móest wel eten om aan energie te komen.

Helikopterinsekten vlogen gonzend over met hun iriserende vleugels, en de vlassige pluisbollen van zaden dreven voort in de lichte bries. Soms dacht ik dat ik midden in een documentaire zat. Ik kon de achtergrondmuziek horen en de camera zien inzoomen op een typische zwarte mama, die op het land maïs staat te plukken, terwijl een bloot jongetje aan de gerafelde zoom van haar gebloemde jurk staat te trekken. Koeien met fluweelzachte ogen staan te grazen, heen en weer flapperend met hun lapjes van oren.

Het begon 's nachts koud te worden. Gerry probeerde met mijn vuurboog en een bundeltje geel gras als tondel vuur te maken. Na veel geblaas en gevloek, onder aanwending van veel geweld om het gebrek aan vaardigheid te compenseren, ontstond er een klein, gloeiend kooltje in de vuurtang. Heel omzichtig tikte ik het met behulp van mijn mes in een bundeltje tondel, zorgvuldig pogend het weg te houden van de zweetdruppels die van Gerry's gezicht dropen. Ik hield het omhoog om wind te vangen en blies er zachtjes op, het gras tussen mijn handen wrijvend, om het kooltje voedsel te geven. Maar het wilde geen vlam vatten. Het gras was niet geel omdat het dor en droog was – het heeft altijd die kleur. Een hernieuwde poging met behulp van de wollige binnenkant van zaadpeulen bleek succesvoller. De vuurelfjes dansten tussen het gloeiende hout. De jongens kropen dichterbij toen de grond vochtig begon te worden van de dauw. Ik voelde me schuldig dat zij zonder tent buiten moesten slapen. Het was mijn fout en dat lieten ze me door een veelbetekenend zwijgen merken ook.

We waren vier dagen van Orapa verwijderd, waar we een belangrijke beslissing moesten nemen. Ik kon tijd besparen door de zoutpannen aan de rand van de Kalahari over te steken, maar de vraag was of het mogelijk bleek voldoende water mee te nemen om ons erdoorheen te brengen. Er waren geen wegen of sporen; het was een kwestie van de vegetatiegrens volgen, die vrijwel recht naar het noorden liep. We hadden ook een goede kaart en goede raad nodig van de contactmensen van De Beers in Orapa, in verband met onbekende gevaren.

Ik had al berekend dat we dertig liter drinkwater per dag nodig hadden, inclusief vijf liter extra voor onvoorziene omstandigheden. De Land Rover vervoerde vijf jerrycans water en twee voor brandstof. Dit was voldoende voor drieëneenhalve dag in de zoutpannen als we ons niet wasten, afgezien van handenwassen en tandenpoetsen. We hadden, als alles voorspoedig verliep, vier dagen nodig om erdoorheen te trekken. Gerry en Oli waren er tuk op om het erop te wagen, misschien wegens het avontuurlijke gevoel dat het gaf. Oli had zijn achillespees verrekt en wilde liever een aantal dagen niet staan. Dit was het eind van het meelopen. Ik liep helemaal alleen, genietend van mijn dagdromen, de geur van houtvuur in mijn haren opsnuivend. Ik was vies, want ik had sinds Serowe geen douche meer gezien, maar het heeft iets bevredigends om je nagels, die vol bruine aarde zitten, schoon te krabben met een Zwitsers legermes. Ik had alweer zorgen aan mijn hoofd. Mijn verstandskiezen begonnen door te komen en hielden me 's nachts wakker; ik had bulten op mijn hoofd die jeukten en aan het eind van de dag deed mijn achterste zeer en kwam ik knarsetandend en met samengeknepen billen het kamp binnen.

Een vrachtwagen vol mannen die met explosieven werkten, keerde toen hij ons gepasseerd was. Zij sprongen uit de auto en begonnen met stenen naar iets te gooien. Gerry rende erheen en ik zag vanaf het dak van de Land Rover hoe ze een zilvergrijze slang van ongeveer een meter tachtig dood stonden te stenigen. Een van hen vorkte zijn vingers om aan te geven hoe dodelijk het beest was.

Zonder kortegolfradio luisterden we maar naar de plaatselijke omroep van Gaborone op de ontvanger van de Land Rover. De muziek was verbazingwekkend goed, maar werd steeds onderbroken door een marathonuitzending om geld in te zamelen. Hoe wilden ze in 's hemelsnaam geld inzamelen in een land waar nauwelijks telefoons waren?

Die nacht stak er een huilende wind op, die zand uit de woestijn meevoerde. In mijn tent luisterde ik naar het geklapper van het doek en schreeuwde naar de jongens: 'Kom in godsnaam hierbinnen liggen zodat jullie kunnen slapen.' Maar ze bleven buiten. Ze ontwaakten met het zand in hun haar en over hun hele gezicht. Dat deden ze expres, om de martelaar uit te hangen. Mijn vader zou gezegd hebben: Iedere gek kan het zichzelf moeilijk maken.

Een week later kwamen we aan in Letlakane en stopten de wandeling. We moesten Orapa binnenrijden, dat aan het eind van een weg ligt. Het is een gesloten plaatsje, alleen voor arbeiders van de diamantmijnen, maar we werden verwacht en binnengelaten. De mannen van de beveiligingshekken droegen mantels, handschoenen en hoeden van wollige stof.

Ik sprak met Luly. Zij zou de wisseling van de chauffeurs regelen, wat nogal ingewikkeld was, omdat Blake Rose, iemand die in Zuid-Afrika geboren was, zijn pas moest laten veranderen en Bill Preston opnieuw aan zijn handen geopereerd werd – hij was een jaar eerder in Pakistan beschoten.

Het schema voor mijn back-up-team moest bijna dagelijks herschreven worden en ik begon het gevoel te krijgen dat ik een van de ezels was die ik al vaak langs de weg was tegengekomen: hun voorpoten waren aan elkaar gebonden om te voorkomen dat ze weg zouden lopen. Maar toen ik Charlie belde om hem eens uit te foeteren over dat verwarrende gedoe met die verandering van team, hoorde ik dat hij aan het parachutespringen was in Schotland, en het had geen zin om iemand anders de huid vol te schelden. Ik stelde voor dat Blake vast op weg werd gestuurd om ons in Victoria Falls te treffen, maar hij was niet op tijd gevaccineerd.

De volgende complicatie was de mededeling dat een journalist en een fotograaf van *You* in Londen ons de volgende week zouden komen opzoeken. Omdat ze hoofdsponsors waren, kon ik geen nee zeggen, maar ik had geleerd op mijn hoede te zijn voor verslaggevers. Ik weet wat ze doen voor de kost en dat wil niet altijd zeggen dat ze de waarheid schrijven. De jongens waren heel enthousiast over hun komst.

'We gaan ze afzeiken,' zei Gerry geestdriftig. 'We gaan zeggen dat we hier niet voor de glittershow zitten. We laten ze zien hoe het werkelijk is.'

Daar was ik het mee eens en we lachten. Opeens voelden we ons weer een team.

Die middag genoten we uitbundig van de douches in de logeerverblijven van De Beers en aten 'kreeft thermidor', die smaakte als gegratineerde bloemkool, in een witgepleisterd restaurant met een rieten dak, houten dakspanten en rieten stoelen. Aan de muren hingen schilderingen van Bosjesmannen en dieren.

Wij spraken een korte bespreking af met Noel, de voorzitter van de Off Road Club, ter voorbereiding van de oversteek van de zoutpannen die in het noorden lagen. Sinds de ligging van een oud meer door prehistorische aardverschuivingen bloot was komen te liggen, zijn deze pannen de oudste ter wereld. De twee grootste, Ntwetwe en Sowa, omspannen het gebied van Makgadikgadi. Ze zijn van elkaar gescheiden door een smal eilandje van grasland. Hier werd de verloren stad van het eiland Kuba opgegraven. Zo ontdekte men dat daar tot tweeduizend jaar geleden mensen hadden geleefd. Overal in de hellingen liggen potscherven verspreid en aan de zuidgrens, een halvemaanvormige stenen muur, heeft tot de speculatie geleid dat daar ooit een veekraal is geweest, een marktplaats, of een bouwwerk met een of andere vergeten stambetekenis. 'Kubu' is Tswanees voor nijlpaard, wat impliceert dat die hier ooit geleefd moeten hebben, of misschien doen de rotsen in de buurt aan hun vorm denken.

Noel leende ons een tent en legde ons de alternatieven voor. De jongens konden door de pannen rijden, maar als de Land Rover van de harde korst afweek, kon hij tot aan de assen in het zand zakken, zodat we zouden stranden. Ik kon over het graseiland tussen de hoofdpannen door lopen, of langs de rand ervan. Hoe dan ook, ik verlangde hevig naar die tocht, want ik voelde me ontzettend van avontuur verstoken. Over een weg door de woestijn lopen gaf me het gevoel er niet totaal deel van uit te maken. De weg was maar drie meter breed en de woestijn in doorsnee duizenden mijlen, maar toch zonderde hij me af. De eindeloze uitgestrektheid van betonnen wegen waarmee ik in Amerika en in Oz (Australië – vert.) genoegen had genomen, was niet hetzelfde als hier, waar ik wist dat er een uitgestrekte wildernis om me heen lag. De volgende ochtend hobbelde ik Orapa uit, over een zandweg die ruw gemeten noordwaarts liep.

Vanaf een hoog stuk grond kon ik de steile helling zien, waar geologen hele stranden met ronde kwartskiezels hadden ontdekt die de golvende omtrek van het oude meer markeren. Ooit kabbelde in deze gortdroge pan water van twintig meter diep.

Ik rook de geur van wilde lavendel en af en toe zag ik springbokken als door de wind opgewaaide bladeren voorbijschieten. Struisvogels hobbelden voorbij als muzikale noten op een staccatoritme; apebroodbomen, leverachtig van kleur, weerkaatsten en absorbeerden iedere straal zonlicht. Hoog in de lucht zweefde de grote trap, de grootste vliegende vogel ter wereld, en met veel lawaai vlogen zwarte korhaars op uit het gras.

Altijd wanneer je water het meest nodig hebt – op hete plaatsen – smaakt het gruwelijk. Wij hadden de jerrycans in Orapa gevuld, maar het water was zó zilt dat ik, na gedronken te hebben, nog meer dorst had dan daarvoor.

Het was een heldere ochtend, met scherpe schaduwen en felle lichtplekken. In een vuile paarse jurk draafde ik door de struiken waarvan de bladeren begonnen te verkleuren. In een lemen dorpshut vond ik een pagina van een catalogus van een postorderbedrijf, verfrommeld tussen de uitwerpselen van een ezel.

Na veertig minuten boog het spoor bijna naar het zuidoosten af en het zag er niet naar uit dat het in noordelijke richting terugboog. Ik ging de verkeerde kant op en overwoog een moment wat ik nu moest doen. Het was het verstandigste te gaan zitten wachten tot de jongens kwamen, die zich ver achter me bevonden.

Ik markeerde de plek met een sok, waarna we terugreden naar het dorp, waar een vrouw in een handdoek en een blazer ons de juiste weg aanwees – een zeer moeilijk te onderscheiden spoor van poederzand. Ik had zes kilometer voor niets gelopen, maar vond mijn voetstappen weer terug en ging verder in noordelijke richting.

Het was hard ploeteren in dat vijftien centimeter dikke, watachtige stof, dat verstoof als talkpoeder zodra je een stap zette. Het begon me te frustreren dat ik daardoor zo langzaam vooruitkwam, zodat ik bijna begon te rennen als ik stukken harde grond vond.

Die avond kampeerden we zomaar in de open lucht rond het vuur. Oli was zwijgzaam, wat hij weet aan het vooruitzicht van een paar zware dagen. Gerry nam het op zijn eigen luchthartige manier op, klom in een boom om naar de zonsondergang te kijken en danste vervolgens om de vlammen tot zijn beenharen ervan schroeiden. Enig vond ik dit!

Toen ik de zoutpan betrad, strekte zich vanaf mijn tenen een wit tapijt voor me uit tot aan een horizon, zó wazig van trillende hitte dat je ogen inderdaad bedrogen werden en dachten water te zien. Het enige leven dat ik voor me uit bespeurde, was een eenzame vlinder.

Terwijl ik voortging, zag ik eilandjes van geel gras en vreemde, verweerde bomen. Het poederzand wolkte op onder mijn voeten. Ik trok mijn shirt uit, stopte het in mijn broek en liep met blote borsten door de pannen. Ik genoot van de wind en de enorme vrijheid die zoveel open land je kan geven. Het was zalig om te leven en ik wilde dat er geen eind aan deze dag kwam.

Ik zette mijn rood met wit gevlekte hoed op een stok in de pan, om aan te geven waar ik gestopt was en ging op de motorkap van de Land Rover zitten terwijl we landinwaarts over de vlakke bedding van het meer reden naar de Verloren Stad, een eiland dat boven de spiegelende hitte leek te drijven. Toen ik op de hoogste rots was geklauterd, ging ik zitten voor een sigaretje en om rond te kijken. Naar het noorden en oosten zag je mijlen en mijlen ver niets dan gekristalliseerd zout.

Ik keek neer op een eenzame apebroodboom met een stam zó dik dat er een nijlpaard in kon schuilen. Toen de zon begon onder te gaan, scheen de hemel zich vast te klampen aan iedere straal licht en de dag en nacht langer te willen omhelzen dan ik ooit had gezien.

In de oranje gloed van het houtvuur debatteerden we erover of een wervelwind die de evenaar oversteekt onmiddellijk van richting verandert. En hoe dat eruit zou zien. En hoe vaak een schorpioen in de rondte zou blijven draaien als hij door vuur omringd was voordat hij zichzelf doodstak.

12

De dageraad was volmaakt. De zon kwam gloeiend rood op boven het eiland, dat eruitzag als een schip dat door het tij werd tegengehouden. Je zag de sporen van springbokken en vee in het zout, maar niet van olifanten. John, de bedrijfsleider in Orapa, had ons verteld dat het in de zoutpannen wemelde van het wild, waaronder zestig olifanten. Jammer genoeg strekten zich ten westen van ons nog honderd kilometer uit.

Toen de temperatuur begon te stijgen, trok ik mijn shirt weer uit, opgetogen dat mijn voeten eindelijk contact maakten met de echte wildernis. Ik overbrugde de dertien kilometer tot aan onze kampplaats van de vorige avond en sloeg toen de noordelijke richting in, even recht als een vogel vliegt, zonder me iets aan te trekken van sporen. De Land Rover volgde een ruw pad op steviger grond ten oosten van mij.

Dit zou een prachtige plek zijn geweest om een dag vrij te nemen, maar de jongens wilden door naar Nata. Oli kwam voorzichtig aanrijden om te controleren of alles goed met me ging en zijn ogen speurden de korst af op zachte plekken. Opeens realiseerde ik me dat, als ik in een rechte lijn bleef lopen, de jongens het risico niet konden nemen naar me toe te rijden, omdat ik me midden in de zoutpan bevond. Dus keerde ik om en zei tegen hen dat ze moesten blijven waar ze waren.

Ik probeerde de hele ochtend, aldoor genietend van de omgeving, oogcontact met de Land Rover te houden, maar naarmate we dichter bij het midden van de pan kwamen, begon ik te glibberen en weg te zakken toen de korst overging in modder. Hele klodders bleven aan mijn laarzen hangen, terwijl ik nog een uur doorzette. Ik voelde me als in de hemel: vlak land, zacht briesje, de geluiden van de wildernis zonder vrachtwagens en de zon weerspiegelend op iedere plek waar hij maar bij kon.

Tegen de lunch deden mijn benen pijn en het enige teken van leven kwam van de hoogst opdringerige vliegen, die me onafgebroken bleven treiteren. Ik begon de jongens om tijdcontroles te vragen.

Bijna zonder waarschuwing vooraf hield de modder op en liep ik weer op zout. De korst leek wel een grote witte popadom. Wolken zout cirkelden op in een wind die ik nergens kon ontdekken.

Ik hoorde een hoog fluitje en keek om. De Land Rover zat volkomen vast. Ze hadden met een snelheid van tachtig kilometer per uur gereden, maar zakten toch weg, ook schakelen had niet geholpen. De achterwielen verdwenen.

We laadden de hele wagen leeg om ballast kwijt te raken en Gerry en Oli groeven diep onder de wielen om zandmatten neer te leggen. Daarna verzamelden we gras en legden dat over de modder voor extra houvast, te zamen met de stoelen, het tentzeil, de tafel en waar we maar wat aan hadden. Onder de zoutkorst ligt een moeras van zilte modder die de zware dauw absorbeert. Dat stinkt, en we zaten onder.

Twee uur lang duwden Oli en ik aan de achterkant, maar Stormin' Norman weigerde. Zonder lier begon het er hopeloos uit te zien.

Gerry gaf een beetje gas, héél zachtjes in het begin, om te voorkomen dat de wielen zouden gaan spinnen en zich nog dieper ingraven, maar toch klaar om bij het eerste houvast weg te schieten. Hij schoot met een ruk vooruit. De stoelen, matten, zeilen en tafel vlogen naar achteren toen de wielen trekkracht kregen en de Land Rover met hoge snelheid in beweging kwam. Hij kwam in zachtere modder terecht, maar de banden schenen ergens op iets hards te stuiten, waardoor hij verder kon rijden. Ik pakte een armvol lading en sleepte die naar de grasbank verderop, waar de Land Rover was blijven staan. Ik was nog niet vergevorderd toen ik de triomfkreten hoorde, terwijl ze over de pan naar me toe kwamen rennen.

'Laat die handel vallen,' schreeuwde Gerry, terwijl hij me om de hals viel.

Die avond vulde ik twee kommen met ons kostbare water en deed in de ene een desinfecterend middel en in de andere zeepsop. Ik maakte hun kapotte handen en voeten schoon en verzorgde de verwondingen.

Wij praatten niet echt met elkaar, dus hadden we geen plan klaar voor de volgende dag. Ik ging de volgende ochtend alleen op pad langs de rand van de pan, terwijl zij nog bezig waren op te staan; na de gebeurtenissen van gisteren zou het waanzin zijn geweest opnieuw de pan in te gaan. Maar toch was dat precies datgene wat de jongens dachten dat ik ging doen.

Dicht langs de rand blijvend, liep ik in de richting van een schiereiland aan de andere kant. Ik berekende de afstand op ongeveer vier kilometer, maar ik was nog niet lang onderweg of een stofstorm verscheen uit het niets. Ik kon geen hand voor ogen zien, maar hield het zwakke schijnsel van de zon in de hoek van mijn bril en stapte door, met een zakdoek tegen mijn mond en neus gedrukt.

De Land Rover was nergens te bekennen. Toen die bij de volgende rustpauze niet kwam, nam ik aan dat de jongens weer vastzaten. Maar wat moest ik nu doen? Gaan zitten wachten? Op mijn schreden terugkeren? Doorlopen naar Nata om hulp te gaan halen? Ik had geen water meer, er was nergens schaduw en zij konden wel zes uur lopen achter me zitten. Als ik terugging, kon ik hen volledig mislopen. Ik wist dat ze mijn sporen niet volgden, want dat hadden ze voorheen ook niet gedaan. Het zicht in de zoutpannen was veel minder goed dan op de steile, begroeide helling, dus redeneerde ik dat ik moest blijven waar ik was. Ze zouden toch zeker niet denken dat ik me na gisteren nog in de pan had gewaagd?

Mijn gevoelens schoten heen en weer tussen gewone praktische overwegingen, kwaadheid dat ze niet samen met mij waren vertrokken, kwaad op mezelf dat we geen afspraken hadden gemaakt – en angst. Ik beklom het hoogste punt van de helling, niet meer dan een meter boven de pan, en gebruikte de techniek die Raymond me had geleerd om de kleinste beweging te bespeuren. Ik staarde recht voor me uit en keek langs de randen van mijn ogen zoals een konijn dat doet. En als ze me al voorbij waren? Maar ze wisten hoever ik gelopen moest zijn in de tijd die verstreken was; ze moesten wel achter me zitten. Hoelang moest ik blijven wachten voordat ik op mijn schreden moest terugkeren, hun spoor zoeken en hen volgen? Op die manier konden we dagenlang rondjes blijven draaien. En ik had geen water.

Ik besloot te blijven waar ik was, mijn energie te sparen tot de vroege avond en dan naar Nata te lopen, gebruik makend van de sterren om me in noordelijke richting te leiden. Ook al was mijn navigatiekunst niet super, ik wist wel dat ik op de oostwestroute zou aankomen die naar Nata voerde. De jongens zouden naar me blijven zoeken tot ze geen water meer hadden en dan naar Nata gaan om hulp te halen.

En toen, zomaar bij toeval, zag ik helemaal aan de andere kant van de zoutpan en het savannegras de Land Rover rijden. Ik zwaaide met mijn sweatshirt. Ze reden in de andere richting. Ik zette het op een lopen, zwikkend over graspollen en bleef met mijn shirt zwaaien. De Land Rover werd steeds kleiner naarmate hij verder wegreed.

Op dat moment schijnt Oli met zijn kijker in mijn richting te hebben gekeken en in de verte een vlek te hebben gezien. Ze hadden twee uur lang in een lage versnelling naar me gezocht, zigzaggend van de pan naar de helling. Dat kwam allemaal door het gebrek aan communicatie, maar ik was kwaad dat ze er zomaar van uitgingen dat ik totaal niet aan de logistieke problemen zou denken.

Voordat we vermoeid verdergingen over nog meer zout en gras besloten we om de twee kilometer onze posities ten opzichte van elkaar te controleren. De jongens reden in noordoostelijke richting terwijl ik probeerde rechtstreeks naar het noorden te gaan. Ik zocht een boom uit tussen een hele rij die ik in de verte kon zien staan en liep er regelrecht op af, wat er ook tussenin lag.

Ten slotte trof ik de jongens weer. Wij spraken af dat zij vooruit zouden rijden om mij enig idee te geven hoever het nog was tot de weg naar Nata. Ik bleef naar het noorden lopen en kwam vee tegen dat er verwaarloosd uitzag. Uit de hittenevel dook de eerste acacia op en plotseling zag het er werkelijk uit als Afrika.

Er lag een kop van een gemsbok, compleet met haren, oren, ogen en vliegen, in het stof, maar van het bijbehorende lijf geen teken. Toen ik naar de acaciaboom liep, vroeg ik me opeens af of daar misschien een leeuw onder lag te dutten. De schaduw was niet bezet en er was geen teken van de Land Rover, die nu alweer langer dan een uur weg was. Ik dacht erover in de boom te klimmen om een beter uitzicht te hebben, maar toen ik mijn hand uitstak voor het eerste houvast merkte ik dat de boombast bewoog. Hij zat onder de mieren.

Ik hoefde niet lang te wachten. De jongens arriveerden met het nieuws dat de weg eenentwintig kilometer verderop lag, niet vijf, zoals ik had gedacht. Mijn schouders zakten in en ik voelde me opeens doodmoe. Ik ging met de kaart op de bumper zitten en probeerde een besluit te nemen of ik er voor vandaag mee zou stoppen of door zou gaan. Ik was zelfs te moe om het probleem redelijk te benaderen en dus besloten we maar te stoppen en het kamp op te zetten.

De volgende ochtend was ik door en door koud toen ik wakker werd. De koortsuitslag was over, maar mijn beenspieren deden pijn en mijn linkerheup voelde beurs aan.

Ik bereikte vóór het midden van de dag de weg – niet meer dan een spoor. Naast dit stoffig witte lint groeide lavendel en ik plukte de blaadjes ervan om ze fijn te wrijven en het sap onder mijn oksels te doen om de zweetlucht te verdrijven.

Het eerste teken van Nata was een windzak en een onverharde landingsbaan. De jongens hadden een lekke band en waren verlaat – zelfs Stormin' Norman verlangde naar een beetje rust. Het plaatsje zelf was een aangename verrassing, met zijn beschilderde huizen, keurige rieten daken en palmbomen langs de straten.

We gingen rechtstreeks een kroeg in en bestelden daar zes koude biertjes, die we tot ons namen in de donkerste kamer die ik in dagen had gezien. Mijn lippen en ogen deden pijn en ik droomde ervan schoon te zijn, maar ik moest de week afmaken, anders zou ik het onbevredigde gevoel hebben iets niet volbracht te hebben. Ik liet hen in de bar achter en liep nog tweeeneenhalf uur door op de weg naar het noorden.

Bij het diner zei Gerry dat we ons geen biefstuk konden permitteren, dus stelde ik Kip Kiev voor, het goedkoopste gerecht op het menu. Oli besloot toch biefstuk te nemen, dus volgde ik zijn voorbeeld. Ik keek Gerry aan en zei: 'Laat toch zitten, joh, we hebben zojuist de zoutpannen doorkruist.'

We zetten de tent neer op het kampeerterrein van Nata Lodge, onder de palmbomen en omringd door tropische bloemen. Er stond een bonte verzameling kampeerders, waaronder hippies in een combi-bestelwagen, een stel homo's en een nogal vermoeide jonge vent, die drie maanden had gewerkt aan het bouwen van een hek door de zoutpannen voor Operation Raleigh. Het werd tijd dat ik een paar beslissingen nam over de richting van de tocht. Vier dagen alleen in de pannen was een zwaar karwei geweest, maar had me wel een enorm gevoel van voldoening gegeven, en ik begon me een paar dingen af te vragen.

Het fundamentele probleem voor ons allemaal was de verveling. Zij waren het beu iedere keer om vijf uur 's ochtends thee te zetten, om de tweeëneenhalf uur voor sigaretten te zorgen, fruit klaar te maken, af te wassen, mij water te geven en op iedere gril van mij op te draven. Gerry was gedurende die tien jaar dat hij expedities deed de baas geweest en gewend orders uit te delen maar niet aan te nemen. Hij was veel te hoog gekwalificeerd en ervaren als professioneel avonturier om zich te laten reduceren tot een loopjongen. Oli ging mee in wat Gerry deed, maar zal ook wel een mentale stilstand hebben gevoeld bij gebrek aan problemen die opgelost moesten worden, aangezien hij net van de universiteit was gekomen. Ik voelde me schuldig dat ik mijn behoefte aan stimulans had willen bevredigen door me bezig te houden met een goede verhouding tussen ons, maar ze kregen niets van mij terug. Ik kreeg in de gaten dat we erg lawaaiig, in onszelf gekeerd en blind waren geworden voor de dingen die we tegenkwamen.

Ik had behoefte aan meer dan dit. Ik speelde met het idee om de Land Rover te laten voor wat hij was, hetzij voor een paar weken, hetzij voor de rest van de tocht, en met een pakezel verder te gaan. Het eerste probleem zou mond- en klauwzeer zijn, wat hier al vijf jaar lang een ware epidemie was en de verhouding van vee tot mens had teruggebracht van acht op één tot twee op één. Men had om de tweehonderd kilometer controlegrenzen opgericht om de verplaatsing van vee tegen te houden, dus zou ik steeds een nieuwe ezel moeten nemen, of een paar weken moeten wachten tot de quarantaineperiode voorbij was. En dan had je natuurlijk de kwestie van water en voedsel. Ik wist dat het idee nogal vreemd was, maar uit het feit dat ik er al zo lang over had lopen nadenken, bleek dat ik behoefte had aan onafhankelijkheid. Ik kon, heel simpel, op deze manier niet verder.

Een bewolkte lucht, koele wind en een gemakkelijke tred op een stille, ongemarkeerde weg. Maar ik bevond me niet meer in de wildernis en een deel van mij voelde zich dood en beroofd.

Een jager uit Tasmanië, met een door de zon verweerde huid en een onderworpen echtgenote, vertelde ons over een oude leeuwin die door een troep hyena's was aangevallen. Ze hadden haar gekweld en gebeten tot ze een goed heenkomen had gezocht bij de gloed van een kampvuur. De drang tot overleven creëert vreemde bedgenoten. Ik vertelde hem het verhaal dat Robin Hanbury-Tenison me over zijn ouders had verteld. De vader van Robin, majoor Gerald, was een jager op groot wild geweest en zijn moeder natuurkenner. De majoor had tijdens een safari in Botswana, in de zoutpannen van Makgadikgadi, een leeuw verwond en was hem achternagegaan. De leeuw verschool zich achter een struik en lokte hen in een hinderlaag. De wapendrager vluchtte een boom in, mevrouw Tenison ging als voor dood op de grond liggen en werd besnuffeld, Gerald verloor een arm in de muil van de leeuw, wat een redelijk getrouwe weergave was van de manier hoe een vuilvernietigingsmachine te werk gaat.

Robin bezocht vele jaren later zelf het kamp in de Kalahari en ging naar het plaatsje Maun om te zien of iemand zich daar het avontuur van de

Engelsman herinnerde die door een leeuw was aangevallen. De oude garagemonteur beweerde zich de prachtige Chevrolet nog te herinneren waarin majoor Gerald had gereden.

'Maar hoe zat het dan met de aanval van de leeuw?' wilde Robin weten. 'Weet u dat nog?'

'O ja,' zei de monteur, 'ik herinner me die majoor met één been nog.'

Even later, zo vertelde hij verder, was de Engelsman teruggekeerd met een nieuwe auto. Op het dak had hij verscheidene metalen beenprothesen vastgemaakt.

De plaatselijke bewoners hadden gevraagd waar die voor waren.

'Omdat ik ben teruggekomen om die rotzak te grazen te nemen, en ik heb een paar vervangers meegenomen voor het geval hij mijn andere been ook te pakken krijgt.'

Robin zei dat hij het een goed verhaal had gevonden, maar hij zou hebben gezworen dat het zijn vaders arm was geweest en niet zijn been. Maar ja, zei hij, hij had zijn vader ook niet zo goed gekend.

Daar, in het vrije veld, deelde ik de ruimte met die grote katten. Dit was leeuwengebied en ik begon dan ook mijn halsmes te dragen. Er schuifelden ook heel wat slangen rond. Die middag passeerde ik een opgerolde zwarte mamba en sindsdien hoorden we niets anders dan verhalen over doden in de plaatselijke dorpjes. Gerry sliep voortaan met de brandblusser naast zich in zijn tent.

Ik zat aan tafel bij het vuur een kaart te schilderen voor Gerry's verjaardag. Ik had hem naar de cabine van de auto verbannen, zodat hij de verrassing niet voortijdig ontdekte. We hoorden allebei tegelijk de zware, ritselende voetstappen. Het geluid kwam uit de duisternis aan de andere kant van de weg.

'Een jakhals,' zei Gerry.

'Te zwaar voor een jakhals,' antwoordde ik. 'Kan ook een olifant zijn. Er is hier ergens een watergat in de buurt.'

Gerry's onderdrukte gegniffel was net luid genoeg dat ik het kon horen.

Oli greep de halogeenspot, met de suggestie dat het een koe kon zijn. Hij richtte de lichtstraal in het nachtelijk duister en hield zijn mond toen hij de verbazend serene olifantstier zag, die minder dan dertig meter bij ons vandaan op blaadjes stond te kauwen. Hij leek de hele lichtstraal te vullen. Lange tijd sloegen we hem gade, zo tevreden etend van de bomen, tot zijn vrouwtje en een kalf zich bij hem voegden. Daarna verdwenen ze stilletjes.

Hierdoor kwam ik tot het besef hoeveel ik miste. Ik reisde door een tunnel en hield de realiteit buiten de lichtkring van het kampvuur. Ik liep door het open land en door dorpen, zonder werkelijk contact te maken of iets te leren over de leefwijze van de mensen. Ik wist niet hoe ze hun hutten bouwden, voedsel bereidden, of wat voor verhalen ze hun kinderen 's avonds vertelden.

Dag in dag uit zag ik het volgende: sommige hutten waren netjes met riet bedekt, andere waren haveloos. De betere hutten waren blauw geschilderd, andere waren roodbruin of grijs, zoals de steeds veranderende termietenheuvels. In sommige hutten zat een deur en zelfs een berasterd raam. Er waren omheiningen van palen, gemaakt van rechte stukken hout zonder draad. De erven werden met handbezems aangeveegd en de vrouwen hielden kippen en geiten. Daarbij droegen ze hun baby's in kleurige draagdoeken op de rug.

Maar nooit keek ik achter die muren. Ik liep door een tunnel en sliep iedere nacht in een tent, luisterend naar westerse muziek op het cassettedeck, en ik schreef brieven naar een ver land. Allemaal barrières die het ware lied van Afrika buitenhielden.

Ofschoon ik langzaam door dit werelddeel trok – langzaam genoeg om de lucht op te snuiven en de vibraties onder mijn voeten te voelen – liep ik toch op het ritme van een andere trommel.

Toen we de volgende morgen naar de plek reden die ik had gemarkeerd, passeerden we drie olifanten die aan de kant van de weg stonden te eten. Eén ervan hen sloeg met zijn oren, blijkbaar geërgerd dat we zijn maaltijd verstoorden.

Ik zou het geweldig hebben gevonden met ze mee te wandelen, maar we hadden besloten dat de Land Rover me te allen tijde zou volgen, in ieder geval tot aan Padamatanga. De hele dag kroop hij achter me aan. Hij schrikte een baviaan op, die een onderzoek kwam instellen. De enige mensen die we zagen, waren dorpsbewoners die bezig waren hout te zagen. Ze droegen handschoenen tegen de slangen. Geen enkele kans om te integreren met de wereld om me heen als die Land Rover achter me aan pruttelde, maar het was veiliger.

Nu we op open vuur kookten, moesten we overdag brandhout verzamelen. Dat bonden we vast aan de bumper van de Land Rover. Op sommige dagen hadden we zoveel dat de jongens nauwelijks door de voorruit konden kijken. Af en toe stuitten we op olifantsporen op de weg. Grijze mierenhopen rezen als afgesleten grafzerken tussen de bomen op. Oli beschreef hoe die insekten manshoge holen onder de grond uitgroeven die fungeerden als een soort airconditioning, teneinde de nesten koel te houden gedurende de hitte overdag. Het leek eropdat het gehele ecosysteem van de Okavango Delta ten westen van ons gebaseerd was op de termieten. Daarmee begonnen talloze voedselketens.

Mijn energiepeil was laag, waarschijnlijk vanwege mijn menstruatie, en de kootjes van mijn grote tenen begonnen pijn te doen. Bij deze hoge vochtigheidsgraad had ik geen eetlust en ik moest mezelf dwingen tijdens de lunch wat zoete maïs te eten, terwijl ik eigenlijk alleen maar mijn hoofd in een koelkast wilde duwen.

Langs de weg lagen de roestige carrosserieën van oude auto's, waarvan er vele al zo'n dertig jaar geleden achtergelaten waren – een tijd waarin het bereizen van Afrika per auto al een avontuur op zich was.

Er verscheen een olifant aan de kant van de weg en ik gebaarde dat de jongens dichterbij moesten komen. Ik wilde een foto, maar Gerry maakte zich zorgen over wat er kon gebeuren als de olifant zou besluiten aan te vallen. Ik bleef dicht bij de Land Rover, klaar om erin te springen als het gevaarlijk werd. Na een beetje geflapper met de oren voor de camera draaide hij zich om en liep de struiken in.

Twee dagmarsen na Nata arriveerden de lui van *You* in een huurauto. Ze leken opgelucht dat ze ons hadden gevonden, voordat ze in de rimboe ten onder waren gegaan. Pearson Phillips had mij, voordat ik uit Londen vertrok, al een interview afgenomen. John Evans vergezelde hem, met een lading apparatuur. Ze waren van plan vijf dagen bij ons te blijven, tot we de grens met Zambia en de Victoria Falls hadden bereikt.

Pearson is grootvader en ziet eruit als een door weer en wind geteisterde gnoom. Hij gebruikt zijn vaderlijke stijl om de geïnterviewden zover te krijgen dat ze openhartig worden. Ik kon zijn ogen zien glinsteren als hij een leuke anekdote vertelde. Gerry, Oli en ik waren overeengekomen om een eensgezind front te vormen en helemaal niets te onthullen over de frictie binnen het team.

Inmiddels had ik een konvooi van twee wagens achter me.

Een aantal dagen liep Pearson een kwart van de dagmars met me mee, maar hij ergerde zich eraan wanneer we die zestien kilometer achter de rug hadden en de Land Rover nog niet op ons stond te wachten. Ik vertelde hem dat het een geestelijk spel was. Ik liep niet uit te rusten, ik liep om de afstand te overbruggen. 's Morgens zette hij er flink de pas in en raakte me voor, terwijl ik rustig doorliep en weigerde mijn pas te versnellen. Aan het eind van het kwart had ik hem een heel eind achter me gelaten.

Zowel hij als John, net uit Londen gearriveerd, had moeite met de traagheid van het tempo, maar ze waren gretig en ontvankelijk. Ik maakte me zorgen dat Gerry zou domineren met zijn luchtige charme en geestigheid en dat zij naar Londen zouden terugkeren met een akelige indruk van mij en het idee hoe geweldig de jongens waren vergeleken met mij. Mijn onzekerheid en gebrek aan zelfvertrouwen kwamen op een heftige manier naar boven.

Op de tweede ochtend werd Pearson midden in een zin onderbroken door een olifant die de open plek binnendenderde met een jong achter haar aan. Dit zijn de wildste olifanten ter wereld – ze leven niet in een reservaat, maar zwerven heen en terug tussen Zimbabwe en Botswana om de jacht te ontlopen.

De mensen in de dorpen hadden ons ook gewaarschuwd voor leeuwen die in de buurt zaten. Wanneer de mannen gras gingen snijden om hun hutten te bedekken, moesten ze vaak de nacht buiten doorbrengen. Dan maakten ze een vuur om de roofdieren op een afstand te houden. Als het vuur uitging, zou de leeuw aanvallen. Ook wij zorgden ervoor dat ons vuur de hele nacht hoog brandde.

Het was griezelig om uit te kijken over een uitgestrekt gebied met geel gras, onderbroken door een enkele boom. Dit was echt leeuwenland; genoeg dekking om ze bijna onzichtbaar te maken, maar toch open genoeg om een prooi te ruiken en deze er met een sprint uit te lopen. Ik was nerveus, en dat bleek op een bepaald traject, toen er iets in de struiken vlakbij ritselde en ik onmiddellijk naar mijn mes greep. Er kwam een antiloop uitspringen en ik haalde even diep adem. Pearson en de jongens in de wagens achter me zagen me schrikken. Op dat moment beseften ze hoe kwetsbaar ik was, daar alleen op de weg. Als het een leeuw was geweest, hadden ze niets voor me kunnen doen.

Ik hoorde dat 'Panda matenga' betekent 'pak je last op en loop'. Dat is een overblijfsel uit de tijd dat blanke ontdekkingsreizigers op avontuur gingen en het bedwingen van de wildernis volledig op eigen conto schreven. Ze vermeldden er niet bij dat ze driehonderd inboorlingen als dragers bij zich hadden, die alle Europese vormen van comfort op hun rug torsten, niemand uitgezonderd.

Wij hadden weinig luxe bij ons, behalve sigaretten en af en toe een glas wijn of een fles bier. Maar we waren toch ook in staat om ergens een fles whisky op te duikelen. Dus toen de negenenzestigste dag, Gerry's verjaardag, aanbrak, maakte ik hem wakker met een mok thee, zijn cadeautje en de kaart die ik voor hem had gemaakt.

'Gefeliciteerd met je zevenentwintigste,' zei ik. 'Zorg wel dat je hem leegdrinkt wanneer ik in de buurt ben.'

Hij was er opgetogen over en verkeerde in de beste stemming sinds weken.

Ik liep weer alleen met een konvooi achter me aan. Af en toe moesten we stoppen om te zoeken naar de betonnen kilometerpalen. De mannen die de bermen onderhielden, maakten ze in hun stommiteit kapot en we vonden er een die vastzat in een boom in de buurt.

De wegarbeiders worden door de regering en de Wereldbank betaald. Gerry sloot vriendschap met een stel, dat onze vuile was meenam om gewassen te worden en ons eten voor de lunch bracht. Ik ontmoette ook een bloedstollend mooie Zuid-Afrikaan met de naam Alex, die met een vrachtwagen vol stieren naar Zaïre reed. Hij stopte voor een babbeltje en vertelde dat zijn broer in Chobe werkte en ons naar watergaten kon brengen.

Ik had nog een kwart dagmars voor de boeg voordat we ons vijf dagen lang konden gaan ontspannen in het hotel in Victoria Falls. Ik had eigenlijk opgetogen moeten zijn, maar was nerveus. Mijn menstruatie deed er geen goed aan, maar ik maakte me vooral zorgen over het geld en het feit dat iedere dag die we rustend doorbrachten er één toevoegde aan de uiteindelijke duur van de tocht.

De vorige avond was de sfeer in het kamp gespannen geweest en Pearson had er blijk van gegeven nogal teleurgesteld te zijn. Ik wist dat hij moe was, maar dat was iedereen. In plaats van hem een schitterend verhaal of een gevoel van avontuur te bieden, waren we gewoon ontredderd. De jongens zagen er woest uit met hun baarden, blote voeten en hun shirts binnenste buiten. Er was een knoop van Oli's shorts gesprongen. Toen hij en Gerry in Chobe aankwamen, voelde ik dat ze op het punt stonden ermee op te houden. Als het had gekund, zou ik dat misschien ook gedaan hebben.

We reden de twee uren naar Victoria Falls in Zimbabwe. Gezien onze stemming was het een tamelijk ironische plek om de eerste etappe van mijn avontuur af te sluiten – het punt waar vier landen samenkomen bij een van de grootste natuurwonderen ter wereld.

13

De donderende muur van water verdween over de rand van het plateau als een oceaan die over de rand van de wereld valt. Ik kon wel uren blijven kijken naar de regenboogkleuren die door iedere straal zonlicht werden gevormd.

Tot het moment dat we een paar dagen stopten, had ik me niet gerealiseerd hoe heerlijk ik het vond in een behoorlijk bed te slapen, twee keer per dag te douchen en te gaan zitten om te dineren, zonder je druk te hoeven maken over vliegen, de rook van het kampvuur of giftige slangen.

Die vijf dagen in Victoria Falls speelde Gerry voor rattenvanger van Hamelen. Hij had veel vrienden onder de blanke vlotvaarders en kende uit vroegere ervaringen de beste plaatsen om te eten en te drinken. Overdag verdween hij om op een vlot over de Zambezi te varen en ook Oli vond zijn eigen vermaak. Na meer dan zeventig dagen samen hadden we er behoefte aan op onszelf te zijn.

Helaas bleef ik aan het werk. John wilde meer foto's en sleepte me om zes uur 's morgens uit bed, bevelen schreeuwend om achteruit het slangengebied in te lopen of stil te staan. Ik was bepaald niet gelukkig met het feit dat ik mijn dagelijkse afstand twee maanden lang van veertig tot achtenveertig kilometer per dag had opgevoerd om mezelf een week vakantie te geven, en vervolgens vijf dagen daarvan voor de camera's te moeten poseren.

Luly had een fax naar het hotel gezonden met de naam van contactpersonen die een safarihotel hadden aan de Zambiaanse kant van de Zambezi. Ik vond het wat laat om nog te bellen, maar toen ik de welkome klank van een Brits accent hoorde, kon ik het aanbod niet afslaan om een paar dagen bij de eigenaars, Will en Ben, te gaan logeren.

Will was een lange man met grijzend haar dat plat achterover op zijn hoofd lag, en een zware onderlip, alsof hij zijn hele leven trompet had gespeeld. Ben was kleiner en donkerder van huid, met ogen als van de hertog van Westminster en een dunne bovenlip, die wat naar voren stak als hij praatte. Hij had met een superlicht vliegtuigje over Afrika gevlogen en de schoonheid van de Zambezi ontdekt. Toen had hij contact opgenomen met Will in Engeland, waarna ze een partnerschap aangingen om een eigendomsakte te kopen en een safarihotel op te zetten aan de oever van de rivier.

Het hotel keek uit over het water, dat loodgrijs werd als de duisternis viel. Wij zaten met een flink aantal mensen in rieten stoelen aan een lange tafel op een stenen vloer, waar we zwarte bonensoep en vissetaart met groenten aten.

Na zoveel zware weken was het moeilijk om te wennen aan de luxe. Ze hadden mahoniehouten toiletdeksels en echt toiletpapier. Die avond rolde ik me op in een warm veldbed in een zandkleurige tent met muskietengaas over me heen, en de zachte gloed van elektrische stormlampen die schaduwen op het canvas wierpen.

Ik viel in slaap met *The Leopard Hunts in Darkness* van Wilbur Smith.

Will wist me ertoe over te halen mijn vertrek nog een ochtend uit te stellen, zodat hij me kon meenemen in zijn vliegtuigje over de Victoria Falls. Ingesnoerd in de kleine zitplaats en schreeuwend om me boven de gierende motor uit verstaanbaar te maken, voelde ik een lichte aarzeling. Ik had al van kindsbeen af in lichte vliegtuigjes gezeten, maar dit was niet meer dan een skelter met vleugels.

Will wierp me een grijns toe en hield zijn duimen op.

Het fragiel uitziende vliegtuigje, dat bij elkaar werd gehouden door een paar steunbalken en klinknagels, begon te schudden toen we over de vliegstrook taxieden en versnelden. Toen we de lucht ingingen, hield het lawaai op.

Dit was ècht vliegen. Het gevoel van hoogte en snelheid wordt veel sterker als er niets meer is dan een plastic zitplaats tussen jezelf en de vrije val. Bij iedere schok en luchtzak krijg je een stoot adrenaline door je heen.

Over enkele minuten zou ik de sproeiende watervallen kunnen zien, maar toen we ons klaarmaakten om er laag overheen te vliegen, stokte de motor. We gleden stil op de wind die langs ons blies en keerden langzaam om.

'Wat is er aan de hand?' schreeuwde ik, in de hoop dat het bij de vlucht hoorde.

Will hield een hand aan zijn keel alsof hij stikte. Daarna probeerde hij de motor opnieuw te starten, en ik speurde de grond af naar een geschikte plaats om te pletter te slaan.

Opeens begon de motor te proesten, te sputteren en te hakkelen en sloeg brullend weer aan. Na een paar seconden sloeg hij weer af, maar in die tijd was Will erin geslaagd het vliegtuigje een paar honderd meter op te trekken, zodat we voldoende hoogte hadden om naar huis te glijden.

Toen we binnentaxieden gaf de motor een harde knal. Het klonk alsof het brandstofmengsel te rijk was. Nadat de pluggen en de brandstof waren gecontroleerd, stegen we weer op, maar we moesten de vlucht na tien minuten afbreken. Voor mij was het jammer dat we niet over de Victoria Falls hadden gevlogen, maar voor Will was het een ramp. Hij was geen monteur, en dat in een land waar je een goede monteur met een lampje op klaarlichte dag moet zoeken. De enige kans die hij had om aan de sleur van zijn baan te ontsnappen, was gestrand.

Die middag trof ik de jongens bij de watervallen, waarna we de grens overstaken, terug naar Botswana. Toen ik op de metalen autoveerboot stapte, stelde ik me voor dat er achter me, op een kaart van Afrika, een blauw lint was vastgeprikt met een punaise, om de volgende grens te markeren.

We hadden geen problemen met de douane en binnen twee uur liep ik noordwaarts op een goede macadamweg met aan weerszijden dik struikgewas. Die avond zetten we, samen met Will en Ben, ons kamp op bij Tongabezi en keken we hoe de zon onderging: een rode bol, die vervaagde achter de pastelgrijze wolken boven de Zambezi. De nijlpaarden bromden als de motoren van superlichte vliegtuigjes die het laten afweten. Visarenden doken naar het water, op hun avondmaal af.

Het was een rustige avond. Eerder hadden we een avond in Chobe doorgebracht met Dennis, een blanke jager die eruitzag als de leeuw in *The Wizard of Oz*, en Keith, een wilde, excentrieke kunstenaar, die niet kon schilderen zonder een kratje bier onder zijn kont dat hij langzaam leegdronk.

Dennis vertelde over de ongewilde neveneffecten van het schieten met verdovingspijltjes op dieren, zodat de rijke toerist zijn foto als 'grote blanke jager' kan laten maken. Hij legde uit dat sommige dieren zo verslaafd zijn geraakt aan de morfine dat ze, wanneer ze het vliegtuig zien, komen aanspringen en hun flanken naar hen toekeren.

De eerste drie dagen moest ik weer even wennen aan het ritme van het lopen. Na zo'n lange onderbreking is het net alsof je weer naar school moet.

Ofschoon het meer tijd kostte, had ik een route door de wildernis gekozen om problemen met politie en militairen te vermijden, die patrouilleerden op de grote weg naar Lusaka. Geëxpatrieerden hadden ons gewaarschuwd dat het veel voorkwam dat ze auto's op de weg aanhielden en die volledig doorzochten. Alles wordt eruit gegooid en losgemaakt, zodat het onmogelijk is je boeltje in de gaten te houden. Ook al stelen de politie en de soldaten zelf niet van je, ze geven gewoon aan hun criminele 'broeders' door wat voor spulletjes je bij je hebt en de doorzoeking wordt snel gevolgd door diefstal, onder bedreiging met een vuurwapen. Verdenking van spionage is een favoriete 'overtreding'. Nog veel verontrustender is de voortdurende dreiging van roof en verkrachting.

De macadamweg naar Mulabezi was zó kapot en vol kuilen dat het eigenlijk een zandweg genoemd kan worden. Je kunt altijd zien wie er dronken achter het stuur zit, want zo iemand rijdt rechtdoor, en een nuchter mens slingert en wijkt uit om te voorkomen dat de assen breken.

De dorpen waren ook anders dan in Botswana. De vierkante hutten werden gestut door palen die in leem waren vastgezet, en de rieten daken hadden een kaarsrecht afgesneden franje. Bij iedere hut hoorde een omheind erf waar kinderen speelden, gekleed in afgedragen westerse kleding.

De armoede was hier veel duidelijker zichtbaar dan waar ik vandaan kwam. Het gemiddelde loon in Zambia is ongeveer vijftienhonderd kwacha. Eén zak meel kost driehonderd kwacha, maar daar kan een groot gezin niet langer dan een paar weken van leven. Shirts kosten tweeduizend en schoenen nog veel meer, daarom stroopt de bevolking om vlees of vis op tafel te zetten.

De voor de hand liggende vraag is waarom Kenneth Kaunda, die dit land al dertig jaar regeert, een van de rijkste mannen ter wereld is.

De meeste Zambianen spreken Engels en de vrouwen dragen traditionele driedelige omslagdoeken van dunne katoen met prachtige patronen in rood, geel en blauw. Ze waren op hun hoede als ze me zagen en wuifden zonder geestdrift, maar toch voelde ik me te midden van hen veel behaaglijker dan in Botswana.

Mij was al gezegd dat ik behoudend gekleed moest gaan, met bedekte bovenbenen en schouders, om geen aanstoot te geven. De medicijnmannen in Zambia beweren de remedie tegen aids te hebben gevonden – naar bed gaan met een blanke vrouw. Wanneer je iets ontvangt, moet je je rechterhand als een kommetje ophouden en je linkerhand in de holte van je rechterelleboog leggen. Zeg geen 'dank je wel' – dat doe je alleen bij dure en bijzondere geschenken. Als je dat zou doen bij mindere geschenken, dan betekent het dat je denkt dat de gever kwalijke bijbedoelingen heeft.

Tijdens de tweede nacht in Zambia werden we wakker van geweerschoten. Er waren stropers in de buurt en of ze waren op jacht, of er werd jacht op hen gemaakt door de regeringstroepen. Terwijl de schoten weergalmden in het maanlicht, pakten we stilletjes in en dekten we de Land Rover toe met een grondzeil, in een weinig succesvolle poging tot camouflage.

De schoten kwamen van de andere kant van een rivier in de buurt. De stropers zaten waarschijnlijk achter een olifant aan. De meeste Zambianen zijn te arm om vuurwapens te bezitten, zij vangen het wild met vallen. Deze jagers zaten achter iets veel groters en waardevollers aan. Zij zouden ook een moord plegen om niet gepakt te worden.

Dit was een dilemma. Als we de Land Rover verplaatsten, konden we gemakkelijk worden aangezien voor stropers of jachtopzieners. En dat was ook het geval als we bleven. Uiteindelijk camoufleerden we de kant van de Land Rover die door de maan werd beschenen met het tentzeil en sliepen we met één oor open.

Ik had al vijf dagen lang last van ernstige buikkramp. Mijn darmen waren verstopt, wat me een opgeblazen gevoel bezorgde, en ik had het idee dat ik in een rioollucht gehuld ging. Een infectie als deze verspreidt zich gemakkelijk en we begonnen onze handen voor iedere maaltijd met een desinfecterend middel te wassen. Bovendien droogden we de borden niet met doeken af, maar wapperden ermee in de lucht. Dit zal er voor passanten wel als een bizar ritueel hebben uitgezien. Ze vroegen zich natuurlijk af waarom die drie blanke mensen aten, afwasten en vervolgens op een open plek met plastic borden stonden te wapperen alsof ze vliegtuigen binnenloodsten.

Iedere dag ging ik zigzaggend over het pad, om niet door het mulle zand te hoeven sloffen. Een beklemde zenuw in mijn rug zond pijnscheuten door mijn been, maar ik werd opgevrolijkt door een groep kleine kinderen die naar school liepen. Met hun afgedragen modieuze westerse kleren aan vonden ze het blijkbaar enig met me op te lopen en aan mijn haren te zitten. Onder het lopen dagdroomde ik van croissantjes en dun gesneden koude toost, besmeerd met *paté de foie gras*.

Een vrouw in een roze jurk en een omslagdoek liep met me op. Zij stelde met een bezorgd gezicht vragen van moederlijke aard. Ze vertelde me dat haar mensen bang voor me waren, maar voordat ze aan een verklaring toekwam, haastte ze zich weg, blijkbaar bevreesd met mij gezien te worden. Vlak daarop zag ik dat er geen voetafdrukken op het pad waren. Waar liepen de dorpsmensen dan? Ik verliet de weg en honderd meter rechts ervan, door de dichte struiken, zag ik een smal spoor langs de overblijfselen van een spoorweg. Op sommige plekken was het metaal verwrongen door de boomwortels.

Op de plaatsen waar het pad rul was geworden, hadden de plaatselijke bewoners een ander pad gehakt, waardoor ze tenminste een paar jaar lang weer vaste grond onder de voeten hadden. Tussen de bomen hing een nevel van houtrook en het licht dat erdoor stroomde, gaf me een veilig gevoel. Het was te dik om afkomstig te zijn van kookvuren en er was geen teken van leven, tot ik in de verte trommels hoorde.

Ik probeerde op het ritme mee te lopen, maar merkte dat het niet lukte. In plaats daarvan liepen mijn voeten in de maat met de krekels tot ik een prachtig dorp binnenwandelde, versierd met klimopranken met schitterende rode bloemen, die tegen het bamboe en de bakstenen hutten klommen.

Ik had het dorp nauwelijks achter me gelaten toen ik werd aangevallen door een zwerm vliegen, die uit het niets kwam opzetten. Ik begon heftig te meppen en te vloeken, wensend dat ik me ergens in het water kon laten vallen – om van ze af te zijn.

Tegen de lunch kwam ik bij de Land Rover aan, waar ik mijn schoenen en sokken uittrok. Ze zaten vol graszaden, die als roestige spelden in mijn enkels en scheenbenen prikten. Ik wist niet wat erger was, dit of de vliegen.

En van geen van beide werd ik verlost. Tierend sloeg ik om me heen naar de vliegen. We maakten in korte tijd de lunch klaar en aten die op in de saunahete cabine van de Land Rover. Terwijl Oli buiten met zijn rugbyshirt over zijn hoofd en vervolgens met mijn muggengaas ronddanste, lag Gerry treurig onder zijn net. Het zou nog erger worden.

De volgende avond werden de vliegen afgelost door bijen. Er streek vóór de schemering een zwerm neer alsof ze hun territorium wilden beschermen tegen indringers. Dit waren ongewone insekten – ongeveer half zo groot als een huisvlieg, en ze steken niet. Ze duiken op alle vocht af, of het nu een lekkende jerrycan is of zweet op iemands blote huid. Ze kruipen in oren, monden en neuzen, onder de kraag en mouwen van shirts, en ze maken je het leven tot een hel.

Afrikaanse bijen raken zó uitgedroogd dat ze naar water smachten. We ontdekten die avond dat er maar één manier was om ze van het kamp af te leiden, namelijk verderop tussen de struiken een afwasbak met water neer te zetten. De zwerm had deze binnen een paar uur in zijn geheel geleegd.

Drie dagen lang werden we geplaagd door vliegen en zweetbijen – en ze dreven me tot waanzin. Terwijl ze op me stonden te wachten, bedekten Oli en Gerry zich met muskietengaas, dubbel geslagen voor extra bescherming en toch wisten de bijen zich er een weg doorheen te banen. Door de hitte kon je je moeilijk helemaal bedekken. Het was 38 °C, waardoor het aanvoelde alsof je in een droogautomaat zat.

De op een na laatste avond voor Lusaka, waar Oli en Gerry zouden 'afhaken', kampeerden we in een dorpje waar een monteur woonde die vierendertig jaar was. Hij heette Stanley, vernoemd naar de ontdekkingsreiziger. Stanley woonde bij zijn moeder en grootouders en had de Land Rover ontwaard en later mij. Hij had aangenomen dat ik was weggelopen op grond van een ruzie tussen geliefden.

We bleven lang op, pratend over de geschiedenis en politiek van Zambia. Stanley zei dat de Zambianen het moeilijk vinden een gevoel van nationaliteit op te bouwen, omdat de grenzen van het land niet samenvallen met een stam- of taalgebied. De grenzen waren hun simpelweg door de Britten opgedrongen. Het gebied had Noord-Rhodesië geheten tot het, na elf jaar strijd, in 1964 eindelijk onafhankelijk was geworden. Maar tegen die tijd was veel van de rijkdom aan mineralen in Zambia, voornamelijk koper, uitgeput en het geld in Zuid-Rhodesië uitgegeven. Dat had het land in armoede gedompeld. De diversiteit aan stammen was een van de redenen waarom dr. Kaunda een democratisch gekozen éénpartijstelsel had ingesteld. Dat gebruikte hij om een totale controle te kunnen doorvoeren, en aangezien hij ook het hoofd van de gewapende troepen was, kon hij ongehinderd als dictator optreden. Het grootste deel van het Zambiaanse bruto nationaal produkt ging naar de ondersteuning van antiblanke terroristengroeperingen die in de vier aangrenzende landen voor hun onafhankelijkheid streden. Dat dompelde de burgers niet alleen in armoede, het maakte ze ook erg wantrouwig jegens buitenlanders, die werden beschouwd als saboteurs of spionnen.

Stanley's grootmoeder schoof een blok hout verder het vuur in en trok zich terug in de schaduw. De rook steeg op naar de bodem van de maïsopslagplaats boven ons, om de maïskolven te drogen die daar buiten het bereik van ratten waren opgehangen. Ze had de naam Kaunda in het gesprek met deze blanke vreemdelingen horen vallen, maar vertrouwde erop dat haar kleinzoon haar gezin zou beschermen.

Stanley vertelde over de ophanden zijnde verkiezingen, waarin de dorpen de kans kregen hun stem uit te brengen op een meerpartijenstelsel. Als goed opgeleide man wist hij niet wat hij moest geloven, maar 'alles was beter dan dit'.

'Dat klinkt bekend,' zei ik.

Stanley zou zeker gaan stemmen, maar duizenden andere doprsbewoners konden niet naar de stembussen. Zij moesten op hun boerderijen werken en zouden niet dagenlang gaan lopen om een kruisje te zetten op een formulier dat ze niet begrepen – bovendien, wat hadden ze eraan? Het enige dat ze wilden, was in vrijheid leven, zoals ze altijd hadden gedaan, maar wie gaf er genoeg om hen dat hij hun het recht op jagen teruggaf?

Stanley beschreef de manier waarop hij – op zijn eigen land, nota bene – illegaal met vallen jaagde, omdat die geen geluid maakten. Hij sneed het dier in de jungle aan stukken en bracht het vlees naar huis, maar hij moest de huiden, de botten en de pezen achterlaten, in principe alles wat tegen hem gebruikt kon worden als het in zijn dorp gevonden werd. Op de grotere markten moesten ze kopen wat ze zelf hadden kunnen maken.

De volgende ochtend doorzochten Gerry en Oli hun spullen en gaven Stanley zijn eerste paar schoenen. Zijn moeder kreeg een sweatshirt, zijn grootouders een zonnebril en enkele paren sokken van mij. Wij dronken samen van onze koffie en gingen weer op weg.

De dorpen zagen er verlaten uit toen ik erdoorheen wandelde, maar als ik me onderweg omdraaide, zag ik dat de bewoners me wantrouwig nakeken. Ze beantwoordden mijn gewuifde groet, maar meer als opwelling, voordat ze zich realiseerden wat ze deden. Toen zag ik de Land Rover voor me uit staan wachten en ik dacht: de volgende keer zal het beter zijn.

Oli had een stuk of tien blaadjes uit zijn notitieboekje gescheurd en ze op een rijtje in het zand gelegd, mijn laatste stappen naar de Land Rover aftellend. Hij had een afscheidsgroet geschreven en aan een boom geprikt: 'HET EINDE. Heel veel liefs van de jongens. Veel geluk op je volgende etappe'.

Ze hadden nòg een boodschap, die ik evenwel niet mocht lezen. Ik moest hun vertellen wat erinstond als ik hen weer trof, hopelijk in Londen, als bewijs dat ik was teruggekeerd op exact diezelfde plek, om verder te gaan met de wandeling. Alsof daar een bewijs voor nodig was!

Stanley had ons over het Wildreservaat Kafue verteld en geadviseerd daar de nacht door te brengen, in plaats van in het donker naar Lusaka te rijden. Blanken die in de nacht op weg zijn, worden argwanend bekeken.

Het hotelletje stond op een klein eiland midden in de rivier de Kafue, omringd door nijlpaarden. We kwamen er per roeiboot bij zonsondergang aan en ontdekten dat er in het park even weinig toeristen waren als wild. Het enige wat ervan over was, waren wegrottende witte hutten op palen met lekkende rieten daken en de bedompte lucht van vergane glorie. Aan de bamboewanden van de bar hingen foto's van toeristen uit 1960 en hoogwaardigheidsbekleders, waaronder Kaunda, die dit park ooit had gebruikt als privé-jachtterrein.

Een poster boven de bar zei 'Zet de stropers vast' en op de planken stonden herinneringen aan ooit gehouden feesten, flessen met Glenfiddich die allang leeg waren en foto's van vrouwen in minirokken die voor neushoorns poseerden.

Maar het bier stond tenminste koud.

14

Lusaka, 26 juni 1991.

Op het vliegveld van Lusaka wachtte ik de aankomst van Bill Preston en Blake Rose uit Londen af. Oli had zijn reisplannen al rond en zette zijn tocht door Afrika voort alvorens naar huis terug te vliegen en aan zijn baan te beginnen. Gerry zou de volgende avond vertrekken.

We hadden Lusaka op de allerlaatste druppeltjes diesel bereikt. Onze contactman, Mike Davies, die voor Anglo-American werkt, een zusteronderneming van De Beers, had ingestemd ons voor een paar dagen onderdak te bieden, tot de uitwisseling van chauffeurs had plaatsgevonden. Zijn huishoudster waste onze kleren in het bad, niet in de wasmachine, want, zei ze: 'Machine weet niet waar de vuile vlekken zijn.'

Terwijl we op het uitladen van de bagage wachtten, raakte ik aan de praat met Amy, een vrijwilligster bij het Vredescorps, die in centraal Zaïre werkte en terugkwam van vakantie in de Verenigde Staten. We pakten de kaart en vonden het dorp waar ze zat, maar zagen ook dat we waarschijnlijk nooit dicht genoeg in de buurt zouden komen om haar te kunnen bezoeken – als het in Zaïre tenminste niet op grote ellende zou uitdraaien.

Ik schrok behoorlijk toen ik Bill en Blake zag. Ze zagen allebei bleek na weken in Londen te hebben gezeten. Bill had een dikke buik, die over zijn broekriem puilde. Hoewel hij pas vierendertig was, zag hij er ouder uit, misschien omdat zijn haar al dun begon te worden en zijn voeten naar buiten stonden.

Ik word altijd nerveus als ik nieuwe mensen moet leren kennen en stond dan ook met mijn mond vol tanden toen Bill me een dikke grijns toewierp en met twinkelende blauwe ogen zei: 'Goeiendag, noem me maar Bill, en niet "die dwaas".'

Hij had een onvervalst Australisch accent, zo uit de rietvelden van Queensland, waar hij opgegroeid was. Hij was ruw, vrijpostig en niet bereid 'geklooi van wie dan ook te pikken', maar volgens alle berichten was hij de beste terreinchauffeur en monteur in de jungle die ik had kunnen krijgen.

Blake Rose, zesentwintig jaar, was totaal anders. Zijn schedel was bijvoorbeeld kaalgeschoren. Hij had blauwe ogen, een hartvormig gezicht en aan zijn korte medeklinkers en ronde klinkers kon je horen dat hij op een Engelse school had gezeten.

Blake was met zijn jongere broer in Zambia opgegroeid en hield nog altijd veel van het land. Niet met de arrogante herinneringen van een voormalig geëxpatrieerde, maar hij hield ècht van de Afrikaanse mensen, hun gewoonten en tradities. Nog belangrijker was dat hij aan zijn ervaring een eigenschap had overgehouden die essentieel is om met deze mensen om te gaan, namelijk geduld.

Ze maakten me verlegen. Ik voelde me een idioot en dacht dat ze me gadesloegen, om te zien of ze eigenlijk wel zin hadden de volgende maanden van hun leven te spenderen aan het vervullen van de droom van iemand anders.

Bill nam het initiatief tot een gesprek.

'Het is me gelukt het geld door te sluizen zonder alles te declareren. Die rotzakken van de douane zouden een deel ervan als smeergeld hebben geëist, maar deze keer zijn we ze te slim af geweest.'

Hij was joviaal en ontspannen, maar toch bleef ik slechts denken aan die oude, vermoeide aanblik van hem.

Gerry en Bill hadden elkaar in Katmandu leren kennen, waar Gerry voor Encounter Overland vlotreizen voor blanken organiseerde. Bill vervoerde de cliënten via het Midden-Oosten en Europa terug naar Londen. Ze omarmden elkaar en sloegen elkaar op de schouders. Daarna verdwenen ze om verhalen uit te wisselen. Ik was bezorgd dat Gerry bij Bill de reis uit zijn hoofd zou praten.

Blake was een vreemde eend in de bijt, maar dat gaf mij iets om te observeren: hoe treedt iemand een moeilijke situatie tegemoet en blijft hij toch zichzelf.

Gerry had Bill voorgedragen, maar ik wilde weten hoe de keus op Blake was gevallen.

'Ik hoorde van een vriend dat je een fotograaf zocht voor een reis van drie maanden door Afrika, en dat alle kosten waren gedekt. Luly gaf me een exemplaar van je boek over Australië, met de opdracht het te lezen en contact op te nemen als ik belangstelling had.'

'Dus jij hebt haar gebeld?'

'Nee, ze belde mij. Ze was in alle staten.'

'Zou jij haar hebben gebeld?'

'Nee.'

'Waarom zit je dan goddomme in mijn reis?'

'Ik heb als kind in Zambia gewoond en wilde altijd nog eens teruggaan.'

Ik veronderstel dat iedereen zo zijn redenen had, maar ik vreesde dat ik zat opgescheept met een chauffeur die niet de wens bezat mij te helpen.

Bill daarentegen was drie jaar lang chauffeur bij Encounter Overland geweest en ik wist dat hij het lage tempo niet erg zou vinden. Hij herstelde juist van een schietpartij in Pakistan, toen Charlie hem had gebeld om te vragen mee te gaan. Bills vrachtwagen was tijdens een blokkade op de weg door bandieten aangehouden. Hij was uitgestapt om hen tot rede te brengen, maar toen hadden ze hem lange tijd met een vuurwapen tegen zijn hoofd vastgehouden. Daarna had hij mogen instappen, maar de rotzak had het vuur geopend en hem door de deur heen geraakt. Het waren afgeplatte kogels geweest die door beide armen waren gegaan. Eén was in zijn dijbeen blijven steken. Ze hadden twaalf uur moeten rijden om hem naar een ziekenhuis te krijgen, waar hij maandenlang medicijnen slikte, tot hij voldoende hersteld was om de vlucht naar huis te overleven.

Zijn motief was simpel: de route die wij door Zaïre namen, was nog niet eerder door iemand gereden die hij kende en het was dus een uitdaging voor hem. Hoewel hij uit de 'arbeidersklasse' kwam en Blake een 'kapsoneslijder' noemde, mochten ze elkaar meteen en vormden ze een team.

Voor Oli en Gerry was het karwei over. Toen Oli me de sleutels van de Land Rover overhandigde, hield ik mijn zonnebril op om te voorkomen dat hij de tranen in mijn ogen zag. We omhelsden elkaar en ik bedankte hem voor zijn hulp. Ik was opgelucht voor ons allebei.

Gerry zette zijn handtekening in mijn getuigenboek en bevestigde dat ik de hele weg zelf had gelopen.

Na het afscheid gingen Blake, Bill en ik voor de komende drie maanden voorraad inslaan. Bill wisselde geld en kwam terug met een aantal draagtasjes vol kwacha. De hoogste coupure is ongeveer twee pond waard en bij de loketten moesten de meisjes hele pakjes geld uittellen als tegenwaarde van maar een paar pond.

Ik wou nog wel een dag in het huis van Mike blijven, maar de jongens stonden te popelen om te vertrekken. Ik vond hun enthousiasme prettig en we reden die middag terug naar de plek waar ik was gestopt. De spreuk zat nog op de boom.

Er stond: 'Als je tòch de vernieling in wilt, doe het dan in stijl'.

Die avond hielden we een groepsgesprek rond het vuur. Dat is het enige moment gedurende de dag dat iedereen ontspannen is. Het werk en het lopen zijn voorbij, de borden afgewassen en ingepakt, de bedden liggen netjes klaar.

Ik wist niet precies wat Gerry tegen Bill had gezegd, maar ik had het gevoel dat hij ruig en mans genoeg was om zijn eigen conclusies te trekken. Ik wilde hen bij de tocht betrekken en het gevoel geven dat hun harde werk zinvol was.

'Na zestien kilometer komen we bij elkaar om te ontbijten. Na de volgende acht kilometer om te drinken. Na weer acht kilometer lunchen we. Na nog eens acht kilometer opnieuw drinken en na de laatste acht zetten we het kamp voor de nacht op.'

De opwinding over het hebben van een nieuw team omvatte ook het inwerken. Ik maakte me weer zorgen dat ze me niet op de afgesproken plek zouden opwachten, zodat ik alleen zou zijn.

Acht kilometer na het ontbijt trof ik een compleet kamp aan, waar voedsel en thee voor me klaarstonden. Bill en Blake hadden als de bliksem gezorgd dat de boel ingepakt was om binnen een uur en twintig minuten klaar te staan. Ze wachtten me al op voor dit onverwachte maal en ik moest grinniken. Ik wilde ze niet kwetsen omdat ze zo hard hadden gewerkt, maar legde uit dat ik tot aan de lunch niet hoefde te eten.

Er was maar een korte periode van aanpassing nodig. Algauw kenden ze de routine en zat ik weer in het oude ritme van lopen over zandwegen tussen de droge begroeiing door.

We hadden voor de route door Kafue gekozen, omdat op de hoofdweg naar het noorden werd gepatrouilleerd door politie en soldaten, wier voornaamste spelletje was reizigers te onderscheppen en hun auto's van onder tot boven te doorzoeken. Men vond altijd wel iets op grond waarvan ze in staat van beschuldiging konden worden gesteld, wat betekende dat er smeergeld betaald moest worden. Dit omzeilden we door ons aan de wegen door de wildernis te houden, hoewel we toch steeds argwanend werden bejegend.

Bill zette twee alarminstallaties op de Land Rover – kleine doosjes die op batterijen werkten en bewegingen registreerden. In de vroege ochtend werden we opgeschrikt door het hoge jankgeluid. Ik schoot overeind en zag Bill en Blake wanhopig worstelen met hun slaapzakken en tenten, in de overtuiging dat we werden aangevallen. Tegen de tijd dat ze buiten stonden, lag ik te rollen van de lach.

De indringer had een van de zwarte doosjes op de motorkap zien zitten en het opgepakt. Hij had een paar passen gelopen of het alarm ging af. Met een schok dook hij halsoverkop de bosjes in. God mag weten wat hij de andere mensen in het dorp heeft verteld over de grote macht van het zwarte doosje.

Ik raakte al snel verwend door het lopen in de koelte van het boomgewelf boven me, waardoor de zon me soms trof als een muur. Het zachte zand onder mijn voeten trok aan mijn kuiten, wat maakte dat ik van de ene kant naar de andere kant van de weg zwierf, op zoek naar vastere ondergrond.

Op een ochtend zat ik gehurkt op het pad omdat ik buikpijn had, en ik voelde hoe mijn wangen rood werden van schaamte. Ik keek door de bomen en zag een eenzame fietser in mijn richting komen slingeren. Ik trok haastig mijn broek op en schoot de struiken in, hopend dat hij voorbij zou gaan. In plaats daarvan stopte hij en bleef hij op me staan wachten. Er kwam een groep giechelende vrouwen bij staan, die stokken en manden met gedroogde vis, noten en bessen op hoofd en heupen lieten balanceren, op weg naar de markt. Voor zover de privacy.

We kwamen bij de macadamweg en sloegen rechtsaf richting Lusaka, voordat we een ander pad door de wildernis in noordelijke richting konden inslaan. Ik liep een helling af naar het dal van de Luampa, waar ik de rivier breed onder me kon zien stromen, groen van de biezen en waterlelies. Langhoornrunderen stonden aan de oever te drinken. Een man duwde een boomstamkano door het door de zon beschenen water. De lucht was wazig door de kookvuren.

De volgende dagen stak ik de delta van de Luampa over. De dorpen waren tegen hellingen gebouwd, waar schoon wit zand rond de paalwoningen werd geveegd en waar geen blaadje mocht liggen. Deze mensen wisten precies hoe ze hun huizen moesten neerzetten onder de baldakijn van bomen, die zó dicht was dat je de takken niet kon zien. De varenachtige bladeren van de banaanbomen wuifden in de wind en schitterden groen tussen de rode, puntige bloemen. Deze dorpen zien eruit als tropische vakantieoorden, ofschoon de dorpelingen haveloze kleren dragen. Ik zag een bouwopzichter luisterrijk rondstappen in een donker pak dat hij vast en zeker uit de vuilnisbak van de laatste van tien vorige eigenaars had getrokken.

Bij Kaoma sloeg ik in noordelijke richting af over een zandweg die ons honderdvijftig kilometer verder zou brengen, langs de rand van het Nationale Park van Kafue. Kaoma was verrassend. Er waren een paar winkels in 'westerse' stijl – rechthoekige dozen met stenen portieken en platte, hoge etalages. Er hingen reclameborden die adverteerden met mode voor mannen en vrouwen, linnen en schoenen, maar in de winkels zelf verkocht men niets anders dan spinraggen en glasscherven. Iedereen zat gewoon op straat te kijken naar andere mensen die op straat zaten.

Ik moest bij kruispunten van zandwegen vaak de weg vragen om te weten welke route naar Kasempa leidde, tweehonderdtwintig kilometer naar het noorden. Hoewel men mij behulpzaam wilde zijn, braken er een paar hevige discussies los, terwijl ik grapjes maakte en giechelde met de kinderen, door hen te laten schrikken met een gromgeluid, tot ze me zagen lachen. Dan kwamen ze terugrennen en wilden dat ik het nog eens deed.

Het was prettig rechtstreeks naar het noorden te kunnen lopen, waardoor ik vooruitgang boekte. De buikkrampen waren erger geworden en ik voelde dat er iets ernstigs op til was. Ik vroeg zelfs aan Blake of een medicijnman iets voor me kon doen en overwoog de mogelijkheid om terug te rijden naar Lusaka.

Het water was een voortdurende bron van zorg, want we hadden regelmatig verversing nodig. Dit was het droge seizoen, en veel waterplaatsen stonken naar stilstaand water. Bill vroeg een dorpshoofd om water en kreeg een kopje vol.

De weg naar Kasempa was ooit een macadamweg geweest, maar bleek nu weinig meer dan een weg vol scheuren en gaten, smal en gevaarlijk, maar hij was tenminste droog. Bij één dorp kwam er een man achter me aan hollen, die riep: 'Kasempa is nog ver weg. Gaat u te voet?'

'Ja,' zei ik lachend, 'maar ik heb wel een auto bij me.'

'Dan is het goed. Wij maakten ons zorgen over u.'

Bill worstelde met het tempo en keek nerveus naar het veranderende landschap. Zijn periode in Afrika had hem geleerd verschillende soorten terrein en de bijbehorende problemen te herkennen. Hij verwoordde zijn vrees zelden, maar ik begreep dat hij zich ergens zorgen over maakte.

De volgende middag ontdekte ik wat het was. Zomaar uit het niets kwamen de vliegen opzetten. Ze vielen me in de laatste acht kilometer aan, beten me onophoudelijk op blote stukken huid en door mijn T-shirt heen, zodat ik van frustratie gillend en wild met boomtakken om me heen begon te slaan. Binnen een paar minuten zat ik onder de grote pijnlijke bulten.

Voor me uit voerden de jongens in de cabine van de Land Rover, met de raampjes dichtgedraaid, een eigen dansje op. Toch wisten de vliegen binnen te komen. Ze kropen gewoon door de ventilatoren en de motor. Het was zó'n enorme zwerm dat geen van beiden kon uitstappen. Bill bracht zijn tijd door met met de schaar hun zuigslurfjes af te knippen, waarna hij ze vrijliet om een langzame hongerdood te sterven.

Blake wierp het portier open en schreeuwde dat ik binnen moest komen.

'Wat zijn dit in godsnaam?'

Ik zag op het roze dijbeen van Bill dat uit zijn korte broek stak een harde zwelling zitten ter grootte van een schoteltje. Hij had al een antihistaminetablet ingenomen, wat niet hielp tegen de jeuk noch tegen de zwelling, noch tegen de pijn.

'Tseetseevliegen,' zei hij. 'Vergeet de slaapziekte maar, deze krengen vreten je op.'

Die avond in het kamp pakten we onze spullen bij elkaar en bespraken hoe we onszelf zouden gaan beschermen.

'Je moet alles bedekken,' zei Bill. 'Ze komen in zwermen en blijven ongeveer een mijl bij je hangen.'

Ik had drie insektenvrije pakken bij me, geleverd door Survival Aids, die me had verzekerd dat ze in de wildernis van Belize waren getest en de beste manier vormden om koel en toch bedekt te blijven.

Bill leende me zijn hoed, die ik afdekte met muskietengaas. Ik zou mijn handen beschermen door de mouwen van het insektenvrije pak naar beneden te trekken en het elastiek van de manchet in mijn hand te klemmen. De broekspijpen zou ik in mijn sokken stoppen.

Mijn pak was lichtblauw en de jongens hadden zwarte, wat ongelukkig uitkwam, want tseetseevliegen worden aangetrokken door lichte kleuren. Ik had me ook moeten realiseren dat deze insekten zuigslurfjes hebben die erop gemaakt zijn door de huid van een nijlpaard heen te boren. De dubbele zijden voering binnen in het pak bood absoluut geen bescherming.

De volgende ochtend zat ik al voordat de zon opkwam onder de tseetseevliegen. Ik sloeg met takken, maar ze namen in aantal toe. Ik begon wilder te springen en werd nog erger gebeten. Eentje kwam er onder mijn hoofdnet. Ik trok er woest aan – er was geen plaats voor mij en een bloedzuiger van een tseetseevlieg. Er kroop er ook een onder de enkelband door en beet in mijn dijbeen. Ik kon niet wegrennen of me verbergen, en zonder minimale bescherming zou ik binnen enkele minuten in elkaar zakken als een buffel die door een troep hyena's wordt aangevallen.

Naarmate de zon hoger kwam te staan werden de vliegen gemener. Het insektenvrije pak was zó heet dat het erop leek dat ik zou uitdrogen en sterven, keurig verpakt in mijn eigen op maat gesneden lijkzak.

Je behoefte doen was een ramp. Als het niet zo'n ellende was geweest om je geheime delen te ontbloten en met tampax te zitten klooien, zou het bijna komisch zijn geworden.

Toen ik bij de Land Rover kwam om te ontbijten, stond Blake daar pannekoeken voor me te bakken. Hij lag onder vuur en had eigenlijk binnen moeten zitten, maar hij had ervoor gekozen een ontbijt klaar te maken. Hij deed het voor mij en om het moreel hoog te houden. Dit was een belangrijk keerpunt in mijn gevoelens jegens Blake en de verhouding met beiden. De tseetseevliegen brachten ons tot elkaar.

Het volgende kwart was even erg. Mijl na mijl bleven de tseetseevliegen om me heen zoemen met een geluid als van orgeltjes. Ik trok het touwtje van mijn hoed vast om mijn nek, om geen stukje huid van mijn gezicht bloot te laten, maar daar werd ik licht van in mijn hoofd en mijn zonnebril besloeg, waardoor ik niet verder kon kijken dan tot het zand aan mijn voeten.

Ik sneed een twijg af en mepte om me heen naar die krankzinnige, hongerige ellendelingen van bloedzuigers. Ik had beten in mijn nek, op mijn handen en om mijn enkels, maar kon niet krabben. De jeuk is ondraaglijk, maar als je gaat krabben, ben je verloren. Dan ontstaat er een grote witte bult, omgeven door een rode plek, en de jeuk wordt nog veel erger.

Zelfs met het gaas voor mijn gezicht liep ik tseetseevliegen te happen, omdat het net tegen mijn gezicht werd gedrukt door de van God gezonden bries onder de eerste wolken die we sinds weken hadden gezien. Mijn rechterooglid was bijna dichtgebeten, zodat ik moeilijk zag.

Ik begon hevig te zweten en dronk door het gaas heen, mijn handen onder de mouwen bedekt houdend en dansend, want ze beten in mijn enkels als ik stilstond.

Bij de lunch schoten de jongens naar buiten om een stoel onder een muskietennet te schuiven, maakten blikjes groente open en zetten thee. Vandaar zat ik te kijken hoe ze liepen te dansen in hun pakken. Ze weigerden binnen te komen, zeggend dat het buiten beter was. Ze hadden gelijk, maar ik moest erbij gaan zitten. Bill maakte een vuur op de weg om te proberen de vliegen met rook op een afstand te houden, maar ze gingen vanzelf, toen een zwerm uitgedroogde bijen arriveerde, aangetrokken door een lekkende jerrycan met water achter mijn hoofd.

Bill voedde zijn rookvuur met het verkeerde hout, zodat hij prompt begon over te geven van de giftige damp die opsteeg uit het brandende sap. De bijen hadden er geen last van en verduisterden de lucht om ons heen.

We pakten snel in en ik verzekerde hen dat ik in orde was. Zij reden vooruit naar het einde van de dagmars, maar de vliegen volgden mij.

Niemand kon ons vertellen wat er voor wild in het Kafue Wildpark zat, omdat er geen patrouilles of parkwachters waren die het bijhielden. Een oude man die op jacht was, had verteld dat er twee dagen geleden een eenzame mannetjesleeuw was gesignaleerd. Solitaire mannetjes zijn vaak zeer gevaarlijk, omdat ze meestal oud, gewond of uit de groep gestoten zijn door jongere rivalen. Zonder wijfje dat voor hen jaagt, vallen ze alleen de zwakste prooi aan.

Ik keek om me heen in het angstige besef dat ik hoog op de lijst stond.

Door het net aan mijn hoed was mijn zicht belemmerd en ik wist dat een aanval van achter mij zou komen. Waar de bomen dicht opeen stonden, zou ik aan het geschreeuw van apen en cicaden kunnen horen dat hij in de buurt was, maar het lawaai van de tseetseevliegen was zó oorverdovend dat ik alleen mijn eigen gevloek hoorde. Een leeuw kan van een afstand van dertig kilomter bloed ruiken en ik begroef mijn tampax dan ook diep in de grond. Ik verwachtte elk moment de aanval.

Ik draaide me telkens om en schreeuwde alsof ik met veel mensen was. Mijn mes hing aan het koord om mijn hals en ik vroeg me af wat ik zou doen als ik de leeuw zag. Ik trok het uit de schede en droeg het in mijn hand. Weinig kans dat ik een aanval zou overleven, maar het gaf me een veiliger gevoel.

Het struikgewas langs de weg stond in brand en de vlammen sloegen over het pad, maar het kon me inmiddels niet meer schelen of ik me brandde, alles was beter dan dit. Ik rende door de rook en de vlammen, meppend om de vliegen van me af te houden.

Ik marcheerde het pad af en zag na een bocht de Land Rover staan. Ik had me nimmer zo opgelucht gevoeld. In mijn hoofd begon het wekelijkse aftellen, 'eind van een kwart, eind van de dag, eind van de week'.

Blake stond op de uitkijk en zag dat ik door tseetseevliegen was overdekt. Hij kwam met een insektenverdelger op me afrennen, spoot me helemaal af en scheurde het doorweekte muskietengaas en de zijden 'lijkzak' van me af. Mijn gezicht was gezwollen en mijn rechteroog zat volledig dicht.

'Goed gedaan, jochie,' zei Bill. 'Er leven in dit gebied niet meer dan vier mensen vanwege de vliegen. Je bent de eerste die ik ken die ooit door een tseetseegordel is gelopen.'

'Maar we zijn de hel nog niet uit,' riep ik, terwijl ik in de eerstehulpdoos rommelde op zoek naar de antihistamine. 'Vergeet niet wie er vanavond kookt.' Ze wisten nog niet hoe erg het kon worden vóór ze van mijn 'éénpanswondermaal' hadden geproefd.

Het was mijn avond om voor hen te zorgen, iets dat ik voor Gerry en Oli niet vaak had gedaan, maar deze kerels verdienden hun rust en het gaf mij een fijn gevoel hun die te geven. Ik verzamelde hout, maakte vuur en kookte het avondeten. Eindelijk was er iets tastbaars om tegen te vechten in plaats van tegen elkaar, en zo ontstond een gevoel van saamhorigheid.

Blake werd pijnlijk geconfronteerd met de realiteit van Afrika, die door de jaren heen nogal gekleurd was geweest door zijn herinneringen. Daarin leefden alleen nog de romantiek en zijn wortels. Nu zag hij de verwaarloosde dorpen, de zwendel en de corruptie.

In Kasempa, het eerste dorp na het Nationale Park van Kafue, had je een brede straat van kiezelstenen die de winkels van elkaar scheidde en daarboven rees een watertoren op, waar de jongens hoopten te kunnen bijvullen. Maar dit kwam op de tweede plaats op de lijst van prioriteiten. Ze hadden gehoord dat er een drankwinkel in het plaatsje was, en aangezien we na het kamp in Kaoma hadden drooggestaan, waar we twee flessen whisky op een luxe manier hadden geconsumeerd, namelijk gemixed met zoete gecondenseerde melk, reden ze vooruit op zoek naar koud bier.

Bij de lunch was Bill in een lied uitgebarsten – 'Er is geen melk en alcohol' – en ik knipte zijn haar, ter voorbereiding op een mogelijk nachtje in de stad. Na de tseetseevliegen en de bijen waren we wel aan wat leuks toe.

Maar regel één op een voettocht luidt: 'Stel nooit te hoge verwachtingen'.

Toen ze bij de winkel aankwamen, vonden ze die vergrendeld en nadat ze op de deuren eromheen hadden staan bonken, hoorden ze dat de eigenaar die ochtend was gearresteerd wegens verduistering en nu in de gevangenis zat met de sleutels in zijn zak. Er was geen bier, geen Cola, alleen Fanta.

Dus trof ik hen aan het eind van de dag bij een groep lemen hutten aan en vroeg aan het dorpshoofd of we mochten blijven. Om ons heen bereidden de gezinnen hun avondmaal, lachten er kinderen en scharrelden kippen naar voedsel. Het hoofdvoedsel bestaat uit gierst die gestampt wordt, met water vermengd en daarna gekookt. We dronken thee en aten toffees met het dorpshoofd. Deze vertelde ons van een man die zichzelf overhoop had geschoten toen hij was aangevallen door tseetseevliegen. Dat kon ik me goed indenken.

Het pad naar Solwezi bestond uit rul zand dat aan mijn voeten trok, waardoor ik struikelde als ik onverwacht op een stevig stuk pad stuitte. Om me heen veranderde de wildernis om de zoveel honderd meter van herfstachtige bomen met roodbruine bladeren en door recente bosbranden verkoold onderhout in weelderig groene baldakijnen met een overvloed van levend onderhout.

Een man in grijsflanellen broek en een streepjeshemd sleepte hevig transpirerend een zware zak voort. Hij was de dorpsonderwijzer en liep heel langzaam. De jongens gaven hem een lift. Toen ze bij de school aankwamen, kwam er een bejaarde man naar hen toe rennen om te zeggen dat zijn schoondochter de dokter nodig had. Zij was al vier dagen bezig te bevallen, maar de baby was nog altijd niet geboren. De dorpsarts was naar Ndola voor medicijnen.

Ze werd dwars op de achterbank gelegd en Bill reed haar naar het ziekenhuis in Solwezi, vier uur rijden in noordelijke richting, terwijl Blake achterbleef om op mij te wachten en de lunch te verzorgen. Haar moeder en echtgenoot hadden op de voorbank plaats genomen en hun best gedaan om haar pijn zoveel mogelijk te verlichten op plaatsen waar de gaten in de weg de Land Rover deden slingeren. Later hoorden we dat ze op tijd een keizersnede had ondergaan en de trotse moeder was van een dochtertje.

Op de macadamweg naar Solwezi trof ik de jongens aan in de schaduw van een boom, die ingepakt was in een mierenheuvel. In de buurt was een versleten hut waarop 'Bar' stond, maar ook daar was alweer niets te drinken. Er stopte een bus waaruit passagiers stapten om de zakken met meel op het dak weer recht te zetten.

Acht kilometer verder, waar ik een heuvel op- en weer afstrompelde, kwam ik drie mollige meisjes tegen die op suikerriet stonden te kauwen. Hun nauwelijks ontwikkelde borstjes sprongen op en neer onder hun witkatoenen shirtjes die na de schooldag los over hun marineblauwe rokken hingen. Ze renden om me bij te houden en schopten zand op met hun platte zwarte schoenen.

Van de kleine stukjes land met gierst die aan de gezinnen behoorden, stroomden haveloos geklede jongens de weg op en omringden me. Hun kleding was zó gescheurd dat het leek alsof ze zo uit *Oliver Twist* waren weggelopen. Ik voelde me de rattenvanger van Hamelen die hen uit de stad lokte.

Een man die ongeveer net zo lang was als ik, met dunne lippen en een gezicht als van een Ninja Turtle mutant voegde zich bij me en stelde vragen. Ik vertelde hem dat ik vanuit Livingstone was komen lopen. Hij was verbijsterd en wilde me niet geloven. Toen ik achterom keek, zag ik dat de hele weg wemelde van de dansende en lachende kinderen. Ze klapten en riepen allerlei vragen. Ik voelde me onzeker na drie weken alleen in de wildernis. Ze wilden in mijn bepakking kijken en ik liet hun de waterfles zien, en daarmee schenen ze tevreden te zijn.

'Hoelang blijft u nog bij mij? Mijn man staat op me te wachten en ik weet zeker dat hij u wil bedanken dat u mij hebt begeleid.'

'Wij volgen u gewoon,' zei de man. 'Waarom loopt u niet wat langzamer, zodat de mensen uw gezicht kunnen zien?'

'Mijn man staat te wachten, dan moeten ze maar rennen en ons bijhouden.'

'Op welke politieke partij stemt u?'

'Op geen van beide, ik ken ze allebei niet goed,' was mijn antwoord.

Ook hij niet, scheen het. Hij droeg een T-shirt met UNIP erop, maar maakte met zijn vuist tekens van meerdere partijen. Door zijn tempo drukte hij het mijne en hij bleef maar glimlachen, terwijl hij gejaagd achteromkeek. Hoewel hij veel vragen stelde, merkte ik dat hij niet naar de antwoorden luisterde.

Een vrachtwagen die in de andere richting reed, stopte op de weg achter me. Een lange, gespierde man in korte broek kwam uit de laadbak. Hij baande zich een weg tussen de kinderen door, pakte me bij mijn arm en trok me in de richting van de vrachtwagen.

'Wacht even, wat krijgen we nou?' wilde ik weten.

Opeens veranderde de sfeer. De lachende kinderen begonnen te joelen als Indianen, schreeuwend, spugend en duwend.

Een jonge vrouw met een sjaal om haar hoofd schreeuwde in mijn gezicht: 'Dit is Zambia. Je kunt niet alleen lopen in Zambia.' Ze greep mijn halsmes. 'Waar is dat voor?'

'Om mijn eten mee te snijden...' Ik kon nauwelijks nadenken.

Van achter greep iemand plotseling mijn haar vast en trok mijn hoofd achterover. Een ander pakte mijn mes af. Ik voelde het tegen mijn luchtpijp drukken. Ik probeerde wanhopig overeind te blijven, maar werd opzij gesleept met mijn hoofd achterover. De adrenaline begon te stromen en deed mijn tegenwoordigheid van geest terugkeren – alles wat me verteld was kwam terug.

Ik sprak zachtjes: 'Ik ben gewoon aan het wandelen in uw mooie land, mijn man is niet ver weg.'

Ineens werd ik me bewust van de walgelijke geur van hun opgewonden lijven en ik moest overgeven.

De vrouw schreeuwde: 'Spion!'

Er voer een schok door de menigte. Ik werd bijna van mijn voeten gelicht en naar de vrachtwagen gesleept.

De chauffeur hing uit zijn portier en probeerde wijs te worden uit de commotie. Ik zei tegen hem dat ik een lift nodig had. Hij was bang en schudde zijn hoofd. Ik smeekte het hem, maar toen hoorde ik een Land Rover van het leger stoppen. De aanblik van dat uniform maakte me nog banger. De Zambiaanse militie verkracht, rooft en moordt. Ik had drie weken door een onbewoond wildreservaat gelopen om ze te mijden. Nu had ik geen andere keus dan mijn zaak te bepleiten.

Ik schudde de hand van de officier. 'Mijn man is niet ver weg, breng me alstublieft bij hem. Ik ben juist een eindje gaan lopen in uw prachtige land...' Mijn woorden klonken hol.

Hij luisterde naar de menigte, keek eens naar dat mes tegen mijn keel en vervolgens de andere kant op. Met een licht rukje van zijn hoofd wenkte hij naar de laadbak van de vrachtwagen. Ik greep ruw mijn mes terug en klom onhandig over de zijkant, boven op een bundel bamboe.

Ik negeerde de joelende menigte, inmiddels was ik buiten hun bereik en schreeuwde: 'Stelletje paranoïde gekken!'

We reden een paar mijl. De hele weg rekte ik me uit om te zien of de Land Rover ergens tussen de struiken geparkeerd stond voor het avondkamp, bang dat ik niet zou worden geloofd als ik ze miste.

De jongens zorgden er altijd voor dat ze uit het zicht van de weg bleven in geval van problemen, maar het teken voor mij zou er nog niet staan, ze verwachtten me niet binnen het uur.

Gelukkig stonden ze aan de kant van de weg, maar ook onder arrest. Het plaatselijk dorpshoofd had Bill de wildernis in zien lopen op zoek naar een plek om te kamperen en had twee mannen achter hem aan gestuurd. Hij beschuldigde hem ervan dat hij een lanceerinrichting neerzette om president Kaunda's vliegtuig met een raket neer te halen.

Toen ik van de vrachtwagen kwam, rende ik naar mijn 'echtgenoot'. Bill was heel kalm en legde aan de legerofficier precies uit wat we aan het doen waren. Mijn handen trilden toen ik een sigaret aanstak.

Botweg en zonder enige verklaring werd ons bevolen hen te volgen naar Solwezi, waar onze verblijfsvergunning op het politiebureau zou worden gecontroleerd.

De binnenplaats van het bureau stond vol wegrottende terreinwagens, en het beetje schaduw werd ingenomen door agenten in kakishirts met gevlochten banden om de linkermouw. De broekriemen, zoals mariniers die dragen, hadden dubbele gespen en sloten om donkerbruine broeken. Binnen had de balie veel weg van een keukentafel, behalve dan dat er stapels patronen onder lagen voor een grote hoeveelheid geweren.

We begonnen langzaam uit te leggen wat we hier deden. Blake was op zoek naar bewijsstukken, maar we konden de omslag van *Feet of Clay* niet vinden. Hoewel hij de situatie meester was, kon ik zien dat Bill zenuwachtig naar de geweren zat te kijken, waarmee men afwezig zat te spelen. Ik snapte heel goed dat hij na die schietpartij in Pakistan hartkloppingen had.

Na veel heen en weer lopen vond ik het adres van Marion Grove, iemand die voor de VSO werkt en van wie ik de naam had gekregen toen we in het safarikamp Tongabezi aan de Zambezi logeerden. Marion behartigde de belangen van een regeringsorganisatie in Solwezi. Bill vroeg of wij in plaats van de nacht op het bureau door te brengen bij onze vriendin mochten logeren. De politie kende haar en na wat onderhandelen escorteerde ze ons naar haar huis. Ik vermoed dat het voor deze jonge vrouw geen grote verrassing was dat er na het donker drie blanken onder politie-escorte toevlucht bij haar kwamen zoeken.

Marion verwelkomde ons hartelijk. Ze was ouder dan ik had verwacht, maar had een romantisch soort verering voor het oorspronkelijke Zambia. Toen ze Blakes accent hoorde, gebruikte ze agressieve en op het gevoel werkende argumenten over welvaart en verantwoordelijkheden van de staat. Diplomatiek en stoïcijns als altijd accepteerde Blake dat zomaar niet. Hij bleef tot in de kleine uurtjes op om het recht op particulier onderwijs te verdedigen.

Om acht uur de volgende ochtend moesten we weer op het politiebureau zijn. Bill onderhandelde opnieuw over onze vrijlating, maar raakte gefrustreerd omdat je er maar niet achter kwam wie er nu eigenlijk de baas was. Het leek erop dat ze zaten te wachten tot de hele kwestie vanzelf overging.

Er gingen uren voorbij voor we eindelijk de hoofdbons zagen. Hij gaf ons een brief mee, waarin mijn voettocht werd gesanctioneerd en die andere dorpshoofden, die meenden dat we spionnen waren, hopelijk gunstig zou stemmen. Het leven in Afrika bestaat uit het sluiten van deals. Over alles valt te onderhandelen.

We reden naar het punt waar we allemaal gearresteerd waren en reden toen veertien kilometer terug. Dat was voorbij het punt waar ik gestopt was, maar ik kon het me niet meer herinneren, dus liep ik liever vijf kilometer meer dan een te weinig. Ik zag helemaal niets van het dorpshoofd toen ik door het dorp liep, maar er hing een gespannen sfeer. Dr. Kaunda was geweest om stemmen te winnen en iedereen was erg in de war.

Die nacht sliepen we op de veranda van Marion, onder haar slangenminnende klimop. Haar zwarte puppy met zijn grote oren en kleine pootjes sliep bij mij onder het dekbed. Ik piekerde over hetgeen we die avond aan de bar hadden gehoord: we gingen naar een gebied waar een oorlog op uitbreken stond. Dieven staken vanuit Zaïre met geweren de grens over, namen auto's in beslag en verdwenen er weer mee naar Zaïre. De afgelopen veertien dagen was er een aantal mensen gedood.

De volgende ochtend informeerden we bij het politiebureau, maar daar kregen we te horen dat er minstens drie maanden niets was gebeurd. Dezelfde dag overvielen bandieten een bus vol met mensen en namen hen al hun kleren en hun voorraden af. Ze arriveerden naakt bij het politiebureau in Solwezi, hun kleren waren weg, te zamen met de zakken maïsmeel.

De rovers uit Zaïre zijn soldaten. De soldaten worden niet regelmatig uitbetaald, dus vullen ze hun inkomen aan met het stelen van auto's en voedsel uit Zambia. Soms namen ze de chauffeurs mee om bruggen te bouwen en geheime paden door de wildernis aan te leggen. De regering van Zambia probeerde de rovers te bestrijden door paramilitairen langs de grens te zetten, verscholen in struiken, met de opdracht bandieten onmiddellijk neer te schieten.

Solwezi lag slechts dertig kilometer ten zuiden van de grens met Zaïre, maar de weg liep honderdvijftien kilometer parallel aan de grens in oostelijke richting, waarna hij naar het noorden afboog en aan de andere kant van de grens weer terugliep. Bill en ik bekeken de kaart eens goed, en we vroegen ons af of er een manier was om rechtstreeks naar de grens te komen en die lus af te snijden. Er liep een smal pad vanuit Solwezi naar het noorden, die vervolgens in Zaïre verder scheen te lopen. Als ik daar doorheen kon, zou het me minstens zes dagen besparen en kon ik bovendien bandietenland omzeilen.

Ik besloot het te proberen. We zouden regelrecht naar het noorden gaan en de grensovergang markeren met een piramide van stenen. Daarna zouden we met de auto Zaïre inrijden en eenmaal aan de Zaïrese kant teruggaan naar de stenen.

Er was maar één probleem: de weg die ik wilde nemen, lag in een militaire zone en ik had toestemming nodig om die binnen te gaan. Wat wij wilden, was bijna onmogelijk uit te leggen, maar het hoofd van de politie begreep uiteindelijk de route en gaf ons twee agenten mee als escorte.

We gaven de eerste poging op toen de gids bewees dat hij geen idee had waar hij heenging en ons langs de hoofdweg bleef gidsen. We keerden na zes uur voor niets gelopen te hebben. Het had geen zin om van kwaadheid te ontploffen, ofschoon Bill en ik moeite hadden ons in te houden. We probeerden het opnieuw en deze keer vonden we het pad dat ons door het militaire oefenterrein voerde. Een charismatische commando escorteerde ons, gezeten op de motorkap van de Land Rover, het gekromde magazijn van een geladen Kalashnikov strelend. Hoewel hij pas drieëntwintig was, beweerde hij minstens acht Zaïrese rovers te hebben gedood.

De kampcommandant gaf ons een brief mee met toestemming om de tien kilometer naar de grens te lopen. Het was een overwoekerd pad, bestaande uit bandesporen, dat door een herfstkleurige rimboe leidde.

We kwamen bij een kruispunt van wegen waar een roestig bord stond met twee pijlen erop: links Zambia, rechts Zaïre. Er stonden geen hekken of waarnemingstorens en er waren geen patrouilles met honden. Ik stapte Zaïre binnen en Blake maakte een foto om de gelegenheid vast te leggen.

Terugrijdend naar Solwezi feliciteerden we onszelf. Het regenseizoen kwam met rasse schreden naderbij en de tijd die we bespaarden, werd waardevoller.

Het Nkana hotel in Kitwe is een puinhoop. We hadden lang gereden om er te komen, in de hoop eindelijk een behoorlijke douche te vinden. Na onderhandeld te hebben over een kamer die voorzag in de basisbehoeften tegen een exorbitant hoge prijs, merkte ik dat het sanitair niet werkte. Ik stond erop dat ik een goede kamer kreeg en na veel gedonder kreeg ik er ook een. Voor de eerste keer in weken trok ik weer een jurk aan, deed make-up op en gingen we een stevig maal gebruiken. Na enige uren gaf ik over en dat bleef de hele avond zo, tot ik van uitputting op mijn bed neerviel.

Bill maakte me wakker en legde uit wat er gebeurd was. Ik liep met hem mee naar beneden voor het ontbijt, waar ik alleen thee dronk. Toen we vertrokken en over een schitterende binnenplaats naar de parkeerplaats liepen, gaf ik opnieuw over. Het spoot over de muren, zó hevig dat het scheen te leven.

Blake bracht me naar hun kamer, zodat ik niet nog een dag extra voor de mijne hoefde te betalen. Ik probeerde contact op te nemen met De Beers in Botswana, om aan Nick Byers te vragen onze doos met extra voorraden naar Lubumbashi in Zaïre te sturen. Er waren echter geen telefoons in de stad, hoewel het de op een na grootste stad van het land was. Het verhaal ging dat de minister van Communicatie zijn budget op een bank in Zwitserland had gestort.

Op de honderdzesde dag lag ik achter in de Land Rover toen we de grens met Zaïre overstaken. Dit is een van de meest corrupte grenzen ter wereld. Toch zeilden we door de douane en immigratie zonder dat ons één vraag werd gesteld. Opeens realiseerde ik me hoe dat kwam. We droegen allemaal witte polohemden met het Hi-Tec-logo, die mij waren meegegeven voordat ik Londen verliet. In het begin had ik er een paar kaki geverfd, maar het was slecht spul, want ze waren gekrompen. De zaak had ze onmiddellijk teruggenomen en vervangen, maar zonder de tijd om het opnieuw te proberen, vertrok ik met witte hemden.

Nu wuifden de ambtenaren uit Zaïre ons na, ervan overtuigd dat we een stel zendelingen waren.

'Mag ik alstublieft een boek van u, pater?' werd aan Bill gevraagd.

Hij haalde zijn schouders op.

'God zegene u, zuster,' zei een ander.

Toen we eenmaal aan de Zaïrese kant waren, moesten we geld wisselen. Het is niet handig om dat bij de grens te doen, omdat de wisselkoers op de zwarte markt zo laag is en je het risico loopt dat de wisselaars onder één hoedje spelen met de douanebeambten.

De laatste keer dat Bill in Zaïre was, twee jaar geleden, was de koers tweeduizend zaïre voor één dollar. Hij kreeg tien keer dit bedrag op straat in Lubumbashi en sloot deze handel af. Toen vonden we een haveloos hotel waar we om kamers vroegen.

'Hoeveel?' vroeg Blake.

'500.000 zaïre.'

'Ben je gek?'

'Nee. Dit is de goede prijs,' zei de manager.

Het was een spelonk, een verlopen vlooienhol, maar ze wilden er het equivalent van tweehonderd pond per nacht. Toen begrepen we wat er gebeurd was. We waren gruwelijk belazerd met de wisselkoers. We hadden 125 zaïre gekregen voor honderd pond in plaats van 1.250.000. Een geëxpatrieerde legde ons de fout uit en bracht ons naar een gastenverblijf.

Lubumbashi heeft de ambiance van vergane glorie. Er hangt een sfeer van geëxpatrieerden die iedere avond achter gesloten gordijnen bij elkaar komen om koffie en gin te drinken en te kaarten om monopoliegeld. Hun eigen rijkdommen waren allang verdwenen.

Het gastenverblijf was een verlopen en obscure tent, nog net geen bordeel. Het stonk er vreselijk. Het eetgedeelte zat vol oude, sjofele mannen, die met waterige, gelige oogjes in donker omrande oogkassen rondom bordspelletjes zaten en kleine kopjes espresso dronken – ze waren meer dood dan levend.

Het toilet werkte niet, dus gaf ik over in een emmer. Ik werd steeds wakker van de oprispingen. En toen Bill de volgende ochtend binnenkwam en mijn adem rook, gaf hij me een pakkerd. 'Giardias, maat.' Dat is een maagparasiet, die zich onderscheidt van dysenterie en amoeben. Je boeren stinken als scheten (en smaken nog veel erger), maar het kan genezen door een flinke dosis atebrine.

Ik hing de hele volgende dag maar wat rond, niet in staat in de kuil van het bed te liggen, niet in staat om te eten of te drinken, niet in staat me te wassen, omdat er tot de avond geen water was. Maar er was in de winkels tenminste iets te koop – tandpasta, zonnekleppen, spuitbussen tegen de muggen en dingetjes die niemand wil hebben. Er waren bontgekleurde kraampjes met Fanta op de hoeken, tegenover vervallen winkelketens, banken en modezaken. Binnen wordt er weinig verkocht. Alles wordt aan de achterdeur gekocht.

Lubumbashi is ooit een zeer welvarende stad geweest. Tijdens de enorme opkomst van de kopermijnen was het de spil van de rijkdom van Zaïre. Er zijn nog veel meer waardevolle mineralen, maar Mobutu kan geen land of bedrijf vinden dat zijn prijs wil betalen om ze te delven – behalve De Beers, maar de infrastructuur is er gewoon niet. Tot aan de onafhankelijkheid in 1960 heette Zaïre Belgisch Kongo; Mobutu kwam aan de macht door een eind te maken aan de gruwelijke stammenoorlogen.

Wat hij het land sindsdien heeft geschonken, is vrede tegen elke prijs, en hij geeft openlijk toe dat hij het land daarvoor van zijn rijkdommen heeft ontdaan. Zijn residentie in Kinshasa is ver verwijderd van de provincie Shaba – het kopergebied. Dus om de zoveel tijd wordt een aantal burgers door zijn geheime politie openlijk op straat aan de wurgpaal gezet om zijn macht te laten voelen. In die paar dagen dat wij er waren, vonden er vier openbare executies plaats.

Tot vorig jaar hadden er tweehonderdvijftigduizend Belgen in Lubumbashi gewoond, inmiddels waren er minder dan tienduizend. Een vrouwelijke student werd op spionage betrapt en haar medestudenten hadden haar in een kuil gegooid en levend verbrand. Zij was toevallig de dochter van het hoofd van de geheime politie. Als wraakoefening slachtte hij een groot aantal studenten af. België gaf Mobutu opdracht om deze kwestie te onderzoeken. Dat deed hij niet, dus werden de diplomatieke betrekkingen verbroken. Dat scheen niet zoveel verschil te maken.

Er ligt een soort grauwheid over de geëxpatrieerden in deze afgelegen, geruïneerde koloniale steden – even grauw als de paludrine die we innemen om te voorkomen dat we malaria krijgen, wat ook schijnt te voorkomen dat je bruin wordt.

Bill verrichtte reparaties aan de Land Rover, geholpen door een Belgische geëxpatrieerde die een zaak in onderdelen had. Hij had een aantal reizigers ontmoet die naar het zuiden waren gereden over dezelfde weg die wij naar het noorden zouden nemen. Ze hadden maar vijftig kilometer per dag kunnen rijden. Prettig voor mij en ook voor Bill – hij wist dat hij een enorme uitdaging voor de boeg had.

Blake en ik probeerden de doos te achterhalen die door De Beers was opgestuurd. We gingen naar zeven plaatsen: de import-export, het treinstation, opslagplaatsen en dergelijke, maar vonden niets. Maanden later hoorde ik dat hij in Zürich boven water was gekomen.

Toen we uit Lubumbashi vertrokken, moesten we acht kilometer rijden over een landweg die steeds slechter werd, tot het niets anders was dan een rivierbedding met diepe kuilen en geulen tijdens het natte seizoen. Het vertraagde ons tot het tempo van een wandelaar.

Die avond stopten we bij een missiepost en particuliere lagere school en zetten onze tent op in de tuin. Vroeg in de ochtend vertrokken we weer naar de Zambiaanse grens. Eenmaal door een verzameling militairen heen, bereikten we Mumena, waar we wederom stuitten op een groep soldaten, die op gecapitonneerde stoelen onder een boom zaten. Ze zagen eruit alsof ze de zaak net zo goed onder controle hadden als de nazi's in bezet Frankrijk.

Een dronken, stokoud fossiel met twee tanden brabbelde dat de grens twee kilometer naar het zuiden lag en, ja, als we ons lieten escorteren, konden we het lopen. Bill en ik gingen op pad, bewaakt door twee mannen met Kalashnikovs, en na viereneenhalve kilometer kwamen we bij een betonnen paal die de grens markeerde. Dat was niet de plaats waar ik van de andere kant naartoe was gelopen. Gelukkig kwam Blake, wiens Frans beter was dan het mijne. Hij begreep algauw dat we zeven kilometer ten noorden van die markering stonden. De Zambianen hadden ons, volgens de Zaïrezen, naar de verkeerde plek gebracht. Als we erheen wilden lopen, moesten we toestemming vragen van de militairen in Lubumbashi om de grens naar Zambia over te steken, èn de toestemming van Zambia om te voorkomen dat we werden neergeschoten als we het deden.

Niemand scheeuwde, niemand wurgde iemand, alhoewel we meer dan een week hadden verknoeid en weer terug moesten naar Zambia. Dit was rampzalig.

We zaten er maar zeven kilometer vandaan, maar moesten twee dagen terugrijden naar Lubumbashi, een van de moeilijkste grenzen van heel Afrika langs twaalf controleposten, die elk afzonderlijk het recht hadden de Land Rover te doorzoeken, nog een dag rijden naar Solwezi, twee dagen vechten voor toestemming en een gewapend escorte, en daarna drie dagen door bandietenland lopen voordat ik de grens weer over kon. Die lullige zeven kilometer in verboden land zouden me zestien dagen gaan kosten. Het enige goede nieuws was dat onze visums overal geldig waren.

We hadden in een reisgids gezien dat er een vriendelijke Amerikaanse missiepost in Kitwe was. We arriveerden er na het invallen van de duisternis.

Het is typisch voor zendelingen om een groot gezin te hebben. Deze mensen hadden vijf zoons en een dochter. Ze waren erg Amerikaans – hartelijk en gastvrij. We zaten op de bank popcorn te eten tijdens het kijken naar een balspel op de video. Ze bakten pannekoeken met zelfgemaakte ahornsiroop en we kregen een blik bakpoeder van hen mee.

Toch waren dit waarschijnlijk zendelingen van het ergste soort. Het was hun taak om godsdienst te onderwijzen. We verdachten ze ervan dat ze ook de hand hadden in andere dingen, aangezien dit politiek gezien een belangrijk gebied voor de Verenigde Staten was. En Mobutu had het prachtige spelletje geleerd om de supermachten te bespelen.

Zendelingen zijn zeer rechtlijnig denkende, vastberaden mensen, maar ik heb de gevolgen gezien van hun blinde vasthoudendheid in het verspreiden van het woord van de 'ene ware God'. Religie en ritueel geven kracht en het gevoel ergens bij te horen. Maar mijn bloed gaat koken bij de neerbuigende houding van mensen die hun eigen geloof beschouwen als het enige absolute ware en dat van ieder ander als heidens.

Deze zendelingen geven iedere cent uit die hen wordt gestuurd, planten zich voort als konijnen en verwachten van de kerk thuis dat ze betaalt om hun kinderen broodjes hotdog te laten eten, en dat ze pannekoekmix van eigen bodem opstuurt. Zij staan ver af van de mensen die in de Afrikaanse dorpen gaan leven, in de armoe delen, zieken helpen en de boeren leren hoe ze putten moeten graven en hun produktie kunnen opvoeren. Ik kreeg soms het gevoel dat deze mensen maar eens naar Londen en New York moesten gaan om ons daar te leren een beetje meer tevreden te zijn.

Vooruit dus maar weer, terug naar Zambia en Solwezi; terug naar het politiebureau met zijn roestige terreinwagens. De commandant van politie haalde zijn schouders op toen hij hoorde wat er gebeurd was.

'O ja, daar ligt zeven kilometer waar je niet mag komen.'

Het had geen zin om in discussie te gaan over logica. Je kon niet van ze verwachten dat ze de regels van een voettocht begrepen. De schade was al aangericht. Het begon laat te worden en ik had die dag vijftig kilometer voor de boeg, opdat we niet meer dan twee nachten in roversland hoefden door te brengen.

De Land Rover bleef me drie dagen lang volgen en verloor me geen moment uit het oog op het smalle, harde pad van rode klei. Op de passagiersplaats zat onze politie-escorte, met zijn AK-47 uit het raampje gericht. Het geweer stond op scherp en hij vergat dat er een kogel in zat. Het wapen ging af en de kogel vloog rakelings langs Blakes oor, het raampje uit. Hij was nog banger voor de bandieten dan wij – als ze zijn uniform zagen, zouden ze hem er het eerst uitpikken. Hij ging mee om de paramilitairen uit te leggen dat we toestemming hadden om hier te lopen, maar toen er een soldaat uit de struiken sprong met zijn geweer in de aanslag op niet meer dan drie meter afstand van mij, verborg onze vriend zich bibberend zo ver mogelijk in de beenruimte vóór zijn zitplaats.

Mijn vrees dat de jongens zouden wanhopen bij het idee dat ze dit allemaal nog een keer moesten meemaken, was ongegrond. Bill en Blake vochten mijn beslissing niet aan. Blake zat op het dak of op de motorkap voor te lezen uit *Silence of the Lambs*. Ik vond het prachtig. Dit soort psychoverhalen prikkelen mijn verbeelding en ik genoot van de manier waarop de FBI-agente Clarice Starling met haar traumatisch verleden werd beschreven.

Blake werd er ook door geboeid, wat leidde tot een paar pittige discussies over onze kinderjaren. Soms liep ik mee naast het open portierraampje en speelde Bill steeds weer opnieuw een nummer van Vangelis voor me op de cassettespeler. Toen hij de BBC World Service vond, hoorde ik de woorden 'Dit is Londen'. Ik vond het koud en afstandelijk klinken. Ik huiverde en bedacht hoever we van huis waren.

Bij Kipushi, op de grens van Zambia en Zaïre, kampeerden we met een dronken stel paramilitairen die ingezet werden tegen de bandieten. Ze sliepen in Irakese tenten, schoten met Russische AK-47's en reden met opnieuw in gebruik genomen Oostduitse vrachtwagens uit 1940 naar klinieken voor geslachtsziekten, bemand door Cubaanse dokters.

Bill liet de leidinggevende officier het alarmsysteem met de zwarte doosjes zien en legde uit dat het alarm af zou gaan als er iemand in de nacht langs liep. Later ving hij op hoe de officier dit aan zijn mannen uitlegde. 'Oké, luister goed. Als je langs de Land Rover loopt, schieten de zwarte doosjes op je.'

De volgende dag stak ik de grens met Zaïre over bij een andere grenspost dan de eerste keer. We hadden de struikrovers vermeden en kregen nu te maken met de boeven achter bureaus.

Ik had Zaïre bereikt en geen stap gemist. Ik had er nooit aan getwijfeld dat ik het kon. Als dat wel zo was geweest, dan waren onbeduidende kleinigheden onoverkomelijke hindernissen geworden.

Niemand kon me ervan beschuldigen dat ik het lichtvaardig opnam. Ik was zestien dagen kwijt vanwege die zeven kilometers. En ik was van plan om iedere stap vanaf de Kaap tot aan de Middellandse Zee te lopen.

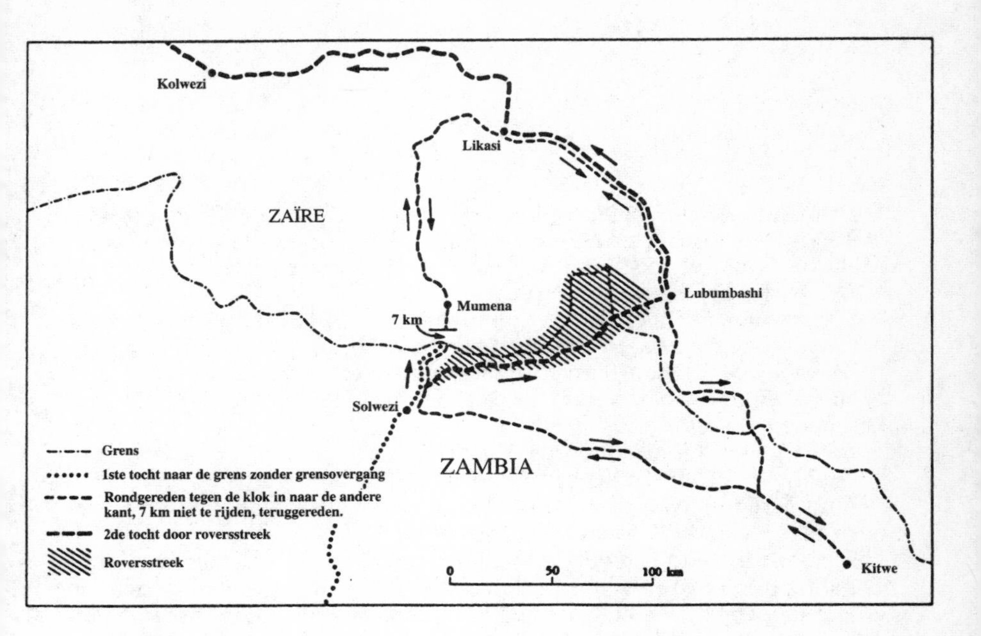

Zeven kilometer in zestien dagen.

We verlieten de verharde weg voor de eerste rustpauze na Lubumbashi. Het kan heel stil zijn in Afrika – wij zijn degenen die de herrie maken. Maar hier was het zó stil dat we onszelf konden horen ademhalen.

'Waar zijn de vogels?' vroeg ik.

'De inwoners hebben ze allemaal opgegeten,' zei Blake. 'De ezels hebben ze ook opgegeten, en dus moeten ze nu zelf hun karren trekken.'

'Hoor je hoe de chauffeurs toeteren om te laten horen dat ze een claxon hebben – en dat-ie ook werkt?' zei Bill. Hij hield zijn hoofd schuin. 'Daar komt een auto aan.'

Blake zei dat hij niets hoorde. En ik ook niet.

Zachtjes zei Bill: 'Dat is een Land Rover die achteruitrijdt.'

En inderdaad, twee of drie minuten later verscheen er een Land Rover over de top van de heuvel – die achteruitreed.

Er stapte iemand van de voorpagina van *Vogue* uit. Het was een lange, elegante, blanke vrouw van in de veertig, met een intelligent gezicht en grijs haar tot op de schouders, bijeengehouden met een haarband. In scherpe tegenstelling tot ons, rimboestappers, zag zij eruit als een beeld van nonchalante gedistingeerdheid met haar zwarte broek, dunne grijze sweater en halve zonnebril.

'Goedemorgen,' straalde ze. 'Ik ben de Amerikaanse ambassadeur in Zaïre.'

Ze was op bezoek in Shaba tijdens haar eerste rondrit door het land, verklaarde ze, want ze had deze post kort geleden aanvaard. Ik had een hekel aan de manier waarop ze veel te dicht bij me kwam staan om me dit te vertellen, maar ik vond haar levendige manier van praten wel leuk. Ik vroeg of ze enig nieuws over Algerije had na de zogenaamde coup.

'Weer stabiel,' zei ze. 'Jullie moeten bij me logeren als jullie in Kinshasa komen.'

Nadat ze met ons had ontbeten, klom ze weer in haar Land Rover en na een opgewekt en elegant gebaar met haar hand hervatte ze haar tocht door Zaïre.

Blake kocht een fles tamelijk slechte whisky van een Belg die hem waarschuwde niet te veel ineens te drinken. Maar dat soort dingen vergeet je gewoon weer. Bill voelde zich een beetje belabberd en ging naar bed; Blake en ik gingen om het kampvuur zitten met de fles tussen ons in.

Ik ging vroeg op pad met een heerlijke kater, waardoor de mijlen voorbijgleden. Ik zag de zon opkomen als een matte oranje bol achter het grijze stof. Zo waren de zonsop- en ondergangen in Midden-Afrika altijd; de spectaculaire zie je alleen in de folders van reisbureaus.

We hielden verscheidene onaangename rustpauzes in een gebied met zweetbijen, die voor Blake het ergst waren, omdat hij last had van zijn kater. We sloegen handdoeken over onze hoofden om die krankzinnige beesten uit onze oren te houden, maar met een kater klinkt het net alsof iemand met zijn nagels over het schoolboord krast. En dat geluid kun je niet afzetten.

Tijdens een van die pauzes stonden we vlak naast een trosje pas gedode muizen. Ze hingen in een lus om hun nekjes aan een stok. Niemand wist of ze daar nu hingen als lokaas voor vogels, of ze bedoeld waren om ander ongedierte weg te lokken of dat ze – hoogstwaarschijnlijk – te koop waren als voedsel.

De heuvels in de verte deden me denken aan een schilderij van Van Gogh: kegelvormige heuvels zonder toppen, veel te volmaakt van vorm om natuurlijk te zijn, bedekt met de overblijfselen van bosbranden en verdroogde vegetatie in de schaduw van monumenten van macht. Niemand had de moeite genomen ze te verhullen. Ik wilde een foto maken maar durfde het niet, uit vrees gearresteerd te worden.

Toen ik dichterbij kwam, zag ik dat het sintelhopen waren. De huizen, die op een kluitje stonden aan de zijkant van de mijnvallei, waren opgebouwd uit baksteen van gebakken aarde en stro. Het deed me denken aan Israël. Om de illusie compleet te maken, zag de horizon er door de zwarte houtrook uit alsof daar een oorlog woedde.

Bij binnenkomst van de dorpen stonden langs de kant van de weg bewerkte houten potten in de lengte met de uiteinden tegen elkaar als talismannen. De huizen hadden kleine raampjes die dichtgestapeld waren met bakstenen tegen de winterkou.

Voor de eerste keer sinds de laatste rustdag pakten zich aan de hemel wolken samen.

We kwamen voor de tweede keer in Likazi aan en ontmoetten daar het tweede zendelingengezin. Ook daar hadden ze vijf zoons en een dochter. We werden voor het diner uitgenodigd. We hadden een onuitgesproken regel dat als we bij zendelingen verbleven, er niet gevloekt, gelasterd of over religie gepraat zou worden, maar bij deze familie schenen we de ene flater na de andere te slaan.

Christine vroeg mij of wij een paar citroenen van haar boom wilden en ik zei: ‘O, wij gebruiken alleen citroenen voor de gin-tonic, en die hebben we allebei niet.’

‘Dat is maar goed ook,’ was het antwoord.

Wij kregen een heerlijk maal voorgezet en Bill viel met smaak aan. Een paar seconden later begon de zendeling zijn dankgebed te bidden.

Het eten was zó lekker dat Blake uitriep: 'O God, dit is zalig!' en zag hoe een van de kleine jongens met open mond naar zijn grote zus staarde.

Na het diner vertelde dit meisje dat ze zendelingenarts wilde worden en de wereld rond wilde reizen. Ik herinnerde me dat Chris, de oudste zoon van het gezin waar we tijdens ons eerste bezoek aan Likazi hadden gelogeerd, al maanden tot over zijn oren verliefd was op dit meisje. Hij had met haar samen willen 'studeren', maar de ouders hadden dat verboden tot ze zestien was geworden, en dat was over vijf maanden. Dat duurt langer dan de eeuwigheid wanneer je zestien bent. Daarom besloot hij dat hij het eigenlijk niet zo serieus meende en begon te schrijven met een aantal andere meisjes in Zambia. Ik moest me ervan weerhouden om te zeggen: 'Kop op meid, er zwemmen meer vissen in de zee'. Want hier was voor het arme schaap helemaal geen zee, laat staan vissen.

Ik had de daktent opgezet en stond juist op het punt in bed te kruipen toen Christine me weerhield met de woorden: 'Waar denk je dat je heen gaat nadat je dood bent?'

Daar zat ik dan. Pas na een drie uur durende lezing over hun afsplitsing van het christendom kon ik mijn hoofd ter ruste leggen.

Ze liepen de volgende dag allemaal met me mee, hielden me goed bij en ze hadden er veel plezier in. Ze leerden me ook mijn eerste woorden Swahili: de begroetingen. En zo herinner ik me Zaïre het sterkst: wandelend door een dorp, 'Jambo!' (Hallo) roepend en wachtend op de echo 'Jambo-sana' (Heel veel hallo).

De zwarte vrouwen vertellen hun kinderen dat als ze stout zijn, de blanke man komt om ze weg te halen. Ze vonden het heel leuk om een kleintje met zijn rug naar me toe aan mij te geven, om vervolgens te gieren van het lachen als het kind het in de gaten kreeg, en dan weigerden ze het kind van me over te nemen. Ze zeiden ook dat ik Mobutu's naam niet moest noemen en zeker niet in mijn boekje opschrijven. Een paar jaar geleden was een zendelingenverpleegster beschuldigd van spionage toen de geheime politie haar dagboek had gevonden. Die kunnen wel geen Engels lezen, maar ze hadden Mobutu's naam zien staan. Ze vermoordden haar. 'Wij spreken over hem als oompje Mo', kreeg ik te horen.

Voort door lelijke mijnbouwgebieden en hun stoffige barakkendorpen. Tegen de vernielde hellingen op en er weer af – gele oker, dorre dode bomen, verkoolde grond, monumenten van macht. Maar het was prettig weer op de aarde te lopen, boven het lawaai en de mensen uit. Ik was er te lang van weg geweest en het was een terugkeer die me blij maakte en verfriste.

Hoog boven op een richel keek ik uit over Zaïre – golvende heuvels in regelmatige lagen, overgaand in de blauwe achtergrond, en warrige hellingen met droge bomen, vervagend in loodgrijze wolken van bosbranden. Dit was een voorwereldlijke plek waarop weinig blanken een blik hadden geworpen.

Het geploeter om de top te beklimmen werd beloond door vier kilometer heuvelafwaarts, waardoor er andere spieren aan het werk werden gezet en mijn aandacht werd gevestigd op de kracht van de oude vrouwen die tegen de helling op zwoegden met zakken van vijftig tot honderd kilo maïsmeel of zoete aardappelen op het hoofd. De zwaarste vrouw die ik zag, woog zeker niet meer dan zestig kilo. Daarboven wachtte hen geen applaus, wel een dronken echtgenoot met een lege kalebas vol met plaatselijke bedwelmende drank in de ene hand en een pijnlijke klap in de andere. We hadden gehoord dat het slaan van vrouwen heel gewoon was.

Ik droeg mijn nieuwe 'hoed', een schedelkap, gesneden uit een Hi-Tec honkbalcap om een zonneklep te hebben, maar ik moest toch mijn ogen steeds sluiten tegen het felle zonlicht.

Dit was het seizoen van vers fruit en groente. We deden ons te goed aan avocado's ter grootte van meloenen, tomaten die smaakten als sappige vruchten, en ananassen zo' vol en fris van smaak dat geen Amerikaanse voedselverbeteraar een dergelijke smaak zou kunnen creëren. Vers voedsel gaf me een heerlijk gevoel, zowel fysiek als emotioneel.

Ik kwam op een markt. De uitgestalde kleding was geschonken door het Amerikaanse Hulpfonds en er stond duidelijk op dat ze niet voor de verkoop bestemd was. Veel mannen droegen zonnebrillen, ook al geschonken door het westen. De dorpen waren veel meer vervallen dan die in Zambia maar er hing een levendiger sfeer. Mijn gegroet en gewuif werden beantwoord door mensen met openhartiger gezichten, die direct een glimlach gereed hadden en meeliepen. Jongetjes vertoonden hun vaardigheid met de zelfgemaakte, maar evengoed dodelijke stok met gummi katapult en de kleine meisjes speelden een spelletje van 'wie durft er het dichtst bij me te komen'. Ik hoorde een dappere dicht achter me sluipen en draaide me om, grommend en met mijn vingers maaiend als klauwen. Dan stoven ze weg, maar als ze vanaf een afstand bleven kijken, zagen ze me lachen en kwamen ze terugrennen voor meer van hetzelfde. Nadat een zeer onverschrokken kleintje snel naar mijn hand had gegrepen en tot de ontdekking kwam dat ze nog leefde, pakte ze mijn hand en liep ze trots mee, om haar grote dapperheid tentoon te spreiden.

Ik kreeg opnieuw de schijterij. In mijn darmen leek een alka-seltzertablet op te lossen, zo borrelde het, en het klonk als een piepende schommelstoel. Giardias roei je niet zomaar uit. Ik was over het ergste heen en het was prettig dat ik zoveel gewicht was kwijtgeraakt, maar om de zoveel dagen speelde het weer op. Tijdens het lopen moest ik van de weg af om me te ontlasten. De meeste inwoners gaan beleefd verder, maar wanneer er een blanke vrouw achter een bosje duikt en geluiden maakt alsof ze een geit aan het vermoorden is, dan komen ze wel even kijken.

De weg was lang, open, zonder schaduw, met een lichte helling, zonder enige beschutting tegen de zware stofwolken die de overbelaste vrachtwagens opwierpen, waarvan de inwendige delen nog meer lawaai maakten dan de mijne. Het was moeilijk ergens een stimulans uit te putten. Het land leek zo groot met zijn vlakke einder en ik voelde me zo klein in mijn gevecht om terrein te winnen.

Het geluk kwam aan het eind van de dag, na een douche uit de elektrische waterpomp, waarna ik in mijn badjas met een biertje bij het vuur kon gaan zitten en mijn voeten weken in de afwasbak. Blake zat dan naast me om zijn voeten te weken in kaliumpermanganaat. We leken wel een bejaard echtpaar.

Hoewel het wit van hun ogen heel wit was vanwege de eiwitten uit de overvloedige visvangst en het evenwichtige dieet van weelderige groenten, geteeld op grond die werd bevloeid door het meer van de rivier de Zaïre, waren de dorpelingen bij het eerste meer niet zo gezond als het leek. De muggen hadden een dreigend groenige kleur – van de malaria die ze bij zich droegen, zei Bill – en de oevers van het meer waren begroeid met dik groen gras waarop de bilharziaslak zo dol is.

Wij waren erheen gereden om een kampeerplaats te zoeken voor de rustdag. Overal waar ik keek, kwam het woord ongerijmd in mij op. Mensen in geschonken kleren die niet bij elkaar pasten en douchemutsen droegen als baretten. Eenden met snaveltjes en veertjes als van kuikens. En bomen die eruitzagen als metaalvijlsel dat gebruikt wordt in een experiment met magnetische velden. Maar volkomen gerijmd waren de lichamen van de mannen – zonder uitzondering magnifiek en volkomen gaaf, stevig en solide, met duidelijk afgetekende spieren en zonder lichaamsbeharing.

Kolwezi, ooit een tamelijk rijk mijnstadje, was nu in verval en stonk. Koloniale huizen en zakenpanden, waar eens de bougainvillea's tegen het latwerk klommen, aan straten waar bloeiende bomen hadden gestaan met bleekpaarse bloemen erin, waren na de onafhankelijkheid van de ene op de andere dag van de eigenaars afgenomen en door oompje Mo aan de Zaïrezen gegeven. Maar het waren niet hun eigen huizen en bedrijven, en dus onderhielden zij die op de manier die hen het beste uitkwam. Er wordt gezegd dat de Afrikanen hopeloos zijn wat betreft het onderhoud, maar dat is dan ook het onderhoud van westerse dingen. Ik heb hen koortsachtig zien werken aan het herbouwen van hun daken voor de regenval, maar niet alles wat uit de jungle komt, heeft een even lange levensduur als dingen die machinaal zijn vervaardigd, dus vervangen ze, ze repareren niet. Het hoeft dus niet te verbazen dat ze weinig energie steken in het onderhoud van de sierlijke tuinen van de kolonialen – zoveel tijd daaraan besteden is luxe.

In hun tuinen staan nuttige planten voor medicinaal gebruik, voor vergif en om ongedierte weg te houden.

Het Fina-bord bij het benzinestation was roestig en het kraakte. Het gebouwtje was kenmerkend voor de lelijke, afgeplatte betonnen bouwstijl van de jaren zestig.

'Diesel?' vroeg Bill in het Frans aan de pompbediende.

'Uitverkocht. Allemaal uitverkocht, maar ik weet waar je het kunt kopen.'

'Waar dan?' vroeg Bill cynisch, heel goed wetend wat het antwoord zou zijn.

'Achterom.'

Buitensporige prijzen vormden hun specialiteit.

De jongens waren een Belg tegengekomen die zei dat we konden overnachten in het huis van zijn zuster. Wij waren er niet zeker van of zijn zuster hiervan op de hoogte was, maar de verwachtingen waren hooggespannen. Het was boeiend het ritueel te zien waarmee de jongens zich begonnen op te knappen. Ik moest zelfs hun haren knippen. Toen we die avond naar haar huis reden, groeiden de opwinding en de rivaliteit tussen hen tot grote hoogte. Toen we bij de poort toeterden, flapten ze er allebei hun verlangen uit: 'O God, laat haar mooi zijn, alsjeblieft!'

Maar – geen Coke, alleen Fanta.

Bij haar verbleef een hele menagerie aan geredde dieren en een buitengewoon gestoorde Afrikaanse prostituée. Hoe teleurgesteld de jongens ook waren, Isabella was precies degene die ik nodig had – een andere vrouw om eens lekker mee te kletsen. Maar aangezien mijn Frans niet zo best is, moesten we in gebarentaal spreken. Dat is makkelijk tussen leden van dezelfde sekse. Ze liet ons kennismaken met de beesten in haar tuin: de chimpansees die aan de ketting lagen, de visarend, en ze wilde ons juist meenemen om ons de dik-dikantilopen te laten zien, toen ze merkte dat er eentje weg was, en ze rende naar het zwembad. Hij lag op de bodem. Het water stond laag en hij was er waarschijnlijk in gevallen bij een poging om te drinken. Isabella gaf me haar zonnebril en sprong erin, met haar kleren nog aan. Ze haalde hem naar boven, maar hij was dood. Ik wist niet wat ik moest zeggen – als je de taal niet spreekt, weet je niet hoe je iemand moet troosten wier dik-dik zojuist in het zwembad verdronken is...

De hele avond was bizar. Blake stond zich in de badkamer te scheren en zag, toen hij in de spiegel keek, een civetkat naast hem zitten. In het bed zat een mongoeste en de prostituée lag juist een van haar crises over de keukentafel heen uit te leven. We gingen uit eten en vervolgens naar een nachtclub, samen met Isabella en haar vrienden. Isabella betaalde onze hamburgers en kocht vijf asbakjes van malachiet voor me, voor tienduizend zaïre. Op hun eigen houtje een handeltje afsluitend, kochten de jongens drie veel kleinere voor zestigduizend zaïre.

Ik wilde op onderzoek uit en ging met een Zuid-Afrikaan een verrassende boodschappentocht doen door de achterafstraatjes. Helaas ging het heel wat langer duren dat ik had verwacht en de jongens begonnen zich zó ongerust over me te maken dat ze een zoektocht op touw zetten. Ik kwam met mijn pakketjes bij het huis aan, waar ik Blake in de tuin aantrof, bezig met het opstellen van een brief met een verklaring aan mijn ouders. Ze waren woedend op me vanwege hun ongerustheid. Ik maakte tegenover beiden mijn excuses, maar het maakte wel heel duidelijk wat mijn probleem was, namelijk dat ik vrijheid behoefde en tegelijk een vangnet nodig had voor het geval me iets overkwam. In Afrika bestaan geen alarmknopjes – en als die er al zijn, dan werken ze niet.

De zendelingen in Likazi hadden ons gewaarschuwd voor moeilijkheden. Voetbalsupporters die na een wedstrijd naar huis liepen, waren doodgeschoten door soldaten die het gejuich fout interpreteerden en dachten dat het een demonstratie was. De families van de doden sloegen later terug met pijl en boog en doodden op hun beurt een flink aantal soldaten. We besloten dit gebied te omzeilen en weken uit richting Kanzenze.

We verbleven in een klooster in de buurt van een leprakolonie. Het werd gebruikt als opleidingsbasis voor monniken en priesters. Ik vroeg me af of de novieten, die op het punt stonden tot priester gewijd te worden, mij beschouwden als iemand die gezonden was als hun laatste beproeving, want na acht jaar studeren en nog tweeëntwintig dagen voor de boeg werden ze geconfronteerd met een blondine die rondging in een topje en korte broek, zij het met de racekak.

We vertrokken weer en werden onmiddellijk aangevallen door de zweetbijen, die in onze oren gingen zitten. Het was in de pauzes ondraaglijk heet onder het afdakje met gaas. Wij waren prikkelbaar, vuil en dronken. Ik deed het die nacht weer in mijn broek, ik kon mijn kringspieren niet beheersen en het vocht liep gewoon weg. Ik legde het laken de volgende ochtend in een wasbak om te weken, maar tegen de middag had een zwerm bijen het water opgedronken en was het kamp omgeven door een zwerm bijen en de stank van diarree. Ik zag in dat ik het moest weghalen, want het lukte de jongens niet de bak met een tentstok weg te duwen. Ik pakte hem op en liep een paar honderd meter de bosjes in. Zachtjes veegde ik de bijen van mijn lichaam en hielp ze uit mijn haar.

Vanaf Kitwe had ik voortdurend buikkramp, en na de nachtelijke zuippartij met Blake herstelde ik niet meer. Ik zou over twee dagen ongesteld worden en besefte dat ik niet met verdubbelde kramp door kon lopen. We keerden terug naar het klooster.

De arts, een kleine, wat oudere zendelinge met een bochel, kwam me onderzoeken. Ik vertelde haar dat ik moest overgeven, diarree had en pijn in mijn buik: alleen in Afrika kun je deze symptomen hebben en te horen krijgen dat je een ontsteking aan je amandelen hebt. Maar dat kon wel de verklaring zijn voor de vreselijke oorpijn die ik had verzwegen. Ik wilde de jongens niet de indruk geven dat ik een hypochonder was. Bill had al genoeg geintjes gemaakt over de gevoelige ingewanden van Britse nuffen die Afrika niet konden verteren.

Ik was opgelucht te vernemen dat er niets ernstigs aan de hand was; al dat gedoe met ziek zijn en infecties was niet normaal voor mij. Nu kon ik in ieder geval uitrusten – in de rimboe zou ik verhit, duizelig en licht in het hoofd hebben rondgezworven. De dokter schreef een antibioticum voor. Ze vertelde dat als iemand van de plaatselijke bevolking naar de dokter ging en klaagde over hoofdpijn, de dokter zich ervan moest vergewissen dat de pil die hij gaf ook geslikt werd. Anders werd die mee naar huis genomen en op het kussen gelegd om erop te slapen. Men begrijpt hier niet hoe het mogelijk is dat je iets in je maag moet stoppen als je hoofdpijn hebt, in plaats van het op je hoofd te leggen. Moeilijk te weerleggen logica.

Terwijl ik uitgeteld was, hielden de jongens grote schoonmaak in de Land Rover. Wij hadden twee grote metalen kisten, één voor het kookgerei en de andere met voorraden die we hadden meegenomen uit Engeland, om ons door de onbewoonde wereld te helpen. Bill en Blake openden hem voor het eerst na vele weken om de inhoud te controleren. Ik lag te wachten op het geluid van twee begerige mannen die twaalf repen chocola vinden, maar het bleef stil. Ik kroop de tent uit en leunde over de reling.

'Zitten jullie je al vol te proppen?'

'Nee, maat,' zei Bill, toen hij het deksel er weer op schopte. 'Het afwasmiddel is gaan lekken. Alles is naar de sodemieterij.'

De volgende weken liep ik door een droog bosgebied, dat me deed denken aan de herfst in Engeland: dunne boompjes met weinig blaadjes, af en toe een vlakke, zwartgeblakerde open plek die in de ochtend met dauw bedekt was, zoals in Devon.

Op dit traject werden Bill en ik telkens ziek. Ik kende mijn 'Afrikaanse lichaam' nog niet goed genoeg om het verschil op te merken tussen je beroerd voelen en doorgaan, en je beroerd voelen en rust nodig hebben. Na een aantal dagen zwichtte ik voor de smeekbeden van de jongens om even te stoppen. Ik nam antibiotica in en wilde te veel. Op een dag stopte ik voor de lunch, waarna ik niet meer overeind kon komen. Ik probeerde te rusten in de daktent, badend in het zweet en mezelf slaand om de insekten te doden. Die nacht knapte ik wat op en liet Bill in de daktent slapen. Hij had een zware, vastzittende verkoudheid in zijn hoofd en had een goede nachtrust nodig. Ik sliep met Blake in de koepeltent.

Toen Bill naar boven was geklommen, riep hij een paar keer naar beneden hoe heerlijk het daar was. Het bleef even stil en toen zei hij: 'O, en er is nog iets anders dat ik hierboven kan doen en jij niet, Fi.'

Opnieuw bleef het even stil en toen hoorden we hem pissen.

'De ellendeling!' zei ik tegen Blake.

Dit was een heel bijzondere nacht voor Blake en mij. Aarzelend sloegen we de armen om elkaar heen en ontspanden ons. We vielen in elkaars armen in slaap en de volgende ochtend stond hij op om het vuur te ontsteken voor het ontbijt. Ik dronk mijn thee samen met hem, voordat ik op pad ging, en de hele dag door liep ik te springen, te dansen en te lachen, met een gevoel alsof ik over de twee meter lang was. Ik was niet meer ziek; de vrijpartij had een enorm therapeutisch effect gehad.

Ik zat zó vol energie dat ik 'goddank' zei toen ik het kamp die avond binnenliep en merkte dat er weinig gedaan was. Ze voelden zich beiden beroerd. Ik moest toch op een of andere manier mijn energie afreageren, dus groef ik een vuurkuil, kookte, waste af, deed mijn was, zette de tenten op, waste mijn lichaam en mijn haar en diende Bill, die nog altijd last van zijn verkoudheid had, hete rumgrogs toe. Toen ging ik zitten, maar had nog steeds de kriebels om te gaan lopen.

Het terrein veranderde geleidelijk van savanne naar tropisch gebied en het werd aanmerkelijk vochtiger. De buikkrampen hielden aan, ondanks de antibiotica en de atebrine, en dikwijls stond ik krom van de pijn. Het duurde drie weken lang, waarna het ondraaglijk werd. Ik voelde me warrig en suf en bewoog me als een slecht bespeelde marionet. Mijn hoofd voelde zwaar aan, knikkebollend tussen een draadje en een weinig ondersteunende nek. Ik kon de afstanden niet meer schatten en merkte niet eens dat ik liep. Ik botste tegen dingen op. Op zeker moment kreeg ik zelfs een black-out en moest ik een uur lang uitrusten op het dak. Ik gebruikte de hittewerende bedekking en de slaapzakken om de zweetbijen van me af te houden, met als resultaat dat ik begon te koken. Verhit, zweterig en prikkelbaar stond ik op en liep door. Aan het eind van het tweede kwart zakte ik in elkaar en sliep door tot de duisternis viel.

De sterke wind wakkerde bosbranden aan en voerden de thermostaat nog verder op. Ik strompelde door ongerepte dorpen, die vreemd verdeeld waren door genummerde grenspaaltjes. Ik wuifde zwak en stilletjes zonder op te kijken. Als ik mijn hoofd probeerde op te richten om oogcontact te maken, had ik het gevoel dat mijn schedel barstte. Maar ziek als ik was, de dieppaarse bougainvillea's zagen er prachtig uit tegen de donkerrode mierenheuvels, en het frisse groen van de hier en daar verspreid staande palmbomen contrasteerde volmaakt met het bestofte groen van het droge seizoen.

Vleermuizen trokken langs de nachthemel, mogelijk aangetrokken door de insekten rond het vuur. In het donker sprak het woud door middel van gekraak en geritsel, wat veroorzaakt kon worden door mensen, dieren of hout dat ondergraven was door mieren. Op een bijzonder mooie nacht merkte Blake op hoe fantastisch het zou zijn als we jaren nadat de wandeling was voltooid nog eens de kampvuren zouden volgen om de warme, goede sfeer die we achterlieten in de reeks half opgebrand hout en as vanaf Kaapstad tot aan de Middellandse Zee opnieuw te voelen.

We luisterden naar *Africa Watch* op de BBC World Service. De Nationale Conferentie was officieel geopend, maar er waren niet veel van de driehonderd afgevaardigden op komen dagen. Daarom was het uitgesteld tot ze gearriveerd waren, wat nog wel even kon duren, gezien het feit dat de basis voor communicatieve betrekkingen dertien jaar geleden verbroken was. De kandidaat van de oppositie tegen Kenneth Kaunda bij de verkiezingen in Zambia had zich ook teruggetrokken, met de woorden dat zijn aanwezigheid de kansen van zijn partij nadelig kon beïnvloeden. Waarschijnlijker was het dat hij met de dood was bedreigd. Wij waren er goed in geworden te luisteren naar wat níet werd gezegd.

Ik had nu al zeker een week lang heuvelafwaarts gelopen, wat prettig was. Nog beter was het nieuws dat John McCarthy was vrijgelaten en dat Terry Waite nog leefde en misschien de komende dagen zou worden vrijgelaten. Ik voelde een enorm gevoel van opluchting en moest huilen.

Ik liep over een vastgekoekt rood spoor met diepe voren en wist dat ik een dorp naderde, want in de verte zag ik, aan de andere kant van de vallei, een bleke nevel boven een beboste oever. Door alle valleien hier liep een rivier, en bij alle rivieren heb je mensen. Ik wuifde vrolijk en riep 'Jambo' naar beneden, tot de kinderen ook begonnen te roepen en de dorpelingen massaal uitliepen en op de weg vóór me kwamen staan. Een geschreeuw als de schelle oorlogskreet van roodhuiden riep de mensen op, die met veel opwaaiend stof halsoverkop de heuvel afkwamen. Jongens haalden me in en de oudsten stelden mij op agressieve toon vragen, in een taal waarvan ze merkten dat ik die niet sprak. Ik herinnerde me hoe gemakkelijk de stemming kon omslaan. Opeens leken alle afzonderlijke dingen die ons tijdens de wandeling hadden gekweld in Zaïre samen te komen: muggen, vliegen, bijen en intimidatie van de mensen.

Het woud was weelderig en geurde naar zojuist gepelde erwten. Zwermen vlinders verspreidden zich over de ondiepe poelen, zoals de mantel van Sir Walter Raleigh, toen hij boog voor zijn koningin. Krullende spiralen van slanke groene klimplanten lagen in een kantachtige verstrengeling met de zwaarbeladen bomen. Grote bladeren, als de drijvende bladeren van waterlelies, hingen hoog in de takken, te midden van paarse bloemenkelken die leken op het vingerhoedskruid.

De mensen schenen alles te gebruiken wat hun geschonken werd. Ze liepen mijlen op oude rubberlaarzen, waarmee ze hun prachtige voeten verpestten. De vrouwen waren heel mooi, met een gelaatskleur als van helder koper en lichamen die prachtig gespierd waren van het werk. Ze gingen naar het veld alsof ze naar de provisiekast gingen, verzamelden daar wat ze voor de dag nodig hadden en legden door te planten nieuwe voorraden aan. In hun hoofdmanden droegen zij bladeren en cassave, geschild en klaar om een hele week lang in de week te worden gezet, vervolgens gedroogd en gekneusd te worden, de vezels te scheiden en die te drogen te leggen op de weg, tot ze door het meel worden gestampt en met water vermengd. Kleine meisjes speelden dat ze volwassen waren door alles wat ze vonden op hun hoofden te laten balanceren. Een paar centimeter langer en ze zouden emmers vol water in evenwicht houden, mijlenver, over ruwe sporen – zonder een druppel te morsen.

Ik zag maar weinig mannen. De overblijfselen van de vuren van vallenzetters waren duidelijk zichtbaar in het bos, maar de mannen versmolten met de bomen zodra ik langskwam. Eén groep die van de jacht naar huis terugkeerde, liet zich zien en toonde een gevild karkas aan een staak. Hun geweren waren zelfgemaakt en het was puur toeval dat ze zichzelf er niet mee opbliezen; misschien was dat de oorzaak voor de afwezigheid van jonge mannen in de dorpen. De kinderen speelden nog altijd met pijl en boog en ik zag ze oefenen als kleine Robin Hoods – ze lieten snel een zacht rond stuk hout over de weg rollen en elk van hen schoot een pijl naar het midden. En ze deden het schrikbarend nauwkeurig!

Een ongewoon iemand krijgt nooit privacy. Een vrouw met een baby bleef me volgen en ik ergerde me eraan dat ze iets van me wilde. Niemand wist zeker of ik een man of een vrouw was. Ze volgden me omdat ze nooit de kans kregen om blanke mensen te zien als die in een auto voorbijkwamen. De vrouw volgde me de hele ochtend. Ze schreeuwde de hele tijd tegen me, maar ik begreep niet waarom. Uiteindelijk vond ik een man die haar taal sprak: 'Ze vraagt je langzamer te lopen. Ze is bang voor het bos en ze wil met je meelopen.'

We gaven haar eten, koffie met suiker, melk voor de baby, onze enige sinaasappel en een blik tomaten die we bewaard hadden. Ze liet ze aan de baby zien en zei: 'Santé.' Het hoofd van de baby was even groot als dat van haar. Ik vroeg me af wat voor kans het kind had. Er bleef een vlieg op haar mond zitten terwijl ze de sinaasappel at. Ze likte hem op en slikte hem in.

Vliegen landden op mijn gezicht alsof ze ernaartoe gezogen werden en sprongen er dan weer af. Mijn buik borrelde en ratelde als een munt die door een gleuf in een liefdadigheidsbus valt. We hadden kleine driehoekjes kaas van La Vache Qui Rît bij ons voor de pauzes en aten pasta met suiker als hoofdmaaltijd. Wij toverden ons het stadje Kamina voor de geest, omdat we hadden gehoord dat daar een Amerikaanse legerbasis was. We hoopten daar een morele opsteker te krijgen door middel van biefstuk, alcohol en de andere sekse.

We bereikten Kamina twee weken nadat we de beschaafde wereld in Kitwe hadden verlaten. Het stadje had, zoals de meeste hier, betere dagen gekend. We sloegen een paar biertjes naar binnen aan de enige bar die het rijk was en bekeken het roestige bord met daarop 'Import en de Ontwikkeling van de Landbouw in Kamina' en meer van dergelijke vermolmde overblijfselen van het kolonialisme. De eigenaar wist niets van een Amerikaanse basis af, maar vertelde ons dat er wel blanke zendelingen in de stad waren.

Blake ging ze zoeken. Ze deden erg wantrouwig tegen hem, maar vonden het uiteindelijk goed dat we het gastenverblijf gebruikten achter op hun terrein. Daar konden we uitrusten, de maaltijden met hen gebruiken en praten over onze route naar het noorden.

Ik liep verder door vlak, open land met sappige groene struiken en geel gras, in de richting van een verre horizon, waar je de contouren van een tropisch regenwoud zag dat de loop van kleine rivieren markeerde. Bosbranden verlichtten het silhouet als verafgelegen vulkanen.

Terwijl ik stond te kijken naar een paar zwarte haviken die op de hete lucht boven de vlakte dreven, werd een vrouw, die verderop met brandhout op haar hoofd liep, zó bang voor de Land Rover die me na een rustpauze inhaalde dat ze begon te rennen. Haar lading viel. Ten slotte liet ze alles

'Niet bang zijn, Fi, je gaat gewoon een eindje lopen'. Camps Bay, Kaapstad. (*Charles Norwood*)

Inzet Lekker lopen in Zuid-Afrika. (*Charles Norwood*)

Boven Gerry en Oli na een zware dag van verveling. Zuid-Afrika. (*Ffyona Campbell*)

Onder Grapjes makend met de vrouwen in Boputhatswana. (*Gerry Moffat*)

Bill. (*Ffyona Campbell*)

Blake doet zijn best met het pennemesje. (*Bill Preston*)

Onder Een typische pauze in het land van de zweetbijen. Zambia. (*Bill Preston*)

Links Militair escorte door bandietenland. Zambia. (*Blake Rose*)

Linksonder Dit stel mensenjagers wil wel op de foto, nu ze hebben begrepen dat Bill en Blake geen slavenhandelaars zijn. Zaïre. (*Bill Preston*)

Rechtsonder Beschuldigd van kannibalisme – als Blake er niet was geweest, zou het op een steniging zijn uitgedraaid. Zaïre. (*Blake Rose*)

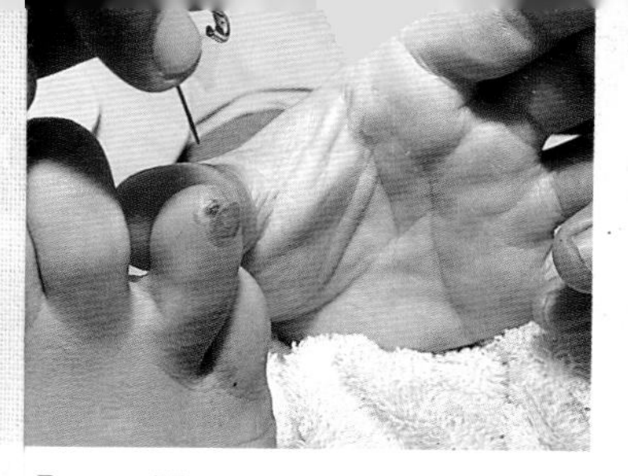

Boven Het verwijderen van zandvlooien uit de voeten van Blake. Zaïre. (*Bill Preston*)

Boven Als het niet goed werd opgebouwd, zouden we de Land Rover kwijt zijn. Zaïre. (*Ffyona Campbell*)

Links Op weg naar de markt. Zo babbelden we wat en deelden we de last. Zaïre. (*Blake Rose*)

Linksboven Duwen achter de kar en nog twee jaar te gaan. Centraalafrikaanse Republiek. (*Raymond Mears*)

Rechtsboven Aap stoven, samen met een gezin in Gambo. Centraalafrikaanse Republiek. (*Raymond Mears*)

Links Voor het eerst sinds jaren wordt de vuurploeg weer ontstoken, nadat Raymond de oude traditie weer heeft doen herleven. Zaïre. (*Raymond Mears*)

Onder Raymond leert nieuwe medicijnen van de pigmeeënvrouwen. (*Ffyona Campbell*)

Boven 'Indiana' Johann.
(*Raymond Mears*)

Boven Ik heb mijn voettocht terug.
Zaïre. (*Raymond Mears*)

Links Met Mike op de pirogue,
stroomopwaarts op de rivier de Zaïre.
Op zoek naar de verloren Land Rover.
(*Raymond Mears*)

Boven Uitkijkend over de Centraalafrikaanse Republiek, zenuwachtig over wat we zullen aantreffen na maandenlang geen contact met de buitenwereld te hebben gehad. (*Raymond Mears*)

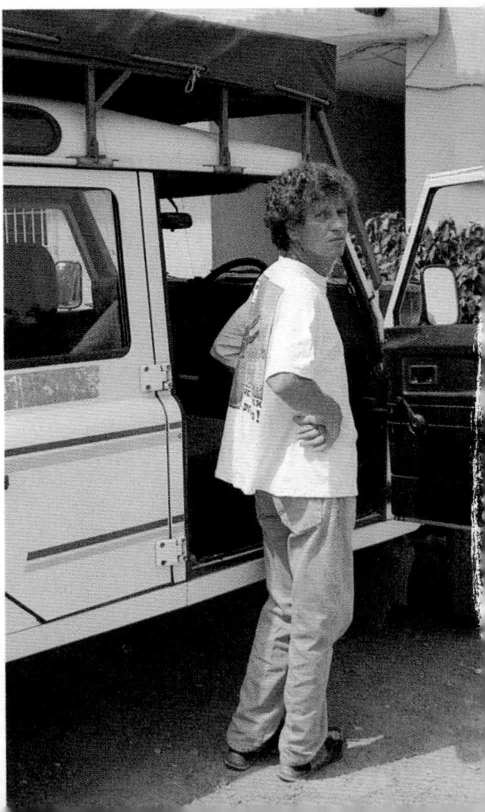

Rechts Tim. (*Ffyona Campbell*)

Onder Tropische zweren. (*Raymond Mears*)

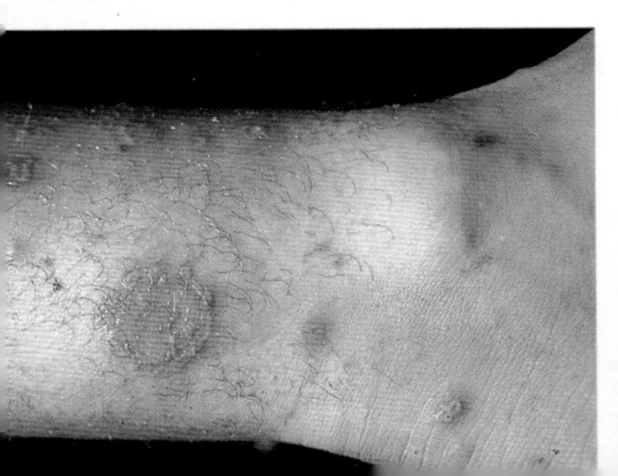

maar vallen en stoof weg. Ik had gehoord dat sommige Afrikanen denken dat de blanken zwarte mensen eten. Toch kwam ik op een morgen een boodschap tegen die voor mij met houtskool op de weg was geschreven: 'Goedemorgen, zuster'.

Toen ik een dorp naderde, werd in een snel ritme op de trommels geslagen. Het ritme veranderde om in de maat te blijven met mijn voetstappen. Ik stopte om te zien of het soms het geluid was van het hakken van hout, maar de trommels stopten toen ik stilstond en begonnen weer toen ik verderliep, op de manier van de Pink Panther. Iemand wilde me voor de gek houden.

Vier dagen na Kamina kwamen we in Kabango aan en werden naar het huis van een Zwitserse verpleegster, Vreni, gebracht. Ze was niet thuis, maar we vonden haar in de kliniek. Ze kwam naar buiten rennen om ons te begroeten. Ze zag er weggetrokken en bleek uit, omdat ze die ochtend te veel van haar eigen bloed had gegeven om een moeder te helpen een keizersnede te doorstaan.

Geen hallo, alleen maar een wanhopige kreet: 'Mijn spullen! Hebben jullie mijn spullen meegebracht?' Ik dacht dat ze stof bedoelde. Omdat ik in Kamina stof had gekocht om nieuwe shorts voor ons te maken, zei ik dat we die niet hadden meegebracht, maar dat ze rustig wat van mij kon nemen. Toen het tot haar doordrong dat we hadden gelogeerd bij de zendelingen in Kamina, stortte ze bijna in. Al haar medicijnen, de salarissen voor het personeel en accuzuur voor haar radio lagen daar om opgehaald te worden, en ze hadden er met geen woord over gerept.

Ze leidde ons rond in haar 'ziekenhuis', compleet met geitepoep en zeik in de gangen en te vroeg geboren baby's, die in dozen lagen als pasgeboren hondjes. Er waren een kookgelegenheid en wasmachines, maar geen enkel apparaat werkte, omdat de plaatselijke inwoners de fittingen en waterpompen hadden gestolen. Er was geen water en de familieleden moesten het uit de rivier gaan halen om de patiënten te wassen. Het personeel was al in geen maanden betaald en er waren vrijwel geen verbandmiddelen en medicijnen meer. Geen wonder dat ze verontwaardigd was over het gedrag van de zendelingen.

Wij hielpen haar het eten te koken en vulden haar voorraden aan uit die van ons. Ik liep te schuimbekken. In geen maanden was iemand haar komen opzoeken, ze had geen auto ter beschikking en haar radio liep op zijn laatste benen wegens gebrek aan accuzuur. Haar goeddoorvoede 'buren' hadden complete, goedwerkende communicatiemiddelen, twee auto's en een vliegtuig, maar ze namen niet de moeite om haar van haar voorraden te voorzien – ze waren waarschijnlijk zó druk bezig met het maken van popcorn en het kijken naar video's dat ze het volkomen vergaten.

Vreni was het soort zendelinge die wist waar de werkelijke nood lag en ging gewoon door. Zij preekte niet maar leefde in de kracht van het geloof, en dat hield haar dag in dag uit op de been.

Vreni vertelde ons iets meer over de tropische zandvlo. Dat is een insektje dat in het stof leeft, zich in de huid dringt en er eitjes legt. Die eitjes leven van het vlees tot ze groot genoeg zijn om te vertrekken en op zoek te gaan naar een volgende voet.

'Ik heb er een onder mijn nagel,' zei Bill.

Vreni haalde haar vergrootglas en een pincet en keek naar zijn voet. Hij keek verwaand en opgeblazen van trots dat hij er met geen woord over had gerept.

Toen keek Vreni op en zei: 'Je hebt geluk, het is maar een splinter.'

De arme Bill moest een heleboel pesterige opmerkingen slikken terwijl Vreni de splinter verwijderde.

'Jij bent toch gehard, maat! Je sneed al riet vóór je kon lopen.'

'Ach, Bill, je bent gewoon een blanke, volgevreten Brit!'

Ik ging naar buiten om iets uit de Land Rover te gaan halen en sloeg de deur dicht terwijl de sleuteltjes nog binnen lagen. Het raampje stond op een kiertje en Bill slaagde erin met behulp van een kleerhanger van Vreni het slot van binnen uit open te krijgen. Toen vervaardigde hij een systeem met een koord om de auto open te krijgen als het raam dichtzat. Dat systeem kwam van pas toen het sleuteltje van het portier afbrak.

We vertrokken de volgende ochtend, en toen ik haar de hand schudde, vroeg ik Vreni wat het woord 'awapi' toch betekende, dat de plaatselijke inwoners telkens tegen me riepen.

Met een glimlach zei ze: 'O, dat betekent "gek mens".'

Tijdens de eerste pauze naderde er een auto met vierwielaandrijving over het smalle pad, en hij stopte. Amy, de vrijwilligster van het Vredescorps, die we een lift naar Lusaka hadden gegeven, sprong eruit. We omhelsden elkaar als oude vriendinnen. Het bleek dat we door de veranderingen in onze route de hele volgende week in het gebied van het Vredescorps zaten. Ze nodigde ons uit om bij haar te logeren en legde uit hoe we in het dorp kwamen, dat slechts een dagmars voor ons lag.

Voor de zwarte bevolking in het dorp van Amy waren blanken geen nieuwtje meer. Dat gaf mij de kans om voor de verandering hen gade te slaan. Zij bezaten een groot charisma en brachten hun dagen in grote opgewektheid door. Het leek veel op een stel mariniers op mars, zingend op de maat van hun voetstappen om de last te verlichten van het werk dat ze deden. De vrouwen stampten overdag samen de cassave of werkten samen in de 'tuinen' – die weliswaar ver van de huizen verwijderd lagen, maar toch tuinen werden genoemd. Ook de mannen werkten gezamenlijk, hoewel ze hun werk dan hier en dan daar deden, al naar gelang het seizoen. De kinderen speelden in eigen groepjes, niet verdeeld naar leeftijd maar naar hun graad van ontwikkeling. Iedereen had zijn gelijken, niemand leefde afzonderlijk. Het was begrijpelijk dat de Afrikanen niet passen in de westerse steedse werkwijze: zij willen niet zeven uur per dag werken en vervolgens 's avonds twee uur lang spelen, zij willen de hele dag plezier en 's avonds uitrazen. Ik kan mij hierin inleven.

De volgende dag arriveerden we rond het ontbijt bij Rob, ook een PCV (vrijwilliger van het Vredescorps – vert.), die de dorpelingen voor zich liet draven, van het bouwen van zijn huis tot wassen en koken. Aan het eind van de week logeerden we op de rustdag bij Gena, de bijna laatste stop op de PCV-route. Haar huis was een puinhoop, omdat ze al haar energie stortte in haar visvijvers, die inderdaad spectaculair waren.

Blake knipte mijn haar, omdat er dode punten in kwamen. We hoorden dat de mensen hier hun haren altijd verbranden, om te voorkomen dat iemand er een voodoopoppetje van maakt. Ik had vlooien opgepikt omdat ik mijn kleding onder het rieten dak te drogen had gehangen. Bill kon goed met Gena overweg en ik had zin een tweede rustdag af te kondigen, om ze de kans te geven met elkaar te vrijen, maar we hoorden gerommel in de verte, het eerste onweer. We moesten verder.

Ik werd binnen een week opnieuw ziek en gaf gedurende de nacht verschrikkelijk over. Na verscheidene keren naar beneden te zijn geklommen en naast de Land Rover te kotsen, had ik alleen nog de energie over om vanaf de daktent over te geven. God weet wat de dorpsbewoners van ons dachten toen ze het gekokhals en gekreun hoorden. Bill en Blake vonden me een vreselijke trut – zij konden er ook niet van slapen. 's Morgens was ik uitgeput en laste een rustdag in. We reden een stukje vooruit om bij de laatste PCV in het dorp Kakuyu te komen. Gail hielp ons met het vinden van meer diesel op de zwarte markt, wat heel wat heimelijk gedoe in donkere achterafsteegjes noodzakelijk maakte.

We reden terug en hervatten de volgende dag de wandeling. Lopen nadat je ziek bent geweest is fantastisch, je voelt je high, alsof je aan het vasten bent. Onderweg kwamen we bij een rivier en besloten ons te wassen. Ik kwam eruit, droogde me af en begon onmiddellijk te schudden. Alle gevoelige delen van mijn lichaam – mijn oogleden, lippen, kruis en de binnenkant van mijn neus – begonnen op te zwellen met bulten en ik begon aan mijn gezicht te krabben.

'Ophouden!' schreeuwde Blake. 'Dit heb ik ook gehad toen ik als kind in Zambia was – het is een allergie voor een waterparasiet.'

Hij zei dat ik niet mocht krabben, het zou na een paar uren vanzelf ophouden. UREN! Hij maakte zelfs een schetsje hoe ze eruitzagen.

Ik nam een paar tabletten en bleef rustig zitten wachten tot de razernij overging. Toen het zover was, bekende Blake dat hij die allergie nooit had gehad, maar had gemeend dat het zou helpen als hij zei dat het zo was.

We kwamen die avond weer bij Gail aan en kregen een goed avondmaal bij haar. Er waren nog een paar gasten. Haar dorp was het laatste voordat het woud officieel begon. In verscheidene dorpen die we de laatste paar weken doorgetrokken waren, had de bevolking vijandig gereageerd, maar we hadden niet begrepen waarom. Bill en Blake hadden vrouwen hard weg zien rennen als ze de Land Rover zagen. Ze hadden daarbij, evenals de vrouw met het brandhout, hun lading laten vallen.

'Zij denken dat jullie kwade geesten zijn,' zei Gail.

Overal waren papaja's, zodat we iedere dag wat vers fruit bij het ontbijt hadden. Nu kwamen de mango's, die als kleine groene snuisterijen aan een steeltje in de bomen hingen. We troffen stukken regenwoud aan, afgewisseld door verbrande bossen.

De daaropvolgende weken, in gebieden waar zelden een blanke verscheen, werden de dorpsbewoners steeds banger en vijandiger. Met de speer op hun keel werden de jongens ervan beschuldigd slavenhandelaren te zijn, want waarom zouden ze hier anders geparkeerd staan? En de mensen beschuldigden mij van kannibalisme, want waarom liep ik hier anders?

De afwijzende houding en de angst eisten hun tol. Ik was gewend leuk met de vrouwen om te gaan, maar deze vrouwen renden weg of eisten een verklaring. De kinderen gooiden met stenen en joegen me de dorpen uit en de mannen intimideerden me. Ik vond vruchten netjes opgestapeld naast de weg, maar geen teken van leven, noch enig spoor. Ik kreeg een nieuw woord naar mijn hoofd geslingerd: 'Mamawata!' Ik zag ook afbeeldingen in houtskool op hun hutten getekend – waternimfen met lang, wuivend haar en vissestaarten. Maar ze waren niet mooi. Vele maanden later ontdekte ik dat deze mensen dachten dat de slavenhandelaren geesten van de waternimfen waren: vreemde wezens die uit het water opkwamen en hun jonge mannen meenamen. Er zijn altijd mensen die hun voordeel doen met deze angst. Ze reizen door de dorpen en eisen geld en voedsel in ruil voor bescherming tegen Mamawata. Als zij haar niet tevredenstellen, raken ze hun seksuele potentie kwijt! Als ik dat toen geweten had, zouden we koninklijk hebben kunnen leven!

Ook op de jongens lag grote druk. Ze stonden op iedere rustplek op mij te wachten, nooit wetend of dit dan de dag was waarop ik niet terugkeerde. Bovendien moesten zij zich beheersen als ze werden omsingeld door dorpsbewoners die hen wilden aanvallen. Als ze de spanning met de bewoners niet konden doorbreken en er een gevecht ontstond, konden ze wegrijden, maar ik moest erdoorheen lopen. Als het misging, konden ze wel terugrijden en me oppikken en verder rijden, maar ze wisten ook dat ik erop zou staan terug te gaan om het stuk te lopen. Dit veroorzaakte bij beiden spanning. Bill beheerste niet veel meer Frans dan 'bonjour' en 'adios amigos' en dus moest Blake hen in zijn eentje kalmeren. Hij verloor nooit zijn zelfbeheersing, wat – racisme buiten beschouwing gelaten – heel gemakkelijk gebeurt. Het was zijn taak met mensen te communiceren die een heel ander soort logica hanteren, en proberen hen aan het verstand te brengen wat wij hier deden. Het is in Afrika al moeilijk genoeg om in een kantoor van British Airways het juiste vliegtuigticket te kopen, laat staan uit te leggen dat een vrouw, gewoon voor haar lol, naar een argwanend volkje kwam lopen dat nauwelijks Frans sprak en dacht dat ze een slavenhandelaarster was. Als het niet lukt een vliegtuigticket te krijgen, ga je gewoon ergens anders heen, maar Blake mocht hier niet falen, want dat kon me mijn kop kosten.

Maar ondanks de dingen die om ons heen gebeurden, bleven we de zaken in het juiste perspectief zien door elkaar te helpen bij moeilijkheden. Ik ging elke avond op jacht naar zandvlooien in hun voeten en speelde de jungleverpleegster als ik er een paar vond. Het is een bijzonder onaangenaam karwei, omdat je stil moet zitten terwijl de muggen door de stoeltjes heen in je kont bijten. Ik had geleerd ze te herkennen aan hun zwarte kopjes op een witte plek. Ik maakte een gat op het topje, spieste de vlo aan een naald en kneep, tot de witte, zijdeachtige zak met eitjes naar buiten kwam. Als de zak knapte, was het mislukt, want dan spatten de eitjes overal naartoe. Blake had er het meeste last van. Na de behandeling ging hij met zijn voeten in het water zitten, waarin hij een paar paarse tabletjes oploste, om van een nogal vervelende schimmelinfectie af te komen. Helaas moest hij daarmee ophouden, omdat we ons realiseerden dat het kaliumpermanganaat was, dat we nodig hadden voor de groenten.

Op een avond, toen ik over zijn voet gebogen zat, met een paar aan elkaar geknoopte sokken als hoofdband om te voorkomen dat het zweet in mijn ogen liep, werd ons rustige gebabbel over de afgelopen dag onderbroken door een gesmoorde kreet.

'O, wat was dat?' zei ik, met de naald in de aanslag. 'Zei "Blake Rose, noem me maar Stoïcijn", daar iets?'

Ik keek op en zag Bill slap liggen van de lach, terwijl hij bezig was brood te kneden bij het vuur. Opeens drong het tot me door dat we het hadden gered – daar, in het vijandigste en onaangenaamste gebied tot nu toe, hadden wij met ons drietjes werkelijk plezier.

Als het weer een nare wandeling was geweest keek ik uit naar een veilige rustpauze. Dan was het stil als ik binnenwandelde en kreeg ik een kop thee aangereikt. Vervolgens namen ze de draad van het gesprek weer op. Dat was een anticlimax, omdat ik zo bang was geweest en zo opgelucht dat ik weer mensen van mijn eigen soort zag. Zij waren ook bang en opgelucht, iedere keer wanneer ze me precies op tijd de hoek om zagen komen. Op een dag kwam ik voor het ontbijt binnen en kreeg ik weer niets te horen. Ik liep naar de voorkant van de Land Rover en ging stilletjes op het reservewiel zitten uithuilen. Ik moest het gewoon even kwijt. Bill gaf me een kop thee toen ik terugkwam. Ik ging bij hem zitten terwijl Blake weg was voor zijn duik in de wildernis van rond de lunch – die bleef op een of andere manier gewoon regelmatig afgaan.

Terwijl hij me over mijn rug wreef, ongeveer de enige plek waar geen zere plekken zaten, zei hij: 'Soms weten we niet in wat voor staat je bent als je het kamp binnenkomt. Soms ben je in vorm en raak je niet opgewonden als we je plagen. Op andere momenten kom je binnen en laat je je verschrikkelijk gaan. Wij zorgen er gewoon voor dat jij de ruimte hebt om te kalmeren.'

We hadden in geen twee maanden een ontspannen dag gehad – in feite niet sinds we bij Mike Taylor in Lusaka waren vertrokken, en dat was niet eens een rustdag geweest. Na een week in het primitieve woud besloten we de rustdag in Kongolo door te brengen. Op de kaart stond aangegeven dat er watervallen waren, Les Portes d'Enfer – de Poorten der Hel. Ik had er altijd van gedroomd om naast een waterval te kamperen, een goede plek voor een douche, rotsen om de was op te doen en tijd om te zwemmen en te zonnen, en om op verkenning te gaan.

De dorpsbewoners zeiden dat er veel blanken zaten – genoeg vlees en koud bier. We reden een paar uur en kwamen na het donker in Kongolo aan. Net als in alle steden van Zaïre kwamen we er veertig jaar te laat. De overblijfselen van een welvarende Belgische stad lagen verwaarloosd in het vuil. Het hotel, eentje als in de boeken van Agatha Christie, met balkons en latjes voor de bougainvillea, moest je met een zaklantaarn betreden. Er waren geen kamers, het hotel was een spelonk. Een roestige *African Queen*-raderboot lag eenzaam op een oever weg te rotten. Hij was door de rebellen tot zinken gebracht toen de geëxpatrieerden op het hoogtepunt van de strijd om de onafhankelijkheid wilden vertrekken. Sommigen hadden het overleefd, anderen, zoals een groep nonnen, waren naar de rand van de rivier gedreven en aan de krokodillen gevoerd.

We raakten bezopen in een bar en besloten later na te denken over het kamperen. Toen de bar dichtging, reden we de stad uit en een brug over. Die was gemaakt van metalen steunbalken. Een van de banden raakte ertussen bekneld en klapte. We stopten in het dorp aan de andere kant, konden nog net de deuren openzetten en vielen toen in slaap.

Bill verklaarde de volgende ochtend dat dit een gat was dat hij niet kon dichten. Hij verwisselde het wiel en keek eens snel in Kongolo rond voor een vervangend wiel, maar zonder succes. We hadden toch een rustdag nodig dus gingen we in de richting van de watervallen. Toen het spoor uiteenliep in verschillende richtingen, vroegen we naar de goede weg. De kaart was niet helemaal nauwkeurig: Les Portes d'Enfer waren vier kilometer lopen verderop. Laat maar zitten!

We herinnerden ons dat we in de stad een blanke hadden gezien en gingen naar hem op zoek om te informeren naar een nieuw wiel. Een inwoner wees ons de weg naar een terrein aan de rand van de stad, waarvan we eerst hadden gedacht dat het een militaire basis was. In werkelijkheid was het een katoenverwerkingsbedrijf. De bedrijfsleider, Robert, kwam ons begroeten en bood ons tegen een bedrag het gebruik aan van een van de vele leegstaande huizen van voormalige geëxpatrieerden. Hij stelde ons voor aan de huisbediende, die naar de markt ging om een kip voor ons avondeten te kopen.

Dit was een van de weinige keren dat ik mezelf een extra rustdag durfde gunnen, omdat we het werkelijk nodig hadden en niet omdat ik me lui voelde. Over het algemeen voorkwam de vrees om 'af te glijden' dat ik in overweging nam waaraan de chauffeurs behoefte hadden, en zette ik door voor mezelf. Als ik de teugels van mijn eigen routine niet strakhield, kon ik het niet volhouden.

We brachten de volgende dag door op het terrein dat bij het huis hoorde en de huisbediende deed al onze was en kookte ons eten. Het huis was eigenlijk een ruïne, de muren waren beschimmeld, het bad roestte, uit de kranen spoot roodgekleurd water en de bedden waren vochtig – het was een huis waar je in Engeland niet eens naar binnen zou gaan. Maar het was veel beter dan we hadden kunnen dromen, om de eenvoudige reden dat je privacy had. Voor de eerste keer sinds ik me kon heugen, stonden er niet twintig neuzen tegen het raam gedrukt als je je stond te wassen of naar de w.c. ging.

Robert verkocht ons een splinternieuw reservewiel en zijn monteurs zetten het erop. Ongeveer vijf minuten later staken ze het lek. Bill hield vanaf dat moment toezicht en begon aan de motor te prutsen. Het scheen voor Bill erg therapeutisch te zijn om te sleutelen – hij repareerde iemands fiets of motorfiets onderweg en scheen er nooit genoeg van te krijgen het loodvrije Coleman-fornuis schoon te maken.

Robert onderhield ons die avond met wilde verhalen over de corruptie en domheid van de Zaïrezen.

'Mobutu kreeg een paar gloednieuwe MiG-15's. Een paar daarvan vlogen naar het vliegveld van Kinshasa om te landen, hoewel de piloten gezegd was uit te wijken vanwege de mist. Ze vlogen naar de zee en verlieten de vliegtuigen met de schietstoel.'

Bill kwam met het volgende: 'En heb je gehoord van die twee kerels uit de Centraalafrikaanse Republiek die een coup voorbereidden? Het was allemaal gepland, ze hadden het materieel, hadden de tijd en plaats vastgesteld, maar ze kwamen niet. Een van hen schoot zichzelf bij het beklimmen van een muur in zijn voet en de ander moest thuisblijven om op de kinderen te passen.'

We vertrokken die volgende ochtend vroeg om naar ons startpunt terug te rijden. Om de andere dag regende het nu licht. Als de zware regens kwamen, zou het iedere middag gieten. Mijn schoenen glibberden weg op het dunne laagje water op de modder, wat erg onaangenaam was, rijden was er ronduit gevaarlijk. De wegen waarop we ons bevonden, waren de hoofdwegen van Zaïre: een voortdurende aaneenschakeling van drassige poelen en diepe ravijnen die het water honderden jaren lang had uitgesleten. De modder was van een dikke, kleverige klei, zonder rotsen waarop de banden greep konden krijgen. Van de weg afglijden in een ravijn, of het verkeerd beoordelen van de sterkte van een doorweekte boomstam in een 'brug' zou betekenen dat je urenlang moest graven, tillen en duwen om de Land Rover er weer uit te krijgen. Met een lier die je aan een boom kon bevestigen, zou je de Land Rover hydraulisch omhoog kunnen takelen. Maar we hadden geen lier; Charlie had er een gekocht maar was hem nooit komen bevestigen. Wat mij de indruk gaf dat hij niet erg geïnteresseerd was in onze veiligheid noch in zijn voertuig. Ik hoopte dat dat niet inhield dat hij niet thuis zou geven als we hem nodig hadden.

We liepen een aantal dagen tot we in Samba aankwamen. Gedurende dat hele stuk waren we voortdurend aangevallen, omdat men ons ervan verdacht slavenhandelaren te zijn. Er was niets dat ik kon doen om de vijandigheden in de dorpen te verminderen, want ze wezen zelfs een glimlach, de universele witte vlag, af. In hun eigen omgeving zijn de Afrikanen helemaal niet zo wanhopig en moedeloos als je vaak op de televisie krijgt voorgeschoteld, het zijn moedige mensen, die terugvechten als ze bang zijn. De Belgen zijn slechte kolonialen geweest; ze hebben de Afrikanen op een walgelijke manier behandeld. De bevolking is ook zeer lang van memorie. Als ik een Française of Belgische was geweest, was ik er misschien niet doorheen gekomen. Ik hield mijn accent zeer Engels en mijn grammatica pidgin, wat niet moeilijk was.

Ik was het voortdurende middelpunt van aandacht. De jongens reden vooruit door een dorp en ik kwam daar tien minuten later achteraan. Ik trof de bevolking dan altijd midden in het dorp op straat aan, waar ze hen nog stonden na te staren. Ik kwam in hun kielzog, een blanke, niet beveiligd, en ik voelde me net een kever die regelrecht een ochtendpatrouille van mieren binnenwandelt. Een oude man verbrak de stilte met een stortvloed van scheldwoorden. De menigte week uiteen en hergroepeerde zich om me heen en hun schelle krijgsgeschreeuw zwol aan tot het een dreunende muur van geluid was. Ik durfde me niet om te draaien. Ik liep het dorp uit en wuifde hen vaarwel. Tien minuten later wemelde het op de heuvel achter mij van de kinderen, die krijsend om een verklaring vroegen. Ik moest de spanning verminderen, dus draaide ik me met een glimlach om. Ze omsingelden me en raakten steeds meer opgewonden. De aanvoerder greep naar de ketting om mijn hals en beval me te zeggen wat dat was.

'Het is een geschenk van mijn man,' zei ik. 'Dank jullie wel dat jullie mij naar hem toe hebben gebracht – hij staat verderop te wachten.' En gelukkig stonden ze er allebei.

Ik was opgelucht dat ik weer in het kamp kwam, niet alleen omdat ik dan veilig zou zijn, maar omdat ik niet meer het enige aas was.

Eerst kwamen er een paar jongens, die op een afstand bleven staan kijken. Dan kwamen er meer bij die van kortere afstand toekeken. Als de groep groter werd, groeide die aan tot een menigte en werden ze brutaal. Het waren kinderen die een nieuw speeltje hadden gevonden, en ze vonden het leuk om ons te sarren en te treiteren, om te zien wat er zou gebeuren. Dat deden ze met mij onderweg – ze aapten me na, schreeuwden tegen me en dan werd er een steen gegooid. Blake bezwoer dat in het kamp en ik moest het onderweg doen. In het kamp konden we hen meestal in een vroeg stadium wegjagen, door een van hen eruit te pikken en lang naar hem te staren. Daar werden ze erg onzeker van, waardoor ze zich omdraaiden en wegliepen.

Onderweg draaide ik me altijd heel plotseling om en gromde ik met gekromde vingers als klauwen naar hen. Dan sprongen de kinderen als impala's in verschillende richtingen weg. Sommige van hen bleven vanuit de verte staan kijken en als ze me zagen lachen, begonnen ze ook te lachen en kwamen ze terugrennen om mijn hand vast te houden en dansend mee te lopen. Maar na een tijdje wilden ze dat ik het weer deed – zoals alle kinderen – en geleidelijk aan ging de ene groep over in de andere wanneer ik door een langgerekt dorp liep. De kinderen die het begon te vervelen, bleven achter, plaats makend voor andere kinderen.

De jonge tienermeisjes waren het ergst – ze aapten mijn manier van lopen na, reageerden niet op mijn spelletjes en beantwoordden mijn glimlach ook niet; ze gniffelden alleen maar. Tienermeisjes zijn over de hele wereld hetzelfde. Er waren momenten dat ik de kinderen niet aan het lachen kon maken, mogelijk omdat ik dan niet de juiste presentatie had. Dan werd het stenen gooien gemeen. Het is vernederend om gestenigd te worden, lichamelijk en symbolisch opgejaagd te worden. Ik kon niet gaan rennen; ik kon hen ook niet laten ophouden door stenen terug te gooien; ik kon niet met hen redeneren; ik kon vaak de volwassenen niet eens zover brengen dat ze me hielpen. Innerlijk moest ik erom huilen. Soms joelden ze als Indianen, het is een desoriënterend geluid, dat je het gevoel geeft een opgejaagd dier te zijn. Ik vroeg me af of het misschien inderdaad een vorm van jagen was. Ik neuriede een melodietje van Vangelis om me het gevoel te geven dat ik er niet in werkelijkheid was, maar mezelf in een film zag.

Zij kunnen veel beter lichaamstaal lezen dan wij. Ze zijn in een groep opgegroeid en hebben geleerd effectief te communiceren zonder woorden – ik denk dat ze veel minder vaak misverstanden hebben. Als ik in een dorp met stenen was gegooid, opnieuw bomen voor me zag en wist dat ik het volgende dorp naderde, raakte ik gespannen. Maar ik moest ontspannen blijven, anders kon ik zo weer een steniging verwachten. Ik begon dan na te denken over iets grappigs om me aan het lachen te maken en mijn gelaatstrekken te ontspannen. Ik haatte die eerste schelle kreet ten teken dat ik gezien was en wurgde in gedachten de vrouw die hem geuit had.

Dan antwoordde ik snel in het Swahili: 'Jambo Mama!' en liep in mijn handen klappend op haar toe om haar de hand te schudden.

Je steekt je rechterhand uit, de linkerhand leg je op de kromming van je elleboog. Als teken van respect voor de ouderen houd je je hand naar voren in een vuist, om je *pols* te laten schudden. Dat betekent dat je je hand als te smerig beschouwt om te laten drukken. Wanneer mijn vuist voor de eerste keer een andere vuist ontmoette, voelde ik me in de verleiding om het schaarspelletje te doen. Je wrijft ze tegen elkaar.

Ik vertelde hun dan dat ik voor de sport aan het wandelen was, dat mijn man niet ver vooruit was. Ik droeg altijd een trouwring, een advies dat Christina Dodwell me gegeven had, een van de grootste vrouwelijke ontdekkingsreizigers van deze tijd. Soms waren ze erg bezorgd om me, denkend dat ik door de Land Rover was achtergelaten. Soms wezen ze op mijn borsten en wilden niet geloven dat ik getrouwd was. Soms legde ik contact met een vrouw en bleef ik even met haar babbelen – in lichaamstaal. Als ze met me meeliepen naar het kamp en zagen dat ik twee mannen had en dat zij ook nog vrouwenwerk deden, lachten ze zich slap en keken me met ontzag aan!

Zelfs in de normaalste dorpen kon ik niet stoppen om te informeren naar de dingen die me interesseerden, omdat Blake en Bill op de klok keken. Als ik meer dan tien minuten te laat was, zouden ze terugkomen om me te halen. Ik kon ze niet in dergelijke ongerustheid laten zitten omdat ik onder het genoegen van een glas palmwijn in de schaduw met een jager over looien zat te praten. Ik moest dan met de mannen meelopen, die stiekem naar de palmboom slopen om wijn te tappen en de vrouwen toeriepen dat ze op jacht gingen. Ook de jongens konden niet van Afrika genieten – elk van beiden wilde tijd om op verkenning te gaan, maar ze waren aan de Land Rover gebonden, niet in staat de ander alleen op wacht te laten staan omdat deze dan ernstig zou worden bedreigd.

In Samba troffen we nog een geëxpatrieerde, Jean-Paul, die ook in de katoenhandel zat.

Ik ging vroeg naar bed omdat ik uitgeput raakte van de buikkrampen en was bereid de volgende dag naar een dokter te gaan. Om halfacht 's morgens kwam er een officieuze immigratieman opduiken om naar onze paspoorten te kijken. Toen hij mijn naam had gezien, herinnerde hij zich een telex die hij van de Zaïrese ambassadeur in Lusaka had gekregen om naar ons uit te kijken en voor ons te zorgen. Hij zag dat ik ziek was en stelde voor ons de weg naar de dokter te wijzen, zo'n vijf uur rijden naar het oosten.

We vertrokken, maar tijdens de rit begon ik te ijlen en verward te praten.

'Waarom gaan we op safari?' schreeuwde ik, plotseling gegrepen door een vlaag angst.

Hersenmalaria wordt vaak verward met een maagdarminfectie, vanwege de hevige krampen, maar Bill wist wel dat ik malaria had. Op een gegeven moment, toen hij was gestopt om de stevigheid van een brug te beoordelen, stapte ik uit en begon terug te lopen in de richting waar we vandaan gekomen waren, omdat ik ervan overtuigd was dat ze me niet naar een dokter brachten. Bill keek niet eens op, maar zei alleen zachtjes tegen Blake: 'Ga haar even terughalen, maat.' Ik wist dat ik me vreemd gedroeg en we vonden het allemaal doodeng.

We kwamen bij de rivier de Zaïre. Alle veerboten zijn gratis in Zaïre, maar je moet wel diesel geven, anders varen ze niet uit. De dieselolie lag aan de andere kant van de rivier. De politieman nam in een pirogue (een uitgeholde boomstam) een jerrycan mee naar de overkant en de veerboot kwam naar ons toe. De mensen die stonden te wachten om over te steken waren dolblij omdat ze nu geen boomstamkano hoefden te huren om hen over te zetten. Er stonden wat kraampjes met versgebakken zoete aardappelen. We namen er wat van en ik moest overgeven. Het kokhalzen kneep mijn toch al verkrampte maag samen. Het laatste dat ik me kan herinneren, was dat ik me voornam te onthouden nooit baby's te krijgen. Als een bevalling de ergste pijn is die het lichaam kan doorstaan, dan kon ik niet nog iets ergers doorstaan dat dit.

De dokter stelde vast dat ik malaria had en hij schreef een enorme hoeveelheid medicijnen voor uit onze medicijnkist, genoeg om nagenoeg alles te doden. Wij hadden Halfan bij ons, een nieuw medicijn tegen malaria dat veel makkelijker in te nemen was – de eerste dag drie keer dagelijks twee tabletten met tussenpozen van exact zes uur, gevolgd door een zelfde dosis twee weken later. Hij verkocht ons Buscopan om de kramp te laten ophouden. Ik nam alle pillen in een handvol in en ging een paar minuten slapen in de Land Rover. Vervolgens gaf ik ze allemaal over.

Tijdens de terugrit en de hele volgende nacht gaf ik over. Er kwam niets anders uit dan maagsappen. Ik wist dat ik die pillen snel moest slikken anders zou ik grote problemen krijgen. Blake zorgde die nacht in het huis van de geëxpatrieerde in Samba voor me. Ik lag naar het plafond te staren, een traliewerk van witte houten steunen en een gekko in de hoek. Hij kwam binnen en gaf me wat heldere soep als basis voordat ik de pillen weer innam. Een paar minuten later keek hij op van het koken toen hij me hoorde overgeven. Hij kwam me een glas water brengen om mijn mond te spoelen en ik gaf weer over. Verscheidene uren later probeerde hij me weer water te laten drinken. Ik gaf over. De kramp hield aan en ik probeerde de ademhalingsoefeningen tijdens een bevalling te doen die ik op de t.v. had gezien, hijgen en ontspannen, maar ik was veel te uitgeput. Op het laatst gaf ik het maar op; het kon me niet schelen als ik doodging.

In de kamer ernaast werd het besluit genomen terug te rijden naar Kongolo, waar volgens Jean-Paul een landingsbaan was. De jongens meenden dat ik, als ik de pillen niet gedurende de rit kon innemen, geëvacueerd moest worden. En bovendien, als het lang ging duren voor ik weer hersteld was, had het geen zin in Samba te blijven – de laatste drie biertjes waren al opgedronken.

In de vroege uren probeerde Blake het weer met water en deze keer hield ik het binnen. Hij gaf me even later de pillen en ook die hield ik binnen. Ze maakten een bed voor me achter in de Land Rover door wat van onze gereedschappen bij het huis achter te laten en we reden de zeven uur durende rit naar Kongolo.

Robert was helemaal niet verbaasd ons weer te zien. We logeerden drie dagen bij hem. Ik nam mijn pillen regelmatig in en werd weer naar bed teruggebracht als ik opstond. Blake was erg attent; waarschijnlijk had hij het karwei gewoon toegewezen gekregen, terwijl Bill en Robert uitgingen om te drinken, maar ik klaagde niet. Hij masseerde mijn rug om me een beetje te helpen ontspannen.

Mijn verhouding met Bill en Blake was perfect, omdat we soms lief voor elkaar waren en elkaar in moeilijke momenten steunden. We voelden ons ook tot elkaar aangetrokken, maar dat ging nooit verder. Ik dacht er weleens over na, maar mijn dromen waarschuwden me het te laten zoals het was.

Ik had in die tijd erg gewelddadige dromen – meestal over het verscheuren van iemand anders met mijn blote handen. Het waren wrede en smerige dromen, maar als ik wakker werd, voelde ik me opgefrist. Deze dromen keerden telkens terug als ik in een gebied liep waar de mensen vijandig waren.

Terwijl we in Kongolo waren, had het geregend. De terugrit via een andere route door de jungle, die ons door een priester was aangeraden, was het ergste stuk dat Bill ooit had meegemaakt. Dit was niet een kwestie van slippen en spinnen en er na een paar momentjes weer uit komen op harde grond, dit geslip duurde een uur lang, terwijl Bill ervoor vocht om de wagen rechtop te houden. Hij schreeuwde meerdere malen 'RIEMEN VAST!', maar had dan net op tijd het geheel weer onder controle. Op een gegeven moment keek ik achter me en zag Blake ruggelings op het dak liggen met zijn armen en benen bungelend als een gewichtloze astronaut. Na een uur bereikten we vaste grond. Bill stapte uit en viel om.

Een paar uur later kwamen we glibberend tot stilstand.

Blake zei: 'Ik denk dat we een lekke band hebben.'

Bill stapte uit en zei: 'We zijn een wiel kwijt, maat.'

De monteurs hadden de moeren niet goed aangedraaid en het wiel lag achter ons op de weg. Gelukkig maar dat we in de modder zaten en er dus geen schade was aan de metalen naaf. Maar we zaten zonder moeren. We namen van ieder wiel een moer af, tot Bill zich realiseerde dat er zes aan het reservewiel zaten om dat vast te zetten. Blake en ik schroefden deze aan; Bill was veel kracht in zijn handen kwijtgeraakt door de kogels die erdoorheen waren gegaan. Ze krikten de wagen op, maar de krik zakte weg in de modder. We hadden een vlakke ondergrond nodig. Ik pakte de ijzeren braadpan en daarmee lukte het.

Even later zaten we vast. Geen krikken, graven, duwen of takelen hielp. Blake en ik renden heen en weer over het pad om houtblokken uit een greppel te halen. Een fietser die voorbijkwam, had waarschijnlijk zelf een vreselijke rit achter de rug. Zonder één woord te zeggen, stapte hij af en tilde een boomstam op die te zwaar was voor ons allebei en rende ermee naar de Land Rover. Afrikanen helpen vaak zonder erom gevraagd te worden wanneer ze precies doorhebben wat er moet gebeuren. Wij gaven de fietser een briefje voor de geëxpatrieerde in Samba, om hem te zeggen dat we vastzaten en te vragen of we zijn lier konden lenen.

We zetten het kamp op en hoopten dat het zou gaan regenen. En dat deed het ook. We trokken een zeil over een gedeelte van mijn daktent, omdat die niet waterdicht was, en Blake en ik gingen daarin slapen, terwijl Bill in de cabine sliep. Het was vreselijk daar te liggen wachten tot de muggen zich een weg hadden gebaand met al die herrie van hun hoge gezoem. Goed dan, stelletje ellendelingen, dacht ik, ik zal stil blijven liggen zodat jullie me kunnen bijten. Maar deze knapen waren net een stel voetbalsupporters op kroegentocht.

De Land Rover kwam de volgende ochtend gemakkelijk los nadat de modder een beetje was opgedroogd en we kwamen in Samba aan. Jean-Paul lachte – zeker had hij een lier, maar die was zonder kabel afgeleverd. Een uur later verscheen de fietser met het briefje. Er was maar weinig eten in de buurt en we talmden niet. De volgende dag vertrokken we voor een lange, rechtstreekse route naar de macadamweg. Zestien dagen naar Lubutu aan het begin van de macadamweg, daarna vijf dagen lopen naar Kisangani. Ik was nog wat zwak na die aanval van malaria, maar als de regens kwamen, konden we er met z'n allen helemaal niet meer door. We maakten een rampenplan voor het geval de Land Rover niet verder kon: als we het moesten opgeven, zou Bill met de trein en de boot naar Kisangani gaan en een lier kopen, daarna terugkomen en de Land Rover vlottrekken. Blake en ik zouden gaan lopen. Dat zou moeilijk zijn, omdat er zo weinig voedsel was en wij, net als de dorpsbewoners, voornamelijk op onze voorraden moesten teren. In ons geval was dat een zak müesli, die ik apart had gehouden, juist voor dergelijke omstandigheden.

De weg van Samba naar Kindu liep recht naar het noorden, parallel aan de rivier de Zaïre, maar we hadden vernomen dat het een stuk was vol met kapotte bruggen. Zoals altijd ging de Land Rover vooruit, maar ik bereikte hem meestal al voor de pauze. De bruggen hadden ooit wel voertuigen gehouden, maar daar men ze niet nodig had omdat er geen verkeer was, waren ze zo slecht onderhouden dat alleen voetgangers eroverheen konden. Bills ervaring met constructies kwam hem nu van pas om de bruggen te herbouwen, gebruik makend van wat er beschikbaar was. Blake reed, terwijl Bill hem eroverheen loodste.

Ik arriveerde bij een brug waar ik de Land Rover aan de andere kant zag hangen, met alle vracht op de voorwielen. Op een andere plek was Blake bezig Bill te loodsen. Halverwege de brug schreeuwde Blake dat hij moest stoppen.

'Waarom?'

'De brug breekt!'

Bill schoot er plankgas overheen en haalde het net.

Ze werkten erg hard en ik kookte op dat stuk iedere avond een goede maaltijd voor ze. We werden erg handig met het brouwen van iets uit niets, maar we vielen allemaal af – Bill meer dan Blake en ik, omdat hij nu eenmaal meer te verliezen had. Blake en ik kregen opeens in de gaten dat hij zijn buikje kwijt was.

We kookten cassavebladeren door de stelen te verwijderen, ze snel in kokend water te weken om het azijnzuur kwijt te raken, sloegen ze tot pulp en lieten ze vervolgens een uur lang koken met gestampte pinda's en palmolie. Ze smaakten naar olieachtige spinazie en ik vond het heerlijk. Waar geen bruggen gebouwd hoefden te worden, begon Bill al bij de eerste pauze te koken – bonen die urenlang nodig hebben om gaar te worden. Dan pakte hij in en zette ze bij de volgende halteplaats weer op. Op een dag vond ik diep onder in de Land Rover een zak gedroogde vegetarische hamburgermix. Drie uur lang werkten we aan een heerlijk maal – Bill zeefde het meel, haalde de snuitkevers eruit en bakte zes broodjes, terwijl Blake en ik cassavechips maakten, uieringen sneden, de burgers bakten en tomaten in plakjes sneden. Alle ingrediënten werden op de tafel klaargelegd om bij elkaar gevoegd te worden. Een tafelpoot zakte in en alles viel in de modder.

We vonden een ruïne van een missiepost, gebouwd uit rode baksteen, en kampeerden daar een nacht. Ik wreef wat vaseline op een plek op Bills schouder en keek of het bewoog.

'Ja, je hebt daar een putseworm zitten.'

Ik maakte een gaatje en trok daarna de worm eruit door die om een wattenstaafje te draaien. We kregen ze door onze kleren buiten te hangen om te drogen; de putsevlieg legt er eitjes in. Dat is de reden waarom de kleren van de dorpsbewoners zo goed geperst zijn – je doodt ze met het strijkijzer. Blake ging een praatje maken met een oude man die onder een poort sliep. Deze vertelde hem dat hij de conciërge was en in de Tweede

Wereldoorlog had gevochten. Hij was daar waarschijnlijk twintig jaar geleden achtergelaten en had nooit zijn post verlaten.

Na een week bereikten we Kindu. We gingen die avond wat drinken, maar ik wilde vroeg naar bed, omdat ik me niet lekker voelde. We besloten de rustdag uit te stellen, omdat de regens binnen een week zouden komen. We namen de volgende ochtend een uitgebreid ontbijt en staken toen per veerboot de rivier over. Terwijl we stonden te wachten, leerden we iemand van de natuurbescherming kennen, die de kleine bosolifant bestudeerde, die verderop stond. Ik vroeg hem of hij met een hulporganisatie werkte.

'Waarom zouden wij adviezen moeten ontvangen van blanken over hoe we met de natuur om moeten gaan? Jullie weten er helemaal niets van; jullie hadden wolven in Engeland, maar ze zijn allemaal afgemaakt.' Hij had gelijk.

'Probleem' heet in het Swahili 'arabi' – wat misschien betekent dat de Arabieren het probleem zijn. Wij verwachtten een arabi met de veerboot, maar gelukkig was de rij lang genoeg om ons ervan te verzekeren overgezet te worden en de boot verscheen.

Aan de overkant voelde de weg anders aan. Twee dagen lang liep ik op een stuk macadamweg, smal en pas aangelegd, die een zuivere voor dwars door het hoge regenwoud trok. Ik had gehoord dat de bevolking van het regenwoud een probleem heeft met perspectief. Je kon je gemakkelijk indenken waarom. De open plekken waren reusachtige holen, bezaaid met enorme karkassen, en hoewel de rand van het woud verder van je weg lag, kon je toch ieder groen blaadje tot in de details onderscheiden.

Ook de dorpen zelf waren anders – meer langgerekt, hoger gebouwd dan de weg, op een soort veranda's die uitgehakt waren in de harde, opeengeperste, bleekoranje aarde. Terwijl ik verder liep, vlogen er neushoornvogels over met een snavel als van een pterodactylus. Hun vleugels snorden als de vinnen van een plafondairconditioner die op snelheid komt. Hun schoonheid gaf me een gelukkig gevoel, maar dat gevoel ging over zodra ik de plaatselijke mannelijke bevolking tegenkwam. Die hing met twee of drie bij elkaar rond, en ze richtten wellustige blikken op me, terwijl ze me in gedachten uitkleedden. Ze gniffelden naar elkaar of riepen 'tsss tsss', met een roofdierachtig geluid. Een van hen probeerde mij de weg te versperren, maar ik hield mijn ogen neergeslagen en bleef doorlopen. Ik vermoed dat er recent nog blanken geweest waren.

Bill liep een kwart met me mee toen ik hem van deze onaangenaamheden vertelde – sommige kerels reden op fietsen langs en hadden me toegeroepen, waren vervolgens omgekeerd en deden hetzelfde op de weg terug, wat ze verscheidene keren herhaalden. Het was niet levensbedreigend of zo, het was alleen een andere, onaangename sfeer, waarmee ik moest leren omgaan.

Die avond moesten we twintig kilometer van de macadamweg af over een okerkleurige zandweg, om een kampeerplaats te vinden die niet in de buurt van dorpen lag. Ik verlangde er hevig naar te stoppen en mijn verwondingen van die dag in ogenschouw te nemen. Mijn enkels waren weer gemeen gebeten; ze jeukten en brandden zó hevig dat ik me nergens anders op kon concentreren dan op het aanbrengen van verkoelende olie en muggengel, en rustig kon gaan zitten op de motorkap van de Land Rover.

Bij temperaturen van 35 °C en een erg hoge vochtigheidsgraad was mijn bovenlip nat en mijn kleding vóór het ontbijt al doorweekt. Het zweet liep over mijn borst als de regen van een raam. Maar er was geen wind die het vocht verdampte en ik raakte vele malen oververhit. Overal over mijn lichaam liepen kleine torretjes. Ze schenen het vooral prettig te vinden door het vocht te krioelen in het haar op mijn slapen en in het zweet in mijn nek. Ik kon niet stilzitten, maar was toch te moe om rond te lopen en ze af te slaan.

Ik begon het lint te zien, het lint van de frustratie waar ik doorheen moest. Over een week zouden de regens komen, maar ik voelde me niet klaar om door te stomen. Ik had een rustdag nodig, maar kon die niet nemen in verband met de op handen zijnde regens – de acht dagen lopen tot de volgende rustdag in Lubutu moesten gewoon een voortzetting zijn van de voorgaande acht dagen. Jeff Crowther, de auteur van *Shoestring*, had gezegd dat dit het ergste stuk was van de slechtste weg die hij ooit was gegaan. Ik wilde eerst mijn kleren sorteren en mezelf wassen; ik had in geen twee dagen een douche gehad; als ik me krabde, zat er een dikke laag zwart, zweterig vuil onder mijn nagels. Ik schrok als ik 's nachts wakker werd en merkte dat ik de ontstoken plekken met vuile nagels open had gekrabd. Ik woelde rond in een poging de houding te vinden waarin ik gemakkelijk lag en mijn benen niet klopten van het gif, maar als ik stillag, kon ik al die andere dingen voelen die nog altijd in beweging waren – ze liepen over mijn hele lichaam. De jongens wasten zich in de rivier, wat ik niet kon doen vanwege het gestaar – ik kon niet zomaar naakt voor mensen gaan staan die mij intimideerden. Als het donker was geworden, nam ik een aantal bakken mee achter de Land Rover of ging onder de slang van de waterzuiveringsinstallatie staan als we genoeg water hadden.

Ik maakte grappen met mezelf door mijn lijst van wandelregels uit te breiden:

Regel 2: Het is altijd verder dan je denkt.
Regel 3: Het is nooit zo erg als de mensen zeggen.
Regel 4: De andere route is altijd mooier.
Regel 5: Er is altijd een logistieke reden waarom je de mooie route niet kunt nemen.
Regel 6: Zeg nooit nooit.
Regel 7: Er is altijd een dorp boven op de heuvel.
Regel 8: Er zijn geen regels.

Dit ging een testweek worden. Ik zei tegen mezelf dat ik iedere dag moest nemen zoals die kwam, en onthouden dat de tijd nooit sneller voorbijgaat dan wanneer je vergeet hem te meten. Ga op in je ritme, Fi, zei ik tegen mezelf, wees opgetogen over waar je bent en niet over waar je heen gaat.

Ik vertrok, maar de insektebeten hadden mijn rechterkuit en de buitenkant van mijn rechterdijbeen zó doen zwellen dat ik mijn spieren niet goed kon gebruiken, waardoor het lopen pijnlijk werd. Nog erger dan de beten zelf was echter de wetenschap dat ik daar overdag opnieuw gebeten zou worden. Dit was niet als andere ziekten, waarvan je weet dat ze overgaan. Nu het eenmaal was begonnen, zou het ook doorgaan.

De bevolking spaarde geld op voor de zaterdagavonden en we hoorden ze de hele nacht dansen en trommelen. Er kwam in de avond een eenzame fietser met een geweer langs, die tegensprak wat ons verteld was over de gevaarlijke dieren hier.

'Er kunnen hier luipaarden en olifanten zitten, maar ook niet,' zei hij.

Hij kwam bij het aanbreken van de dag opnieuw langs fietsen na een hele nacht van feesten. Hij was niet moe, zei hij, want hij had gegeten.

We kwamen in een dorp waar een markt was. Regel nummer negen: de enige niet-ochtendmarkt in de omtrek is die waar je in de ochtend aankomt. Dat is een avondmarkt.

We kwamen net op tijd in een stadje met een tinmijn aan om het hijsen van de vlag en het volkslied mee te maken. Daarna verzamelde zich een hele kudde gillende en rennende kinderen om me heen toen ik door het dorp liep. Achter me hoorde ik een donderende kwade stem van een geërgerde man. Ik draaide me om, maar in plaats van geconfronteerd te worden met iemand die een verklaring eiste over wat ik deed, zag ik dat hij de kinderen met een flinke stok sloeg. Goeie vent. Dat hielp – een tijdje. Verderop verzamelden ze zich opnieuw, waar drie zwaargebouwde mijnwerkers in overalls er een eind aan maakten.

De lucht was dichtgetrokken toen ik een nieuwe rij heuvels naderde. Die waren kort en steil en gaven me vaak een glimp te zien van de horizon – golvende lijnen, zwaar begroeid met regenwoud, prominente witte boomstammen tussen het donkergroene gebladerte.

De weg was bestrooid met los rood grind waar je moeilijk greep op kreeg. Opnieuw scheen een nieuw wegdek een nieuw soort mensen in te luiden. Ze hadden hier meer zelfvertrouwen – misschien waren ze beter gevoed – en daarom ook provocerender.

Het plaatsje had elektriciteit, en na zonsopgang waren er nog veel buitenlichten aan. Er was twintig kilometer verderop een dam in de rivier met een waterkrachtcentrale die het hele dorp van elektriciteit voorzag.

De vrouwen hadden zich helemaal ingesnoerd met bandjes en strakke keurslijfjes. Waar je ook gaat, mensen blijven mensen, en vrouwen blijven vrouwen. Wat doen we onszelf toch aan omwille van de mode en het verleiden van mannen!

Ze genoten van onze verbazing en het feit dat we hun Frans niet verstonden. De blanke is stom, zeiden ze, en ze bliezen zich op in zelfgenoegzaamheid door ons nog meer in de war te brengen met snel en agressief gepraat.

'Geef me een sigaret,' zeiden ze veeleisend.

Wij zetten het kamp op bij een wilde avocadoboom en Bill sloeg met een lange, puntige tak een paar vruchten naar beneden, om ze op het dashboard verder te laten rijpen. Dat bracht herinneringen aan de Australische voettocht naar boven.

Overdag hoorde je de neushoornvogels over je heen suizen als het slaan van een riet in de lucht. 's Nachts flikkerden de vuurvliegjes om de tenten en kwamen de muggen in eskaders binnendreunen voor een aanval. Wij allemaal, maar vooral ik, hadden beten in verschillende stadia op onze benen – sommige vers en wit, met een rode zwelling eromheen, andere met doorzichtige topjes, andere opengesprongen en weer andere bloedend vanwege beet op beet. We gingen verder. In de gebieden die opengehakt waren om cassave te planten had men een of twee bomen in het midden laten staan, als een homage aan het woud.

Buiten een dorp kwam een man met lange stappen naast zijn vrouw de heuvel aflopen. In zijn hand bungelde de grootste dode rat die ik ooit had gezien. Volslagen lazarus liet hij hem aan ons zien en vroeg vervolgens om een beha voor zijn vrouw. Ik gaf Blake een schop voordat hij begon te vertellen waarom ik er geen had.

Deze mensen maakten me gek. Ze hadden geen telefoons, dus schreeuwden ze van de ene kant van het dorp naar de andere. Ze maakten zoveel mogelijk lawaai en achtervolgden me met hun geschreeuw: 'Madame! Madame! Madame!'

Ik ging een hoek om en zag de Land Rover staan, klaar voor de lunchpauze. Er stonden drie andere Land Rovers naast. Ik begreep onmiddellijk dat het trekkers waren. Na de eerste opwelling van enthousiasme voelde ik me verlegen en vreemd – ik wist niet goed hoe ik met ze om moest gaan. Ik hoopte dat Bill en Blake de gesprekken voor hun rekening namen. Het bleken Britten te zijn, allemaal op afzonderlijke trips, maar ze hadden zich samengevoegd om deze route naar het zuiden te nemen. Op alle andere routes stonden rijen vrachtwagens die vastzaten vanwege de regens. Het zou weken duren voor ze weer uit de modder kwamen en verder konden. Dus dit was de enige weg uit Kisangani.

Toen de auto's naast onze Land Rover waren gestopt, hadden ze gezien dat de lunch klaarstond, plus een lege stoel met een parasol erboven. Bill had die af en toe opgezet wanneer er geen schaduw was en de zon hoog aan de hemel stond.

Een van de meisjes had ernaar gekeken en gevraagd: 'Wat doen jullie?'

Bill had geantwoord: 'Wij wachten op haar, ze komt straks binnen voor de lunch.'

Het meisje dacht dat Bill niet goed snik was en zat te wachten tot de blondine uit zijn dromen zijn leven zou komen binnenwandelen.

Ze hadden voordat ik was vertrokken een artikel over mijn reis gelezen en hadden een daktent gekocht naar mijn eigen model – alleen waren zij zo verstandig geweest er een te kopen die water- en muggendicht was.

Blake liep de laatste kilometers naar Lubutu met me mee. We konden de macadamweg op de top van de heuvel zien liggen en toen we omkeken, zagen we een vrachtauto die ons achteropkwam. Uit principe moest ik de macadamweg vóór hen halen, dus begonnen we te rennen. Het begon als een jog, maar eindigde in een race tussen Blake en mij tegen de heuvel op. Ja hoor! We waren op de harde weg! We hadden de regens verslagen! Nog vijf dagen gaans naar Kisangani!

Wij dronken ons lam in een bar en bespraken het aankomstplan in Kisangani. De jongens waren nu binnen een ochtendrit afstand van het einde: waarschijnlijk was het voor hen heel moeilijk om rustig te blijven. Ze zeiden dat ze op de laatste dag vooruit zouden rijden naar Kisangani en me in het Olympia Hotel opwachten. Ik zei dat ik vond dat het mooi zou zijn als we allemaal tegelijk arriveerden.

Bill zei: 'Waarom dan?'

'Uit respect voor mij en deze tocht,' zei ik. 'Ik vind dat we samen aan moeten komen en samen ons eerste biertje drinken.'

Bill boog zich voorover en zei: 'Ik geef geen moer om die tocht van jou.'

Ik staarde hem een ogenblik aan, want het moest even tot me doordringen wat hij had gezegd. Ik wist niet wat ik moest antwoorden. Ik stond op en vertrok.

Ik liep door de donkere straat naar de missiepost en moest de priester wakker maken om me op de binnenplaats te laten. Ik was erg in de war en voelde me beroerd. Bill kwam de volgende ochtend in mijn tent om privacy te hebben wegens de arbeiders op de binnenplaats – hij had een grote behoefte aan meer slaap.

'Luister, maat,' zei hij, toen hij probeerde gemakkelijk te gaan liggen. 'Je bent een heethoofd en hebt een maatje nodig die dat allemaal van je pikt, maar je draaft wel erg door, vind je niet?'

Het duurde lang voordat ik begrepen had waar Bill het over had, maar ik kwam tot het pijnlijke besef hoe zelfzuchtig ik was geweest.

17

Overdag waren er meer wolken aan komen drijven. In de vroege middag was de lucht dreigend donker geworden. Toen het donker was, kon je de maan en de sterren helemaal niet meer zien. We kampeerden onder een inktzwarte hemel.

In de flakkerende oase van licht van Bills kookvuur zat ik fanatiek te proberen de BBC World Service te pakken te krijgen voor nieuws over de rellen. Maar geen geluk. De radiostoring was ongewoon sterk en het meeste daarvan was met opzet, had een zendeling ons verteld. President Mobutu wist wel wat hij moest doen als het erop aankwam een opstand te onderdrukken.

Een machtige donderslag weerklonk in de verte. Het onweer kwam snel opzetten. De bliksem flitste en siste en zette het regenwoud in een schitterend elektrisch blauw licht.

De radio kwam tot leven en tussen het geruis door verstond ik de woorden: 'De Britse ambassade adviseert haar onderdanen...' De rest ging verloren toen de lucht opnieuw werd verlicht door een kolossale lamp die niet aangesloten was. Blake, die in een stoel midden in de platte rode grindgroeve zat waar we kampeerden, werd stroboscopisch verlicht op het moment dat hij een sigaret naar zijn mond bracht.

'Adviseert wat?' vroeg hij.

'God zal het weten,' zei ik. 'Blijven waar we zijn? Wegrijden? Naar het dichtstbijzijnde vliegveld gaan? Ik denk dat we plannen moeten gaan maken.'

Zaïre was een kruitvat. Sinds de voorbereidende gesprekken voor de verkiezingen op 20 september waren afgebroken, had het land te maken met de verschrikkelijkste rellen sinds de onafhankelijkheid in 1960. De buskosten waren van de ene dag op de andere verdubbeld, zodat Mobutu de militairen kon uitbetalen. De bevolking sloeg terug door alle bussen te verbranden. Winkels, fabrieken en kantoren in Kinshasa waren geplunderd en in brand gestoken.

Maar ik vroeg me vertwijfeld af of de onlusten ook Kisangani hadden bereikt, dat maar drie dagen gaans ten noorden van ons lag. Deze stad was de spil van mijn plannen: Bill en Blake zouden vandaar naar huis terugvliegen en ik zou er een maand rust nemen voordat de nieuwe chauffeurs arriveerden. Dat had ik nodig. Ik had zojuist 625 kilometer in dertien dagen tijd afgelegd om de regens voor te blijven, zonder volledig van de malaria te zijn hersteld en zonder een rustdag. Ik was uitgeput en gewond.

Een rauwe kreet weergalmde over de boomtoppen, daarna stilte, alsof de jungle haar adem inhield. Een sterke windvlaag sloeg in het kamp en blies een wolk van vonken als vuurwerk de lucht in.

Plotseling kwam de regen neer, koud en zwaar.

Blake sprong op uit zijn stoel en we renden naar de tent. Bill zat ons met drie mokken kippesoep met maïs op de hielen.

Binnen in de tent was het klam en stonk het. Ik zat bij de opening met mijn kin op mijn knieën naar de kolkende regen te kijken, die in oranjerode poelen neerviel. Ik kon de frisheid al in de lucht voelen, die de plaats innam van de walgelijke vochtigheid van de afgelopen dagen. Toen was het overweldigend heet geweest en had ik moeten lopen door dikke muren van honderd procent vochtigheid. Mijn huid was rauw geschuurd door de wrijving van natte kleren; mijn gezicht deed zeer van het voortdurend afwissen met een handdoek. De modder kleefde aan de open zweren op mijn benen en veel van de beten op mijn armen en andere delen van mijn lichaam waren ontstoken en etterden. De vliegen deden zich er hardnekkig aan te goed.

Ik was op een gegeven moment tot huilens toe gekomen wegens het eenzame doorzetten en de frustraties. Duizelig en misselijk van de hitte dagdroomde ik niet langer van voedsel, maar van droog te wezen. Ik stampte de heuvels op, hield een goed tempo aan, maar als ik een dorp binnenliep waar ik met ongelovige gezichten werd aangestaard, voelde mijn eigen hoofd te zwaar aan om het om te draaien en hen gerust te stellen met een gewuifde groet of zelfs een glimlach.

Dat we de verharde weg bereikt hadden, was een voelbare opluchting geweest. We waren de regens voorgebleven! Om dat te vieren, stopten we bij een keet langs de weg waar ze bier verkochten en gingen onder de samentrekkende wolken zitten met grote hoeveelheden koude Primus om herinneringen op te halen. In de drie maanden dat we bij elkaar waren geweest, hadden we 2.806 kilometer wegen en paden afgelegd. De uitdaging voor de jongens zat erop en ik wist dat ik het met minder ervaren kerels niet zou hebben gehaald.

Een statige vrouw serveerde kip met banaan. Terwijl we zaten te eten begon een spin deskundig een web te weven van mijn schouder naar de rugleuning van de stoel. De man van de vrouw kwam bij ons staan. Hij barstte uit in kwaadheid over die dief van een president. Er liep een streep over zijn neus tussen de ogen, die dieper werd naarmate hij meer begon uit te kramen. Ik voelde me niet op mijn gemak dat ik betrokken werd in een dergelijke luidruchtige anti-Mobutu-tirade. Ofschoon de soldaten ontwapend waren toen de generaal meende dat ze zich tegen hem zouden keren, was zijn geheime politie overal. Ik was bang voor alles wat tussen mij en Kisangani kwam. Ik vond het werkelijk belangrijk dat ik daar op tijd aankwam: een reis van zes maanden door de Derde Wereld die precies volgens schema was verlopen, zou voor ons allemaal een aanzienlijke prestatie zijn.

Maar het was een schot voor de boeg toen we vernamen dat tienduizend Franse en Belgische geëxpatrieerden klaarstonden om geëvacueerd te worden naar Brazzaville in Kongo, en dat er troepen waren gestuurd om hun aftocht te dekken. De Amerikaanse ambassade had eveneens een oproep gedaan voor evacuatie van haar onderdanen. Toen hoorden we dat het grootste deel van Kinshasa in puin lag. Er waren geen voedselvoorraden of medicijnen. Ook in Lubumbashi waren zware onlusten geweest.

Ik was drie dagen onderweg. De regen trommelde neer op de tent en ik vroeg me af of het de Zaïrezen binnen zou houden, zodat ze wat af konden koelen. Terwijl we zaten te wachten op het volgende nieuws van de World Service peuterde ik drie zandvlooien uit een van Blakes tenen. De eitjes spatten over mijn handen. Ik hield ze buiten de tent en waste ze zorgvuldig af onder de neergutsende regen, voor ze de kans kregen zich onder mijn nagels in te graven.

Toen we eindelijk het nieuws hoorden, was het niet best. De Europeanen werden nu per boot geëvacueerd – evacuatie door de lucht was afgeblazen, omdat er op reddingsvliegtuigen werd geschoten.

Maar helemaal niets over Kisangani.

'Wat doen we nu?' zei ik.

'We moeten onthouden wat die man in dat dorp vertelde over de zendeling in Kisie, die het laatste nieuws uitzendt,' zei Blake. 'Er zijn problemen geweest, maar daar waren geen blanken bij betrokken. Het gaat zuiver tussen de Zaïrezen.'

Bill keek bedenkelijk. 'Frankrijk en België hebben oompje Mo gesteund in de revolutie van '60-'62 en daarna. Als het Vreemdelingenlegioen nu ruzie maakt met het leger, dan kon dat weleens veranderen. Het kan van het ene moment op het andere overslaan in een kwestie tegen de blanken en dan zijn we hier in de wildernis erg kwetsbaar.'

'Hebben jullie ook iets griezeligs opgemerkt?' zei Blake. 'Het kwam nu net bij me op dat we de afgelopen paar dagen helemaal geen verkeer hebben gezien. Alles zit waarschijnlijk vast in de steden. Dat is geen goed teken.'

'Wat moeten we doen als we werkelijk geadviseerd worden te vertrekken?' zei ik. 'Er is maar een handjevol vliegtuigen in heel Zaïre, dus is er niet veel kans dat er een in Kisangani staat. Kunnen we niet de wagen volladen met diesel en die duizend kilometer naar Bangui rijden? Diesel en voedsel zullen wel niet voorradig zijn, omdat iedereen in paniek gaat hamsteren. Moeten we nu diesel gaan kopen en de jerrycans voor het water ermee vullen?'

We bespraken tot drie uur in de ochtend onze keuzemogelijkheden en namen uiteindelijk het besluit dat de jongens vroeg in de ochtend naar Kisangani zouden rijden om poolshoogte te nemen. Iedere vezel in mij haatte de gedachte dat ik met hen mee moest; dat betekende dat ik mijn langverbeide doel met de auto zou bereiken – nog erger: Ik zou de evenaar op wielen passeren in plaats van te voet. Ook al hield ik me er strikt aan dat ik op dezelfde plek startte waar ik de avond tevoren was gestopt, en dus naar deze kampeerplaats zou terugkeren als alles in Kisangani in orde was, zou toch het plezier er dan af zijn. Maar ik moest schoorvoetend toegeven dat ik niet kon achterblijven. Als de jongens gearresteerd of neergeschoten werden, of de stad niet meer uit konden, dan was ik gestrand.

'Dan gaan we morgen in ons zondagse kloffie,' zei ik. 'Geen gescheurde broeken als we met officiële personen contact moeten zoeken. We zullen eerst gaan horen wat de Britse consul te zeggen heeft en daarvan uitgaan. Als we moeten vertrekken, hebben we samen zestienhonderd pond. Daarmee kunnen we weg, en vervolgens kunnen we het plastic gebruiken om in Kenya vervolgtickets te kopen, of waar we terechtkomen.'

'We moeten onderweg naar Kisie fruit kopen,' zei Blake. 'Er zal waarschijnlijk weinig voedselvoorraad zijn.'

Ik vroeg me af of we niet ook een klein stukje goud konden kopen, dat we konden verbergen als we beroofd werden.

'Laten we op ons gevoel afgaan,' zei Bill. 'Ik vermoed dat onze grootste zorg morgen zal zijn dat dorpelingen ons aanvallen omdat ze ons van spionage verdenken.'

Om zeven uur braken we het kamp op. Ik prentte de plek in mijn geheugen voor onze terugkeer en we hielden de afstand naar Kisangani bij op de kilometerteller: 178,4 kilometer. We reden op de macadamweg door dicht regenwoud zonder een mens of voertuig tegen te komen.

'Het is stil, mannen,' zei Bill. 'Veel te stil.'

Zijn citaat werd begroet met een gespannen glimlach.

De evenaar was langs de kant van de weg met een stenen gedenkteken met een metalen pijl erop aangegeven. We stopten om foto's te maken – een idioot toeristisch gedoe in dergelijke omstandigheden.

Te langen leste zagen we een vrachtwagen – het enige voertuig dat we hadden gezien sinds de onlusten begonnen. We stopten allebei. De Afrikaanse chauffeur straalde toen hij vanuit zijn cabine vertelde: 'Pas de problème, Kisangani. Pas de problème, ça va.' Toen reed hij opgewekt wuivend door. Toch was er wel een probleem, namelijk dat Afrikanen uit beleefdheid zelden vertellen waarvan zij denken dat je het niet wilt horen. We gingen in debat of we nu gewoon terug moesten rijden naar de grindkuil en gaan lopen alsof er niets aan de hand was.

'Misschien heeft het leger alle voertuigen in beslag genomen en is dat de reden dat we helemaal geen auto's hebben gezien,' zei Blake.

'Laten we bij ons plan blijven,' zei Bill. 'Als we in Kisangani op moeilijkheden stuiten, dan zou de Land Rover weleens ons beste middel kunnen zijn om te vluchten.'

Waar het in feite op neerkwam, was dit: erheen rijden en merken dat er niets aan de hand was, zou betekenen dat het plezier eraf was; erheen lopen en ontdekken dat je midden in oorlogsgebied zat, betekende het verlies van heel wat meer. De logistieke kanten aan de zaak wogen zwaarder dan de emotionele.

We reden zonder te stoppen het richtingbord naar Stanley Falls voorbij en toen we de stad naderden, zagen we rookkolommen boven de gebouwen hangen.

Bill was al eens eerder in Kisangani geweest en kende de weg naar het Olympia Hotel, een beveiligde pleisterplaats voor reizigers met douches, kampeermogelijkheden en goedkope kamers. We reden door verlaten straten. Duizenden lege dozen van medicamenten lagen over de trottoirs rondgestrooid. Winkels en huizen smeulden. Iedere auto die we zagen was een uitgebrand wrak. Het angstaanjagendste van alles was de aanblik van opgedroogd bloed dat op de gebroken ruiten zat. Overal zag je opstandige leuzen, bijvoorbeeld: 'Salut Mobutu – merci pour les fêtes!' (Dag, Mobutu, bedankt voor de feestjes!)

Het Olympia Hotel was een witgepleisterde doos met één verdieping. De voorkant ging schuil achter begroeiing van bougainvillea en andere welig tierende klimplanten. Ook hier leek alles verlaten. Je kon niet uitmaken of er binnen nog iemand in leven was. We bleven in de Land Rover buiten de zwarte dubbele deuren wachten en toeterden om de portier op ons attent te maken.

Een wantrouwige beveiligingsman verscheen en maakte de poorten open. We parkeerden op de binnenplaats onder een afdak van golfplaat, naast een roze passagierstruck van Tracks. De chauffeur, Jeff Roy, en ongeveer tien van zijn passagiers zaten op het open caféterras cola te drinken, samen met een stel lifters. Ze zagen er vermoeid uit maar waren in een goede stemming.

'Jullie zullen alles wel gezien hebben,' zei ik.

'Jawel, vanaf onze veilige, twee meter hoge muren,' zei Jeff.

Op dinsdag 24 september om halfnegen 's morgens hadden ze met tussenpozen aan de andere kant van de rivier geweervuur gehoord. De lifters hadden in de patisserie aan de rivier gezeten, genietend van precies dat ontbijt waarvan wij al maanden droomden. De baas had gezegd dat ze zo snel mogelijk naar hun hotel terug moesten gaan: het leger schoot in de lucht terwijl ze de rivier per veerboot overstaken. Getrouw aan de wet van Murphy namen ze het eerst de patisserie in.

Tegen tien uur was het schieten toegenomen en begonnen de soldaten, de meesten nog geen twintig jaar, de ruiten van de winkels in te gooien en te plunderen. Ambulances van het Rode Kruis werden in beslag genomen om de gestolen goederen te vervoeren. Toen namen ze het pand van Cediza in waar ze een radiofoon hadden – de communicatiebasis die ik van De Beers aangeboden had gekregen – en sloegen er alles kort en klein. Het geweervuur bleef de hele nacht voortduren en tegen de ochtend stond de stad in lichterlaaie. Een groot aantal mensen was gedood; er heerste overal paniek. Het plunderen en schieten was doorgegaan tot woensdagmiddag en hield pas op toen er niets meer over was om kapot te slaan of in brand te steken. Daarna was het rustig geworden.

Bill en ik reden naar het huis van de Britse en de Franse consul. Het terrein was onaangetast gebleven, de tuinen waren nog steeds een prachtige zee van bloemen en groene grasvelden. Het dienstmeisje liet ons binnen. Meteen voelde ik een stroom koele lucht – airconditioning, voor het eerst sinds maanden. Wij werden naar een zitkamer gebracht waar alles keurig schoon was, fraai ingericht, met gepolijst hout en licht beklede banken. Na zo lang onderweg te zijn geweest, hield ik mijn adem in bij de aanblik van zoveel beschaving.

De vrouw van de consul beëindigde zojuist over de radiofoon een gesprek dat over evacuatie ging. Wij legden onze voettocht uit en ze zei onmiddellijk dat ik ernstig in gevaar zou komen als ik terugging naar de kampeerplaats om vandaar uit een poging te doen de stad in te gaan. Het was nu rustig in Kisangani, maar ze verwachtte instructies aangaande de evacuatie van alle geëxpatrieerden – en daar hoorden wij ook bij.

'Er kunnen ieder moment opnieuw onlusten uitbreken,' zei ze. 'De laatste twee weken is er geen voedsel aangekomen vanwege de blokkade van het bootverkeer over de rivier en de verstopte wegen door de regens. Dat alleen is al voldoende om nieuwe rellen te veroorzaken.'

Ze werd onderbroken door de radiofoon.

'Ik kan niet voorspellen wat er gaat gebeuren,' waren haar laatste woorden voordat ze opnam. 'Als jullie mee willen met de evacuatie moeten jullie de nationaliteit en paspoortnummers van iedereen uit jullie groep opschrijven.'

We lieten, op de bank gezeten, alle scenario's de revue passeren. We konden de Land Rover bij het Olympia achterlaten en allemaal met het vliegtuig weggaan, daarna kon ik terugkeren met een nieuw team als alles weer rustig was. De tweede mogelijkheid was dat Bill en Blake naar huis zouden vliegen, zoals gepland, en ik zou blijven om de Land Rover te bewaken – maar dat zou betekenen dat ik geen communicatiemiddelen had en niet in staat zou zijn de komst van het nieuwe ondersteunende team te regelen. Als derde mogelijkheid konden we met de Land Rover naar de Centraalafrikaanse Republiek of Oeganda rijden – maar vanwege de regen waren alle wegen onbegaanbaar en we zouden moeten wachten op gestolen brandstof die opnieuw op de markt werd gebracht. Als vierde en laatste mogelijkheid konden Bill en Blake met het vliegtuig naar huis gaan, moest ik de Land Rover bij het hotel achterlaten en alleen verder lopen – maar het was zes weken gaans naar de Centraalafrikaanse Republiek, en in de dorpen waar we tot dusver doorheen waren gekomen, was men volslagen paranoïde geweest wat spionnen betreft. Bovendien zaten er rebellerende soldaten in de rimboe en als de Belgische en Franse troepen tegen het Zaïrese leger zouden optreden, werd het een zaak van zwart tegen blank, met mij aan het spit.

We keerden terug naar het Olympia. Bill en Jeff Roy gingen eens een kijkje in de stad nemen. Blake en ik gingen naar Cediza om te zien of daar een boodschap van De Beers in Kinshasa voor mij lag. De voordeuren waren dichtgetimmerd, maar de deur naar de achtertuin hing uit de scharnieren. Een aantal mannen was bezig meubelen via de brandtrap naar beneden te brengen. Binnen stond een Amerikaanse vrouw haar bedienden opdracht te geven om schoon te maken, in te pakken en spullen te verstoppen. Ze bevond zich in een zware shocktoestand.

'Jullie zijn in levensgevaar als jullie blijven!' schreeuwde ze. 'Ze hebben mijn huis voor mijn ogen volledig overhoop gehaald en geplunderd.'

Ze bleef maar herhalen dat ze zelfs de lichtknoppen hadden meegenomen. En dat een gewapende soldaat bezig was geweest zich de inhoud van haar kluis toe te eigenen toen zijn maat binnenkwam en zei: 'Laat je nog wat voor mij over?' Hij schoot hem ter plekke overhoop.

We gingen terug naar het hotel om een cola te drinken. In ieder geval ging er één dagdroom in vervulling: de cola was koud! Maar ik had mijn glas nog niet aan mijn mond gezet of er kwam iemand aanrennen om te zeggen dat het bevel tot evacuatie was gekomen. We moesten allemaal binnen twee uur op de luchthaven zijn en mochten maar een klein deel van onze bagage meenemen.

We haalden snel alle bederflijke waar uit de Land Rover, luchtten het natte beddegoed en de tenten, pakten toen alles in en plakten aan de binnenkant de ramen dicht. Ik propte mijn rugzak vol logboeken, notitieboekjes, wat van mijn laatste haveloze kleren en de vijf asbakken van malachiet die Isabella in Kitwe voor me had gekocht. Als ik in Engeland terugkeerde, zou dat mijn totale aardse bezit zijn.

We hadden geen tijd meer om een veiliger plek te vinden, lieten de Land Rover dus achter bij het hotel en liftten met de vrachtwagen van Jeff Roy mee. Hij zou achterblijven; hij had voldoende diesel en beloofde de Land Rover ergens veilig te parkeren, een vriendendienst aan zijn oude maatje Charlie. Hij zette ons af op de parkeerplaats van de luchthaven, die volgeparkeerd stond met dure, achtergelaten vierwielers.

Binnen werden we onderverdeeld in nationaliteiten. Ik ontwaarde grote groepen Griekse en Pakistaanse winkeliers, met alles wat ze nog over hadden in een paar zielige plastic boodschappentassen. Er hing een verstikkende walm van babyluiers en verstopte w.c.'s. Er waren mannen die vakkundig met baby's liepen te jongleren om hun vrouwen wat rust te gunnen. Iedereen gedroeg zich erg Brits en geen mens sprak over wat er gebeurd was. Ik kon nog steeds niet helemaal geloven dat dit echt was en klampte me vast aan de hoop dat de oproep om naar de luchthaven te gaan vals alarm was en we over een paar uurtjes weer terug konden keren naar de wildernis.

Maar toen zag ik een gigantisch Hercules-transportvliegtuig landen, dat troepen van het Vreemdelingenlegioen uitspuugde. Met grote zakelijkheid begonnen ze het vliegveld en de bijbehorende gebouwen te beveiligen. Toen ze de hoofdterminal binnenzwermden, raakte ik in gesprek met een jonge officier. Hij verklaarde dat iedere man volledig uitgerust was en voldoende voedsel bij zich had voor een week. Naar zijn zeggen was de situatie 'très sérieuse'.

Ik baande me een weg door de menigte en voegde me bij de groep Britten. Het had geen zin mezelf langer voor de gek te houden. Kisangani lag in puin. En daarmee, zo bleek, ook mijn voettocht.

'Zet nog maar twee Britten en een Australiër op de lijst,' zei ik.

18

Ik logeerde bij Shuna in haar huurflat in Battersea, waar ik me vooral concentreerde op het vervullen van mijn dagdromen over eten. Maar ik wilde wel mijn voettocht hervatten.

Ik belde het ministerie van Buitenlandse Zaken, afdeling Zaïre, voor nieuws. Ze zeiden me dat iedereen geëvacueerd was, inclusief de Britse consul, wat een flagrante leugen was, dat het in Zaïre buitengewoon onrustig was en dat het voorlopig ook wel zo zou blijven. Ik was in de verleiding om ze eens goed de waarheid te zeggen.

Na een week van dit soort gedoe belde ik met het *Guinness Book of Records* en vroeg of ik het probleemgebied kon overslaan. Dan zou ik gaan lopen vanaf het dichtstbijzijnde punt waar het weer veilig was, en later teruggaan om het overgeslagen stuk in te halen als het gebied weer open was. Geen probleem, was het antwoord. De twee mannen die vóór mij rond de wereld waren gelopen, waren op soortgelijke problemen gestuit en hadden precies hetzelfde gedaan.

Het grote probleem was de auto. Er was geen bericht binnengekomen van Jeff Roy en ik vreesde het ergste – Stormin' Norman had latere plunderingen waarschijnlijk niet overleefd. Ik belde De Beers in Kinshasa om erachter te komen of hij nog bij het Olympia stond, in de hoop een boodschap over te kunnen brengen naar iemand die nog in Kisangani was. Maar niemand wilde zich in dat gebied begeven.

Ik begon te bellen voor een vervangende Land Rover, of een die daar misschien nog stond en terug moest naar Engeland. Het bellen hield abrupt op toen ik in een ziekenhuis voor tropische ziekten werd opgenomen, omdat ik waarschijnlijk malaria had.

De onderzoeken waren nauwelijks begonnen toen John Blashford-Snell een boodschap voor me achterliet. Ik had hem en dr. Richard Leaky een jaar eerder ontmoet bij de première van een film over stroperij in Kenia. Hij kon misschien aan geld komen voor een vervangende Land Rover. Een vriend van hem, die multimiljonair was, had hem gebeld voor een 'escort' om die avond mee te gaan naar een diner met een groep zakenlui bij Annabel's. Zijn vriend zat aan de grond, zei Blashers, maar een van de anderen aan tafel kon misschien warm gemaakt worden om geld te schieten.

Shuna bracht kleren voor me mee, ik ontsloeg mezelf uit het ziekenhuis, trok mijn plastic identificatiebandje af en nam een taxi naar Mayfair. Ik merkte bijna direct dat champagne en kinine elkaar niet best verdragen, maar dronk toch mee. In een tijd van ja en nee leek ik volkomen van de kaart te gaan in het appartement van de miljonair, terwijl ik toch pogingen deed om 15.000 pond van hem los te krijgen vóór de nieuwe koortsaanval toesloeg. Helaas was ik niet de enige die hem aan het uitknijpen was. Hij zei dat hij erg opgewonden raakte – maar dat een wandeling wel het laatste was waar hij aan dacht.

Ik ging die avond direct terug naar het ziekenhuis en achtenveertig uur onder zeil. Toen ik officieel uit het ziekenhuis werd ontslagen, vond ik dat ik Shuna's gastvrijheid niet te ver moest doordrijven, dus logeerde ik bij Jonathan Shalit, een vriend van haar. Ik sliep onder de eettafel.

In mijn hart wist ik wel dat het maanden, zelfs jaren kon duren voor Zaïre weer openging. Ik ging mijn vroegere sponsors af, maar kon ze niet overtuigen – en verder geen mens – om er meer geld in te steken. Ik verbeeldde me dat ze dachten dat ik thuis was omdat ik het niet aankon.

Ik besloot zonder ondersteuning terug te gaan naar de Centraalafrikaanse Republiek en te blijven lopen tot de moeilijkheden in Zaïre opgelost waren. Dan zou ik teruggaan om de Land Rover te zoeken en iemand die hem wilde rijden, en de tocht uitlopen.

Op de ochtend van 14 oktober, twee weken na mijn terugkeer naar Londen, belde ik Raymond. Ik wond er geen doekjes om.

'Wil je mee naar Afrika en zonder sponsor verder lopen?'

Hij aarzelde niet, zelfs nog vóór ik had gezegd dat ik alles zou betalen.

Gedurende de wandeling van Kaapstad naar Kisangani was mijn liefde voor Raymond overgegaan. Ik was toen bot tegen hem geweest, maar hij had het niet geaccepteerd.

'Ik zal er voor je zijn als je "weer een toontje lager zingt",' had hij gezegd.

Ik was er altijd van beschuldigd dat ik mensen gebruik om te krijgen wat ik wil. Ik ben me steeds bewust van de dunne scheidslijn tussen het aanvaarden van gastvrijheid, vriendelijkheid en edelmoedigheid en misbruik. Ik had het weleens bij het verkeerde eind, maar wat ik kreeg, had ik nooit achteloos verspild en ook niet als vanzelfsprekend aangenomen. Nu vroeg ik Raymond mee te gaan naar Afrika, om de simpele reden dat hij de beste persoon was die ik kende voor deze taak. Hij had ervaring met de wildernis, was een goede fotograaf en geestdriftig voor mijn wandeling. Ik kende hem heel goed en kon prima met hem opschieten. We hadden zes maanden samengewoond voordat ik aan de wandeling begon en ik was verliefd op hem geweest. Als hij daaroverheen kon komen, was Afrika volgens mij geen probleem.

Ik legde uit dat onze relatie over was, dat die onderweg misschien weer kon worden aangegeven, maar dat ik dat niet verwachtte.

'Op die manier kan ik er niet aan beginnen,' zei hij. 'Of we houden van het begin af aan van elkaar of nooit meer.'

Hij ging een weekend bij een vriend logeren en zette mij uit zijn hoofd.

Gedurende de maand tussen het besluit om te gaan en het werkelijke vertrek moest er een heel nieuwe expeditie worden opgezet. We moesten een uitrusting aanschaffen en testen, vaccinaties halen, nieuwe visums aanvragen, vluchten boeken en een verzekering bij Campbell-Irvine afsluiten. Een schier eindeloze lijst van dingen, en mijn laatste geld slonk snel: 2.000 pond aan travellers cheques; 1.500 pond aan uitrusting en tickets; 500 pond om zes weken in Londen van te kunnen leven.

Soms was het alsof ik zes weken op een andere planeet zat. De vochtigheid, de modder en de zweren waren verwisseld voor een wereld van chintz, met één druk op de knop was je eten klaar en had je contact met anderen. Ik waste mijn haar, liep in representatieve kleding rond, reed in een huurauto en raakte meer uitgeput en moedelozer dan onderweg tijdens het lopen. Ik voelde me een opgefokte geëxpatrieerde, die zich niet helemaal thuis voelt in het buitenland, maar zich ook steeds slechter op zijn gemak voelt als hij thuis is. Ik ontdekte ook, en niet voor het eerst, dat het lopen weliswaar een vorm van eenzame opsluiting was, maar toch een grotere vrijheid verschafte dan het leven tussen de reizen in.

Misschien is het geïsoleerde gevoel dat ik in gezelschap van andere mensen heb wel zelf gewild; misschien moet ik altijd strijd leveren om het gevoel te hebben dat ik leef. Maar ik denk niet dat ik me het gebrek aan enthousiasme, dat ik begon op te merken, inbeeldde, ook bij degenen die sterk bij de expeditie betrokken waren. Behalve mijn familie bleven twee heel goede vrienden zoals altijd naast me staan, Mark Lucas en Max Arthur.

Ik heb geen onbegrensde hoeveelheid energie in voorraad; wat ik heb, gaat in het lopen zitten. Maar het lopen zelf is slechts de helft van de zaak; aan de start verschijnen is haast nog zwaarder. Iedere kamer die ik binnenliep leek vol te zitten met nee schuddende mensen. En met iedere neeschudder werd ik nog koppiger. Ik ging naar Robin Hanbury-Tenison om te vragen of hij mijn mecenas wilde zijn. Zijn enthousiasme was overweldigend, maar daar stak meer in dan geestdriftig lefgedoe, dat merkte ik toen hij me een geschenk gaf. 'Dit heb ik ooit van een Toearegkrijger gekregen,' zei hij, terwijl hij een plat, vierkant stukje koper streelde, dat aan een koord hing. 'Het bevat verzen uit de koran en het zal je beschermen, zoals het mij heeft beschermd. Dus als je dit om je hals hebt en je wordt dood in het zand gevonden, verzeker ik je dat het niet zal zijn vanwege een "slangebeet of een houw van het zwaard".'

Ik koos Bangassou als startpunt, omdat dat de plaats in de Centraalafrikaanse Republiek was die het dichtst bij Kisangani lag. Het ligt aan de grensrivier de Ubangui. Het ligt ook 750 kilometer ten oosten van Bangui, waar we zouden landen. Na aankomst zouden we daar gaan uitzoeken hoe we er moesten komen.

Ik moest retourtickets kopen om visums te krijgen voor de Centraalafrikaanse Republiek. Een rechtstreekse vlucht zou 1.000 pond per ticket hebben gekost, maar ik halveerde dat door via Lagos in Nigeria te gaan en vervolgens door te vliegen naar Bangui, met een kort oponthoud in Kameroen. Dat hield in dat we in Nigeria moesten overnachten, maar er was geen tijd om nog visums voor Nigeria aan te vragen, dus besloten we die nacht dan maar op het vliegveld door te brengen. De tijd zat me niet mee – ik moest de Sahara nog door en dat wilde ik niet in de zomer doen. Raymond had toegezegd tot april mee te gaan, daarna moest hij terug voor de presentatie van zijn tweede boek. Tegen die tijd wilde ik in Kano zijn; hoe ik de woestijn doorkwam, zou ik wel beslissen tegen de tijd dat het zover was.

De avond van 14 november 1991 liep ik de heuvel in Kenley op die naar het huis van Raymond voert. Mijn spullen waren daar al. Ik liep erg langzaam, genietend van de lichtheid van mijn tred, in het besef dat ik lange tijd niet alleen zou zijn. Maar ik wist voldoende over Afrika om te snappen dat ik heel weinig kans had erdoorheen te komen als ik het niet op deze manier deed.

De ouders van Raymond reden ons naar het station. Ook al had hij veel mensen getraind voor expedities op bijna elk type terrein, was hij zelf nooit eerder op zo'n trip geweest.

'Het gaat ons lukken,' lachte ik, toen we op de trein naar Victoria stapten.

Ik zag aan de gespannen blik in zijn moeders ogen dat ze me niet geloofde.

Van Victoria gingen we naar Gatwick. Dit was de eerste keer dat we onze volledige bagage moesten dragen. Zelfs zonder voedsel en water wist ik dat het veel te zwaar was. We brachten een nacht door in de Holiday Inn in Parijs. Het was het enige hotel bij de luchthaven waar kamers vrij waren en ik nam de kans waar om van de laatste momenten in de beschaafde wereld te genieten. Ik liet me met een glas champagne diep in het bubblebad zakken en probeerde er niet aan te denken hoe we ons moesten redden met een vracht bagage die alleen door de SAS glimlachend werd doorgelaten. Meestal gedraag ik me niet zo, dus zal het Raymond wel enig idee gegeven hebben van wat er ging komen.

De vroege vlucht naar Lagos kwam laat in de avond aan. Plan A mislukte toen het hoofd van de beveiliging ons welgemoed vertelde dat het vliegveld gesloten werd en wij daar dus niet konden blijven. Twee gestrande blanken zien er kennelijk uit als een buitenkansje om extra geld te verdienen voor het weekend en de man was bevoegd om ons tijdelijke visums te verstrekken – tegen een 'geringe' vergoeding uiteraard.

Ik drukte hem iets in de hand dat leek op een briefje van vijftig dollar. (In werkelijkheid was het een netjes opgevouwen briefje van één dollar.) Ik pakte de papieren aan en vroeg of hij ons een taxichauffeur kon aanbevelen. Wij werden naar een hotel in de buurt gereden en logeerden daar tot de volgende ochtend. Raymond bracht de nacht op de plee door met een emmer voor zich, omdat hij de vorige avond iets had gegeten dat niet goed gevallen was. Wat hij ook mocht hebben opgelopen, hij hield het een week. En dat was ook zo'n beetje alles wat hij vasthield. Bepaald geen goed begin voor een expeditie.

Een van de presidenten van Nigeria was ooit op het vliegveld van Frankfurt geweest en er zo enthousiast over geworden dat hij het in Lagos op de Remington-manier precies hetzelfde wilde laten bouwen. Het kwam er, compleet met vier sneeuwschuivers.

Onze vlucht naar Bangui werd op geen enkele wijze aangekondigd; het vliegveld van Lagos mag er dan mooi uitzien, het werkt niet. Nog erger, er zijn geen toegewezen zitplaatsen, en zelfs als die er wel zijn, heeft dat niets te betekenen. Het komt erop neer dat je als een gek over de macadam moet rennen, en wie het eerst komt, het eerst maalt. Op dat punt hoeft de Afrikaanse oma niets van haar Britse tegenhangster te leren.

Toen we begrepen dat we al aan boord hadden moeten zijn, scheurden we door de ene gang na de andere. De paspoortcontrole, douane en een hele rij andere ambtenaren die geen genoegen namen met één formulier als het er drie konden zijn, versperden ons de weg. Ze wisten dat we haast hadden.

'En wat hebben jullie voor mij meegebracht?' was de traditionele begroeting, terwijl ze onze passen net buiten ons bereik hielden.

Dat gebeurt bij ieder controlepunt onderweg, maar Lagos was om gek van te worden. Maar omdat ik erop voorbereid was geweest, had ik in Frankrijk taxfree een paar miniatuurflesjes whisky gekocht. Die schonken wij vrijelijk weg en kwamen zo bij het vliegtuig. Terwijl ik weinig geestdriftig naar het tapijt van geel stof naast de baan stond te kijken, hoopte ik dat de piloot zou opstijgen voordat die knapen achter de balies aan hun drankorgie begonnen. Raymond en ik hadden de inhoud van de flesjes geledigd toen we over de Middellandse Zee vlogen en ze opnieuw gevuld met urine.

Tijdens de vlucht naar Bangui zat ik na te denken over een oplossing van het gewichtsprobleem van onze bagage. Ik had veel Afrikanen kleine karren zien voortduwen. Na het zuiden van Zaïre had ik er geen meer gezien, maar het hoefde niet lang te duren om er een te laten maken. Ik ging lekker achteroverleunen en kon me bijna ontspannen.

De Beers hadden in Bangui een contact voor mij verzorgd, een diamanthandelaar, die zo vriendelijk was ons op het vliegveld af te halen. Hij bood ons onderdak aan op weg naar Bangassou. Toen we uit het vliegtuig stapten, werd ik verrast door de bekende broeikasatmosfeer en -geur. Maar voor Raymond was het de eerste keer dat hij in de tropen kwam en hij deinsde terug.

De laatste keer dat ik in Bangui was geweest, was ten tijde van de evacuatie. Toen was het geen probleem geweest om door de immigratie en de douane te komen; deze keer vielen we echter erg op en waren een gemakkelijke prooi.

De kerels van de immigratie probeerden ons uit, de gebruikelijke intimiderende flauwekul, die je alleen met geduld kunt oplossen.

'Als er problemen zijn,' zei ik, 'dan zou ik graag de baas willen spreken.'

Dan blijf je op de baas staan wachten, die natuurlijk nooit komt omdat de bedragen opgeschroefd zijn. Daarna moet je ze de kans geven hun gezicht te redden en de verleiding weerstaan het ze in te peperen.

Toen we buiten kwamen, stuitten we op een meute dieven die onze lichaamstaal heel precies konden lezen. Die solden een tijdje met ons tot ze hun slag konden slaan. Ik realiseerde me voor het eerst hoe kwetsbaar we waren – er was geen auto die we als buffer konden gebruiken, en alle spullen die we bezaten en onze reis konden maken en breken, stonden tegen een lantaarnpaal. Twee mensen moesten ze verdedigen tegen een hele meute van ervaren opportunisten die niets te verliezen hadden.

Ons contact, Vassos, was in geen velden of wegen te bekennen. Ik leende een muntje van een bewakingsagent en probeerde hem te bellen, maar er werd niet opgenomen.

'Goed,' zei ik tegen Raymond, 'we geven hem nog een half uurtje en dan nemen we een taxi naar de stad. Daar boeken we een van de hotels uit de gids.'

Net toen de rondcirkelende gieren op het punt stonden neer te duiken, kwam er een grote, hartelijke Griek over de slecht verlichte parkeerplaats aanhollen en omhelsde me met veel excuses. De communicatie verliep wat stroef, want mijn Frans was niet alleen versleten, het was steenkolenfrans.

Vassos nam ons mee naar zijn appartementenblok in het centrum van de stad, waar hij ons wees op het kolossale stadion dat voor Bokassa was gebouwd toen hij zichzelf tot keizer van de Centraalafrikaanse Republiek kroonde – daarna is het nooit meer gebruikt.

Wij werden naar een appartement naast het zijne gebracht, dat wel gemeubileerd maar niet bewoond was. Hij zei ons goedenacht omdat hij vroeg op moest. Wij sloten Afrika buiten en voelden ons veilig.

Wij keken op de video naar een film van Jacques Cousteau, en onderwijl tekenden wij een ontwerp voor een kar. Ik tekende wat ik me ervan herinnerde en Raymond maakte een paar aanpassingen. We waren allebei tamelijk opgewonden. Het leven is heel anders wanneer je plannen werkelijkheid worden. Je geest moet omschakelen om de kansen die zich voordoen aan te pakken, in plaats van vooruit te plannen hoe je wilt dat ze komen. Ik heb altijd volgehouden dat je je in Afrika aan je eigen schema moet houden wanneer je er de macht over hebt, anders breng je niets tot stand, maar je moet toch flexibel genoeg zijn om je aan het tempo aan te passen als je de medewerking van de Afrikanen nodig hebt. Het heeft geen zin te gaan schreeuwen dat je haast hebt, dus zou u zo vriendelijk willen zijn de kar voor zonsondergang af te hebben. Het heeft ook geen nut om vroeg met lopen te stoppen omdat je het heet hebt, moe bent en door de vlooien gebeten. Als ik me ertoe had laten verleiden in het Afrikaanse tempo te gaan lopen, dan zat ik nu nog bij Victoria Falls, en dat was niet bevorderlijk voor het halen van het eindpunt aan de andere kant van het continent. Misschien was dat wel het grootste verschil tussen hetgeen ik deed en reizen. Ik voelde de verleiding wel en liet die ook toe in mijn dagdromen, maar hield ze wel op een afstand. Wij hadden hier een taak af te maken; het was geen kwestie van wandelen waar we maar wilden of een andere kant op lopen als de omstandigheden te moeilijk werden. Iedere beslissing had een veel grotere draagwijdte voor ons dan voor de reiziger die op de bonnefooi gaat.

Wij ontbeten alleen. De huisbediende van Vassos bracht ons koffie en brood. Vervolgens zochten we onze gastheer op, die zich verdiepte in een hoop ruwe diamanten.

Toen ik hem vertelde dat wij van plan waren naar Bangassou te gaan, zei hij zuchtend: 'Naar mijn weten zijn er geen rivierboten, en zeker geen bussen.' Hij meende het serieus toen hij ons voorstelde een vliegtuig te huren.

Ik zei: 'Goed idee, maar ik denk dat we toch de stad maar in moeten gaan om te zien of we vervoer kunnen krijgen.'

'Daar komt niets van in!' zei hij. 'Bangassou is maar een dagreis ver met de auto. Ik leen jullie met plezier mijn 4 × 4 en mijn chauffeur.'

Wauw! Voor die tijd konden we ook over de chauffeur beschikken om ons door de stad te rijden en voorraden in te slaan.

Ik wisselde een paar travellers cheques bij Vassos en hij gaf me een rolletje CFA-biljetten, een valuta die gebruikt wordt in Centraal- en West-Afrika, onderling inwisselbaar en gesteund door de Franse franc om de inflatie laag te houden. In ruil hiervoor offeren ze hun vrije handel op en moeten ze hun eigen ruwe delfstoffen verkopen aan Frankrijk en de industrïele goederen terugkopen. Dat gaat volgens een koers van 50 CFA voor 1 franc. Dat maakt het voor mensen zoals wij makkelijk om budget te houden, omdat je altijd weet hoeveel je krijgt; helaas is de prijs van alles overal gelijkgesteld met de westerse wereld – iets waar ik geen rekening mee had gehouden tijdens mijn kostenraming van de voettocht.

Al gedurende de eerste dorstige seconden van de winkeltocht zag ik vijftien karretjes, allemaal precies zoals we nodig hadden. Ik kocht er een met kleine, brede wielen en een frame als een metalen doos, met daarin drie houten planken op de bodem. Het frame was open en kon niet dichtgedaan en afgesloten worden, dus kochten we wat zeildoek om eroverheen te slaan en een ketting om de wielen op slot te zetten gedurende de nacht. Ik kocht ook een plastic jerrycan van twintig liter inhoud met een kraan eraan.

We kregen de rivier de Ubangui in het oog en ik vertelde Raymond dat de andere oever Zaïre was.

'Ik wil daarheen,' zei ik, maar ook ik realiseerde me nauwelijks hoe sterk dat gevoel was.

We gebruikten de lunch met Vassos en hielden daarna siësta. Alles ging goed, maar ik wist nog altijd niet zeker waar ik wilde starten. Ik wilde geen stap te veel lopen, dus als we inderdaad terug konden naar Zaïre, de Land Rover vonden en er weer uitkwamen, zou ik de rivier oversteken naar de Centraalafrikaanse Republiek bij Mobayi-Mbongo, dat tweehonderd kilometer dichter bij Bangui lag dan Bangassou.

Er loopt een weg door Zaïre naar Bangassou, maar ik wist ook dat de veerboot die op de kaart staat aangegeven jaren geleden gezonken was. Ik moest nu werkelijk een besluit nemen, niet alleen maar om te weten waar we moesten beginnen en ons daar prettig bij te voelen, maar ook omdat ik graag een vastomlijnd plan had. Ik was erg besluiteloos geworden en nam soms een besluit omdat er dan een besluit was genomen, en niet omdat het het beste besluit was. Ik peinsde er de hele nacht over, maar bleef uiteindelijk bij Bangassou. Het lag het dichtst bij Kisangani, en ik wilde zo weinig mogelijk overgeslagen hebben als Zaïre niet meer openging.

We vertrokken nog vóór zonsopgang om er tegen het invallen van de duisternis aan te komen. Een paar kilometer buiten Bangui was een controlepost, waar, zonder dat wij daarvan hadden geweten, je paspoort moest worden gestempeld als bewijs dat je mocht vertrekken. De chauffeur bracht onze passen naar de ambtenaren en regelde alles. Ik had moeten controleren wat er allemaal gebeurde, maar dat deed ik niet. Dit zou ons grote problemen opleveren toen we probeerden de Centraalafrikaanse Republiek te verlaten. Op bevel van de wacht werden we verplicht een paar militairen mee te nemen, omdat ze vervoer nodig hadden. Ze gingen achterin zitten, waar ze onze bagage pletten. Er lekte diesel uit een van de jerrycans, die tussen de spullen sijpelde.

De wegen in de Centraalafrikaanse Republiek zijn van goede kwaliteit en goed onderhouden, als gevolg van het feit dat ze gedurende de regenval gesloten worden, om te voorkomen dat het wegdek verzakt zodat er diepe kuilen ontstaan. Het regende en we moesten wachten. De chauffeur voelde dat we haast hadden om in Bangassou aan te komen voordat het donker werd. Hij loodste ons door veel wegversperringen heen tot we echt niet verder konden en verscheidene uren moesten wachten. Raymond had zijn harmonika meegebracht en liet een variatie van kerstliedjes en andere nummers horen om te tijd te doden. Net als in de tijden van de Tudors, toen we van godsdienst veranderden, besloten we zowel islamitische als christelijke liedjes te brengen.

Omdat de veerboot gezonken was, was er geen doorgaand verkeer naar Bangassou en waren de enige twee onderkomens gesloten. Maar we vonden een half vervallen herberg, namen kamers voor onszelf en de chauffeur en brachten de nacht gezellig door met het luisteren naar ratten die rondholden en mensen die door het dak probeerden te komen. We zetten de tent op het bed om onszelf tegen muggen te beschermen, maar tegen de ochtend waren we gevloerd.

Toen we afscheid namen van de chauffeur en de wagen zagen wegrijden, kreeg ik het overweldigende gevoel geheel aan mijn lot overgelaten te zijn. De enige manier om hier uit te komen, zei ik tegen mezelf, was te gaan lopen. Dat gevoel kende ik inmiddels.

Raymond maakte er een sport van om de kar zo te laden dat hij in evenwicht bleef, terwijl ik inkopen ging doen op de markt om basisvoedsel in te slaan: meel, melkpoeder, suiker, gedroogde bonen en wat vers fruit en groente. Ik zag ook een paar parasols in de ijzerwinkel en kocht die – evenals politie is er in Afrika nooit schaduw op het moment dat je ze nodig hebt.

We gingen op weg terug naar de herberg en ik zei: 'Vooruit, laten we gaan!' Daarmee was de voettocht officieel hervat.

Aan die kar moesten we wel wennen. Je moest het T-vormige stuur vanuit een bepaalde hoek duwen om de wielen zelfs maar aan het draaien te krijgen. Raymond is een meter vierentachtig en ik een meter vijfenzeventig en we merkten dat het niet handig was om samen te duwen, dus deden we het om beurten. We kwamen er al gauw achter dat hij voor ons beider lengte niet geschikt was. De kar leidde op schuine gedeelten van de weg een eigen leven, en waar de weg diep uitgesleten was, of gaten vertoonde omdat de bewoners de macadamplaten eruit hadden gehaald om ze te verkopen, sprong en danste hij, waardoor de lading begon te schuiven. Er gleden voortdurend spullen van de zijkanten en kwamen tussen de wielen.

Ergens buiten de stad stuitten we op het eerste grote probleem – een lichte helling. Halverwege de helling, tillend en duwend en met het gevaar terug te glijden, kregen we ook de eerste oplossing aangereikt: een edelmoedig paar zwarte handen pakte de kar en duwde die snel de heuvel op. Prachtig!

Onze vriend verliet ons boven op de heuvel en we duwden alleen verder tot we onderweg iemand tegenkwamen die zei dat hij geld nodig had en ons wel wilde helpen. Zo legden we een flinke afstand af en begon het er een beetje beter uit te zien. Die nacht kampeerden we in een grindkuil net als ik met de Land Rover had gedaan, de voorkeur gevend aan de eenzaamheid, weg van de onderzoekende ogen van dorpsbewoners. We waren uitgeput na een hele middag duwen. We hadden er nog geen routine in. Net als de eerste dagen van iedere nieuwe etappe van de tocht was het moeilijk in een ritme te komen. We werden nog vermoeider van het opzetten van de tent en waterfiltersysteem, het vuur aansteken en het zoeken naar voedsel. We voelden ons erg kwetsbaar.

De volgende dag vertrokken we met opgezette benen van de insektebeten – een klein, zwart, haast onzichtbaar beestje dat ik 'bijtertje' noemde, stak gemeen. Als je krabde, werd het steken nog gemener. Fysieke inspanning bij een dergelijke vochtigheidsgraad stompt af. We rustten om de paar uur, net als ik vroeger gedaan had, maar dit was niet dezelfde wandeling en ik legde mezelf het oude punctuele schema op zonder het vanzelf in balans te laten komen.

Die middag staken we een grote open vlakte over waar geen beschutting was. We hadden de hele dag al niet geplast en voelden dat we bevangen raakten door de hitte. We vielen allebei stil, niet in staat om iets te zeggen. We stopten, zetten de parasols op en ledigden onze waterflessen. Gedurende de volgende tweeëneenhalve kilometer dronken we samen tien liter water.

We kwamen bij de rand van de vlakte en vonden daar wat schaduw op de top van een kleine heuvel. We probeerden onszelf daar op te peppen om weer op te staan en verder te gaan. Het idee dat er beneden een riviertje kon zijn waar we ons konden wassen, bracht ons op de been en we hobbelden heuvelafwaarts, uit alle macht de kar tegenhoudend. We wasten ons om de beurt in het onbetrouwbaar uitziende water en ik kreeg onmiddellijk een aanval van allergie.

Het gebied rond het riviertje was te vochtig en te vol met insekten om er te kamperen, dus ging ik de route heuvelopwaarts aan de andere kant verkennen. Ik zag een open plek in het lange gras, liep weer naar beneden en hielp Raymond de kar naar boven te duwen. Toen we op de kampplaats aankwamen, gingen we door de knieën. Diep in mijn hart wist ik dat het spelletje over was. Het gewicht van de kar was te veel voor ons, mogelijk alleen omdat we niet geacclimatiseerd waren, maar het knaagde aan ons moreel.

Die nacht was de ergste die ik op een tocht had meegemaakt, of welke nacht dan ook van mijn leven. Raymond kon het vuur niet aankrijgen, en voor iemand die deskundig was in het woudlopen, was dat behoorlijk ernstig. Op de automatische piloot zette ik de tent op, legde het beddegoed klaar en prutste aan het waterfilter. Eén voor één kwamen er groene druppeltjes uit, zo zou tien liter water filteren voor één dag een week gaan duren, niet een paar uur gedurende de nacht, zoals bedoeld. Veel later ontdekten we pas dat ze doorgespoeld moeten worden om de kleur en de binnenkant eruit te krijgen. We gebruikten in plaats daarvan Chloromin T, het chloorhoudende waterzuiveringspreparaat, en filterden het vuil tussen onze tanden. Ik ging op zoek naar hout, maar kon niets vinden. Ik dwong mezelf diep adem te halen, me te ontspannen en opnieuw te zoeken en merkte toen dat het overal om me heen lag.

Raymond kookte wat water en kookte een van de zes gedehydrateerde maaltijden die we hadden meegenomen. Het smaakte heerlijk en troostrijk, en het vervulde mijn geest met het beeld van een kangoeroebaby in de buidel van zijn moeder.

Raymond had de hele nacht de schijterij, waardoor hij verzwakte. Het begon te regenen. Ik lag onder mijn slaapzak met een brok in mijn keel.

Ik twijfelde er niet meer aan dat ik deze tocht met geen mogelijkheid kon voltooien. Zelfs gedurende de eerste dagen van de tocht door Australië, waar ik tachtig kilometer per dag moest doen, was ik er niet zo diep van overtuigd geraakt dat ik niet verder kon. Niet alleen vanwege de fysieke ontberingen, maar gewoon omdat ik geen motivering had. Ik stond voor de opgaaf nog minstens een jaar deze kar te moeten duwen om de Middellandse Zee te halen, en zelfs als ik daar aankwam, zou ik niet kunnen zeggen dat ik heel Afrika doorgelopen was. De 807 kilometers die ik niet had gedaan, zouden me als een fantoom achtervolgen. Ik had me vaak vastgehouden aan dat ene zinnetje: 'Ik heb iedere stap vanaf de Kaap gelopen en ga door tot aan de Middellandse Zee'. Maar nu was er geen zinnetje waar ik me aan vast kon houden. Ik kon niet geloven dat ik dat niet vooruit had gevoeld toen ik me voorbereidde op de hervatting.

Sinds ik Raymond ken, wrijft hij me onder mijn neus dat ik de neiging heb ergens vol enthousiasme aan te beginnen zonder er goed over na te denken. Ja hoor, zei ik dan, maar als ik had gekeken vóór ik sprong, was ik op de duikplank blijven staan. Dit keer moest ik echter toegeven dat hij gelijk had.

'Raymond,' zei ik. 'Ik geloof dat ik het niet haal.'

Jezus, wat klonk dat verschrikkelijk!

Hij snapte niet waar ik me zo druk over maakte.

'Nou en, als je niet terug kunt naar Zaïre?' vroeg hij. 'Wat zijn die achthonderd kilometers nou helemaal vergeleken met de hele lengte van Afrika?'

'Dat zijn achthonderd kilometers minder dan de hele afstand,' antwoordde ik.

Ik werd de volgende ochtend wakker en het gevoel van vertwijfeling kwam direct boven: *dit is helemaal mis – wat doe ik hier?* Ik stond op en kookte wat pinda's in palmolie en water voor bouillon voor Raymond, die ergens in de struiken met zijn diarree worstelde. Die kookhandelingen – iets constructiefs – schenen therapeutisch te werken, want ik begon steeds meer hoop te krijgen. Toen Raymond terugkeerde, had ik een flits van inspiratie.

'Het is in orde!' zei ik. 'We gaan zwerven! We gaan gewoon lopen van het ene dorp naar het andere, rustig aan, we gooien het schema het raam uit tot we in ons eigen ritme komen!'

Ik voelde me een stuk beter. Ja, er was een manier om erdoorheen te komen. En zoals gewoonlijk raakte ik erg opgewonden over dat nieuwe plan, niet lettend op de praktische zaken. Van die kleine dingetjes zoals: Zaïre is gesloten. Maar had ik dan enige keus?

Terwijl Raymond zich in de rivier waste, kwam hij drie mannen tegen die naar Gambo liepen, een plaatsje dat ongeveer dertig kilometer verder op onze route lag. Een van hen, een tengere man met een mondvol gele, puntige tanden, ging zijn zuster bezoeken die in het ziekenhuis lag. Hij zei dat hij geld nodig had en wilde ons wel helpen duwen tot het volgende dorp, drie kilometer verder. Wij besloten dat dit onze eindbestemming voor die dag zou zijn. We vertrokken onder onze parasols als een expeditie uit de Victoriaanse tijd.

In werkelijkheid legden we die dag circa dertig kilometer af. Er bleek geen gebrek aan duwers te zijn. Niet iedereen had het geld nodig. Ze waren niet rijk, maar als ze geen bijzondere reden hadden om te werken voor geld, dan hoefden ze het niet. Maar voor degenen die het wel nodig hadden, waren er niet veel manieren om aan geld te komen, en wij verschaften hun werk indien nodig. In elk dorp kregen we verversingen aangeboden in de vorm van sinaasappelen, bakken water om ons te wassen en schaduw.

Een oude vrouw kwam haastig over de weg aanlopen, zwaaiend met een stok van bijna twee meter. Ze stopte de kar door ervoor te gaan staan en zette zich schrap tegen de dreun voor het geval we niet zouden stoppen. Met een gezicht dat openspleet in een brede tandeloze glimlach trok ze haar panga uit de geweven hoes en begon snel de stok te snijden. Ze schilde de buitenste bast eraf en liet een stukje over om hem vast te houden. Ze kwam overeind – veel rechter dan ik had verwacht – en overhandigde ons beiden haar geschenk. We klapten in onze handen om onze dankbaarheid te tonen en begonnen op de stok te kauwen. Het was suikerriet. Ik zocht een sigaret voor haar en gaf haar die van mij om hem mee aan te steken. Ze hield hem vóór zich, eind tegen eind, en blies op de askegel.

We hoorden dat er in Gambo een vrijwilliger van het Vredescorps zat en al spoedig zagen we viskwekerijen, wat een aankondiging van welvaart was. Maar het vooruitzicht een avondje plezier te maken met een paar Amerikanen gaf de doorslag.

Er hing een zware, deegachtige gistgeur van maniok in het dorp. Eerst wees men ons de weg naar het huis van de Amerikaan, daarna werden we meegenomen naar de dorpsbijeenkomst die hij had georganiseerd. Hij bleek helemaal geen vrijwilliger van het Vredescorps te zijn, maar een zeer goed opgeleide Afrikaan die naar zijn dorp was teruggekeerd om zijn volk nieuwe agrarische methoden te leren. Meneer Guy was de broer van het dorpshoofd en sprak Engels met ons. Wat een opluchting – mijn Frans was altijd hard werken voor beide partijen! Hij ontving ons hartelijk en zette ons gekoelde palmwijn voor en vervolgens gegrilde vis, op smaak gebracht met chili en fufu (pap van cassave).

We namen in Gambo een rustdag en ik deed, onder samenpakkende wolken, de was. Meneer Guy arriveerde met een paar boeren en we wisselden ochtendgroeten uit in het Sango.

'Uit uw vragen bleek,' zei hij tegen Raymond, 'dat u veel belangstelling hebt voor ons werk hier. Ik wil u graag onze viskwekerijen laten zien.'

Ik had ooit een rondleiding in Zaïre meegemaakt en wist wat hij kon verwachten. De manier waarop het systeem werkt, is erg boeiend, maar het betekende wel een lange wandeling. Na zeven kwekerijen, vier keer diarree en vijftien kilometer verder in de hete zon redde Raymond het net tot ons kamp zonder in elkaar te zakken.

Onze duwer met de tanden regelde twee jonge knapen die ons de dag daarop naar het volgende kamp konden helpen. Wij stonden om vijf uur 's morgens samen met de dorpelingen op en Raymond betaalde onze man.

'U bent een man van eer,' zei Raymond tegen hem.

Hij was enorm geroerd.

Het was onmogelijk te schatten hoever we gelopen hadden en hoever het was tot het volgende dorp of de volgende watervoorziening. De kilometers in Afrika zijn niet te vergelijken met die van ons, en waarschijnlijk niet met welke afstand dan ook. We besloten met tijdsbepalingen te werken, en merkten op dat vijftien kilometer voor de inwoners zelf gelijkstond aan een dagmars. Maar we wilden dertig kilometer per dag doen.

Soms stopten degenen die we huurden na twee uur met de woorden: 'Dat was dertig kilometer, betaal ons.' En natuurlijk had je geen middelen om hun ongelijk te bewijzen. De broer van het dorpshoofd in Gambo had ons verteld hoeveel we hun moesten betalen: 'Er bestaat eigenlijk geen standaardtarief,' zei hij. 'Het hangt ervan af of iemand het geld nodig heeft of het gewoon uit vriendelijkheid doet.'

Het werd erg heet en vochtig rond het middaguur. Wij kwamen vaak bij een dorpje aan waar we suikerriet kregen om op te kauwen en onder de 'da' werden uitgenodigd, dat is een met riet bedekt dak op palen dat overdag als schaduwplaats functioneert. Daar kregen we dan een 'kiri-pa' (een bamboebed) om op te liggen, sinaasappelen waarvan het kapje was weggesneden om het sap eruit te zuigen, en water om te drinken. Dit was het enige dat we niet konden aannemen, dus legden we het uit: 'Er zitten dingen in het water die vreemd voor ons zijn...'

'O,' zeiden ze dan, 'bedoelt u de microben? Dat begrijpen we.'

We hoefden nooit ergens om te vragen; zij zagen aan ons dat we het heet hadden, moe of hongerig waren. We hoefden onze reis ook niet uit te leggen, men nam gewoon aan dat we ergens naartoe gingen omdat dat nodig was. Zo was het niet geweest toen ik alleen liep; omdat ik geen bepakking droeg, had men voortdurend aan mij gevraagd wat ik deed.

We leerden heel veel van onze duwers. Zij vonden de manier waarop wij bepaalde dingen deden erg vies, en ze toonden ons niet alleen welke vruchten we onderweg konden eten, maar ook hoe. Ananasplakjes op banaan was verrukkelijk. Hun ogen waren ook veel scherper dan de onze. Ze doodden slangen op ons pad voordat wij ze zelfs maar gezien hadden. Slangen worden in Afrika altijd doodgemaakt, ongeacht of ze dodelijk zijn of niet.

Een van onze duwers, een jongeman met de naam François, voegde zich bij ons met zijn hond. Hij droeg een T-shirt met Bond-007 erop en een bijbehorende riem en nam op een tamelijk steile helling de kar over. Het ging heel goed, tot hij stopte en iets zei dat we niet verstonden. Met het idee dat hij een grapje maakte, knikten we lachend.

Maar François gaf een schreeuw en deze keer begrepen we het: 'M'aidez! M'aidez!'

Hij begon achteruit te glijden. We namen de kar van hem over en duwden hem samen de heuvel op, terwijl hij in zijn broekzak naar een zakdoek zocht. Er vielen twee Franse enveloppen uit: eentje met een brief die je kon lezen en een andere met iets dat je om kon doen. Hij pakte ze met een verlegen glimlach op. Het 'Panther'-logo op de pakjes schijnt er flink toe bijgedragen te hebben het aidsprobleem te beteugelen, maar evenals veel andere ontwikkelingsprogramma's waren condooms met argwaan ontvangen – 'alweer een komplot van de blanke man om onze bevolkingsgroei in te dammen'.

Zo rond de vierde of vijfde dag begon Raymond in zijn element te komen. Tegen het einde van de dag werden we naar het huis van het dorpshoofd gebracht, die familie was van een van onze duwers. Raymond begon een gesprek met een jager, tekende sporen in het zand en bescheen ze vanuit de juiste hoek met een olielamp.

'In mijn land hebben we herten,' zei hij, en duwde zijn vingers in het zand op een zeer aanschouwelijke manier. Robert, de neef van het dorpshoofd, pakte het onmiddellijk op en tekende het spoor van een impala. Raymond tekende een vos, Robert tekende een klipdas, enzovoort. Ze maakten de afdrukken van rennende dieren en veranderden ze in die van mannetjes en wijfjes.

'En hoe zien de sporen van een leeuw eruit?' vroeg ik.

Robert tekende een cirkel ter grootte van een hand met vijf putten erin. Dat was geen spoor dat hij had gezien, maar een voorstelling van iets waarop je moest letten. Het verbaasde Raymond, omdat dit precies dezelfde methode was waarmee hij spoorzoeken onderwees – het verschafte alle juiste informatie: de normale omvang en vorm en het aantal tenen, met of zonder intrekbare klauwen.

Toen Raymond hun vroeg naar hun traditionele manier van vuur maken, haalde iemand een doosje lucifers te voorschijn.

'Laat hem dit zien!' riep een man uit de groep.

De man kwam naar voren met een plantje en maakte gebaren waaruit Raymond opmaakte dat hij een boor bedoelde. De plant heette nsaba, wat een van die zeldzame en zeer belangrijke planten bleek te zijn waar je van alles mee kon doen: je kon de bast gebruiken om touw te maken, de binnenbast werd gedroogd en tot een geel poeder gemalen, dat ik als antiseptisch middel vaak had zien gebruiken bij tropische zweren; de bladeren werden als toiletpapier gebruikt en de binnenste steel werd gebruikt om vuur mee te maken. Sommige vormen van gebruik werden vast na jaren pas ontdekt, maar het 'toiletpapierblad' had ik zelf al ontdekt – dat duurt niet lang!

Raymond is waarschijnlijk de enige persoon in Engeland die zo goed met de handboor kan omgaan dat hij het hout in vorm kan snijden en er binnen vijf minuten vuur mee kan maken. Dit is zijn handelsmerk geworden. Hij had de kromme boor in Noord-Amerika leren gebruiken en was nu op zoek naar mensen die vuur konden maken met de vuurploeg – een techniek waar hij tot dan toe alleen over had gelezen.

Hij begon een demonstratie en de dorpelingen dromden om hem heen. Alleen de oudste bewoners hadden dit vroeger ooit gedaan, de jongeren hadden het nooit gezien. Ze lieten om beurten de stok tussen hun handen op het vuurhout naar beneden draaien. Ten slotte begon het zwarte poeder door de wrijving te gloeien en werd het tot een brandend kooltje, dat Raymond in een bundeltje tondel hield en aanblies tot een vlammetje. Toen de vlammen uit het tondel oplaaiden, brak er een vreugdegeschreeuw los in de menigte. Deze blanke man kende de technieken van de ouderen; hij was nu eens niet gekomen met nieuwe ideeën die ontwikkeld waren rond conferentietafels en op kantoren voor ontwikkelingshulp.

Het was verbazingwekkend te zien wat voor indruk Raymond op de mensen maakte, toen hij tradities terugbracht die verdwenen waren toen de westerse manieren hun intrede deden. Die waren genoteerd door de eerste ontdekkingsreizigers, neergeschreven in boeken die nu op stoffige planken in het British Museum staan. Raymond had ze gelezen, vijftien jaar lang geoefend tot hij ze beheerste – vaak stonden ze ook niet correct genoteerd, omdat de ontdekkingsreizigers ze niet zelf hadden uitgeprobeerd. Hij was een behoeder van deze tradities geworden en gaf ze terug aan de rechtmatige eigenaars. In ruil daarvoor gaf het dorpshoofd ons bescherming en gastvrijheid voor de nacht en leende ons twee van zijn zonen voor het duwwerk van de volgende dag. Dit ging iedere avond op dezelfde manier door, en als teken van onze dankbaarheid gaf ik de vrouw van het dorpshoofd altijd een van de naainaalden die ik speciaal voor dit doel had gekocht.

We hadden één zeer gedenkwaardige avond bij een dorpshoofd die vier vrouwen had, zevenentwintig volwassen kinderen en talloze kleinkinderen, die allemaal bij hem woonden. We kregen hem niet veel te zien. Hij scharrelde van de ene hut naar de andere, alsof hij nogal onder de plak zat. Hier aten wij niet met de hele familie samen, maar kregen een eigen kamer. Er werd een kaars neergezet en men zette ons een hoge berg met fufu voor met een dipsaus. Het was daar erg donker en we konden de saus niet zien, maar die smaakte meestal zó goed dat ik een flinke mondvol nam – en bijna moest kotsen. Het was een meerval die rondglibberde in een weke brij. En dan nog die vier naalden – het was wèl een duur maal.

Op de markten kochten we gekookte aardappelen en ander voedsel. Ze verkopen snacks voor de reizigers – pidi-pidi was een van mijn lievelingskostjes, gestampte pinda's en cassave, opgerold in de vorm van een worstje, gefrituurd in palmolie en overdekt met kruiden. Men maakt fufuballen en frituurt ze. Wij noemden het deegballen. Wij leefden vaak van dit voedsel en van fruit. Sommige vruchten zijn slechts tussendoortjes, zoals het zachte vlees rond de cacaoboon, dat je uitzuigt en vervolgens uitspuugt. Ik hield echter niet van de kolanoten – ze onderdrukken de eetlust en hebben een stimulerende werking, zoals koffie. Je bijt een stukje af en kauwt erop, maar ze zijn bitter en geven een harig gevoel in je mond. Ik vroeg me af of dit de oorzaak was van de puntige, geel verkleurde tanden. Er was ook veel pindakaas te koop, maar we aten er niet zoveel van als we wel lustten, want hij barst van de amoeben.

We volgden het voorbeeld van de Afrikanen, overdag vruchten en fufu om energie voor de dag op te doen en 's avonds eiwitrijk eten: meestal pinda's, ape- en impalavlees. Dit is volgens hetzelfde systeem dat ik tijdens een voettocht altijd aanhield; eiwitten maken me moe, dus die laat ik staan tot de avond, tenzij ik 's middags wil slapen.

Men toonde ons dat het kauwen op papajazaden en op kleine stukjes blad van de papajaboom goed is tegen buikpijn. We dronken veel palmwijn (peke) als we die aangeboden kregen. De smaak varieert, afhankelijk van de tijd van oogsten en de leeftijd. Verse palmwijn is bijna mousserend, net als heel verse kokosmelk. Als hij wat ouder is, is ze gistig van smaak en zitten er vaak mieren in, die je tussen je tanden moet filteren. Van beide word je niet erg dronken, maar het is een zeer verfrissende drank. Door heel Afrika heen had ik gezien dat je, wanneer je beker bijna leeg is, de rest door de hele beker heen spoelt en vervolgens op de grond uitgiet. Dit maakt de beker schoon, maar het is ook een manier om dank te zeggen, zoiets als mijn gewoonte om een steen in iedere rivier te gooien die ik oversteek, als dank aan mijn 'God van de dorst' dat hij de rivier vol heeft gehouden.

Toen we verder gingen kwam ik tot de conclusie dat waar de dorpen meer open terrein hadden, de mensen ook meer ontspannen waren. In de dorpen waar de huizen dicht op elkaar stonden of door bos omgeven waren, waren ze gespannen; maar overal waar blanken waren geweest, of het nu in een bos of in de savanne was, daar waren de dorpelingen vaak wantrouwig en lui.

We hoorden van een Amerikaanse missiepost en weken verscheidene kilometers van het pad af om er te komen – maar geen Coke, alleen Fanta – de zendeling was de vorige dag vertrokken en zou pas over een jaar terugkomen.

Raymond keek me aan en zei: 'Weet hij soms niet dat hier een voettocht wordt gehouden?'

Onderweg werden we gepasseerd door blanken in 4 × 4's, maar ze stopten niet. Ten slotte was er toch iemand die stopte – een Amerikaan die de andere kant op ging. Hij nodigde ons uit om bij hem te komen logeren als we in zijn dorp kwamen. Een paar dagen later kwamen we bij een Zwitserse missie aan en we moesten hen bijna met het mes op de keel dwingen om ons te laten douchen.

'We kwamen voorbij met de auto en waren er tamelijk zeker van dat jullie bekaf waren.'

Waarom waren ze dan niet gestopt? Ik had moeite met deze logica, maar hield mijn mond.

Er was iets misselijks aan deze missiepost van vier gezinnen – er liepen tientallen blanke kinderen rond en alle vier de vrouwen waren hoogzwanger. Ze vertelden dat een goed loon bestond uit tweeduizend CFA per dag. Ze betaalden hun bediende, die al dertig jaar in dienst was, duizend CFA per dag. Maar we liepen wel op koele vloeren en dronken water uit ingevroren glazen die dropen van de condens.

De manier waarop blanken op ons reageerden toen wij achter een kar liepen te duwen, was volslagen anders dan toen ik nog een auto bij me had. Ik veronderstel dat we er tamelijk minderwaardig en schooierig uitgezien hebben. Dit was heel anders dan de reactie van de dorpsbewoners.

Die hadden geen prijs gesteld op mijn gastvrijheid toen ik met de Land Rover kwam, maar nu we op onszelf aangewezen waren, verwelkomden ze ons geestdriftig.

Wij hielden onszelf uitermate schoon; we wasten onze kleren en onszelf iedere dag. Dat hield het moreel hoog. We hadden besloten de bilharzia te riskeren. Dat is een slakje dat leeft in langzaam stromend of stilstaand water en zich op je huid vastzet en zich ingraaft. Het legt eitjes in het gastlichaam tot ze in het water uitgeplast worden en opnieuw beginnen. Maandenlang merk je de gevolgen ervan niet op, en alles afwegend leek het idioot om de kans voorbij te laten gaan. Pas vele maanden later kreeg ik in de gaten hoe ongezond die waspartijen waren geweest: ik merkte dat er bloed in mijn ontlasting zat en er werd bilharzia vastgesteld. Ik nam een pillenkuur en kon slechts hopen dat er geen blijvende schade aan mijn lever en nieren was toegebracht.

Een paar dagen later kwamen we bij de missiepost waar de Amerikanen verbleven. We klopten aan. Het was alweer een Zwitserse missie en we werden niet naar binnen genodigd. Het duurde tamelijk lang om hen ervan te overtuigen dat wij fatsoenlijke mensen waren; ik was er onterecht van uitgegaan dat ze geïnteresseerd zouden zijn in onze reis. De Amerikanen waren tegelijk met mij uit Zaïre geëvacueerd en logeerden als vluchtelingen in deze missiepost tot ze weer naar Zaïre konden.

Het hoofd van het team was in de dertig. Paul Noreu had zijn hele leven in Zaïre gewoond en was een hartstochtelijk botanicus en antropoloog. Hij en Raymond wisselden informatie uit over het gebruik van planten en overlevingstechnieken. Het verbeteren van agrarische technieken, niet het prediken – was zijn voornaamste *raison d'être*. Maar ook daar had ik niet veel mee op – de Afrikanen hadden hun vaardigheden in hun eigen omgeving opgedaan als de beste manier om te overleven, anders waren ze dood geweest. Ze hadden er inderdaad een verfijnde levenskunst van gemaakt, zodat de mannen ruimschoots vrije tijd hadden. Mijn manier van denken vond steun bij de Afrikanen zelf: zij nemen de nieuwe manier over tot de blanken vertrekken en gaan vervolgens op de oude voet verder. Het zijn wel zeer tolerante mensen!

Zelfs de blanken die in Zaïre hebben gewoond, snappen niet hoe goed de mensen daar leven. Zij menen dat ze bijna van honger omkomen en gewoon van de hand in de tand leven. De werkelijkheid is compleet het tegenovergestelde – plezier maken is aan de orde van de dag, evenals het voor de gek houden van hulpverleners, zendelingen en een ieder die langskomt met gratis weggevertjes en bizarre ideeën, of mensen achter handkarren.

Paul was de week daarvoor teruggegaan naar Zaïre om zijn missie te controleren.

'Het was er in orde,' zei hij. 'Geen problemen. Maar ik kan de ambassade in Kinshasa er maar niet van overtuigen dat ze ons terug moeten laten gaan. Die evacuatie was verplicht voor alle Amerikanen, en ze zijn bang dat we, als we teruggaan, als pionnen gebruikt kunnen worden.'

Toen ik hem hoorde zeggen dat het in het noorden rustig was, kreeg ik weer hoop dat ik terug kon, al moest ik verder terug, naar het midden van het land.

Raymond genoot van deze manier van leven, hij vond hier zijn mensen – hij had in Afrika geen andere meegemaakt – maar ik niet. Ook al kwamen we in ons ritme met de kar en genoten we nog zoveel gulheid van de Afrikanen, ik wilde mijn voettocht terug. Voor mij strekte zich een maandenlange inspanning uit die helemaal nergens toe leidde. De zwaarte van hetgeen er nog vóór me lag, vormde een barrière van zorgen waar ik tegenaan liep.

Wij moesten weer op weg, omdat onze visums verliepen en ook het geld opraakte. Ik rekende uit dat we zeventien dagen achtereen dertig kilometer moesten afleggen om op tijd in Bangui aan te komen. Wij kwamen in een dorp op de top van een heuvel, waar we het kamp opsloegen onder de 'da' van het dorpshoofd. Er stopte een jonge zendeling, die naar ons toe kwam slenteren. Hij was vast nog niet lang bij de missie, want hij had nog steeds kleur op zijn huid.

'Wilt u koffie?' vroeg ik, terwijl ik het kampeerpotje opzette en een stoel bijschoof.

'Ik heb gehoord dat u loopt. Het is erg gevaarlijk in de Centraalafrikaanse Republiek.'

Raymond en ik keken elkaar aan. Afgezien van vijandigheden in grotere plaatsen, waar onze kar werd gegrepen door bandieten die hun slag wilden slaan, en de corruptie in Bangui, hadden we niet anders dan vriendelijkheid ontmoet.

'Heeft u niet gehoord van de Zargena-bende?' Hij pakte met een onbehaaglijke trek op zijn gezicht de koffie aan. 'Ze komen als wegarbeiders uit Tchad en overvallen reizigers.'

Zijn beperkte kennis van het Engels verleende zijn verhaal iets theatraals, zodat ik Zorro's in zwarte mantels voorbij zag trekken, maar ik luisterde aandachtig.

'Een van mijn missiebroeders bracht met zijn verloofde zijn vrije dag ten noorden van deze plek door. Ze stuitten op een wegblokkade en de Zargena's hebben hem doodgeschoten.'

'Wat verschrikkelijk,' zei ik. 'Wanneer is dat gebeurd?'

'Afgelopen zondag.'

Wij gaven hem een briefje mee om naar Vassos te sturen, waarin wij onze aankomstdatum over een aantal weken hadden gewijzigd. Wij verzochten hem zijn chauffeur naar de controlepost te sturen. We wisten namelijk dat er maar een kleine kans was dat we erdoor gelaten werden met al onze spullen. Als wij niet op tijd zouden arriveren, zou in ieder geval Vassos weten aan wie hij de vragen moest stellen.

Toen de jongeman vertrok, herinnerde Raymond mij aan de afscheidswoorden van mijn vader: 'Heb je een testament gemaakt? Dekt je verzekering de repatriëring van je stoffelijk overschot, want ik ga niet dokken, zoals July Wards vader.' En op nog ernstiger toon: 'Wat voor vaccinaties moet ik halen? Als je verdwijnt, zal ik je moeten gaan zoeken.'

'We moeten maar uit het gebied van de Zargena's blijven,' adviseerde

Raymond, de stem van een Britse generaal nabauwend. 'We willen niet dat kapitein Campbell met zijn commando-eenheid naar ons gaat zoeken, nietwaar?'

'Dat zou jij misschien overleven, maar ik wordt afgemaakt.'

Dit was de enige keer dat mijn vader zich had bemoeid met iets dat ik deed. Wij hadden een onuitgesproken regel dat ik, waarheen ik ook ging, alleen zou gaan, zelfs toen ik zestien was en van huis vertrok met alleen mijn hamster, een briefje van 50 pond en een kop vol avontuur. Direct na mijn eerste voettocht was ik naar Australië gegaan als rondreizende fruitplukster. Na drie maanden ging ik naar de luchthaven van Sydney om naar huis terug te vliegen. Ik gebruikte een standby-ticket, waarmee ik als een 'dochter van de militaire staf' recht had op negentig procent korting, maar alle vluchten voor de komende tien dagen waren volgeboekt. Tegen die tijd waren mijn visum èn de ticket verlopen. Ik kon de mensen achter de balie van British Airways er niet toe bewegen me een verlenging te geven, en was zoals altijd door mijn sigaretten en mijn geld heen. Ik verzamelde alle moed om naar huis te bellen en mijn vader om een nieuwe ticket te vragen, die ik hem zou terugbetalen zodra ik thuis was. Hij en mijn moeder waren op dat tijdstip in Kenia op safari, maar zij kregen eindelijk de boodschap toch via mijn grootmoeder.

Vanuit een bamboehut in de Serengeti gaf mijn vader een boodschap door: 'Geef haar geen geld. Ze kent de regels. Ze kan er zelf wel uit komen'.

En dat deed ik – met stijl. Ik vloog op mijn zeventiende verjaardag terug naar Engeland met een paar geleende schoenen, zodat ik netjes eersteklas kon reizen.

Mijn vader bracht niet veel tijd door met mijn zuster en mij, maar hij leerde ons wel een paar goede lesjes – al was het van een afstand. Ik werd liever met Zargena's geconfronteerd dan verder te moeten leven na een reddingsactie van mijn vader.

De volgende dag huurden we een duwer die toezegde drie dagen bij ons te blijven. Wij vertrokken, maar rond de middag gebeurde er iets waardoor de hele koers omgegooid weg. Uit het stof doemde een passagierstruck op die in onze richting kwam. Ik herkende de wagen aan het opschrift op de voorkant als één van Exodus Expeditions en ik gebaarde als een gek om hem te laten stoppen. Een van de dingen die je in Afrika doet, is de landreizigers groeten, een biertje met hen drinken en sterke verhalen vertellen rond het vuur. Maar hij stopte niet. De chauffeur zei later tegen me dat hij twee heel schone blanken onder golfparasols achter een kar had zien lopen en bij zichzelf had gedacht: Waar komen die twee in godsnaam vandaan? Daar wil ik niets mee te maken hebben!

Ik schreeuwde hem iets achterna en keerde me om, zodat ik de Land Rover in zijn spoor zag aankomen. Ik zwaaide dat hij moest stoppen. Dit was een van die ontmoetingen met grote gevolgen.

'Wild Jack?' giste hij.

'Nee, ik ben Raymond.'

'Wacht even,' zei ik, 'bedoel je Wild Bill?'

'Ja, die!'

Het bleek dat Kevin door de woestijn was komen rijden waar hij landreizigers had aangetroffen. Hij had met hen de nacht in de buurt van Tamanghasset doorgebracht. Daar was bij het vuur het verhaal van Bill ter sprake gekomen – de schietpartij in Pakistan was inmiddels legendarisch. Iemand had opgemerkt dat hij nu met een vrouw door Afrika liep. Net vijftien minuten voordat hij ons zag, had Kevin zitten berekenen waar we ons konden bevinden.

De truck van Exodus was gestopt en omgekeerd. Johnnie Simpson klom uit zijn bestuurderscabine en kuierde op ons toe. Hij was op weg naar Zaïre, zou via het noordelijke traject doorgaan naar Boeroendi en vervolgens naar Kenia. Dit was de eerste reizigerstruck die sinds de opstand vanuit het noorden Zaïre binnenging. De afgelopen paar dagen was er één vanuit het zuiden gekomen. Ze zeiden dat het gevaarlijk, maar niet onmogelijk was. Het grootste probleem vormde het leger van opstandelingen dat de brouwerijen had bezet.

Wij legden uit waarom we onder golfparasols een kar liepen te duwen en dat mijn ondersteuningsauto in Kisangani stond. Johnnie nam zijn passagiers terzijde en legde hun voor dat hij ons graag een lift wilde geven. Hij had zoveel mogelijk mankracht nodig om door de kuilen in de weg te komen. In plaats van de gebruikelijke twintig passagiers had hij er nog maar drie over, en een paar lifters. De anderen hadden het vliegtuig genomen, omdat ze het te gevaarlijk vonden. Men maakte geen bezwaar.

Hij wendde zich tot ons en zei: 'Willen jullie met ons mee? Wij brengen jullie naar de rivier en vandaar moeten jullie op eigen gelegenheid verder gaan naar Kissie.'

Raymond en ik keken elkaar aan. Daar hoefden we niet lang over te discussiëren. Natuurlijk. Zo kon ik mijn voettocht terugkrijgen. Wij betaalden de duwer de volle drie dagen uit, zetten de kar op de truck en stapten in.

Onze gedachten tolden bij deze nieuwe ontwikkelingen. Ook al hadden we visums voor Zaïre, onze visums voor de Centraalafrikaanse Republiek verliepen en in Zaïre waren geen plaatsen waar je dat in orde kon laten maken, omdat het land was ingestort. Vassos zou ongerust zijn omdat hij ons verwachtte. We moesten Johnnie een telex laten sturen zodra hij in Boeroendi aankwam.

Deze ommekeer maakte niet alleen dat ik de voettocht kon uitlopen, maar bespaarde ons ook een mogelijk gevaar waarvan we ons geen voorstelling konden maken. Tijdens het koloniale regime, en daarvóór, in de tijd van de slavenhandelaren, werden de Centraalafrikanen gebruikt om goederen en meubelen te transporteren naar Tsjaad. Tientallen jaren lang duwden en trokken karavanen geketende slaven zware ladingen door het land. Wij stonden op het punt het gebied in te trekken van de stammen die dit nog helder voor de geest stond. En wij hadden de ketting gebruikt om de kar tegen heuvels op te trekken – die was heel sterk en dat werkte uitstekend. Onze duwers hielpen ons. Maar bij de aanblik van blanken die met een ketting zwarten hun spullen laten trekken, kon de grond behoorlijk heet onder onze voeten worden.

Tijdens de rit terug door een gebied waar we al doorheen waren gelopen, leken de Afrikanen heel anders. Als ze de truck zagen, lieten ze hun schouders hangen, deden ze afgestompt en gooiden ze met stenen. Dit stond in schril contrast met de waardigheid en de trots die we van hen hadden gezien toen we de kar duwden. De vrouwen veegden iedere morgen hun voortuintjes aan om een schone plek te hebben voor het werk dat overdag gedaan moet worden – het is een open keuken en woonkamer, waar iedereen welkom is. Ik nam dat idee over: Het is veel prettiger en praktischer om in een schone omgeving te gaan zitten dan tussen de bladeren. Toen we op een ochtend door een dorp liepen en onze begroetingen naar de vrouwen riepen, gingen ze rechtop staan en groetten ons trots terug. Hun lemen huizen zijn heel mooi gemaakt en koel om in te verblijven, hun kleren zijn vlekkeloos en wij waren, ondanks onze dagelijkse wasbeurten, degenen die ons haveloos voelden.

In de truck gezeten, zagen we door het open raampje een heel ander Afrika. Dit was niet iets dat zomaar opviel, het toont aan wat er structureel mis is in Afrika. Ik had een manier van leven gezien die ikzelf vertwijfeld zocht – een gemeenschapsleven met alle plezier, gemakkelijke omgang, levendigheid en tevredenheid vandien, maar ik kon het niet verkrijgen. Zij keken op hun beurt naar de dingen die ze wilden hebben – mooie spullen, rijkdom, werkbesparende apparaten, de verscheidenheid van voedsel die ze de reizigers 's avonds in het kamp zagen bereiden. Deze reizigerstrucks, altijd op zoek naar ongerepte natuur om passagiers aan te trekken, verspreiden ontevredenheid, omdat de inheemse bevolking zich daardoor voor het eerst realiseert dat ze arm is.

De Afrikanen beseffen nog niet dat je de gemeenschap niet hoog kunt houden en tegelijk slaaf kunt zijn van de hebzucht. In het westen beginnen wij in de gaten te krijgen hoe verschrikkelijk zelfzuchtig het materialisme is en hoe het de wereld heeft beroofd en geruïneerd – niet alleen de natuur, maar ook de harmonie tussen de mensen onderling. Onze altijddurende behoefte aan ruwe delfstoffen heeft Afrika op de wereldmarkt gebracht en het is er kwetsbaar, omdat het de cyclus niet heeft ervaren – van de rimboe naar de stad en weer terug. Als wij beseffen wat voor schade we aanrichten en desondanks niet in staat zijn die een halt toe te roepen, wat voor kans hebben zij dan? Er zijn veel ouderen hier die begrijpen wat er gaande is en zij deinzen terug voor de westerse ontwikkelingen. Zij moeten het niet alleen opnemen tegen de hebzucht van de regeringen die van hen hun gebieden afnemen, maar ook tegen de stormachtige ondervragingen van de jongeren, die van de steden hebben gehoord en erheen willen vertrekken. En het gebeurt zo vaak dat ze daarna niet meer naar hun dorp kunnen terugkeren omdat ze daar hun gezicht zouden verliezen. In plaats daarvan zoeken zij het in de misdaad. Dat was de reden waarom ik mijn wandeling had opgedragen aan Survival International, een organisatie die in het leven is geroepen om op te komen voor de rechten van bedreigde stammen om in hun eigen gebied te kunnen leven op de manier die zij zelf verkiezen.

Wij hoorden van een katholieke missie, die de oude gebruiken aanmoedigde – met uitzondering van de 'heidense ceremonieën' die daarmee samenhangen, uiteraard – hetgeen een stap in de goede richting was. Zoals ik met Raymond had kunnen constateren, haalde dat hun trots naar boven. Nooit tevoren was er iemand in die dorpen gekomen die hun respect opvijzelde voor wie ze zijn of waren. Generaties lang is deze mensen voorgehouden dat er iets mis is met hen, hun religie en met de manier waarop ze de dingen doen.

We deden er dagen over om de grens van Zaïre bij Mobayi-Mbongo te bereiken. We kampeerden in een grindgroeve buiten een dorp, maar niemand scheen het dorpshoofd om permissie te hebben gevraagd. De dorpelingen verzamelden zich om dit vreemde verschijnsel te bekijken. De reizigers en de mensen uit het dorp begonnen elkaar te sarren en er werd met stenen gegooid. De tweede chauffeur rende een kind achterna en sloeg het. Het dorpshoofd verscheen met vele mannen en eiste in het Sango opheldering. Ik kende de begroetingsrituelen, maar vond dat deze rotzooi was veroorzaakt door de reizigers, zodat ze dat zelf maar moesten zien op te knappen. Johnnie suste de boel op zijn eigen, vriendelijke manier, in alle nederigheid. Waarschijnlijk deed het me meer pijn hen zo kwaad te zien nu ik met hen had geleefd en er niet snel aan voorbij was gelopen. Maar Afrika is een land vol tegenstellingen – wat op één plaats werkt, werkt niet op een andere.

Raymond en ik maakten ons eigen kookvuur, de reizigers ook, en de lifters haalden hun fornuis te voorschijn. Dat zal bij de Afrikanen wel idioot zijn overgekomen – evenals bij ons. Waarom maakten we niet één groot vuur en aten we niet gezellig samen? Ik merkte hoeveel brandhout de reizigers verspillen – als je er zelf naar hebt moeten zoeken, leer je wel er economisch mee om te springen. Ze ontstaken een waar vreugdevuur voor de neus van de Afrikanen die hun de brandstof, gelukkig tegen een exorbitante prijs, hadden geleverd.

Een Afrikaans kookvuur wordt aangelegd met drie houtblokken die in stervorm worden neergelegd. Kleine twijgen en gras dat ook voor dakbedekking wordt gebruikt, worden erbovenop gelegd en aan de onderkant aangestoken. Daardoor worden de uiteinden van het hout verhit als het vuur heter wordt. In de ruimten tussen de drie houtblokken worden drie stenen gelegd, waarop de kookpot wordt gezet. Het vuur is gemakkelijk aan te wakkeren door met de brede platte bladeren van de teakboom (die plaatselijk tek-tek wordt genoemd) te waaien. Het vuur hoeft nauwelijks onderhouden te worden – je schuift gewoon de houtblokken iets verder als ze opbranden – en de pot staat daar gewoon te pruttelen. Dit is een uitstekend vuur om bonen te koken en fufu te maken.

In de verschillende gebieden heb je ander hout, met verschillende eigenschappen. Ik leerde welk hout kort en snel brandt, en welk hout langzaam en langdurig. Wij gebruikten het hout van de ngengeakikoumou (de plaatselijke naam voor 'geel hout', zoals ik het noemde, waarvan de bladeren in water gekneusd worden, waardoor je zeep krijgt) om langzaam en langdurig te koken en bamboe voor heet en snel, om thee te zetten. De kunst van het vuur maken vereist dat je de eigenschappen van het hout kent en welke temperatuur je nodig hebt. Toen ik veel later leerde bakken, ging dat met gissen en missen. Als ik quiche maakte, ging ik op jacht naar het juiste hout. Er zijn verschillende soorten hout nodig voor het bakken van brood, taart, croissants en koekjes. Bakken is geen traditionele manier van koken voor de Afrikanen, dus moest ik het allemaal zelf ontdekken. Ik haalde zeer veel bevrediging uit het koken en nam het besluit nooit meer een fornuis te zullen gebruiken!

Bij de grens stuitten we weer op de gebruikelijke problemen – in onze passen stond geen stempel waarmee we toestemming hadden om het land te verlaten, dus moesten we òf helemaal terug naar Bangui, en onze lift opgeven, òf een klein bedrag betalen. We dongen allemaal af. Op dergelijke momenten is het heel belangrijk geduld te oefenen – zij hebben de grootste lol als een blanke zijn zelfbeheersing verliest en grof wordt. Dan sturen ze je van het kastje naar de muur, om je opzettelijk nog kwader te maken. Ze willen ook graag dat hun positie wordt gerespecteerd, dus is het van belang dat je nederig bent. Terwijl wij stonden te wachten, zagen we hoe een stier werd afgemaakt. Hij stierf snel nadat zijn keel was opengesneden, maar het lichaam schokte nog een tijd na en vertoonde stuiptrekkingen.

Wij namen de veerboot over de rivier de Ubangui. Het bleek een hachelijk karwei te zijn de truck er weer van af te rijden, omdat de oever steil en modderig was. Nu waren Raymond en ik aan de beurt om de lift terug te betalen. Wij stapten uit en gingen erachter staan duwen. Johnnie sprong voorzichtig met zijn truck om en hij gaf geen dotten gas om de wielen te laten spinnen in de hoop vaste grond te krijgen. Hij instrueerde ons hoe we moesten graven, blokken hout onder de wielen moesten plaatsen en de wagen heen en weer moesten schudden tot hij hem eruit kon rijden. Als jijzelf de enige monteur bent, pas je wel op met je truck.

Wij wachtten lang tot alle formulieren in orde waren. Kevins vaccinatiebewijs werd geweigerd omdat de datum verlopen was. In werkelijkheid hadden ze zelf op een nogal onhandige manier met de datum geknoeid en eisten nu geld. Gelukkig was de datum op onze vaccinatiebewijzen gestempeld en niet met de hand geschreven. Het certificaat is het bewijs dat je bent ingeënt tegen cholera en de gele koorts. De choleravaccinatie is vrijwel waardeloos, en de meeste mensen krijgen dan ook een nepcertificaat. Wij kregen onze vaccinaties gratis van British Airways, hetgeen me een klein fortuin scheelde.

Gedurende de volgende dagen kregen we een beetje te zien hoe het was om op een passagierstruck te zitten. Ook al was het achterin vrijwel leeg, er was onderling een idiote machtsstrijd gaande. Buiten gleed Afrika op een verveelde manier voorbij. Ze stopten bij de markten om voedsel in te slaan, maar ze bezaten niet de beschaafdheid om van het ene kraampje naar het andere te lopen en hier en dan daar iets te kopen – ze kochten gewoon alles bij één kraampje, wat erg onaardig is. Als de avond viel, stopten ze om te kamperen. Zij hadden een strakker schema dan wij, want ze moesten heel Afrika in negen maanden afwerken. Als alles goed ging met de truck moesten ze dagelijks zo ver mogelijk zien te komen, om op het schema te winnen voor het geval ze panne kregen.

Kevin reed vooruit in zijn Land Rover. Hij was een boeiende man van voor in de vijftig. De vriend van zijn dochter had een baan in Oeganda aangeboden gekregen en had een Land Rover nodig. Hij had Kevin gevraagd of deze met hem samen van Engeland naar Oeganda wilde rijden. De Toearegs en het leger van Nigeria waren een strijd begonnen over de woestijn. De militairen werden fundamenteel niet uitbetaald (wat een gebruikelijke maar zeer gevaarlijke situatie is), de reden waarom ze omkoopsommen eisten van de handeldrijvende nomaden. Dit draaide uit op beroving onder bedreiging van vuurwapens. De nomaden sloegen terug door vrachtwagens te stelen op de wegen door de Sahara, zodat ze de strijd tegen het leger met gelijke middelen konden voeren in plaats van op kamelen. De Toearegs doden geen mensen. Zij gedragen zich bijzonder keurig als ze een truck met toeristen uitkleden, door ze naar de grens te brengen en ze verder de weg te wijzen. Bandieten maakten van de situatie gebruik en vermomden zich als Toearegs, zodat die de schuld kregen. De bandieten schoten wel op mensen. Dat is de reden waarom de grens gesloten is. Er ging een verhaal over een in beslag genomen truck, die 80.000 pond in contanten vervoerde voor een transactie in Oost-Afrika, om er een nieuwe truck voor te kopen. Het zat in het chassis verborgen!

Toen Kevin en zijn maat in de woestijn zaten, kregen ze het gevoel dat er bandieten in de buurt waren. Ze reden door om eens een kijkje te nemen en werden beschoten. Kevin reed met gas op de plank door en ze kwamen er heelhuids uit. Vervolgens werden ze in Bangui overvallen door een bende dieven met machetes. Ze wisten opnieuw te ontsnappen, maar zijn jonge vriend knapte af en vloog terug naar huis. Kevin bleef bij zijn besluit de Land Rover naar Oeganda te rijden, maar hij wist toen nog niet of die knaap de baan wel zou aannemen en al deze moeite weleens voor niets zou kunnen zijn. Lang daarna vernam ik dat hij veilig was aangekomen en dat die jongen de baan had aanvaard. Een groep reizigers die hij in Bangui had ontmoet, was echter niet zo gelukkig geweest. Zij konden Zaïre niet in, dus probeerden ze het via Kongo. Ze verscheepten hun Land Rover voor transport langs de korte kust van Zaïre naar Angola. Dat ging allemaal prima, tot ze in Angola in een hinderlaag liepen en allemaal, op één na, werden doodgeschoten. Dat gebeurde toen Raymond en ik in Zaïre zaten en al maanden geen contact met Engeland meer hadden. Een of andere stomme journalist schreef een artikel van een halve pagina over ons, suggererend dat wij, net als de Britten in Angola, dood waren en onze ouders ons niet meer verwachtten terug te zien. Ze verzonnen dingen die mijn ouders gezegd zouden hebben en natuurlijk was iedereen die ons kende doodongerust.

Ook Kevin scheen het niet meer aan te kunnen. Hij reed door op het randje van een zenuwinzinking en had die nerveuze schichtigheid over zich die ik af en toe ook had gevoeld als ik in de bossen liep. Toen Raymond na een stukje met hem meegereden te zijn uit de Land Rover stapte, zagen zijn knokkels wit.

De twee lifters kwamen op een avond bij ons vuur zitten, waar we een plan bedachten. Mike, een ex-marinier uit de Verenigde Staten, had zijn fiets meegebracht en toerde door Afrika. Hij was de reizigerstruck in Bangui tegengekomen en had besloten met hen mee te gaan, omdat het alleen te gevaarlijk zou zijn en de weg vol met kuilen zat. Johann, een lange Zweed met een enorme massa haar – een baard van twintig centimeter – reisde op eigen houtje rond en was op grond van dezelfde vrees voor Zaïre meegelift met de truck. Zij wilden naar Oeganda, maar niet met de truck meerijden door het noordoosten van Zaïre – ze wilden naar Kisangani. Wij zouden bij Bumba, aan de rivier de Zaïre, afgezet worden.

'Wij kunnen daar de veerboot nemen, ik heb die reis altijd al willen maken,' zei Johann.

'Helemaal te gek,' zei Mike.

'Ik zou er niet op rekenen,' zei ik, balend dat ik een domper op hun plezier zette. 'Ik betwijfel of er een veer gaat. Er is niet voldoende brandstof aangevoerd. Maar misschien kunnen we pirogues huren.'

Toen we in Bumba aankwamen, namen Mike, Johann, Raymond en ik twee kamers in een smerig hotel, terwijl de reizigers in de truck sliepen. Wij vierden een groot feest. Op een gegeven moment was Johann verdwenen, dus ging ik naar buiten om hem te zoeken. Hij lag onderuit op de binnenplaats tussen de kippen, waar hij door de muggen werd opgevreten, maar hij kon zich niet verroeren. Ik begon te zingen, in mijn handen te klappen en ritmisch te bewegen als een gospelzangeres en schuifelde op die manier weer terug naar onze kamer: 'I've found Johann, yeah Lord, I've found Johann, yeah Lord, he's looking at the stars and he won't come in'. Raymond en Mike vielen in, en als in een musical, met de fles in de hand, gingen we zingend en dansend de binnenplaats weer op. We schuifelden op het ritme en het lied groeide steeds verder aan. Ik heb nog nooit zo'n lekkere sessie gehad als die avond. We dansten, improviseerden liedjes, deden gek en haalden practical jokes uit tot de ochtend aanbrak. Die morgen vertrok de truck en gingen wij op zoek naar een pirogue.

Er hing een angstaanjagende sfeer in het stadje die met een panga te snijden was. Wij waren de eerste toeristen sinds de onlusten; reizigers waren van groot belang voor de nationale economie en alle hulp was stopgezet. Bovendien waren er geen voorraden over de rivier aangevoerd. Deze mensen waren wanhopig en hadden onze contanten nodig. Wij kregen verscheidene malen te horen dat we in levensgevaar waren en dat we Zaïre maar beter konden verlaten.

Wij bleven voortdurend op onze hoede. In feite vertrouwde Mike het niet in de hotelkamer te slapen, dus zette hij de tweede nacht zijn tent op de binnenplaats op, wat geen goede zet was. Terwijl hij sliep, werd zijn tent opengesneden en zijn 'kostbare' tas vanonder zijn hoofd weggegapt. Hij was alles kwijt: zijn pas, geld, creditcard, dagboeken, camera, foto's.

In iedere stad waar de landreizigers doorheen komen, heb je een netwerk van manusjes-van-alles die je kunt huren om brandstof, vergunningen en gidsen voor je te zoeken en geld te wisselen. Sommige van hen zijn heel

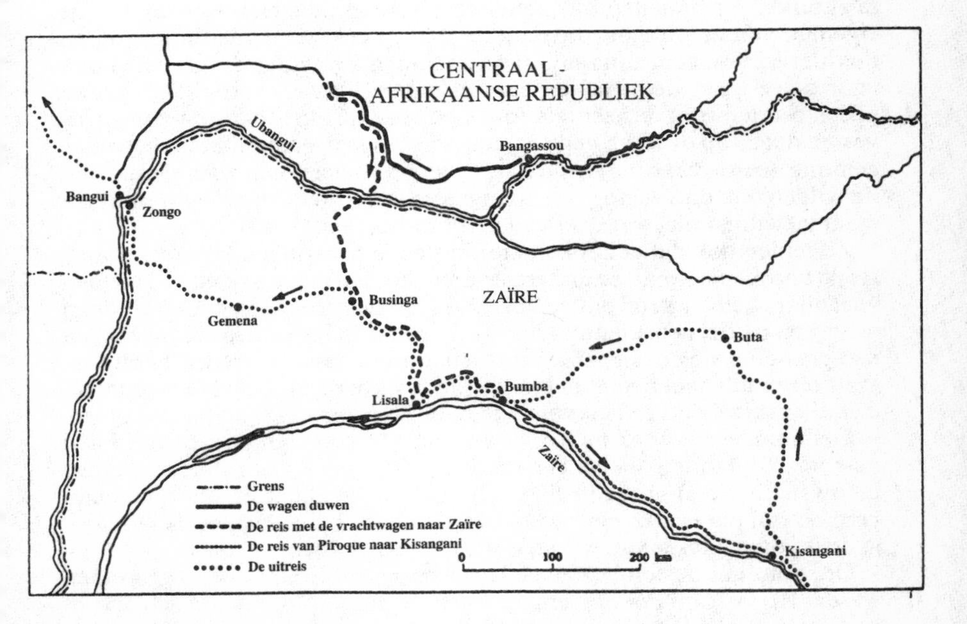

Tweeëneenhalve maand doen over een afstand van drieëneenhalve dag.

goed, maar ze weten, net als een paard, precies of je dit voor het eerst doet. Zij verzamelen aanbevelingsbrieven van andere reizigers. In deze brieven staan bepaalde aanwijzingen over hoe goed die knaap is. Sommige brieven zijn duidelijk door het manusje zelf geschreven op gefotokopieerd papier met briefhoofd. In Afrika vind je sneller een fotokopieerapparaat dan een condoom.

De man die ons op de tweede dag bij het 'hotel' benaderde, haalde als aanbeveling een kaart van Encounter Overland te voorschijn. De naam van de chauffeur was Bill Preston. Dit was mijn eerste ervaring met manusjes-van-alles, en toen ik Bills naam op de kaart zag staan, nam ik hem in dienst. Pas later kwam ik erachter dat Bills kaart een aas was geweest, die onderling voor geld van hand tot hand ging!

Wij moesten een pirogue huren omdat er geen veerboten of andere boten over de rivier gingen en we niet over de weg konden. Wij hoorden dat er maar één gemotoriseerde pirogue in de hele stad was. Dit was flauwekul. Het duurde een week om er een te huren en brandstof te krijgen. Mike en Johann hadden geen andere keus dan met ons mee te gaan, maar ze hadden niet veel geld, dus betaalde ik het grootste gedeelte.

Die hele week lang probeerde het manusje-van-alles ons angst aan te jagen, te vermoeien en nog meer geld uit onze zakken te kloppen. Dat lukte niet, maar op de dag van ons vertrek kwam het bij de aanlegsteiger tot een confrontatie. Daar stond een of andere mafkees met een revolver te zwaaien. Ze brachten ons naar een huis aan de haven, samen met de eigenaar van de pirogue, die malaria had en ook werd geïntimideerd, en dus niet erg best voor zijn zaakje kon opkomen. Ze wilden dat we betaalden voor de reis van de pirogue naar Kisangani en weer terug. Wij wilden alleen betalen voor de heenreis en voor de brandstof voor de heenreis. Wij wisten dat ze op de terugweg reizigers zouden krijgen, omdat dit het enige gemotoriseerde vaartuig was dat de rivier op en neer naar Kisangani voer. Ze wilden ook dat we nog een lading goederen op de pirogue meenamen, maar ze wilden niet een deel van de brandstof betalen.

Ze zeiden ook dat er zes bemanningsleden meegingen. Helemaal niet, zei ik, hoogstens twee – de anderen waren duidelijk passagiers. Wij hielden voet bij stuk en die kerel buiten ook. Wij klommen in de pirogue en laadden de kar en de fiets en Johanns rugzak in. Daarna begonnen we de zakken met goederen weg te slepen en de 'bemanning' naar de treden te duwen. We kregen alle niet betaalde lading van het bootje af, behalve één passagier, die eruitzag als een kikvors. Later bleek hij ons nog van pas te komen.

Gedurende die week had ik wat kleding voor Raymond en mij laten maken. Wij hadden allebei een extra broek nodig en een shirt met lange mouwen. Ze zaten prima in elkaar, tot we gingen zitten. Het is ontzettend vermoeiend om er met je neus bovenop te gaan staan als mensen iets voor je doen, om er zeker van te zijn dat ze het goed doen.

Onze pirogue bestond in feite uit twee pirogues, die aan elkaar gebonden waren. Hij voer op een op benzine lopende hulpmotor aan de achterkant van één ervan. Ze worden gemaakt uit één hele stam van de combo combo. Het hout ziet eruit als balsahout (mijn naam ervoor was de 'parasolboom', vanwege de vorm van de bladeren). Met vuur en door schrapen hollen ze de stam uit.

We vertrokken stroomopwaarts voor de vier dagen durende reis naar Kisangani en ontdekten algauw dat je in een pirogue niet eersteklas reist. In de ochtenden zeilden we door wolken muggen, die zich lieten zakken en ons door onze kleren heen in de benen beten. Het weer was koud en klam, en anders zwaar van vochtigheid, en er deden zich plotselinge stormen voor waarbij het stroomde van de regen. Tropische regen is koud. Open en bloot midden op de rivier daalde de temperatuur door de koude wind.

We kookten aan boord op het fornuis van Mike en legden bij dorpen aan om eten te kopen, hoewel er weinig meer was dan gebakken pisang en doorzichtige, taaie slangetjes van gestampte en gekookte maïs, verpakt in bladeren. Als we eraan hadden gedacht, zouden we goederen hebben meegenomen om mee te handelen. Ook al waren wij het enige gemotoriseerde vaartuig, er waren andere pirogues, die in het ondiepe water bij de oevers voortgeboomd werden en afgeladen waren met goederen voor de markt. Het kostte hun een week om helemaal naar Kisangani te komen, dus hun waar was niet bederfelijk. Er kwamen verscheidene keren passagiers aan boord van onze pirogue. Zij dachten hun slag te kunnen slaan omdat we blanken waren en gingen ervan uit dat ze niet hoefden te betalen. Natuurlijk mochten ze meevaren, maar ze moesten wel betalen. De niet betalende passagier, die wij 'kikvorsman' noemden, wendde zich tot een bijzonder agressief stel met de woorden: 'Ga van die boot af of ik breek jullie nekken.' Het werkte.

Op een avond kookten we aan land. De mensen uit het dorp verzamelden zich rond Raymond en mij toen we op hun eigen traditionele manier rijst en ananas met palmolie kookten. Dit gerecht hadden we geleerd van de vrouw van een dorpshoofd in de dagen dat we nog achter de kar liepen. Vanaf dat moment vroeg ik overal aan de vrouwen van de dorpshoofden of ze een demonstratie wilden geven, wat ze enig vonden. Wij boden hun genoeg ingrediënten voor allemaal en het betekende dat ik niet hoefde te koken! Zij wassen de rijst, verhitten een laag palmolie tot deze helder en zeer vloeibaar wordt, gieten de ongekookte rijst erin, laten het geheel een tijdje koken en doen er dan water bij, waardoor het gaat sputteren; vervolgens gaat er een deksel op en laten ze het doorkoken. We voegden er de ananas aan toe en zo hadden we een zware, voedzame maaltijd. Aan het eind klapten de vrouwen en schudden ze ons de hand – wij waren zuinig geweest met het hout, hadden geen korrel rijst gemorst en hadden op hun manier gekookt. Wij deelden de maaltijden en dronken samen palmwijn. Dit was een zeer bijzonder stadium in ons leerproces. Wij waren erg kwetsbaar en afhankelijk geweest van de Afrikanen om voor ons te zorgen, altijd de ontvangers van gastvrijheid. Maar nu konden wij zelf iets wegschenken. Het komt maar zelden voor dat ze reizigers ergens voor kunnen bedanken.

In de boot troffen we een heel andere toestand aan. De eigenaar en schipper was op het crisispunt van de koorts. Deze mensen hebben hun eigen medicijnen, vaak met dezelfde planten als basis als van onze medicijnen. Ik geef geen medicijnen weg; ik ben geen arts. Bovendien hadden we ze voor onszelf nodig. Toen we in Bumba de graven hadden ontdekt van twee reizigers, herinnerde dat ons er op een nogal schokkende manier aan dat ze niet altijd helpen.

De hulpverleners en zendelingen hebben er lang voor nodig gehad om de bevolking ervan te overtuigen dat de medicijnen van de blanken de beste zijn, ook al zijn ze gebaseerd op dezelfde planten. Veel mensen die we tegenkwamen, gebruikten hun eigen medicijnen, maar wilden toch de onze, omdat ze dachten dat die beter werkten. Dat is allemaal goed en wel als je door kunt gaan met het leveren van medicijnen, maar hulpverleners vertrekken. Ze hadden de bevolking ontevreden gemaakt over hun eigen medicijnen, die voor hen waarschijnlijk juist beter waren. Hun lichamen zijn niet gewend aan zware chemicaliën. Ze hebben van voedsel geleefd dat volledig zonder pesticiden is verbouwd en hun eigen immuniteit opgebouwd die onze medicijnen juist weer afbreken. Profylactische middelen tegen malaria zijn hier een duidelijk voorbeeld van. Waar een hulpverlener is begonnen met het geven van een kuur bij kinderen om ze door de eerste vijf jaar heen te krijgen, op een plaats waar de kindersterfte vijftig procent is, daar is geen immuniteit opgebouwd. Ze moeten deze medicijnen de rest van hun leven blijven slikken. Hulpverleners komen en gaan en de medicijnen zijn duur, dus kunnen veel mensen zich niet permitteren ze te blijven innemen. De malaria heeft zich aangepast en is inmiddels resistent tegen de profylactische middelen, dus in de zeer toeristische gebieden van Oost-Afrika is de ziekte waarschijnlijk dodelijker voor de mensen die er onbeschermd leven dan voor de toerist. Alweer een chaos, veroorzaakt door goedbedoelende mensen, die zich niet realiseren dat de natuur veel slimmer is dan zij. De morele kwestie moet gebaseerd zijn op lange-termijndenken en niet op het snel wegwerken van een schuldcomplex – het is zeer waarschijnlijk dat je meer mensen doodt door hen afhankelijk te maken van jouw profylaxe dan door ze gewoon met rust te laten. In Afrika overleeft noodzakelijkerwijs de sterkste – als tien op de tien kinderen overleven door het gebruik van medicijnen, waarvan er vijf te zwak zijn om op de akkers te werken, dan wil dat zeggen dat er vijf monden meer gevoed moeten worden zonder dat ze hun steentje kunnen bijdragen. De natuur heeft haar eigen evenwicht, maar wij vinden dat niet eerlijk.

Onze uitrusting lag in de linkerboot en wij zaten in het rechtse exemplaar. De bemanning zat achterin met een volledig herstelde schipper en een tamme aap, die ik Darwin noemde. Zij was te jong om zelf bij de moeder weggelopen te zijn. Ze hadden het dier met een koord om het middel vastgemaakt aan de visnetten, waar ze zich in bochten wrong en spartelde om uit de zon te komen. Ik paste er twee keer een paar uur op. Haar vacht was samengeklit van aangekoekt vuil, dus maakte ik ze schoon, waste haar gezicht met een vinger die ik in het water doopte als vervanging voor een liefdevolle tong en voerde haar geprakte rijpe banaan. Ze viel opgerold in mijn armen in slaap op de troostende beweging van mijn ademhaling en ik ademde diep, zodat ze kon voelen dat ik er was. De mannen wisten niet hoe ze ermee moesten omgaan – ze vonden het leuk om haar te plagen door steeds voedsel buiten haar bereik voor haar heen en weer te laten bungelen.

Ik zat met Darwin op schoot voor in de pirogue met mijn tenen in het water. Ze doorkliefden de laag pollen die zich op het wateroppervlak verzamelde. Ik keek naar de kinderen die naar de boot kwamen zwemmen en naar de vissers, staande in hun boten. Ik zag de stukken primair regenwoud, waartegen de gigantische secundaire regenwouden als dwergen afstaken, en hoe de vlinders de modderige oevers kusten. Papyrusplanten knikten met hun pluimige hoofden als elfjes met mutsjes van narciskelken.

Op een avond stak er vanuit het oosten een storm op. De schipper wist dat de pirogue die niet kon doorstaan. Hij ontwaarde een huis van bamboe op palen aan de rand van de rivier en koerste erop af. Op de oever van de rivier lag een paar honderd meter brede strook lange biezen en de lucht was er zwaar van de muggen. We hoorden ze boven de motor uit zoemen. Door de drassige vochtigheid was dit gebied onbewoonbaar, maar een visser had hier zijn huis gebouwd, en voor de eerste keer drong het werkelijk tot me door wat een huis precies is: een plaats die alles heeft wat er buiten niet is. In dit moeras had hij een droge, mugvrije zone nodig. Dus bouwde hij er een.

We legden aan onder het huis en klommen naar boven. De eigenaar was weg, maar de schipper kende hem. Binnen was een plateau van bamboelatten en een kleine ruimte afgeschermd met meelzakken. In die ruimte, niet veel meer dan anderhalf bij anderhalf, was een droge, insektenvrije zone – en een lege Pepsi-fles! Misschien was die uit een vliegtuig komen vallen; in dit gebied had je alleen Fanta.

Mike begon met de limericks. Opgezweept door onze reacties deed hij flink zijn best om ons van onze plek te laten rollen, regelrecht het moeras in.

'Er was eens man in de Koog, met een pik die zo lang was dat hij boog; om problemen te mijden, liet hij zich nooit in met meiden en droeg hij hem altijd omhoog.'

De boordregels waren ons niet uitgelegd – zoals hoe je je behoefte moest doen. We namen gewoon aan, nadat we hen in de rivier hadden zien pissen, dat je het van de boot af deed, dus toen ik de volgende dag moest, zetten we de parasols uitgeklapt op de zijkanten, zodat ik enige privacy had van de bemanning. Ze hadden het zeker geroken toen het tussen de twee scheepsrompen klonterde, want ze werden razend en begonnen naar een oever te sturen.

Gedurende de reis las ik Mikes boek *A Bend in the River*, van V.S. Naipaul. Die roman speelt zich af in Kisangani en volgt de lotgevallen van een Indiase handelaar die er tijdens een van de opstanden had gewoond. 'Op deze plaats blijf je gespannen. Wat kost het een moeite je weg te zoeken tussen domheid en agressie, trots en gekwetstheid.' Het gaf me enig idee van wat ik in Kisangani zou aantreffen nadat de razernij was uitgewoed en men geconfronteerd werd met wat er allemaal kapot was gemaakt, en het besef daagde dat voorlopig niemand iets zou herstellen. Kisangani heeft een aantal van dit soort opstanden doorgemaakt, maar was altijd herbouwd. Het is het belangrijkste handelscentrum van centraal Zaïre. Ik maakte me nogal zorgen over onze veiligheid daar – het laatste wat ik van de stad had gezien, waren puinhopen. Sindsdien waren er geen voorraden aangevoerd en we wisten niet eens of we er diesel konden krijgen. Het was vrijwel zeker dat ik de Land Rover er niet meer zou aantreffen – nadat ik was vertrokken, waren er nog meer onlusten geweest en de Zaïrezen wisten dat de blanken misschien niet zouden terugkeren. Ik peinsde wat ik zou doen als ik iemand erin zag rondrijden. Als ik hem niet terug kon krijgen, zouden Raymond en ik teruggaan naar het startpunt, drie dagen ten zuiden van Kisangani, en de kar gaan duwen. Ik had het vooruitzicht wellicht anderhalf jaar achter een kar te moeten lopen, tot ik bij de Middellandse Zee kwam. Maar als dat de consequentie was, dan moest het goddomme maar – ik zou mijn wandeling terug hebben, en intact.

Diepzwarte wolkenbanken die zich in een scherpe boog langs de hemel aftekenden, wezen op een naderend front. Het lag me zwaar op de maag dat Raymond slechts tot op zekere hoogte betrokken was bij de wandeling. Ik had niets te verliezen en hij weinig te winnen. De ervaring op die tweede avond na het duwen van de kar, toen ik me voor het eerst tijdens een tocht verslagen voelde, had me geschokt. Als ik hierin niet slaagde, kon ik niet naar Engeland terug. Ik had niets behalve de wandeling – ik had alles op één kaart gezet en mijn kansen werden, naarmate ik verder de wereld rond kwam, steeds geringer.

We hadden dit pas één keer besproken, op ongeveer een dag van Kisangani verwijderd. Raymond wilde dat ik beloofde te stoppen als het te moeilijk werd. Ik zei dat ik dat niet deed, maar wilde wel dat hij mij verzekerde te zullen vertrekken als hij dat nodig vond, zonder te proberen mij te overreden mee te gaan. We begrepen elkaar.

In tegenstelling tot ons genoten Mike en Johann van de trip. Het maakte hen niet uit wat er gebeurde aan het eind van de reis met de pirogue; waarschijnlijk wilden ze eigenlijk het liefst dat het er in Kisangani bloederig en woest aan toeging. Er hing niets van af dan alleen hun leven, en als je als reiziger al eens eerder in hachelijke situaties hebt verkeerd, komt de dood verder van je af te staan. Mike vluchtte voor iets waar hij doodsbenauwd voor was. Thuis, in de Verenigde Staten, woonde hij samen met een vrouw die een stel kinderen had. Dat was alles wat we wisten, tot die avond op de pirogue, toen hij en Raymond ons opnieuw over de medicijnman vertelden die ze in Bumba hadden bezocht om Mikes tas terug te krijgen.

'Man, dat was niet gering,' zei Mike, die zijn hoed rechtzette en achterover tegen een rugzak leunde. 'Helemaal toen die vrouw in de rondte begon te tollen en volslagen uit haar dak ging van dat spul en met haar vuisten begon te slaan.'

'En toen ging die kerel eroverheen staan en zei: "Doe je benen wijd."'

'Ik kan je dit zeggen – je hebt geen idee hoe machtig dat soort dingen is.'

Mike kruiste zijn benen. 'De vrouw met wie ik in de States samenwoonde, deed aan occultisme. Ik vond het doodeng. Ik dacht dat ik die ellende gewoon kon achterlaten. Maar je kunt er niet van weg. Ze weten je te vinden.'

Er waren een paar wat al te toevallige dingen met Mike gebeurd, en op zijn reis door Afrika had hij ook een paar ongelukken gehad. Hoe verder hij bij haar vandaan kwam, hoe ernstiger de ongelukken schenen te worden.

Johann, die veel weghad van Indiana Jones, was ook op de vlucht – voor alles wat hij aan thuis haatte. Hij waste zich nooit, knipte nooit zijn haar en kickte op chocoladepoeder en heavy metal. Dat irriteerde Raymond en mij, waarschijnlijk omdat we onder spanning stonden en het hem niet deerde, maar ook omdat we door lui werden beoordeeld die hun kansen inschatten naar de aanblik van een stelletje onverzorgde blanken, wat ons tot een gemakkelijker prooi maakte.

We kwamen in de middag van de vierde dag in Kisangani aan. Toen we het eerste grote huis zagen, hoog op de oever, pakten we alles in onze rugzakken, die we bedekten met zakken meel, zodat niemand onze bezittingen kon zien. Verscheidene grote boten lagen langs de oevers weg te roesten, geen ervan was pas gezonken, maar toch voelden we ons er erg nietig door in dit houten bootje, zó laag op het water dat we er met onze handen doorheen konden spoelen. Er leek niet veel veranderd te zijn, maar we zagen een auto met een aantal mensen erin en vingen zelfs een glimp op van een blanke op de kade. We gingen aan land op een plaats waar het water hoog stond. Daar trokken we de pirogue de oever op om hem uit te laden.

We trokken veel aandacht en hadden nogal wat spullen die we in het oog moesten houden. Terwijl we bezig waren de bagage naar de weg langs de haven te sjouwen, zag ik nog een blanke.

'Je bent de elfde die binnen twee maanden na de opstand terugkeert,' zei hij. 'De gekte is voorbij. De mensen zijn bezig hun zaken weer op te zetten. Ze kopen hun gestolen goederen terug, die bij hen worden gebracht. Het leger is nog in de stad om politietaken uit te voeren, dezelfde mensen die de rellen zijn begonnen. De winkeliers maakt het niet uit, ze begrijpen het wel.'

'Wat is er met het Olympia Hotel gebeurd?' vroeg ik met angst en beven.

'Dat is open! Maar het is geen hotel meer.'

'Wat dan?'

'Een bordeel.'

Ik holde terug om het de jongens te vertellen. Mike op zijn fiets, Johann met zijn rugzak en Raymond en ik duwend achter de kar gingen op weg door de stad. Geen enkele winkel was open. We passeerden een dealer in reserveonderdelen voor Land Rovers en die was open. Ik liep naar binnen en trof een man achter de toonbank aan; mochten we de Land Rover vinden, dan hadden we hem nodig.

'We zijn wel open,' zei hij, 'maar hebben geen onderdelen.'

Ik heb een dergelijke loyaliteit weleens bij missieposten aangetroffen, portiers die jaren op hun post blijven.

Ik was beroerd geworden van het zenuwachtige afwachten, en toen we de hoek van de brede, stoffige straat omsloegen en het Olympia zagen, werd ik misselijk. Ik liep te boeren en moest bijna overgeven toen ik naar de grote, zwarte deuren rende en aan de bel trok. De kleine, oude portier, die het postuur had van een pygmee, deed open en begroette me hartelijk. Ik schudde zijn hand, beantwoordde zijn begroeting in het Lingala, en rende de binnenplaats op. De bloemen stonden nog altijd fris rond de tafeltjes en stoeltjes op de veranda waar ik met de jongens gezeten had, maar waar de Land Rover had gestaan, was een grote, lege plek. Er stonden geen andere trucks en er was geen teken van reizigers. Ik gaf over.

Ik hoorde de eerste maten van een liedje, 'Forever Young' van Alphaville, uit de open bar komen. Dat liedje hoorde bij de tocht. Door de Karoo had ik het steeds weer gespeeld. Dat bezorgde me de overtuiging dat mijn Land Rover hier in de stad moest zijn.

Ik vroeg naar de bazin, een grote, zwarte mama, maar ze was uit. Dat kon wachten, we hadden wat te vieren. Ik bestelde een rondje koud bier en we namen een tafeltje in de schaduw, waar we een toost op elkaar uitbrachten. We waren zó blij dat we er waren, zó dankbaar dat we het hadden gered, na al die nerveuze spanning van de tocht met de pirogue. Dus werd het nachtwerk. Op een gegeven moment kwam Mumma op haar gemak binnenkuieren. Zij was werkelijk stomlazarus. Ze verstond waar we het over hadden en riep me bij zich.

'Ben jij die van de witte Land Rover?'

'Ja! Waar is hij?'

'De Procure.'

'Waar is de Procure?'

Maar ze was te bezopen om het me te zeggen. Ik moest wachten tot ze weer nuchter was. Zo te zien, zou dat niet voor de late namiddag van morgen worden.

Ik ijsbeerde om het hotel en voelde me een kat op een heet zinken dak, een kind op kerstavond. De oude portier liep ook te ijsberen met zijn pijl en boog. Hij merkte dat ik opgefokt was en pakte mijn beide handen. Hij hield ze voor zich uit, keek me met zijn ondeugend glinsterende ogen aan en begon met zijn voeten te schuifelen. Hij zong een liedje, kwetterend als een vogeltje. Ik verstond de woorden niet, maar de boodschap was niet mis te verstaan: 'Het komt allemaal in orde'.

Ik werd met zonsopgang wakker. Ik was gebeten en kwaad, en voelde me weer misselijk worden. Ik ging naar de balie en vroeg naar de Mumma. Ze sliep nog. Ik had geen zin om te wachten tot ze die zware roes had uitgeslapen, dus vroeg ik naar de Procure. Ik wist niet of dat een plaats in Oeganda was waarheen Jeff de Land Rover gereden kon hebben, een afdeling van het leger dat hem in beslag had genomen of gewoon een naam voor een autokerkhof.

'Het is een katholieke missie.'

'Waar?'

Ze wezen me de weg de stad uit, langs de oude weg naar het vliegveld. De chauffeur van de Mumma zei dat hij ons wel wilde brengen, maar dat hij eerst brandstof moest vinden. Wij gingen ontbijten terwijl hij de achterafstraatjes afstroopte. Ik kon geen hap door mijn keel krijgen, maar dronk koffie en had zin om Raymond, met zijn radde commentaar over hoe goed het was ontspannen te blijven, zijn kop dicht te timmeren.

De chauffeur arriveerde, we stapten in en ik begon te beven. Daarbuiten, op de stoffige weg, waar we vrouwen voorbijreden die hun produkten naar de markt brachten, zette ik me schrap, in afwachting van het ergste. We stopten bij hoge muren van rood baksteen met prikkeldraad erop. Ik bedankte hem en dacht er niet bij na te vragen of hij wilde wachten, voor het geval de Land Rover er niet stond. Ik liep naar de zwarte stalen poorten en begon te bonken. De portier duwde een deur open en ik tuurde erdoorheen. Tussen de wrakken van uitgebrande auto's ontwaarde ik onmiddellijk het blauwe tentzeil dat mijn Land Rover bedekte. Jankend rende ik de binnenplaats over, tussen de auto's door, en beukte ertegenaan. Ik stapte achteruit en begon te snikken.

We gingen de pater zoeken om hem te bedanken. Hij was tijdens de onlusten gebleven en had moeten toezien hoe veel van zijn voertuigen werden vernield. Ik had geen autopaspoort, geen kentekenbewijs of brief van de eigenaar om aan te tonen dat het mijn wagen was, maar mijn naam stond over de Land Rover heen geschreven en ik liet hem mijn paspoort zien.

Ik gebruikte het metalen draad dat Bill door de bovenkant van het raampje had gestoken om de deur te kunnen openen toen het sleuteltje brak en controleerde de inhoud. Alles was er nog. Geen schade, behalve een mierennest bij de pedalen van de chauffeur. In stilte dankte ik Jeff dat hij hem netjes had geparkeerd. Ik was hem iets verschuldigd. De monteur van de missiepost bracht de ontsteking in orde en ik zette Mike & The Mechanics op.

Jeeha! We hadden de voettocht terug!

Stormin' Norman moest volledig nagekeken worden. Er waren een voorraad filters en olie en verschillende vloeistoffen aanwezig. De monteur was dolblij dat hij aan het werk kon. Om een ontsteking te improviseren, zette hij een aantal knoppen op het dashboard, werkte alle bedradingen weg en berekende ons tweeëneenhalve pond. Hij was verguld met de vijftig pence fooi.

We liepen terug naar de stad en gingen regelrecht naar de Olympiabar om op Jeff Roy een dronk uit te brengen en het nieuws aan Mike en Johann te vertellen. Ze hadden onderzocht of ze een lift konden krijgen de stad uit en hadden vernomen dat er over een paar dagen een bierwagen naar Oeganda zou vertrekken. Die dagen brachten we door met het schoonmaken van de Land Rover, het uitzoeken van spullen, het repareren en vervangen van onze uitrusting en we lieten een ijzeren driepoot maken voor het vuur. We werden stomdronken. Mike en Johann pakten hun spullen in voor het vertrek en we namen afscheid, elkaar op het hart drukkend contact te houden. Raymond en ik keerden terug naar onze reis, precies veertien dagen nadat we de reizigerstruck waren tegengekomen. Het gaf een goed gevoel.

Die nacht werden we wakker van een luid gebons op onze deur. We verstijfden allebei. Raymond trok zijn broek aan en deed open.

Daar stond Johann in het donker, overdekt met bloed.

'Wat is er in godsnaam gebeurd? Waar is Mike?'

Johann liep naar de badkamer en gaf over. We maakten zijn wonden schoon en spraken hem kalmerend toe. Na verloop van tijd ging hij rechtop zitten, raapte zichzelf bij elkaar en vertelde wat er gebeurd was.

'Wij zaten boven op de de bierwagen, samen met tien andere passagiers. Hij was volgestapeld met goederen, banden en kratten, die ver over de zijkanten van de wagen puilden. Het ging erg hard, we moesten onze bij iedere bocht vastgrijpen, want de topzware goederen maakte dat de truck naar één kant overhelde. We riepen naar de chauffeur dat hij rustig aan moest doen, maar dat deed hij niet. Toen we een bocht omgingen, begrepen we in een fractie van een seconde dat de truck zou kantelen.'

Half springend, half weggeslingerd belandden ze tussen de zware goederen, nadat de vrachtwagen met een snelheid van honderd kilometer per uur was gekanteld en op zijn zijkant terechtkwam. Mikes arm en been waren uit de kom geschoten en Johann ging knock-out. Mike schreeuwde tegen hem dat hij op moest staan. Op aanwijzingen van Mike duwde hij diens arm en been terug in de kom en raakte toen weer bewusteloos.

Bij een man waren twee benen geamputeerd. Een hoogzwangere vrouw verloor de baby in haar buik – die was naar buiten gekomen door haar gebarsten buik. De bewoners van het dorp in de buurt kwamen in drommen op het bloedbad af en voerden met karretjes de kratten bier weg. Op een of andere manier was een boswachter, een Fransman, ingelicht. Hij verscheen ter plaatse, waar hij rechtstreeks naar de blanken, Mike en Johann, liep. Mike schreeuwde hem toe dat hij de zwaargewonden naar Kisangani moest brengen. De Fransman laadde hen allemaal in zijn bestelwagen en reed de hele nacht door naar het ziekenhuis. Maar de dokters konden niet veel uitrichten. Er waren geen medicijnen, die waren allemaal geplunderd.

Raymond en ik waakten de rest van de nacht om beurten bij Johann om op te letten dat hij tijdens zijn slaap niet zou overgeven. Die ochtend gingen we naar het ziekenhuis, waar we Mike tussen het vuil aantroffen. Hij was opgeruimd, maar was ook hard aan een spalk voor zijn been toe. Raymond en iemand van het ziekenhuispersoneel gingen de stad af met de Land Rover, op zoek naar geplunderd verband en pleister. Ze hadden succes en Mikes been werd gezet. We haalden hem weg uit dat stinkende hol en brachten hem naar een restaurant – het was verbijsterend, bijna pervers: dit Franse restaurant was open en men serveerde kikkerbilletjes, slakken en kleine pizza's, met witte wijn, op witte tafelkleden. Mike barstte haast in huilen uit bij de aanblik.

De volgende twee dagen verzorgden we hen, sloegen fruit in en verschoonden hen. Toen we wisten dat het verder goed met hen zou gaan, kochten we de laatste spullen die we nodig hadden en reden 178,4 kilometer terug, naar het punt vanwaar ik de wandeling kon hervatten.

Ik kende die plek, maar moest me er wel van vergewissen. Als ik onze kampplaats kon vinden, acht kilometer verder terug, zou ik overtuigd zijn. Maar de regens waren gekomen en het landschap was veranderd – bamboe kan een meter per dag groeien. Mijn oog viel op iets en ik vroeg Raymond te stoppen. Ik waadde door dichte begroeiing naar een grindkuil, liep naar de uiterste hoek ervan en zocht bewijstukken van ons laatste kamp. Daar, tussen het gras, lag een doorweekt stukje papier – een soeppakket met Sainsbury-kip en zoete maïs. Jawel!

Wij verdeelden de karweitjes zoals gewoonlijk aan het eind van de dag, maar het was veel meer werk dan we gewend waren met maar één chauffeur en een nieuw ritme dat we nog moesten vinden. De Land Rover moest onderhouden worden en we moesten veel meer spullen gebruiken dan met de kar. Raymond, die zijn gehele kampeerleven had doorgebracht met hurken voor het kookvuur, werd opeens geconfronteerd met alles op poten en op verschillende hoogten. En dat kwam hem vreemd voor.

Onderweg traden de mensen mij met een nietszeggende uitdrukking tegemoet – een schone lei voor mij om mee te beginnen, vijandig of opgewekt. Ik wilde zo graag een goede vertegenwoordiger van mijn ras en huidkleur zijn en de schade verhelpen die door toeristen wordt toegebracht. Raymond werd overal gesard waar hij stopte om op me te wachten, te winkelen of om een pauze in te lassen. Hij kon niet op alles letten als hij bezig was het kamp op te zetten, en dat merkten de dorpelingen. Ze dromden om hem heen, denkend dat hij weer zo'n hulpverlener was die weggevertjes komt brengen, en ze waren verontwaardigd als hij geen voedsel uitdeelde.

'Zo'n situatie wordt steeds meer gespannen, maar je wuift het weg en denkt: hè hè, dat was op het nippertje, hopelijk gebeurt het niet weer,' zei hij. 'Maar het gebeurt minstens drie keer per dag. Het is moeilijk om een sfeer van kalmte om je heen te bewaren als je weet wat je te wachten staat. Maar ik kan geen spoor van spanning achterlaten, omdat jij er nog doorheen moet.'

'Dat is het grote verschil tussen ons en de trekkers,' zei ik. 'Die kan het niet schelen wat er gebeurt, als ze er maar doorheen komen.'

We moesten een extra chauffeur hebben; deze pesterijen konden erg hachelijk worden, en er was maar een klein incident voor nodig om alles te verpesten – dat het nog niet gebeurd was, wilde niet zeggen dat het niet zóu gebeuren. Het oude adagium van de reiziger luidt: Veiligheid komt niet per ongeluk.

Eindelijk liep ik dan Kisangani binnen, regelrecht naar het Olympia Hotel, de bar in! In zijn geheel genomen had het tweeëneenhalve maand gekost om deze drieëneenhalve dagmars af te ronden.

Het was kerstavond en het hotel zat vol – alle kamers waren gereserveerd door prostituées – dus boekten we een suite in het Kisangani Hotel en gingen een hapje eten in het restaurant. De ober kwam met menukaarten en bleef bij het tafeltje staan met zijn pen in de aanslag. Hij legde de witte servet netjes recht over zijn arm. Twee lange rijen gerechten – alleen al de aanblik overweldigde ons.

'Twee biefstuk met gebakken aardappelen,' zei ik langzaam in het Frans, 'en een fles water. Niet geopend, alstublieft.'

Een half uur later riepen we de ober om te vragen hoe het ervoor stond.

'Komt eraan, komt eraan.'

Hij kuierde terug naar de keuken. Een half uur later riepen we hem weer.

'Waar blijft ons eten?'

De ober keek op ons neer met een doffe maar verbaasde blik.

'Er is helemaal geen eten in het hotel.'

We maakten een omelet met corned beef op de binnenplaats en zopen ons op eerste kerstdag, samen met Johann en Mike, lam en we beschilderden zijn gips. Dit was een van de leukste kerstfeesten die ik ooit heb meegemaakt.

We bleven er een paar dagen logeren en lieten dingen maken en repareren, nu we toch de mogelijkheid hadden gehad om het voertuig te testen.

'Ik blijf in Kisangani tot mijn been hersteld is en ga dan met de fiets naar Oeganda,' zei Mike.

Johann weigerde met een andere truck mee te rijden; er gingen geen boten, geen vliegtuigen, er was geen enkele manier om weg te komen.

'Kan ik met jullie mee?' vroeg hij.

Raymond en ik beraadslaagden. Wij waren er niet gerust op, omdat Johann lui, slonzig en egoïstisch was, en wij dachten dat hij zijn eigen steentje niet zou bijdragen.

'Laten we hem op proef meenemen naar Buta,' zei Raymond. 'Als blijkt dat hij een blok aan ons been is, vragen we hem te vertrekken.'

Raymond was erop gebrand de bossen in te gaan om meer te leren over het aanleggen van vuur. Frenzy, ons manusje-van-alles, kende een dorp stroomafwaarts en huurde een boot voor ons.

We vertrokken uit Kisangani op een wankele, lekkende pirogue, die ongeveer een uur lang voortgeboomd werd door twee mannen. Ze hadden vis nodig en stopten naast een groep vissers. Een ervan stond, tijdens de onderhandelingen over de prijs, met een botte machete de vinnen van zijn vangst af te hakken. Ik keek aandachtig toe, want de vis waarmee hij bezig was, leefde nog. Een van de vinnen vloog in mijn oog. Schreeuwend draaide ik me om en hield mijn oog dicht. Het was verbazingwekkend dat Raymond, toen hij bezig was spullen uit te zoeken voor onze medicijndoos op die dagtrip, had stilgestaan bij het ooglapje, en had gedacht, ja, laat ik dat voor de zekerheid maar meenemen. Hij verbond mijn oog, maar het maakte het trekken door de jungle tamelijk link, omdat ik geen perspectief zag.

De mensen in de dorpen wantrouwden Raymond heel erg, omdat er een ontvangstmast aan de andere oever van de rivier stond en ze dachten dat hij een spion was. Deze verdenking werd nog versterkt door Raymonds kennis van de oude tradities, omdat ze niet konden begrijpen waarom een blanke man deze gegevens zou moeten weten. En dat ik Swahili sprak, bevestigde dat wij niet pluis waren – toeristen gaan het woud niet in en spreken de plaatselijke taal niet.

Frenzy, onze invalide gids, deed een goed woordje voor ons, tot twee jonge mannen stopten met de discussie en ons voorgingen het woud in, tussen twee grote bamboestronken door. Het was koel en schoon onder de gewelfde kathedraal van bamboe, zonder een insekt dat beet of zoemde. De bodem was bedekt met een verende, zandkleurige laag van droge bamboebladeren. Als ik hier woonde, zou ik alle lage begroeiing weghalen en de ruimte gebruiken om te dansen.

Korte tijd in het secundaire woud kon je door het geschreeuw van de gidsen nauwelijks de vogels horen, maar misschien hielden ze met hun gesnater de slangen op afstand. Onder een grote boom op een open plek rustten we om raffiabier te drinken.

'Iedereen die iets wegneemt uit het bos moet onder deze boom rusten voor hij naar zijn dorp terugkeert,' zeiden ze.

Er zat een praktische reden achter dit schijnbaar mysterieuze ritueel – ze moesten de dingen die ze meenamen uit het woud schoonmaken, om het dorp vrij te houden van bladafval, slangen en spinnen.

Terwijl we voortgingen, toonde de oudste van hen ons de verschillende toepassingen van bomen en planten. Hij haalde wat bast van een boom die temba heet. Hij gebruikte een stevige stok, waarmee hij het uiteinde rond maakte. Aan de zijkant sneed hij inkepingen van ongeveer vijfentwintig centimeter. Hij legde de bast neer en begon er met het ingekeepte eind op te slaan, terwijl hij de bast met de andere hand oprekte. Het stuk bast was weldra twee keer zo groot geworden en werd zacht en zijdeachtig als suède. Dit gebruikten ze om kleding van te maken.

Hij wees op medicinale planten die hij kende, zoals Banbalumba tegen hoofdpijn, maar hij vertelde erbij dat de vrouwen hier meer van af wisten, evenals van de eetbare planten. De taak van de mannen bestond uit bouwen en jagen.

Raymond bracht de vuurploeg te berde. Hij bracht ons naar een omgevallen 'parasolboom', sneed een groef van ongeveer vijfenveertig centimeter langs de nerf, zodat die als haard kon dienen, pakte toen een dode tak en maakte een stok van het uitgedroogde binnenste, van ongeveer dezelfde lengte. Hij vormde het uiteinde ervan zodanig, dat het precies volgens een bepaalde hoek in de groef paste en ging toen schrijlings op de stam zitten. Hij wreef de stok heen en weer langs de groef. Dit is de methode van vuur maken door wrijving, hetzelfde principe als met de hand- en boogboren – de haard wordt verwarmd, het droge houtstof van het schrapen wordt verhit, en als je dat op één plek bij elkaar veegt, begint het te gloeien als een kooltje. Dit kooltje wordt er met de punt van een mes uitgetild en in een tondelbundeltje gehouden, om vervolgens aangeblazen te worden tot een vlam. De oude man had de kracht er niet meer voor en, evenals in de dorpen van de Centraalafrikaanse Republiek, deed men het om beurten. De oude man werd ongeduldig door de onhandigheid van de jonge mannen en stak de kop van een lucifer in het kooltje – we zagen het niet, totdat het oplaaide in een vuur en de jonge mannen in het rond begonnen te dansen, in de waan dat dit een wonder was. Raymond nam de lucifer weg en begon opnieuw.

Wij keerden terug naar het dorp, waar we palmwijn met hen dronken en stapten op voor ze opnieuw over spionage konden gaan debatteren.

De wandeling werd op 30 december 1991 hervat vanuit de bar van het Olympia Hotel. Het eerste stuk voerde naar Buta, een afstand van 321 kilometer – twee weken lopen door wat sommige mensen een jungle noemen, maar wat juister regenwoud heet. De bevolking noemt het gewoon 'het woud'.

De mensen in de dorpen waren vanwege de jaarwisseling in een joviale stemming. We hoorden steeds 'Bonne Année!' in onze oren. De mensen raakten steeds meer dronken. De hele dag verlangden ze geschenken. Als je hen een gelukkig nieuwjaar wenste, vroegen ze onmiddellijk om Bicpennen, zodat hun feestdag een blije dag werd.

We brachten oudejaarsavond door met een dorpshoofd, vanwaar we op drums naar alle dorpen binnen een straal van twintig kilometer de boodschap uitzonden dat de blanke toeristen de bevolking van Zaïre een gelukkig en vredig nieuwjaar toewensten. Ik had met Pippa Snook gewed dat ze me zouden toestaan hun drums te gebruiken. Het duurt wel een paar jaar voor je het onder de knie hebt, dus in mijn gebons zat geen enkele betekenis – de drummer deed het voor ons. De drum is een uitgeholde combo combostronk die op zijn rug ligt, met een gleuf van ongeveer acht centimeter breed over de gehele lengte. Het duurt jaren voordat het materiaal zachter wordt, dus hebben ze allemaal een andere klank. We gingen om ongeveer tien uur 's avonds naar bed na een maal van cantharellen in roomsaus, gemaakt van dikke melkpoeder. In Londen zou zo'n maaltijd honderd pond de man hebben gekost.

Het was nieuwjaarsdag, 1992, en de lucht was vervuld van de geur van schroeiend apevel en het gegil van varkens die achternagezeten werden voor het feestmaal van die middag. Daarna wordt er heel veel gedronken. Heel voormalig Belgisch Kongo was bezopen. Schreeuwende kinderen riepen: 'DONNEZ MOI!'

Ik sloot mijn geest af voor hun gejoel, hun trillers en rauwe kreten en wilde dat dit een film van Indiana Jones was en ik een geweer paraat had in plaats van een revolver. Vangelis speelde in mijn hoofd. Ik neuriede mijn favoriete nummer – om de herrie buiten te sluiten, hen op een afstand te houden, me inbeeldend dat het maar een film was en ik niet het middelpunt van hun belangstelling. Ik dacht aan de volgende pauze en onze meest recente slechte gewoonte – bananen, gedoopt in Nesquik-chocoladepoeder.

Wij kwamen een medicijnman tegen die met wit krijt was beschilderd en geheel overdekt was met amuletten en luipaardhuid. Een Afrikaan pleegt zelfmoord als een medicijnman hem daartoe opdracht geeft – in onze maatschappij bestaat er geen vergelijkbare status met zoveel macht. Zij zijn het medium dat het evenwicht bewaart tussen goed en kwaad. Deze vervaarlijke broeder, geheel wit beschilderd, met een lendendoek van bast over zijn korte broek en een huid van ocelot om zijn nek, hield ons aan de praat terwijl hij stilletjes zijn volgelingen instrueerde de Land Rover te omsingelen. Toen wij onze afscheidswoorden spraken, maakte hij een terloops gebaar met zijn speer om ons tegen te houden en zei: 'Geef mij jullie auto.'

Wij zagen dat we omsingeld waren en dat ze ter zake wilden komen. Ik moest op een of andere manier zorgen dat ik uit het zicht was gewandeld voordat de jongens gas konden geven, dus lachten en babbelden we wat en vroegen naar zijn vrouw, van wie hij zei dat ze weldra zou komen.

'Ik moet nu gaan,' zei ik, 'maar de jongens blijven nog wel.'

Ik rende zowat de weg af, tot ik achter de horizon verdwenen was, en de jongens konden maar op het nippertje ontsnappen.

De amuletten van de medicijnman hadden Raymond op het idee gebracht hoe hij kon voorkomen dat de kinderen in een razernij geraakten. Hij sneed een stok, zette er een masker op en stak ze in een hangende lus, die hij had gemaakt door een liaan te splijten en te vlechten. Daarna stak hij er uileveren in, want veel Afrikanen zijn bang voor uilen. Hij wachtte tot ze door zijn raampje stonden te schreeuwen als ze op mij stonden te wachten en dan hield hij hem vlak voor hun gezichten. Er volgde een stilte als hun ogen op het gezicht gevestigd waren. Dan gingen ze op de loop en kwamen niet meer terug. Een vrijwilliger van het Vredescorps had een andere manier om te zorgen dat ze haar met rust lieten. Ze ving er één en bond hem vast aan haar veranda, waarna ze aanmaakhout om zijn voeten legde.

Bij Banalia staken we per veerboot de rivier de Aruwimi over. Deze rivier was de woonplaats van Tarzan. De veerman, die ook zoiets was als de plaatselijke historicus, vertelde ons over de oversteek van Stanley over dezelfde rivier in 1886. In juni van dat jaar viel de expeditie van Stanley, die bestond uit 650 man ter bevrijding van Emin Pasja, uiteen. Hij liet een aantal van zijn mannen achter bij de rivier en trok met 388 mannen het woud in. Zij waren de gelukkigen. De aanblik van een enorme verzameling mannen op de oevers van de rivier moet vreeswekkend zijn geweest voor de Zaïrezen, die aannamen dat het een leger was. En zij reageerden dan ook dienovereenkomstig.

Johann had een complete transformatie ondergaan. Hij keek op tegen Raymond en werd kritisch, volhardend en competent. Ik heb nog nooit zo'n ommekeer zien plaatsvinden. In plaats van hem eruit te zetten zodra we de kans kregen, konden we ons niet voorstellen dat iemand deze taak beter zou uitvoeren.

We raakten zó bedreven in het opzetten van het kamp aan het eind van de dag dat we alles in een half uur na aankomst klaar hadden staan en konden gaan zitten eten. Ze zetten niets op voordat ik kwam, want er waren zo weinig gelegenheden voor een kamp dat we bijna altijd terug moesten rijden om er een te zoeken. Zodra de Land Rover stopte, klom ik op het dak om de slaapplaats uit te klappen, terwijl Raymond brandhout ging zoeken en Johann de tafel, de stoelen, de pannen en de spullen voor die dag klaarzette. Johann en ik zetten samen zijn tent op en Raymond maakte het vuur aan. Ik pakte het beddegoed uit en Johann het zijne. Al deze taken werden in stilte gedaan, met een gevoel dat iedereen precies wist wie welke taak had. Een gesmeerd lopend team geeft je een heerlijk gevoel. Geen spanningen, geen zoekgeraakte spullen, je struikelt nergens over en niets wordt er vergeten.

Het gebied gaf me een gevoel alsof ik malaria had – hoge vochtigheidsgraad in de hete zon en vervolgens in de kilte van de schaduw gedompeld worden. Ik liep door uitgestrekte tunnels van bamboe, waarvan de bladeren boven mijn hoofd bewogen alsof een croupier bezig was kaarten te schudden. De open plekken waren gespikkeld met stukjes helder zonlicht en vlinders. Ondanks de fysieke inspanning vond ik hier rust.

De verzakte en beklemde botten van mijn voeten veroorzaakten slijtage in het gewricht van mijn grote teen, die begon op te zwellen. Mijn voet draaide naar binnen – een klassiek verschijnsel bij problemen met de onderbeenspieren. Ik vroeg me bezorgd af of de belasting op die plek mijn oude heupblessure en de kwaal in mijn onderrug zou verergeren. Mijn rug had te lijden door slappe buikspieren. Raymond merkte de verandering in mijn voetsporen overdag op. Wanneer ik moe begon te worden, ging mijn voet naar binnen staan. Hij bekeek mijn schoenen en zag dat de linkerbinnenzool behoorlijk versleten was. Deze kant was erg ingeklemd geraakt; het rubber was niet sterk genoeg om de inzakkende voetholte te ondersteunen. Wij zouden het met massage trachten te verhelpen en een improvisatie maken met een inlegstuk van steviger rubber.

We sloegen ons kamp op 1.300 meter voor het eind op, vanwege de pijn en omdat het de enige geschikte kampeerplaats was in de buurt. Iemand had ons verteld dat er twee kilometer verderop een Belgische missiepost was, waarvan de zendeling thuis was. Ofschoon ik me, blij dat we stonden, in mijn tent uitstrekte, pakten we weer in en liepen door.

Er was geen Belg en ook geen missiepost, maar een halfvervallen kerk, nog steeds versierd met de graspoorten van kerst. We waren omringd door boos kijkende dorpsbewoners, maar het bleek dat het dorpshoofd Frenzy kende, en de knaap aan wie ik de kar had verkocht.

'Ik ben geen goede zakenvrouw, dat ik een kar voor 13.000 koop en voor 4.000 van de hand doe,' zei ik.

Kamperen bij water tijdens de rustdag is erg belangrijk, omdat we veel water nodig hadden om de was te doen, onszelf te wassen en de Land Rover schoon te maken. Maar bij deze steengroeve was er geen. Het is een domper als dat gebeurt, omdat je nog weer eens driehonderd kilometer moet lopen tot de volgende rustdag, waar misschien ook geen water is.

Een blauwe reizigerstruck reed voorbij. Ik rende de weg op om hem te laten stoppen en ze kampeerden met ons. Maar zoals te voorspellen was, konden we het niet erg goed met elkaar vinden. Het is heel gewoon, tenminste dat is me verteld, dat mensen in kleine groepjes bij elkaar blijven als ze anderen ontmoeten, dus kwamen reizigers zelden bij ons kampvuur zitten.

Ik keek ze aan en vroeg me af: het enige wat jullie zien, is hoe Afrika er aan de buitenkant uitziet, jullie kennen zijn geheimen niet. Het enige dat jullie ruiken, zijn stof en vuile kleren en lichamen. Kennen jullie ook de zoete geur van de witte koffiebloesem? Of horen jullie ook het geluid van een liaanmand die op een hoofd wordt gezet? Of het openbreken van een zaadpeul op de grond, of het gesuis van de neushoornvogel? Kennen jullie het spoor van de duizendpoot, of de manier waarop hij zich oprolt, of welke plant niet tegen kietelen kan; en weten jullie wel met welk blad je je reet moet afvegen? Die dingen had ik ook niet geweten toen ik nog liep met mijn ogen neergeslagen, maar nu ik het wist, wilde ik dat iedereen het wist, zeker omdat ook zij ambassadeurs waren en wij op het punt stonden over hun verleden te struikelen.

De volgende twee weken gingen de sluisdeuren open toen het nieuws zich verspreidde dat je Zaïre weer binnen mocht. Op een middag zag ik vier reizigerstrucks en Land Rovers binnen drie uur. Het leek de A10 wel. Een van de eerste kwam door het woud scheuren en versperde de hele weg. Hij stopte en ik liep naar het raampje om gedag te zeggen.

'Niet te geloven,' zei de chauffeur. 'Waar kom jij in godsnaam vandaan?'

Het was een Hann Overland-truck, die oude mensen door Afrika vervoerde. Elke truck die voorbijkwam, had meer nieuws over de problemen met de Toearegs in Niger. Ik besteedde er niet veel aandacht aan; voor hen was het twee weken geleden, voor mij nog vier maanden vooruit. Maar iedereen had een verhaal over weer iemand die was doodgeschoten. Pas veel later kwamen we erachter dat ze het allemaal over dezelfde persoon hadden.

We hadden een prettig kamp met een Dragoman Truck. De chauffeur, die zichzelf voorstelde als 'Bad Man', kwam bij ons vuur zitten, terwijl zijn groep het eten kookte. Wij hadden gebakken aardappelpuree met tomatensaus; zij kookten zalmkoekjes en dronken koud bier. Bad Man deelde zijn bier met ons, maar ik voelde nog altijd steken van animositeit die ik altijd had als we met trekkers kampeerden. Zij hadden zoveel eten, en wij hadden alleen wat wij op de markt konden krijgen. Wij kregen een idee van wat de Afrikanen voelen als ze dit soort kampen zien.

Op een avond hadden we een kip kunnen krijgen. Wanneer ik voor het avondmaal iets spectuculairs wilde klaarmaken, liep ik dat gedurende het laatste kwart te overdenken. Daarbij zette ik al mijn bewegingen op een rijtje, zodat ik het snel kon doen: binnenkomen, handen wassen, naar de kookkist, een juspan pakken en twee kopjes, een zak meel, olie, melkpoeder, eieren, uien, terug naar de tafel, de ingrediënten van links naar rechts op een rij zetten, enzovoort, tot het me allemaal tot in detail voor de geest stond. Raymond had het maal al een paar uur van tevoren gepland, zodat hij de kip binnen een uur geslacht, gevild en uitgehold had, het vlees had gesneden en een fantastische saus van wilde paddestoelen had bereid, terwijl ik de rijst wande. Het is veel gemakkelijker een kip te villen dan te plukken – je trekt hem gewoon zijn jasje uit, geen troep, geen veren.

We hadden de eer ons maal te delen met een gast, een Japanner op een motor, die aan kwam rijden en bij ons kampeerde. Hij ging op zijn motor de wereld rond en deelde zijn brood met ons – wij hadden al in dagen geen brood gehad en het emmerfornuis nog niet geperfectioneerd. Hij sprak niet veel Engels, maar kon alles duidelijk maken.

Op een dag arriveerde er tegen de lunch een volgende Japanner met zijn vrouw. Zij hadden grote problemen met de modder en het zand. Ik haalde een bak water voor hen om zich te wassen voordat ze gingen eten. Daar waren ze heel dankbaar voor. Toen stopte er een Land Rover.

'Weten jullie een goed hotel waar wij kunnen uitrusten zonder muggen?' vroegen ze. 'Iemand van ons heeft hepatitis.'

Ze droegen hem uit de Land Rover en legden hem op de grond. En echt, die man was nog geler dan de Jappen. We deden ons uiterste best hen te overreden terug te keren – dergelijke plekken had je niet in Zaïre en ze waren nog twee weken verwijderd van Oeganda, moeilijk rijden bovendien, omdat de wegen zo slecht waren. Ze begrepen het niet. Ze hadden chocoladepasta op hun brood voor de lunch, wij hadden sinaasappelen. Ze begrepen het niet omdat ze chocoladepasta hadden; ze kwamen uit de beschaafde wereld en hadden geen idee van de uitgestrektheid van het woud in een gevallen land. Deze knaap was praktisch gesproken een lijk.

Rond die periode konden we maar vier dagen wandelen, toen werd een van ons ziek en moesten we stoppen. Johann kreeg dysenterie. De hele ochtend ging hij ieder half uur zijn tent uit, heen en weer naar de bosjes. Voor de middag kon hij nauwelijks meer staan en 's avonds deed hij het gewoon naast zijn tent en bedekten we het met een schep aarde. Zoals altijd stonden de kinderen te kijken. Raymond zag er tamelijk slecht uit en sliep.

Ik vroeg de volgende dag aan Johann zijn temperatuur op te nemen en tegen de tijd dat ik weer bij de Land Rover aankwam, zei Johann dat de temperatuur normaal was. Ik kon het niet geloven, omdat hij gloeiend heet aanvoelde, dus deed ik het zelf.

'Jezus Christus, Johann, hij heeft 39° koorts!'

Johann werkte met Celsius en had snel omgerekend, maar verkeerd. Ik zette Raymond op een antimalariakuur en maakte een gemakkelijke ligplaats voor hem achter in de auto. Johann reed de Land Rover.

Hij had nooit eerder in een Land Rover gereden. Eigenlijk, bekende hij, had hij nog nooit door ruw terrein gereden. Ik weet niet hoe hij die wegen nam. In de regentijd waren het beken, zodat het water groeven uitslijt. Deze groeven zijn ongeveer anderhalve meter diep en laten een richel achter langs de bovenkant. Die richel bestaat natuurlijk uit slijmerige, natte modder. Ze lopen ook niet netjes in rechte lijnen heuvelafwaarts; ze splitsen zich, dus het pad dat je kiest, kan doodlopen en het is onmogelijk om op een richel te keren, zeker als je dat nooit gedaan hebt en die andere vent op de achterbank het niet meer heeft. Ik hielp hem zoveel ik maar kon door hem de juiste plaatsen aan te wijzen, maar het meeste deed hij zelf. Het rijden van Bill was indrukwekkend, hiervan werd je stapelgek. Als je van een van die richels afglijdt, kantel je. Geen lier, en geen dorpsbewoners als je ze nodig hebt. Na een slecht stuk of voor een kapotte brug wachtte ik om hem eroverheen te loodsen. Maar we kwamen tussen de zandvliegen terecht, bijtertjes, zoals ik ze noemde. Die zijn bijna onzichtbaar en ze steken. Als je krabt, steekt het nog erger, alsof er een stekel in zit of iets dergelijks. Wat die rotzakken van bloedzuigers doen, is een spirocheet in de beet spuiten, zodat deze niet heelt. Ze attaqueerden mijn enkels als ik maar even stopte. Ik werd aardig goed in het doen van de Hooglandse fling. In de pauze zat ik met handdoeken om mijn benen te luisteren naar Johanns gevloek met zijn zware Zweedse accent: 'Ik haat al die kleine beestjes in de lucht!'

Een broek dragen maakte geen verschil, omdat ze onder de pijpen kruipen en daar vast komen te zitten. En dan had je nog de wrijving van vochtige kleding over je huid en schimmelinfecties. Deze beten waren de oorzaak van tropische zweren.

In het woud en in de woestijn genezen wonden niet gauw. De beet raakt ontstoken en verspreidt zich door het vlees in een taps toelopende vorm, helemaal tot op het bot. Daar komt een korstje op, waardoor je denkt dat het geneest. Je moet ze nat houden, zodat ze zich naar boven verspreiden. Wij gebruikten geen antiseptische middelen, omdat dat ook gezond weefsel aantast, dus wasten we de wonden met zout water, besprenkelden ze met antibiotisch poeder en deden er verband om. Ik had er ongeveer dertig op mijn benen. Het is een knagende pijn, die erger wordt als je na een rustpauze weer opstaat. Soms begon mijn hele lijf te schudden van al het gif. Het nam iedere avond bijna een uur in beslag om de zweren schoon te maken en te verzorgen. Wij gebruikten Johanns tent, omdat die mugvrij was, nadat we er hadden gesproeid en met de lamp hadden onderzocht of er insekten waren.

Het was moeilijk om aan eten te komen. Soms wilden de Zaïrezen ons niets verkopen. Wij stonden op een dag in een veld vol ananassen en vroegen of we er één konden kopen. De eigenaar zei nee, waarschijnlijk omdat we blank waren. Overdag aten we bananen en ananassen en 's avonds rijst met datgene wat we maar konden kopen – impala, eieren of iets dergelijks. Op een keer vond Raymond een schildpad voor het avondeten. Wij hadden al een tijdje geen eiwitten meer gehad. In de buurt van een dorp wees een stel jagers ons een grindgroeve aan en ze verzamelden zich om naar ons te kijken. Raymond sloeg de schildpad met een hamer op de kop. Daar lag hij, met zijn tong uit zijn bek. Enkele minuten later keek hij op van het vuur en zag de schildpad wegwandelen, in de richting die hij eerder ook al was ingeslagen. Raymond weet hoe hij een dier zo pijnloos mogelijk moet doden, maar geen enkele manier van lokken kon de schildpad ertoe bewegen zijn kop uit te steken opdat Raymond die kon afslaan. Zelfs geen paracetamol. Raymond heeft veel dieren gedood en gegeten; hij heeft er een groot respect voor en heeft nooit iets verspild van een dier. Dit is de Indiaanse manier, en daar ben ik het mee eens – er is niets verkeerds aan om een dier te doden en op te eten als je dat nodig hebt, maar verspilling is walgelijk. Hij bedankte de schildpad en sneed toen zijn schild open. Hij voorzag ons drie dagen van voedsel. De eerste avond hadden we stoofpot. Ik kreeg de slokdarm – dat was tenminste beter dan het schild – en daarna hadden we weer stoofpot met groenten en toen soep.

Impala was mijn lievelingskostje – het vlees is zacht en zoetig. Wij kookten het binnen een half uur gaar in ananassap of bedekten het met plakken papaja. Als je het langer laat staan, gaat het over tot ontbinding.

Raymond en ik kookten om beurten en Johann deed altijd de afwas. Hij hield niet van koken, maar genoot van onze lof als hij had schoongemaakt en afgewassen. Wanneer we klaar waren, ontspanden we ons bij het vuur, rookten een sigaret en luisterden naar muziek. Johann hield van heavy metal, wat wel wat heftig was na een dag vol lawaai, dus luisterde hij daar overdag naar en speelde hij 's avonds iets sfeervollers. Het was maar goed dat het boterde tussen ons, want even na Buta werden we aangevallen – en niet zo zuinig.

Een vrouw had de jongens gewaarschuwd dat er voor ons uit mensen woonden die agressief waren. Ze zei dat ze dichtbij me moesten blijven of anders – en ze trok een lijn langs haar keel.

22

Het grootste probleem waarmee we te maken kregen, waren de bewoners van de dorpen tussen Buta en Gemena, een traject van ongeveer 1.000 kilometer, dat op een toeristische route lag. Het was een flessehals van reizigers: Angola was in oorlog, het zuiden van Soedan ook en er zijn geen andere routes. Als je naar het zuiden van Afrika wilde, was dit de weg waarlangs je moest gaan. Wij hadden gezien hoe hun houding verschilde jegens mensen die achter een kar lopen te duwen en mensen die op een truck zitten – de dorpelingen waren ongelooflijk vijandig als ze een truck zagen. Daar hoef je je niet over te verbazen, aangezien niet alle reizigers zich erg respectvol gedragen jegens de plaatselijke bevolking. Ze scheuren door de dorpen, waarbij ze kippen doodrijden, ze kopen enorme hoeveelheden voedsel op de markten op, zijn grof tijdens het kamperen en hebben ook nog een heleboel aardige dingetjes bij zich. De dorpsbewoners weten niet waar ze vandaan komen – ze zien alleen een wagen voorbijdenderen. In een dorp kan alles vervangen worden uit het woud, dus denken zij dat dat ook met onze spullen kan. De kinderen zien een vrachtwagen en komen schreeuwend aanzwermen: 'Donnez-moi le Bic' en 'Donnez-moi un cadeau' – 'Geef me een Bic (pen)' of 'Geef me een cadeau'. Ze gooien met stenen naar de truck en als er één in een kuil vastloopt, hebben ze een buitenkansje. De passagiers zijn prikkelbaar door de vochtigheid in het bos, de zweren en het uitgraven van de truck, om vervolgens na een paar kilometer weer vast te zitten. Ze vechten terug. De kinderen vinden het fantastisch blanken kwaad te zien worden – we hebben allemaal John McEnroe gezien.

Dus zodra ze een blanke alleen door het dorp zien lopen, heb je een rel. Ze komen tussen de huizen vandaan stromen en beginnen te joelen. Ik groette en wuifde naar de ouderen. Maar je kreeg weinig kans om ze tot een spelletje te verleiden – ze wilden gewoon een blanke in elkaar slaan als vergelding voor de laatste truck. Het werd zó erg dat de Land Rover aan het begin of het eind van het dorp moest blijven wachten om me in de gaten te houden. De Land Rover vielen ze ook aan. Ze klommen op de zijkanten, sommigen probeerden het rubber van de raampjes open te snijden en anderen wisten hun handen onder het tentzeil op het dak te krijgen, kleine grijphandjes, die probeerden iets te pakken vóór de chauffeurs het konden verhinderen. Raymond ging dan plotseling op zijn rem staan, waardoor ze tegen de achterkant smakten. Het was de enige manier om ze af te schudden.

Hij vertelde me wat er achter me gebeurde. De mannen hoorden de kinderen gillen en zagen hoe ze zich om me heen verzamelden. Dan trokken ze hun panga's. Als ze de Land Rover hoorden, stopten ze die schaapachtig weer weg. Tijdens de pauzes verscheen er een agressieve menigte. We voelden ons gedwongen om hen te kalmeren, maar dat wilden ze niet – zoals de anderen in het zuiden, die nog nooit blanken hadden gezien. Tijdens het avondkamp begonnen ze te sarren. Wij negeerden het als het onmogelijk bleek vrede te sluiten. Maar het lijkt veel op niet aflatende jeuk, terwijl je niet mag krabben. Raymond probeerde ze weg te jagen, maar dan vlogen de stenen je om de oren. En ze kunnen goed mikken – ik kreeg er een tegen mijn hoofd en bloedde een beetje. Ze raken opgewonden als ze bloed zien. Wij haalden het dorpshoofd erbij. Hij stuurde ze naar huis en liet een jonge man bij ons achter om ze weg te jagen. Maar wanneer de kinderen zich opnieuw verzamelden, drong het op een akelige manier tot je door dat hij een van hen was – als in een psychologische thriller, op het moment dat je opeens beseft dat je maatje je maatje niet is.

Op een nacht werden we wakker van een schelle triller van een vogel in nood. Wij keken uit de tent en zagen verscheidene donkere figuren, gekleed in zwarte veren, dansend om ons kamp draaien. Ze zagen ons en begonnen dieren na te doen, vertrokken hun lichamen, schudden met hun ledematen en schopten stof op. Ze maakten geluiden waardoor de rillingen over je rug lopen. Ze waren gekomen om ons bang te maken, deze jongens, die in het oerwoud zaten om beproevingen te ondergaan alvorens besneden te worden, waarna ze toegelaten worden tot de wereld van de volwassenen. Maar ze wisten niet precies tot hoever ze met ons konden gaan, ze wisten niet zeker of wij de demon waren die ze tegemoet moesten treden. Ze wilden zich niet van ons afwenden als we dat waren, zodat we ze in de rug konden aanvallen, en zij zouden falen. Hoe vaak zagen zij blanke mensen? En als de laatste onmoeting met blanken onder slechte omstandigheden had plaatsgevonden – al was het maar voor een van hen? Ze vertrokken, maar wij deden geen oog meer dicht.

1.000 kilometer is ongeveer een maand lopen. In die periode vielen we met ons drieën vijftig kilo af. We waren hypernerveus, uitgeput en ziek, maar hoe erger het werd, hoe meer we ervan overtuigd waren dat we moesten doorzetten. Deze opgekropte agressie kwam in Aketi tot een climax. Andere reizigers hadden ons verteld dat een stel corrupte kerels van de immigratiedienst een zwendel had opgezet. Ze hielden een truck aan, wilden van iedereen zijn beroep weten en eisten vervolgens dat men dat bewees. Als men dat niet kon, werd men als spion gearresteerd. Het was alsof je een monopoliekaart trok: ga direct naar de gevangenis of betaal vijftig gulden boete. Zoveel geld hadden we niet, en we hadden afgesproken geen smeergeld te betalen als we in het bezit waren van wettelijke reisdocumenten.

Aketi lag aan de andere kant van een brug die herbouwd moest worden

– ook zwendel. De dorpsbewoners nemen enkele planken weg en houden die verborgen. Een auto die eroverheen moet, huurt de planken en de werkzaamheden. In Aketi was de eerste markt sinds dagen – en wij hadden echt voedsel nodig, na dagelijks vijftig kilometer gelopen te hebben op een derde ananas en een handjevol bananen. Ik liep voorop, in de hoop dat niemand me zou opmerken – zoals de trol onder de brug hoopte ik dat niemand me voorbij hoorde komen. Daarna zou de Land Rover snel doorrijden. Ik had hun gevraagd wat deegballen te kopen, maar ze werden gepakt zodra ze stopten.

Een jonge kerel hield hen tegen. Hij droeg een soort uniform, maar zonder insignes.

'Pas,' zei hij.

Raymond weigerde dat, als hij zich niet kon identificeren – hij kon wel een dief zijn. Er verscheen een gewapende soldaat ten tonele en de menigte werd erg vijandig. Johann wilde de gemoederen sussen, maar raakte in gevecht. Hij stompte de soldaat in zijn maag. Raymond scheurde in de Land Rover achter me aan. Hij werd door de eerste kerel achternagezeten. Toen hij mij bereikte, was er een algehele vechtpartij uitgebroken. Hij greep Raymonds paspoort en ik rende hem achterna, 'Voleur!' roepend. De menigte rende met me mee, maar raakte me niet aan. Ik greep de kerel vast en scheurde zijn zakken kapot om bij het paspoort te komen, maar het was doorgegeven aan iemand anders in de menigte. Godverdomme. Nu kregen we met die corrupte ambtenaren te maken. Ik reed met Raymond terug en we troffen Johann aan die op de plaats waar hij achtergelaten was rustig een sigaret rookte. We werden naar het immigratiekantoor ergens in het dorp gebracht. De baas ervan zat als een dikke, vette spin te wachten op zijn slachtoffers.

Wij legden uit dat de kerel zich niet had kunnen identificeren; ze spreidden gespeelde afschuw tentoon dat wij zelfs maar dachten dat er in Zaïre dieven waren! Twee lagere ambtenaren bemoeiden zich met het gesprek. De een dreunde in het Frans in mijn oor, de ander sprak Engels. We stonden op het punt ergens te komen, tot ik dit agressieve gedonder niet meer kon uitstaan en hem zijn mond wilde laten houden, zodat ik die andere knaap kon verstaan. Ik legde mijn vinger dus tegen mijn lippen en zei: 'Ssst!'

Een geschokte pauze.

'Goed!' zei de baas. 'We zijn bereid om terug te vechten!'

Nu was de hel los. Ze weigerden Engels te spreken, noemden mij brutaal, slecht en respectloos. Een vrouw kan zoiets in Afrika blijkbaar niet ongestraft ten opzichte van een kerel doen. Ik werd gearresteerd en hoorde dat ik op de boot naar Kisangani zou worden gezet. Al onze passen werden ingenomen en de Land Rover werd doorzocht. Alles werd eruit gehaald. De tassen werden leeggehaald, de inhoud vloog in het rond. Bestek werd uit de doos geworpen, het was een wirwar van zwarte handen in onze Land Rover en er kwamen er meer bij om spullen weg te pakken en ermee vandoor te gaan. Ze stonden op het punt om mijn toilettas open te maken toen Johann kwam aanschrijden, zoals Obelix naar de Romeinen, en zei:

'Nee, dat is de tas van de dame. Als jullie daarin willen kijken, moeten jullie dat aan de dame vragen.' Daarvoor hadden ze respect.

Ze haalden de doos met documenten te voorschijn en doorzochten de inhoud. Ze namen de pijl en boog in beslag die de pygmee in Kisangani voor Raymond had gemaakt als kerstcadeau van Mike en Johann, omdat het een wapen van spionnen was. Ze genoten van de alarmapparaten en onze messen. Maar toen ze een foto vonden die Raymond me maanden geleden had gestuurd, zaten we zwaar in de problemen.

Het was een mensenschedel in een hoop bladeren. Raymond hield ervan practical jokes uit te halen met de mensen die op zijn cursussen kwamen en dit was een favoriete, vooral bij vrouwen: hij legde de schedel ergens neer waar ze bladeren moesten verzamelen. Hij noemde het 'Doodshoofd'. Maar de kerel van de immigratie keek ernaar en iedereen verzamelde zich om hem heen om ook te kijken. Toen zei hij heel kalm: 'Hebben jullie deze man in het woud gedood?'

Probeer zo'n grap maar eens in het Frans uit te leggen als je de woorden niet kent, aan mensen die niet hetzelfde gevoel voor humor bezitten. We werden plechtig het kantoor binnengeleid. De vette spin zat achter zijn bureau, ongetwijfeld berekenend wat de huidige straf was voor moord. Het werd hoog tijd om zoete broodjes te bakken.

Hij dempte zijn stem, leunde voorover en zei: 'De mannen dragen geen insignes omdat wij geheime agenten van de contraspionage zijn.'

'Aha, dat moet de verklaring zijn,' zei ik. 'Wat moet dàt een vreselijk moeilijke taak voor u zijn, en ook bijzonder moedig.'

Mijn arrestatie werd ongedaan gemaakt.

'Maar,' zei hij, toen hij me liet 'lopen', 'u hebt mij wel een enorme hoofdpijn bezorgd. Wat wilt u daaraan doen?'

'Als u mij naar de Land Rover laat gaan, zal ik wat pillen voor u halen.'

Dit soort gezeur duurde nog lange tijd voort. Uiteindelijk nam hij genoegen met een parasol, om te voorkomen dat de zon op zijn hoofd scheen, en een aantal stukken zeep voor de uniformen van zijn mannen, die vuil geworden waren tijdens het gevecht.

'Wij hebben van andere reizigers gehoord dat jullie hier geld eisen,' zei ik.

'Dat is een afschuwelijke leugen,' zei hij.

'Van nu af aan zal ik tegen alle reizigers zeggen dat de mensen van de immigratiedienst geen geld vragen als ze niet kunnen bewijzen wat hun beroep is. Het zijn eerlijke mensen, en ze hebben te lijden van de leugens van andere mensen. Het enige dat ze willen zien, is je paspoort, om zich ervan te vergewissen of alles in orde is. Als ze geld vragen dan zijn het geen mannen van de immigratiedienst.'

'Ja, zo is het,' zei hij, volledig met zichzelf ingenomen.

We pakten in en reden naar de plaats waar ik was gestopt. Ik stapte uit en dezelfde menigte verzamelde zich toen ik door het dorp liep. Er vloog iets langs me heen dat voor me belandde. Verdomme! Ik had niet het geduld om opnieuw gestenigd te worden. Ik draaide me om teneinde de eerste de beste die ik te grazen kreeg een aframmeling te geven, maar keek in een stel gretige jonge snoeten. Een van de jongelui pakte het voorwerp op en gooide het opnieuw. Het was een voetbal en ze wilden een partijtje met me spelen.

Soms liep ik op met jagers of vrouwen die naar de markt gingen en dan babbelden of lachten we, of we schuifelden gewoon samen verder, met die zware, schommelende tred. Maar op een dag kwam er een man naast me lopen die geen jager was en evenmin een ander doel scheen te hebben. In de wildernis was hij best aardig, maar zodra we andere mensen of een dorp naderden, begon hij me ergens van te beschuldigen. De mensen in de dorpen zagen dit en gingen met hem meedoen. Ik keek eens goed naar hem toen we voor een versperring van mensen moesten stoppen – hij had een onbetrouwbaar gezicht. Ik schudde hem de hand met de woorden: 'Dank u wel dat u mij naar mijn man hebt vergezeld, hij is nu niet ver weg meer en zal het bijzonder prettig vinden u te ontmoeten.'

Op een of andere manier wond dit hem op. Hij duwde de menigte opzij met de woorden dat hij wilde dat ik zijn moeder bezocht. Ik legde uit dat mijn man op me wachtte, maar hij begon sterker aan te dringen en de beschuldigingen in het openbaar werden steeds agressiever. Ik pakte mijn zak met mijn dagproviand en vroeg hem of hij iets wilde hebben – er zat alleen een banaan in en wat toiletpapier. De kinderen gristen het allebei weg. Hij greep me bij mijn arm en verlangde dat ik met hem meeging naar zijn huis. Ik kon zien dat hij een erectie had – en wat er over Afrikaanse mannen wordt gezegd, is waar. Ik liet hem mijn trouwring zien, herhaalde dat ik getrouwd was en maakte aanstalten om hem een knietje te verkopen, toen hij de benen nam. Tjonge, dat was goed afgelopen. Hij had de Land Rover gezien voordat ik hem had gezien – mijn god, wat hebben die lui een scherpe ogen; je kon net een hoekje van het blauwe tentzeil verderop door het gebladerte zien.

De jongens waren gestopt om te kijken of ze ergens eieren konden kopen. Toen ik hen bereikte, stortte ik in. Niet alleen door dat incident, maar de angst en spanning van honderden kilometers agressie kwamen eruit. De knaap die de eieren verkocht, zag het en bracht ons naar zijn da, waar hij de kinderen wegjoeg. Hij hoorde wat er gebeurd was en kende die kerel. Hij was woedend. Hij liet ons even alleen en toen hij terugkwam, gaf hij ons twee uien. Om dit in perspectief te brengen, moet je weten dat het gemiddelde jaarloon in Zaïre rond de 100 pond bedraagt en een ui 40 pennies kost.

In Afrika wordt je vaak op die manier geïntimideerd. Een andere keer was de Land Rover vooruitgereden en kwam me een vrachtwagen achterop. Het pad was zó smal dat ik me in het bos moest drukken om hem te laten passeren. De passagiers probeerden mijn zonneklep weg te grissen; toen het de laatste vent ook niet lukte, gaf hij me een dreun op mijn hoofd. Pang! Maar dat was tenminste een ander soort pijn.

De passagiers van een andere vrachtwagen gooiden een volle bak met afval naar me toe. De Land Rover reed ergens achter me en kon er, tegen de tijd dat ik het kon vertellen, niet meer achteraan gaan. Ze reden ongeveer vijf kilometer voor me uit en parkeerden om de lunch klaar te maken. Een oud mannetje kwam voorbij en stopte voor een babbeltje. Hij droeg een uniform van het Rode Kruis en zei dat hij lid was. Toen hij hoorde dat iemand op een vrachtwagen mij met afval had gegooid, zei hij: 'Wat? Waar is ze?' 'Een eindje terug.' 'Is ze gewond geraakt?' En zonder op antwoord te wachten, haastte hij zich terug om me te zoeken. Ze gingen hem terughalen en legden hem uit dat alles in orde was.

Toen we in Bumba aankwamen, namen we een rustdag. We parkeerden op de binnenplaats van een garage en kampeerden in een betrekkelijk olievrije hoek, waar een aantal dikke varkens in het zand liep te wroeten.

Ons vroegere manusje-van-alles verscheen met zijn trawanten, die eruitzagen alsof hun ouders erg nauw verwant waren aan elkaar – en deed net alsof hij ons niet kende. Ook alle blanken schijnen op elkaar te lijken. Onderweg naar Lisala staken wij een brug over en deden er eeuwen over om die te herbouwen. De missiepost aan de andere kant leek ons een goede plek om te overnachten, maar die lul van een Fransman, grijs van de paludrine, zei dat we maar terug moesten gaan naar Bumba. Dat betekende dat we de brug opnieuw moesten herbouwen, omdat de plaatselijke bevolking de planken weer had weggehaald. Je krijgt er een zesde zintuig voor om te weten waar je veilig kunt kamperen. Bill wist het en wij wisten het ook. En dit was een rotplek. Dus terug maar weer. We ontmoetten nog een andere groep reizigers.

Drie dagen later kwamen we in Lisala aan, waar Moboetoe een buitenhuis bezat, en we zagen een bord dat er een camping was! Wij werden verwelkomd door de meest spontane en charismatische knaap die ik ooit ben tegengekomen.

Zijn begroeting was: 'Wat willen jullie eten?'

En alsof dat nog niet genoeg was: 'Hebben jullie was?'

Hij liet ons de douche zien en vroeg vervolgens wat we voor ontbijt wilden. Ik was volkomen verbijsterd.

De hele volgende week hield het getreiter aan, en ook de ziektes, de zweren en het voedselgebrek hielden niet op. We begonnen voorwerpen te ruilen voor voedsel – een bord voor een fles palmolie, een vork voor een ananas. Het plaatselijke voedsel bestaat uit cantharellen, slakken, rupsen, aap en vleermuis. Ik kreeg een dode vleermuis voor vijf pennies. Tijdens een ontmoeting met reizigers noemde een meisje de exacte afstand naar Businga en de rivier. Ik brak de regels weer eens door haar te geloven. Het was veertig kilometer verder – bijna een hele dagmars. Maar we hadden een heerlijke rustdag; we zwommen in de rivier de Mongala en wasten onze kleren. Raymond trok voor het eerst zijn lange broek weer aan en verzoop er bijna in. Nòg een maand afvallen en hij zou geen weerstand tegen de ziekten meer hebben.

Hij dacht dat de Afrikanen konden zien dat hij zo onnatuurlijk mager was en daar maakte hij zich zorgen over. De hele dag, tijdens iedere pauze, ieder kwart, iedere avond en de hele nacht door lagen we onder vuur. Joris Goedbloed uithangen kon je hier niet, in dit tempo, op deze toeristische route. We baanden ons een weg door noordelijk Zaïre, maar we wonnen – iedere stap werd gelopen, we vonden altijd eten, er werden altijd vuren ontstoken en de humor hield het moreel hoog. Bovendien beschermden zij de Land Rover en de spullen zó goed dat er niets werd gestolen. Eigenlijk is dat de lakmoesproef. Zoiets tref je op reizigerstrucks zelden aan, en dat zijn toch profs.

Op de rustdag kregen we gezelschap van twee Land Rovers. Een van de chauffeurs, uit Botswana, was echt een geschikte kerel. Hij vroeg of hij wat van onze buizen mocht hebben om een reparatie te kunnen uitvoeren. Wij gaven hem het gevraagde, maar daarna kwam hij terug en vroeg of wij hulp nodig hadden met de Land Rover. Noch Raymond noch Johann was monteur, en ze waren dus erg blij dat hij een volledige technische controle kon uitvoeren. Wij aten geit en gebakken cassaveschijfjes en ontdeden de bar van koud bier.

Twee dagen later kwamen we in Karowa aan, de missiepost van de gevluchte Amerikaanse zendeling die we in de Centraalafrikaanse Republiek hadden leren kennen, toen we de kar duwden. We gingen kijken of er iemand was. Twee andere zendelingen hadden toestemming gekregen om er twee weken lang te verblijven teneinde te controleren of alles nog in orde was en wat grondiger in te pakken. Ze waren heel trots op hun bewakers, die tijdens hun afwezigheid de mensen buiten hadden weten te houden. Toch was een van de plaatselijke bewoners in staat geweest binnen te komen en kaas te stelen. Zij hadden ervan gegeten en waren twee weken zwaar ziek geweest – ze hadden het moeten uitzitten. Na een dag van bezoeken aan afgelegen gebieden keerde de dokter met het vliegtuig terug en kwam kennis maken, terwijl wij door zijn vrouw werden rondgeleid. Wij spraken over onze zweren, ziekten en algehele malaise. Hij vroeg ons waar we van leefden en we vertelden voornamelijk vruchten en rijst te eten. 'Dan weet ik wat jullie nodig hebben,' zei hij, terwijl hij de missie binnenliep. Hij kwam terug met een grote zak M&M's! Ze waren ook bezig hun vrieskist te ontdooien, dus waren we op het perfecte moment gekomen om de koelbox met stoofpot kip, gehakt, cheddar-kaas en gesneden wittebrood uit Maine vol te laden. Wij mochten bij hun pompstation kamperen, omdat daar een glasheldere vijver was en een bewaker. Zo hadden we een verrassende maaltijd: cheeseburgers en chocolaatjes toe.

De volgende ochtend nam hij mij wat bloed af, in verband met mijn voortdurende nierklachten, maar kon niets bijzonders vinden.

De volgende avond, toen we opnieuw een heerlijk maal van cheeseburgers stonden klaar te maken, wel snel, want er was regen op komst, kwam er een man zwabberend over de weg aanlopen met een leeg pak palmwijn in zijn hand. Hij probeerde ons iets duidelijk te maken, wijzend naar de combo combo-bomen. Uiteindelijk maakten we eruit op dat ze op het punt stonden boven op ons te vallen – wat zo op het oog niet voor de hand lag, omdat ze er duidelijk levend en sterk uitzagen. Maar we bedachten dat ze, doordat ze zo poreus waren, misschien wel opgezwollen waren van de regen. We vertrokken dus maar.

Twee dagen later liep ik door Gemena en zag ik mijn eerste Encounter Overland-vrachtwagen terug. Ze hadden problemen met een vent van de immigratie, die een document wilde zien dat ze niet hadden. Ik vermoed dat onze komst hem afleidde, en de wagen reed ons voorbij. Daarna stopte hij en de chauffeur zei, leunend uit het raampje: 'Bill heeft me gezegd je te vertellen dat je autopaspoort klaarligt bij die Griek in Bangui.' Mooi zo! Dat betekende dat Charlie de brief had gekregen die ik in Kisangani aan de Britse consul had gegeven, waarin stond dat de Land Rover teruggevonden was en dat ik een chauffeur, geld voor de reis en het autopaspoort nodig had.

Ik liep door het oude, in puin liggende koloniale stadje met zijn ondermijnde, afbrokkelende muren en passeerde een monument met het symbool van onafhankelijkheid van Zaïre – een arm met een opgeheven brandende toorts. Op mij kwam het over als de belichaming van 'pompen of verzuipen'.

Wij hadden gehoord dat er in Gemena zendelingen waren en gingen naar ze op zoek. Het bleken twee Britse oude vrijsters van middelbare leeftijd te zijn, taalkundigen, die bezig waren de bijbel in het Lingala te vertalen, de taal van noordelijk Zaïre. Ze wezen ons een plek aan achter het huis waar we konden kamperen. Een van hen zei: 'Hebben jullie misschien zin om bij ons op de thee te komen, met gebak? Zo rond zeven uur vanavond?' Wij hàdden het niet meer.

Wij begonnen vóór zeven uur stuntelig ons kamp op te zetten en onszelf op te knappen. Wij hadden al in geen maanden meer een afspraak gemaakt en het zou werkelijk een slechte beurt zijn als we te laat kwamen. Maar we haalden het en gebruikten de thee met chocoladecake en slagroom, gemaakt van poedermelk. Wij waren er ondersteboven van. Johanns maag was meer geslonken dan hij besefte, want hij kon zijn portie niet op.

De vrouwen waren al ongeveer twee jaar met hun karwei bezig en het zou nog wel twee jaar gaan duren voor ze ermee klaar waren. Een van hen had de bijbel vertaald in een taal die nog nooit eerder op schrift was gezet. Ze had dus een alfabet, een spelling en een grammatica moeten uitwerken en vervolgens de mensen moeten leren lezen. Voor sommige christelijke concepten bestaan in andere culturen geen woorden en daarom had ze een andere manier moeten bedenken om bepaalde dingen uit te leggen – vooral in het geval van de wederopstanding. Ze waren van afschuw vervuld toen we vertelden over de medicijnmannen die we waren tegengekomen en geraadpleegd hadden.

Wij hielden een rustdag bij hen en Raymond ging met iemand van hun personeel naar zijn dorp. Ik ging wassen en schrijven. De rustdagen waren de enige momenten waarop ik even een plekje kon maken om alles weer onder controle te krijgen. Ik vond het niet erg om niet naar de dorpen te gaan – ik kreeg iedere dag de gelegenheid om inzicht in de gang van zaken te krijgen. De jongens kregen die kans niet. Zij zaten in de Land Rover en werden op een andere manier begroet, precies zoals we hadden gezien toen we nog achter de kar liepen. Raymond ontdekte dat dit de Nbakastam was, die in 1964 op eigen houtje de rebellen bij Mobay-Mbongo hadden tegengehouden. Dit was een van de belangrijkste gebeurtenissen in de oorlog van na de onafhankelijkheid. De Simba hadden tot dan toe het leger en de huurlingen van de CIA verslagen; de Nbaka waren erop afgestuurd om ze tegen te houden. Dat deden ze met pijl en boog, en de vijand wist niet eens dat ze er waren. Ze hielden zich schuil in een hinderlaag en hun pijlen waren zó trefzeker en het vergif werkte zó snel dat de rebellen binnen tien minuten uitgeschakeld waren, als door een soort muggenverdelger.

Raymonds gids wees op de bangbama-bomen (een plaatselijke naam), die bij de meeste huizen waren geplant. De bast ervan wordt vermengd met het latexsap uit een klimplant om het pijlgif te verkrijgen. Weer een andere plant die ze buiten hun huizen kweken, is een vergif voor vissen – als het blad in het water wordt gekneusd, gaan de vissen dood en komen ze bovendrijven.

'Eén blaadje ervan kan een man doen inslapen,' zei hij.

Hij toonde verschillende medicinale planten die bij de meeste huizen stonden en goed zijn tegen vrouwenkwalen. Het sap van de ene werd gebruikt als inwendige spoeling na een bevalling, een andere plant was goed om de buikspieren te verstevigen en weer een andere hielp tegen striae – de Body Shop zou er een fortuin aan kunnen verdienen!

De gids bracht ook een broodvrucht mee en liet ons zien waar we op moesten letten als we er een uitzochten en hoe we hem moesten bereiden. Dat werd ons hoofdvoedsel, want het smaakt heel lekker, het heeft iets weg van zachte tamme kastanjes. Onze andere hoofdschotel, rijst, was een aanwijzing dat er niets anders te eten was.

Wij hadden al lang geleden het besluit genomen de eerste de beste kans aan te grijpen om van de toeristische route af te wijken. Er zijn twee grensovergangen van Zaïre naar de Centraalafrikaanse Republiek aan deze kant – Mobay-Mbongo was de plaats waar we binnengekomen waren en Zongo, recht tegenover Bangui. Zongo had de naam een roversnest te zijn; in feite ging iedereen die in de stad geen geld kon verdienen daarheen om het vak te leren. Eén hele dag lastig gevallen worden was het waard om het te doen, liever dan een week waarin je dagelijks wordt getreiterd. Dus gingen we via Zongo.

Toen ging het woud open en keken we voor het eerst uit over de savanne.

En wind. Mijn zweet verdampte en mijn haar woei uit. De mensen in de dorpen waren ook anders. Veel meer ontspannen en gastvrijer. Zij hadden niet veel trucks gezien en ze leefden niet in het bos. Als wij er prikkelbaar van worden, dan maakt het hen ook prikkelbaar. Deze verandering zette net op tijd in; nog veel langer in de vochtigheid zouden mijn zweren zodanig verergeren, dat ik het misschien op moest geven.

Toch werden we die week aangevallen. Johann gebruikte bluf om de mensen van de Land Rover af te krijgen en uit mijn buurt te houden, maar op een gedenkwaardige dag in een klein dorp was er iemand die dat bluf noemde. Johann had op volle snelheid achter de Land Rover aan gehold om twee schurken weg te jagen, toen een van hen een hut binnendook en naar buiten kwam met een machete. Hij rende naar Johann toe, te snel voor de laatste om op tijd bij de Land Rover te komen. Raymond zag het gebeuren en keerde, om tussen de twee in te komen. Johann stapte in en godzijdank was ik over de volgende heuvel verdwenen, zodat ze gas op de plank konden geven.

Die avond probeerden we de broodvrucht uit. Je zet het hele ding op een vuur met goede blokken en brandende takken tot de knobbelige schil zacht en verkoold is, dan draai je hem om met de korte kant naar beneden. Dat duurt ongeveer twintig minuten. Dan snijd je de buitenste verbrande schil eraf en de bruine laag die net onder het oppervlak ligt – je moet wel een schaal met koud water klaar hebben staan om de vrucht en je handen te kunnen onderdompelen als het je te heet wordt. In dit stadium ruikt hij zo lekker dat je meestal niet kunt wachten tot hij afgekoeld is – maar als je dat wel kunt, behoor je hem overlangs in plakken te snijden, de donzige grijze pit eruit te halen en hem zo op te eten.

Wij voegden er onze eigen kooktalenten aan toe, sneden hem in driehoekige vormen en bakten die op Indonesische wijze. Het resultaat is een knapperige buitenkant en een zoete, broodachtige binnenkant.

Ik heb er een hekel aan om naar een punt toe te werken. We waren nu tweeëneenhalve dag van Bangui verwijderd en ik maakte me zorgen dat het er niet zo heerlijk rustig zou zijn als ik nodig had. Ik voorvoelde een vreselijke anticlimax en teleurstelling. Maar een nog veel grotere zorg was het bereiken van de grens zonder autopaspoort of visums, met heel weinig geld om iets te ritselen en verlopen Zaïrese visums – al hadden we verlengingsdocumenten.

Toen ik over de grazige vlakten liep, keek ik eens opzij en zag de hemel het gras raken. Ik voelde de wind om me heen en wenste dat ik opnieuw naar de weg keek en Engeland zag liggen.

De laatste avond in Zaïre hadden we broodvrucht gebakken en konden nauwelijks stilzitten, omdat we de volgende dag in de bewoonde wereld zouden komen, en we ventileerden onze dromen.

Johann: ‘Pizzeria’s met airconditioning en koud bier.’

Raymond: ‘Een douche, en koele, schone, witte lakens.’

Ik: ‘Privacy.’

Wij hadden Zaïre genomen. We waren naar Bangui teruggekeerd mèt de Land Rover en zelf nog in leven – al was dat dan ook alles.

Toen we klaar waren met eten wilde ik hen ergens aan herinneren. Wij hadden bijna drie maanden lang geen contact met de buitenwereld gehad en bevonden ons in een staat van volslagen onwetendheid.

‘Dat moeten wij ons nu heel goed realiseren en ervan genieten,’ zei ik. ‘Waar wij morgen binnenstappen, brengt ons weer in contact met de wereld en dat kan best heel anders zijn dan wij leuk vinden.’

Wij hadden het leven geleefd zoals het voor ons opdoemde; wij hadden geen informatie gehad over dingen die ons niet onmiddellijk aangingen. Wij hadden ons leven volledig in eigen hand gehad: wij hadden de Land

Rover moeten zoeken, een pirogue zoeken, we moeten op de juiste plek van start gaan, we moesten vijftig kilometer per dag afleggen – alles wat we deden, was voor en door onszelf.

Soms moet je je voorbereiden op dingen die gaan gebeuren en die je zou kunnen vergeten. Bij snelstromende rivieren hadden we mannen zien stoppen en een bloem neerleggen alvorens over te steken – die bloem zelf had niets te betekenen, het hoorde zo dat je dat deed om even stil te staan bij de rivier. Dat deden wij ook, starend naar het vuur, en legden in gedachten onze bloemen neer.

De volgende ochtend liep ik Zongo in en Raymond en ik gingen naar de immigratiedienst en de douanehutten. Wij hadden geen visums voor de Centraalafrikaanse Republiek; wij hadden geen autopaspoort; onze visums voor Zaïre waren verlopen en we hadden geen geld voor omkoperij. De baas van de immigratiedienst was mij een heel eind terug voorbijgereden en had vast gedacht: dat mens is gek, als zij helemaal door Zaïre kan lopen, is ze niet te stuiten. Wij waren binnen het uur zonder enig papierwerk en zonder te betalen door de immigratie heen.

Wij stonden op de zanderige oever van de rivier de Ubangui op de veerboot te wachten en keken naar de hoge gebouwen van Bangui, aan de andere kant. We dachten terug aan de dag dat we hier aangekomen waren, toen we een kar nodig hadden en naar Zaïre stonden te kijken met de wens daar te zijn. Onze dagdroom werd ruw verstoord door het geluid van iemand die een poging deed een achterband kapot te snijden.

Op de veerboot, met de wind in onze haren en het zonlicht weerkaatsend op de enorme uitgestrektheid van het water, sprongen we een gat in de lucht – yeeeha! De jongens reden de Land Rover van de boot af en de straat op in de richting van het immigratiekantoor en ik liep eraf en trof hen daar. Raymond en ik regelden onze visumproblemen – geen probleem; ze waren wel gewend aan mensen die zonder een visum uit Zaïre kwamen. Ze voorzagen ons van een tijdelijk bewijs en wezen ons waar we in de stad moesten zijn om een volledig visum te krijgen.

We hoorden bij de Land Rover een kreet van Johann en een klap. We draaiden ons om en zagen hem een groep dieven verjagen. De achterdeur stond open en de spullen lagen er half uit. De man van de immigratie haalde zijn schouders op.

We reden de stad in naar het postkantoor en belden naar huis. Ik kreeg Luly aan de telefoon: het geld was op, er was geen geld in Londen en Charles wilde zijn Land Rover terug.

Toen belde Johann naar huis. Hij had tòch al geen sterke zenuwen, maar toen hij ophing, kon ik zien dat hij stond te beven.

'Slecht nieuws?' zei ik.

'Mijn vader heeft een hersentumor. Ik moet naar huis.'

23

Hoog in de Land Rover en kijkend naar de stad hadden we het gevoel alles onder controle te hebben. We reden naar de flat van Vassos. Ik sprong voor het gebouw uit de auto en Raymond parkeerde aan de achterkant bij het zwembad, waar we van hadden gedroomd toen we achter de kar liepen te duwen. Ik rende de koele gangen met airconditioning door naar

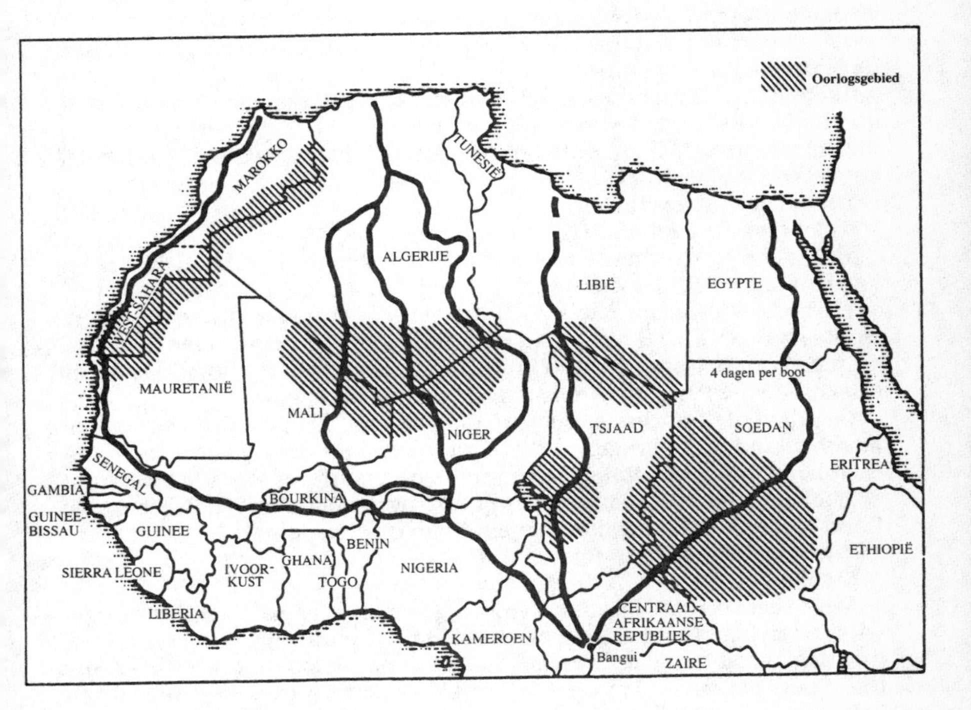

Alle routes naar het noorden waren afgesloten door oorlogen.

zijn kantoor en trof hem aan in de sorteerkamer, waar hij met een vrouw stond te praten. Ik rende langs haar heen om hem te omhelzen.

Vassos was enthousiast, verrast en opgelucht ons weer te zien. In haastig Afrikaans Frans legde ik uit wat er gebeurd was. Hij had geen telex uit Oeganda gekregen waarin werd uitgelegd dat wij naar Zaïre gingen en had zijn chauffeur naar de controlepost gestuurd, in navolging van de boodschap die wij daarvoor hadden verzonden via de zendeling toen wij met de kar waren. Toen wij na drie dagen nog niet waren komen opdagen, was hij ongerust geworden en had zijn chauffeur naar ons laten zoeken, maar niemand in de dorpen had ons gezien. Nog ongeruster dan daarvoor had Vassos het diamantnetwerk ingeschakeld, dat van de meeste dingen op de hoogte was, maar ook daar was niets uitgekomen. Hij vreesde dat wij onderschept waren door de Zargena-bandieten uit Tsjaad, die in het noorden een zendeling hadden vermoord terwijl wij daar onderweg waren.

Raymond kwam binnenstappen en schudde Vassos de hand. Hij stelde Johann aan hem voor. We stonden met open mond toen Vassos zei: 'En mag ik jullie je nieuwe chauffeur, Tim Kirkpatrick, voorstellen?'

Ik haalde tweemaal diep adem. De 'vrouw' die ik zoëven voorbijgerend was, was een man, een tengere weliswaar, met blond, gepermanent haar en een babyachtige blik in zijn grote blauwe ogen.

Hij duwde een slap handje in mijn richting en kondigde aan: 'Ik ben de leider van de expeditie.'

Ik kon mijn lachen haast niet houden en begreep niet helemaal wat er aan de hand was, dus wendde ik me tot Vassos voor een verklaring.

'Charles heeft Tim, in antwoord op je brief, hierheen gestuurd met het autopaspoort,' zei hij.

Er viel een lange stilte.

Toen ging de telefoon. Het was Charlie.

Erg tevreden over mezelf vertelde ik hem dat wij zijn Land Rover bij ons hadden en dat Raymond en ik veilig aangekomen waren.

Hij bedankte me niet dat ik zijn broodwinning uit Zaïre was gaan halen. In plaats daarvan zei hij dat hij de Land Rover terug wilde en Tim had gestuurd om hem op te halen en naar Londen terug te rijden. De grens tussen Niger en Algerije stond op het punt dicht te gaan.

Geprikkeld door zijn manier van doen, zei ik: 'Dan wil ik de kosten om hem het land uit te krijgen vergoed zien, plus het salaris voor Raymond en Johann, volgens het normale tarief voor chauffeurs, voor het werk dat ze hebben gedaan. En aangezien ik nog twee maanden recht heb op de Land Rover houd ik hem tot het eind van de huurperiode.'

Toen legde ik de hoorn neer.

Opnieuw stilte.

Deze keer verbrak Vassos het stilzwijgen met te zeggen dat hij ons graag wilde laten logeren zolang we maar wilden, maar dat zijn baas helaas over drie dagen zou terugkeren en het andere appartement nodig had. Tot die tijd stond het geheel tot onze beschikking. We gingen onze rugzakken halen en brachten die naar de bovenste verdieping, waar we een douche namen die we heel hard nodig hadden.

Later verzamelden we ons in de zitkamer met zijn typisch Belgische, crèmekleurige tegelvloer, lange banken en donker gepolijste, houten boekenkasten met porseleinen bibelots op kanten kleedjes. We zaten als een comité van verhoor naar Tim te staren.

'Aangezien jullie twee weken te laat waren, ben ik door Charles naar Zaïre gestuurd om jullie te zoeken,' verklaarde hij. 'Ik ben vijf dagen in Bangui gebleven en was van plan Zaïre in te gaan om te gaan zoeken als jullie niet zouden komen opdagen. Maar ik wist dat jullie wel zouden aankomen. Ik ben een oude Afrikaganger – drie keer hier geweest, snap je.'

Johann was na het douchen weggegaan, maar keerde nu terug met een grote plak chocola voor Raymond.

'Gefeliciteerd met je verjaardag,' zei hij.

Johann was heel goed in het uitzoeken van dingen en had een plek gevonden waar we konden logeren, de herberg van het Vredescorps. We gingen erheen om kennis te maken met de eigenaars.

Del en Jack Crain waren Amerikaanse geëxpatrieerden van rond de pensioengerechtigde leeftijd. Ze waren op de bonnefooi naar de Centraalafrikaanse Republiek gekomen en hadden de leiding van de herberg op zich genomen. Jack werkte ook als klusjesman in het huis van de Amerikaanse ambassadeur. Ze brachten ons naar hun knusse huiskamer, waar we mochten gaan zitten, en presenteerden zelfgemaakte chocoladekoekjes. Ze vonden het goed dat we in de tuin kampeerden en we mochten gebruik maken van hun douche en de da. Ik vertelde erbij dat we misschien wel een paar weken zouden blijven en spraken een prijs per nacht af.

Daarna gingen we naar een fantastische pizzeria om onze aankomst en de verjaardag van Raymond te vieren.

Een maand na aankomst in Bangui hadden we nog steeds geen antwoord op de vraag waarheen en wat te doen. Het moreel van de groep was gezakt en Raymond nam haastige beslissingen toen hij zich de consequenties van het uitstel realiseerde. Johann vloog naar huis omdat de ziekte van zijn vader kritiek was en Tim, die al hepatitis had toen hij aankwam, scheen alle zelfvertrouwen en het vertrouwen in Charles kwijt te zijn en dronk zijn ellende weg.

Ik had nog steeds fysieke klachten – buikkrampen, erge pijn aan mijn nieren en urinewegen en constante diarree. Hoe mijn fysieke toestand ook mocht zijn, die was er niet beter op geworden door de hoeveelheid kalium uit de bananen en het zuur van de ananassen, waarmee mijn nieren in Zaïre verstopt waren geraakt. Ik had onderweg dagelijks vier bananen gegeten en een derde ananas, en had daar achtenveertig kilometer op gelopen. Maar zelfs dat scheen inmiddels luxe te zijn; met het weinige geld dat we hadden, konden we niet veel uitgeven aan goed voedsel, en Raymond was tweeëntwintig kilo afgevallen.

Het conflict met Charles Norwood duurde voort, wat me nog meer ondermijnde. Ik zond hem een rekening van 5.180 pond voor de ondersteuningskosten vanaf 20 december (toen we in Kisangani waren) tot 20 maart, het eind van het contract. Hij had Tim 2.800 pond meegegeven, en nu wilde ik de aanvulling. Dat zou de vliegkosten, het salaris van Raymond en het salaris van Johann dekken, plus de dieselolie en de onderdelen voor de auto toen we uit Zaïre kwamen.

Hij nam het standpunt in dat hij ons niet had gevraagd zijn Land Rover in veiligheid te brengen, en dat hij van plan was geweest hem zelf terug te halen. Hij accepteerde niet dat ik recht had op het gebruik van de Land Rover tot het eind van het contract en daar al voor zou hebben betaald.

Het telefoneren en faxen verliep erg moeizaam. Tot de lunch zat ik in het kantoor van de Britse consul te wachten op telefoontjes. 's Avonds mocht ik van de plaatselijke tandarts telefoontjes ontvangen. Als ik zelf wilde bellen, moest ik met iemand een taxi nemen de stad in, omdat er zo ontzettend gestolen werd, en vanuit het postkantoor telefoneren en faxen. Maar daar kon ik niet ontvangen; dat moest ik dan weer bij de Britse consul doen.

De Franse legerleiding in Noord-Afrika trachtte een route voor ons te vinden, maar we konden nergens door: Soedan/Egypte was onbegaanbaar vanwege de zich uitbreidende oorlog tussen moslims en christenen in Soedan; Tsjaad/Libië kon je niet door omdat het gebied van de Tibetsi gesloten was – er was een leger van opstandelingen aan de grens en de zaak tegen de terroristen van de Lockerbie-ramp was geopend, zodat we, zelfs als we de rebellen voorbij waren, waarschijnlijk als politieke pionnen gebruikt zouden worden; door Niger/Algerije liepen twee routes, maar één daarvan was onbegaanbaar, omdat er over een loopafstand van een hele maand geen water was en we slechts genoeg konden meenemen voor tien dagen; de andere route was afgesloten wegens het conflict tussen de nomadische Toearegs en het leger van Niger, dat uitgemond was in moord op verscheidene blanken en het stelen van voertuigen van reizigers; Mali/Algerije was om dezelfde reden dicht, en zelfs wanneer die grens openging, zouden we een maand onderweg zonder water zitten; Mauretanië/bezette westelijke Sahara was al zeventien jaar dicht door de bezetting van de westelijke Sahara door Marokko.

Ik besloot naar de grens te gaan die het laatst was gesloten, Niger/Algerije, wat ongeveer twee maanden zou duren. Tegen die tijd zouden, als alles meezat, de problemen misschien opgelost zijn.

Maar de Centraalafrikaanse Republiek was gevaarlijk. De bandieten uit Tsjaad overvielen de wegen die wij wilden gaan – ze hadden busladingen Afrikanen beroofd van alles wat ze hadden, met inbegrip van hun kleren, en ze hadden gedood. Dat hield in dat ik 's nachts moest lopen en het voertuig overdag verborgen moest houden. Het was niet raar dat Raymond weigerde met Tim op weg te gaan, zeker met Zaïre zo vers in het geheugen. Daar hadden we iedere dag op elkaar moeten kunnen rekenen om in tijden van crisis het juiste te doen. Tim mocht dan drie keer heel Afrika afgereisd hebben, maar wel in een enorme truck die met een snelheid van zeventig kilometer per uur was voortgedenderd, en niet in een Land Rover die met zes kilometer per uur voortkroop.

Raymond nam via Luly contact op met een vroegere vriend uit het leger,

Dave Halton, om te vragen of hij Tim kon komen vervangen. Als dat kon, zou Tim toch blijven, heel simpel omdat dat goedkoper was dan hem terug te sturen. Dave zei dat hij na het weekend zou antwoorden, maar hij heeft haar nooit teruggebeld. Hij had een ongeluk bij het klimmen en brak verscheidene botten toen hij in een boom belandde; zijn kaak zat dichtgepind door een tak.

Tijdens die zes weken van onzekerheid stond ik onder een ongelooflijke druk om de voettocht te redden. Raymond en ik voelden ons net marionetten: nu we teruggegaan waren naar Zaïre en de tocht hadden gered, hadden we er niet meer de controle over om het doel te bepalen. We hadden constant ruzie en raasden over elke kleine kwestie tegen elkaar.

Ik bracht een buitengewoon ellendig weekend door met piekeren over mijn situatie. Het was heel gemakkelijk bij elkaar op te tellen: ik had geen team, geen geld, geen route naar het noorden en een verschil van mening over de Land Rover. En ook al werd dat allemaal opgelost, dan nog werd ik van alle kanten geconfronteerd met de geweren van de Zargena-bandieten. Ik had een manier moeten vinden om alle neuzen in één richting te krijgen, want uiteindelijk was het míjn voettocht, maar daartoe bezat ik niet de vaardigheid.

Luly had acht maanden zonder honorarium aan de tocht gewerkt, het is dus niet vreemd dat ze zich er niet helemaal op wierp en de geldcrisis overwon – ze had zelf een geldcrisis. Ze kon mijn veeleisende toon ook niet erg waarderen, maar voor tien pond per drie minuten kun je niet veel zoetsappige plichtplegingen uitwisselen. Nadat ik een maand op het Britse consulaat naast de telefoon had gezeten, haar opgejaagd had om een marketing manager warm te houden die altijd weg was om te marketen, kreeg ik Hi-Tec zelf aan de lijn. Ik kreeg een antwoord, maar niet bepaald het antwoord waar ik op gehoopt had. Ze wilden me het geld niet geven maar lenen. En ze zouden een persbericht uitgeven waarin verklaard werd hoe Hi-Tec de Trans-Africa voettocht had gered. Wat nog teleurstellender was dat ze in termijnen zouden betalen. Dat hield in dat we maandelijks onafzienbare kilometers moesten rijden naar een bank, om daar strijd te leveren met de bureaucratie teneinde geld te krijgen in plaatselijke valuta, die we een kwart verderop kwijt zouden zijn zodra we moesten wisselen.

Ik barstte in huilen uit en was volkomen machteloos. Ik moest onderhandelen vanuit een zwakke positie en dat werkt niet, zodat ik geen andere keus had dan het te accepteren.

Toen kregen we bericht van Johann. Zijn vader herstelde en hij was bereid terug te komen en verder te gaan. Misschien klaarde het tòch op.

Wij reden tijdens een weekend naar de uiterste hoek van de Centraalafrikaanse Republiek om een pygmeeënstam te bezoeken. Raymond en ik lieten Tim achter bij het kamp en gingen het bos in met de vrouwen, die ons veel van hun medicijnen lieten zien. Louis Sarno, een Amerikaan die bij hen leeft, vertelde ons over hun manier van leven en hoe de hulporganisaties het precaire evenwicht in de verhouding tussen de pygmeeën en de gevestigde stammen verstoren. De pygmeeën brengen verscheidene maanden in het bos door en keren dan terug naar het dorp van een stam waar zij de medicijnen, die ze geoogst en bereid hebben, ruilen tegen de gewassen die zij nodig hebben en door de dorpelingen worden verbouwd. Ze werken ook voor hen in de moestuinen; daarna gaan ze het bos weer in. De Afrikanen vrezen de bossen en gaan er niet in. De pygmeeën spelen op die vrees in. De hulpverleners hadden buiten het dorp een kamp voor de pygmeeën opgezet. Louis begreep maar niet waarom zoveel pygmeeën bij hem kwamen met hoofdpijnklachten en waarom ze binnen vier dagen stierven. Hij ontdekte dat het een gebied was waar hersenmalaria voorkomt, maar dat het gebied een paar kilometer verder er vrij van was. Hij liet hen verhuizen. Ze zetten het toeristenkamp neer op de plek van het oude pygmeeënkamp en plantten er citroenplanten om de muggen op afstand te houden.

In de bossen zijn niet veel muggen; die leven aan de randen ervan. Het was koel en schoon in het woud naarmate we er dieper in doordrongen, achter de vrouwen aan. Ze lachten voortdurend en kwetterden als vogeltjes. Niets had ons zo kunnen opvrolijken. Wij hadden op onze tocht door Zaïre van dag tot dag geleefd en controle gehad over wat we deden, en zo was het ook met hen.

Wij hadden het aan Tim overgelaten te berekenen hoeveel brandstof we nodig hadden voor deze reis. Hij had ernaast gezeten, hetgeen betekende dat we naar de grens met Kongo moesten rijden, in de hoop dat we daar wat gesmokkelde dieselolie konden krijgen. Dat lukte, maar tegen astronomische prijzen. Tijdens het tanken stond er een man voor hem, die met zijn hand probeerde het touw van de dakbedekking te pakken. Ik moest Tim op zijn arm tikken om hem erop attent te maken.

We waren het moslimgebied van de Centraalafrikaanse Republiek ingegaan. Ik had gedurende die weken van wachten veel tijd besteed aan het vervaardigen van lange jurken uit mijn lakens en dekbedovertrek. Ik knipte mijn shorts stuk en maakte daarvan een patchwork dekbedovertrek. Toen Johann met het vliegtuig arriveerde, kort nadat we de eerste termijn van het geld van Hi-Tec hadden geïnd, leefden we weer op. We meldden ons aan voor visums voor Kameroen, zorgden ervoor dat we de laatste spullen van de uitrusting kregen zoals we ze hebben wilden en bereidden ons voor op de hervatting van de voettocht vanaf de immigratiehut aan de oever van de rivier de Zaïre.

Op de avond van 29 maart 1992 stond ik met Del, Jack en Raymond naar de ondergaande zon te kijken. 'Als hij weer opkomt,' zei ik, 'ben ik onderweg.'

We stonden om halfdrie op en glipten door de gedempt verlichte straten van Bangui langs de politiecontrolepost, voordat de rovers hun slag weer probeerden te slaan.

Al werd er op de wegen naar de grens met Kameroen tussen Bangui en Bouar gepatrouilleerd door wagens van het Franse Vreemdelingenlegioen, toch schenen de Zargena-bandieten hen te willen treiteren door reizigers zo dicht mogelijk bij hen in de buurt te overvallen. Er zijn verschillende rivieren en geografische heuvelruggen en dalen die van Tsjaad in het noorden uitkomen op deze weg, die van het zuidoosten naar het noordwesten loopt. Op de plekken waar deze sluipwegen op de weg uitkwamen, zouden we erg kwetsbaar zijn. Om problemen op dit traject van twee weken te vermijden, hadden we daarom een nieuw schema uitgewerkt om onze zichtbaarheid overdag zoveel mogelijk te beperken. De bandieten sloegen 's nachts niet toe omdat ze graag wilden zien wat ze deden.

Dat schema was als volgt: beginnen met lopen om drie uur 's nachts en een kwart afleggen tot halfzes. Daarna een half uur ontbijten en om zes uur beginnen aan het tweede kwart, tot halfnegen. Dan zouden we de Land Rover en ons kamp in een schuilplaats opzetten tot zes uur 's middags, waarna we het laatste kwart zouden afleggen tot halfnegen 's avonds. Vervolgens zouden we gaan eten en om elf uur in bed kruipen en drieëneenhalf uur slapen, opstaan en aan de volgende dagmars beginnen.

In Australië had ik gezworen nooit meer 's nachts te lopen, omdat het overdag te heet was, te lawaaiig, vol vliegen en kudden langhoornrunderen met hun nomadische herders, die moeten schreeuwen om de beesten rondom het kamp te leiden op weg naar water. Op die manier doe je geen oog dicht, tenzij je volkomen uitgeput bent. Dat soort vermoeidheid is goed voor een paar weken, gevolgd door een rustperiode, maar niet op een trip die maandenlang doorgaat. Drieëneenhalf uur slaap per nacht was een wanhoopspoging, maar er was geen alternatief.

Raymond moest in Kameroen vertrekken om zijn tweede boek *The Complete Outdoor Handbook* te promoten; daarna zouden Johann, Tim en ik alleen verder gaan. Dan waren we bandietenland uit, maar Raymond wilde wel zorgen dat het hele team goed in elkaar zat, zodat hij het gevoel had dat ik degelijke steun kreeg. Tims houding van 'wat kan mij het schelen of die tocht slaagt of niet, ik word toch wel uitbetaald' zou moeten veranderen, anders konden we niet op hem rekenen. Een van de beste manieren om dat te doen was, hen zover te krijgen dat ze een kwart met me meeliepen, zodat ze konden zien hoeveel inspanning die voettocht kostte. Maar ik kon het niet helpen dat ik mijn eigen tempo aanhield; als ze achterbleven, wat ook gebeurde, dan was dat hun probleem.

Het team viel uiteen – Raymond en ik, Tim en Johann. Ik dacht dat Johann onder invloed van Raymond was opgeleefd, maar merkte nu dat hij een nieuwe leider had gevonden en die nadeed.

En toen begonnen de mangoregens. Dat zijn regens met tussenpozen, die vallen vóór het natte seizoen begint. Ze worden zo genoemd omdat het de tijd is dat de bomen vrucht dragen. Dat is ook de tijd dat er niets anders te eten is dan mango's. Ze zijn wee, glibberig en smaken naar zeep. Ik heb er een hekel aan. Maar Raymond wist een manier om er een perfecte taart van te maken en toen veranderde ik van mening.

Wij waren niet echt toegerust voor de regens. We hadden gewoon niet genoeg ruimte om al die extra spullen mee te nemen. Dus zwoegden we de hele nacht door de buien en de bliksem, die de hemel verlichtte als de aderen in een koolblad, om vervolgens in een doorweekt kamp te komen met natte mensen, natte stoelen, nat brandhout en maar één droge tent. Wij probeerden in een lekkende tent door de storm heen te slapen, op te staan in de natte duisternis en door te wandelen tot de ochtend. Naarmate de zon het land droogde, werd het vochtig en plakkerig, en we zetten ons schrap, want dit was perfect muggenweer. Je kon onmogelijk slapen met die bijtrazernij en dat martelende, hoge gejank.

De wegen waren geribbeld als een wasbord, wat onze toch al vermoeide ruggen sloopte. Mannen en kinderen kwamen achter ons aan rennen en boezemden ons dezelfde vrees in als we in Zaïre hadden gehad, maar het enige dat ze wilden, was ons een aapje of een jong konijntje aanbieden. Ze vroegen vaak om sigaretten, maar als Raymond hun uitlegde dat wij een lange reis aan het maken waren, verontschuldigden ze zich.

Raymond was ijverig in het koken, de enige troostrijke factor in ons leven waar we nog wat controle over hadden. Wij hadden een kookboek van het Vredescorps gekocht, vol geweldige recepten en gebruik makend van de plaatselijke voedselsoorten. Afgezien van de Afrikaanse schotels die we goed kenden, zaten er ook Amerikaanse bij, zoals quiche, cake, broodjes en koekjes. We hadden uitgevonden hoe we een Hollands fornuis moesten maken en ermee werken: een grote ijzeren pot met drie kleine stenen in de bodem waarop een kleinere pan stond. Op de pot zat een deksel en werd op een houtvuur gezet. Er ontstonden op die manier heerlijke maaltijden, en Raymond probeerde Johann en Tim ertoe te verleiden hem ook te gebruiken – of dan tenminste het receptenboek. Maar – geen Coke, alleen pasta en tomatensaus.

Boven op de heuvelplateaus was de lucht schoon. Het uitzicht over het golvende groen en blauw van de wildernis gaf de dorpen een vriendelijker aanzien dan de verstikkende, claustrofobische atmosfeer van Zaïre. Op een dag, toen we de strijd om de slaap hadden verloren, ging Raymond lopen en vond een ravijn. Hij volgde een rivier stroomafwaarts door verschillende soorten begroeiing, van savanne tot subtropisch tot een wirwar van jungleranken, en trof een spectaculaire waterval aan. Hij kwam terug om me te halen en wij namen de krachtigste douche die we ooit in ons leven hadden gehad. Ik voelde me schoner dan in maanden en ik waste er mijn kleren.

Tegen de tijd dat we in Bouar aankwamen, zouden wij 1.000 meter geklommen zijn. De weg liep tegen een lange heuvel op, afgewisseld door stukken vlakke weg, waar dorpen waren gebouwd. Ze zagen allemaal grijs van de houtskool en de rook.

Raymonds voeten waren opgezwollen alsof hij elefantiasis had, waarschijnlijk het resultaat van de modder in de waterval. Hij nam pillen in, maar de zwelling slonk nauwelijks. Mijn 'eileidercyste' kwelde me nog altijd met zware, stekende pijnen.

Dagenlang gingen we heuvelopwaarts, tot er plotseling een top oprees met daarboven Bouar. We klommen langs keien zo groot als huizen, met onder ons een zee van bergruggen die een zachte aanblik kregen door de ochtendmist – een enorm strategische positie voor de Franse legerbasis. Ik wist dat we dicht bij het goede eten zaten, wat het ontbreken van een uitnodiging voor het ontbijt des te frustrerender maakte. Wij parkeerden tussen de afgevallen mango's en kregen een preek over roken te horen van een zwarte Getuige van Jehovah, die ons probeerde te bekeren aan de hand van een plaatjesboek – hij was blijkbaar gegrepen door de tekeningen en had het geloof aangenomen.

Niet gehinderd door zachte baguettes of andere heerlijkheden liep ik van de top naar een vlakke vallei, die zich uitstrekte tot de bergruggen die ongeveer 65 kilometer verder lagen. Terwijl de jongens vooruitreden op het laatste kwart verkleurde de hemel achter mij tot een machtig zwart. Ik bleef maar achteromkijken, betoverd en volkomen onwetend van wat er ging komen. Toen kreeg ik de volle laag van de wind. Ik moest vechten om overeind te blijven. De regen, die schitterde in de zon, sloeg als zilveren kogels in op mijn gezicht en oren. Mijn wangen werden beurs geslagen. Koud geworden, zocht ik beschutting onder een mangoboom – iets wat je niet moet doen tijdens de regenval, want de vruchten zijn zwaar wanneer ze naar beneden komen. Ik bleef drie kwartier onder die boom staan dansen, niet voor de lol, maar om warm te blijven.

De jongens kwamen niet en ik was gedwongen tien kilometer, overdekt met kippevel, te lopen, in een ijskoude katoenen jurk, die aan iedere contour van mijn lijf plakte. De regen werd minder en ik stapte verder. Ik liep door een verlaten dorp, mijn duimen onder de bandjes van de jurk om mijn tepels te verbergen. Toen de Land Rover kwam, schreeuwde ik: 'Waarom zijn jullie me godverdomme niet komen halen?'

Johann en Tim zeiden dat ze de hele tijd hadden gereden.

De ware toedracht vertelde Raymond later. Ze hadden een kampeerplaats gevonden, hadden zich opeens gerealiseerd dat het ging regenen en waren begonnen de tenten op te zetten. Omdat ik geen waterdichte kleding bij me had, hadden ze onmiddellijk terug moeten komen. Raymond had hier part noch deel aan, want hij had weer malaria en was in de storm bezig geweest zijn tent op te zetten zodat hij kon slapen.

'Ze bleven gewoon staan rondlummelen,' zei hij. 'Ik moest hun zeggen terug te gaan om jou te halen.'

Zijn opmerking was eerst met uitgestreken gezichten aangehoord; toen hadden ze hun schouders opgehaald en waren teruggelopen naar de Land Rover. Deze instelling was angstaanjagend.

Na tweeëneenhalve week, die tamelijk zwaar waren geweest, bereikten we de grens met Kameroen. Die passeerden we zonder problemen en we brachten de nacht door in een missiepost in Garoua Boulai, waar ze kamers verhuurden. Het was prettig uit de regen te zijn.

Raymond zocht zijn spullen bij elkaar en we reden naar Yaoundé, om op 14 maart daar te zijn, de datum waarop de volgende termijn van Hi-Tec binnenkwam. Wij reden flink door en ik zag ernaar uit de cheque te innen en ons allemaal te trakteren op iets lekkers van de banketbakker.

Wij hadden de ambassadeur in Bangui ontmoet en gingen nu naar de Britse ambassade om te kijken of we daar konden logeren. Wij hadden heel weinig geld en de prijzen in de stad zouden ons kleine budget uitputten. Hij was weg, maar het waarnemend hoofd van de ambassade, Brian Donaldson, bood zijn binnenplaats aan als kampeergelegenheid.

Tim kreeg malaria. Wij richtten in de daktent een comfortabele plek voor hem in en dienden hem een kuur toe, terwijl Raymond en ik de stad ingingen om Luly te bellen. Het antwoordapparaat stond aan. We probeerden het die dag zeven keer, maar ze was niet thuis. Wij spraken Brians nummer in en vroegen haar ons terug te bellen. Daarna gingen we naar het duurste hotel in de stad, waar we flink babbelden om die nacht gratis kamers te krijgen. Het was goed.

Met Tim goed opgeborgen in een vijfsterrenkamer belden we Luly opnieuw en lieten het nummer van het hotel achter op het antwoordapparaat.

De volgende ochtend belden we haar opnieuw.

We belden drie dagen lang.

Raymond moest een vluchtticket hebben en het was minder duur om direct vanuit Douala te vliegen, dat een paar uur rijden verder lag. Tim herstelde voldoende om de reis te kunnen maken en we kregen een kamer bij een katholieke missiepost, die kamers verhuurde aan reizigers. Geografisch gezien is Douala de oksel van Afrika. En eigenlijk niet eens alleen geografisch. De volgende die malaria kreeg, was Johann. Dat was niet bepaald fijn. Hij kreeg een delirium en zijn voorhoofd was op één plek zó heet dat je er een ei op had kunnen bakken. Gelukkig reageerde hij snel op de pillenkuur.

Er ging dagenlang geen vlucht, dus bleven we waar we waren en belden met Luly. Eindelijk nam ze op. Ze was een paar dagen op vakantie geweest met haar vriendje en had geen boodschap achtergelaten wanneer ze terug zou zijn.

'Het geld is nog niet door Hi-Tec overgemaakt,' zei ze.

'Waarom niet?' wilde ik weten.

'Het is een beetje mijn fout,' zei ze. 'Ik heb er niet erg achteraangezeten. Maar maak je geen zorgen, ik zal erop aandringen.'

Ik ontplofte. De cheque moest uitgeschreven worden, vervolgens naar Luly's bank gestuurd en gecleard worden, en dan per telex overgemaakt worden naar een bank in Kameroen, waar we het geld in plaatselijke valuta zouden krijgen. Dat betekende nog een week uitstel bovenop de vier dagen die we daar al hadden doorgebracht. Het had ons een maand lopen gekost op 200 pond per week om alleen maar naar Douala te komen, en het kostte ons 50 pond per dag om er te blijven. En ik had iedere cent van dat geld nodig voor de voettocht.

We konden niet langer in Douala blijven, ik had het geld er niet voor.

Raymond kreeg een vlucht en we gingen allemaal naar de luchthaven om hem uit te zwaaien. Wij liepen samen even op.

'Jij hebt het voor elkaar gekregen,' zei ik. 'Jij hebt me mijn voettocht teruggegeven.'

'Ik ga achter die toestand met het geld aan, zodra ik thuis ben,' beloofde hij.

Ik zwaaide een man van eer uit en wendde me om naar Johann en Tim. We reden terug naar Yaoundé, waar Brian ons opnieuw gastvrij ontving en ons kamers gaf toen hij de toestand van de chauffeurs zag.

Raymond belde vanuit Engeland. Ik zei hem dat het geld nog niet was gekomen en ik niets van Luly had gehoord. Hij belde haar. Ze hoorde zijn stem en zijn verzoek om opheldering van de situatie en schreeuwde: 'Ik word kotsmisselijk van jullie!' en gooide de hoorn op de haak. Hij belde opnieuw en ze gooide opnieuw de hoorn erop. Hij belde mij. Schuimbekkend vroeg ik hem persoonlijk bij Hi-Tec te gaan informeren. Luly belde mij en ik zei haar dat ze Raymond haar excuses moest maken en het geld onmiddellijk naar ons moest overmaken. Ze leende 2.500 pond en liet het per telex overmaken.

De volgende dag ging ik naar de bank, toonde mijn pas en vroeg naar een telexoverboeking van Standard Chartered in Londen van 2.500 pond. De kasbediende keek op haar lijst en wees op mijn voornaam, die met een 'I' gespeld was.

'Uw geld is er nog niet,' zei ze.

'Het is een spelfout!' zei ik.

Ze schudde haar hoofd. 'Nee, het is uw geld niet.'

'Vindt u het niet een beetje onwaarschijnlijk dat er een andere persoon bestaat met dezelfde achternaam, dezelfde voornaam, van dezelfde nationaliteit, die bij hetzelfde filiaal voor hetzelfde bedrag komt, overgemaakt door hetzelfde filiaal in Engeland? Ik bedoel, vindt u dat logisch?'

'Het is geen kwestie van logica,' zei ze, 'het is een kwestie van de dingen naar behoren doen.'

Ik riep de manager erbij en wist hem er uiteindelijk van te overtuigen dat ik die persoon inderdaad was.

Dat is nu het probleem als Afrikanen gaan werken volgens de westerse bureaucratie: ze krijgen het systeem in hun hoofd geramd, maar begrijpen niet wat het betekent. En zo gaat het met alles. Ik kom bij een grens en ze zien dat mijn pas in 2001 verloopt, vervolgens denken ze dat ik hem tot 2001 niet kan gebruiken. Daarmee gepaard gaat de zwendel. In Yaoundé waren de verkeerslichten stuk – ze flikkerden om de zoveel tijd aan en uit. Een verkeersagent had hier iets op bedacht en ging bij de lichten staan om iedere dure auto aan te houden als de lichten uit waren. Hij liet Tim stoppen en zei dat hij door het rode licht was gereden. Hij wilde zijn rijbewijs zien. Zoals altijd nam hij dat in beslag en zei dat Tim de volgende middag naar het bureau kon komen om een boete te betalen. Hij kon ook nu iets betalen. Tim zei dat hij het de volgende dag zou komen ophalen en reed weg; gelukkig had hij twee internationale rijbewijzen. De geëxpatrieerden halen bij dit soort dingen gewoon hun schouders op met de woorden 'WAWA' – West Africa Wins Again.

Nu we het probleem van de bandieten achter ons gelaten hadden, pakten we de oude manier van doen weer op, maar het ondersteunende team was weer even slordig als altijd. Ze lieten de jerrycans met water in de zon staan en parkeerden de auto zo dat de schaduw ervan op de weg viel. Ik vroeg hun herhaaldelijk om op die dingen te letten, maar er veranderde niets.

Ik werd onderweg lastig gevallen. Twee kerels probeerden in mijn jurk te grijpen, maar ik stapte net op tijd opzij en begon tegen ze te schreeuwen.

'Ik ben een vreemdelinge in jullie dorp en zou daar vriendelijk ontvangen moeten worden!'

Ze lachten – de lach van treiterende jongens die over de hele wereld bekend is, wanneer mannen hun fysieke overwicht op vrouwen demonstreren en inspelen op hun natuurlijke angst. Ik besloot een liefdadige actie te starten, die ik 'Natrium voor Afrika' noemde – ik gooide flinke hoeveelheden van dat spul in al hun waterbronnen.

De dorpen bestonden ofwel uit ronde hutten met rieten daken en gevlochten graswanden rond de erven, ofwel uit vierkante huizen van leem met zinken daken en muren van leem rond de erven. Maar hoe dan ook, overal hing de veegeur van gedroogde mest en nergens klonk gelach op.

Ik werd maar zelden gegroet en de kinderen verlangden nog altijd cadeaus. De volwassenen mishandelden hun vee ook – ik zag een dier onder de slagen in elkaar zakken en zei dat ze moesten ophouden met het te slaan.

'Hij is uitgeput,' legde ik uit. 'Als je hem nu doodmaakt, zal hij geen goede prijs opbrengen.'

Mijn rechterheup voelde aan alsof er een scherpe botsplinter in mijn bil stak. Ook mijn rug deed erg pijn en mijn eierstokken staken alsof eraan getrokken werd. De misselijkheid bezorgde me duizeligheid en ik maakte me zorgen.

Het werd ongelooflijk heet, rond de 50 °C. Het gebied veranderde van beboste savanne in kale, groene heuvels in de vorm van mango's, en vervolgens in een landschap dat bestond uit één grote vlakte, met hier en daar een uitgewerkte vulkaan en verder weinig. De Fulani zijn een stam van mooie, bevallige mensen, maar ze zijn tamelijk schuw. Het contact met de plaatselijke bevolking was minder geworden, want enerzijds heel prettig was, want dan werd ik niet gestenigd of gesard, maar anderzijds miste ik wel het oplopen met de vrouwen die naar de markt gingen. Pas toen ze er niet meer waren, merkte ik op hoeveel steun ik uit hun gezelschap putte gedurende die lange, eenzame uren.

Aan het eind van de volgende week bereikten we Ngoundere. Op de kaart stond een waterval aangegeven – Les Chutes de Telo – vanaf het stadje ongeveer vijftig kilometer de wildernis in, wat mij een volmaakte kampeerplek leek voor een rustdag.

We kwamen er na het donker aan en zetten snel het kamp op. De jongens sliepen tot laat in de ochtend uit, maar ik was al vroeg op en ging op zoek naar de watervallen. De rivier was niet veel meer dan een stroompje en ik vond slechts een paar stroomversnellingen verderop. Toen liep ik de weg af en hoorde het geluid van wild water. Ik kwam bij de rand en keek eroverheen. Wat ik daar zag, was van een verbijsterende schoonheid. Een grote kloof, waar verscheidene meters onder mij het water in een stille, groene poel donderde, met een strandje en een grote rots die erin uitstak. Ik ging terug om mijn wasgoed, toiletspullen en badpak te halen, en liep naar beneden.

Ik bracht er een fantastische dag door met het wassen van mijn kleren op de rode monoliet, met douchen onder de waterval, met het onderzoeken van de grot erachter en zonnebadend. Ik viel in slaap en werd wakker door schelle kreten. Turend zocht ik het gebladerte aan de andere kant van de oever af of ik zwarte ledematen bespeurde, maar zag niets. Denkend dat het geluid ook afkomstig kon zijn van de vogel die fluit op de toon van 'kom hier', ging ik weer liggen.

Opnieuw hoorde ik de kreten boven het donderende geraas van de waterval uit. Ik ging rechtop zitten en daar liep, plat tegen de rots gedrukt, vlak onder de overhangende rots boven de waterval, een rijtje blanke kinderen, misschien twintig in getal, die hand in hand rustig overstaken onder leiding van twee volwassenen. Toen ze bij de rand kwamen klauterden ze langs de kleine waterval naar beneden en renden in en uit, gillend van de kou en de woestheid. Op mijn rots liggend, bleef ik lang naar ze kijken. Ik had al maandenlang geen blanke kinderen in felle zomerkleding meer gezien – misschien een jaar niet. Toen de mannelijke volwassene naar me keek, zwaaide ik en hij zwaaide terug. Ik ging weer liggen en voelde de koelte toen er een wolk voor de zon gleed.

Het gegil stierf weg en toen ik opnieuw keek, was er geen teken meer van hen te bespeuren; ik vroeg me af of ik naar iets had zitten kijken dat lang geleden was gebeurd, een spookachtige scène van een of ander verschrikkelijk ongeluk, toen Kameroen nog onder koloniale overheersing was.

Het wolkenpak werd dichter en ik wist dat het zou gaan regenen.

Ik liep terug naar het kamp, waar Tim en Johann zaten in een troep van vliegen, sigarettepeuken, schallende muziek, alle vuile inhoud van het dagelijks leven uitgespreid tussen de plakken mest. Dit was geen kamp;

ik moest gaan opruimen. Ik moest ze weglokken om naar de watervallen te gaan kijken.

Ik ruimde het kamp op toen ze weg waren. Zij vonden het niet erg te midden van de rotzooi te leven, maar met een beetje organisatie hoef je niet overal over te struikelen; de kookspullen bij elkaar, afwasbakken en jerrycans netjes binnen handbereik. Als zij kookten en aten, zaten ze midden tussen de vuile pannen en schillen, balancerend hun weg zoekend tussen de troep. Je kunt het moreel aflezen aan de staat van het kamp.

Ze kwamen terug maar zeiden niets. Toen zei Johann: 'Ja, die watervallen zijn wel mooi, denk ik. Maar niets bijzonders, ik heb ze mooier gezien.'

Het werd er de dagen daarna niet beter op. Ik liep langs de grens van het Nationale Park van Benue en schrok me dood toen ik werd aangevallen door buffelvliegen. Ze zijn niet zo erg als tseetseevliegen, maar wel een kwelling.

Ik bakte een cake om de vierhonderdste dag te vieren, maar toen ik daarmee bezig was, rekende ik de data nog eens na en realiseerde me dat die gelegenheid vorige week was geweest.

Pijl en boog waren weer terug. Kleine jongens oefenden tussen de lemen huisjes in een dorp. Ik deed net alsof ik terugschoot met een denkbeeldige boog, en vanaf een afstand deden ze mee aan het spelletje, tot ik me liet vallen, dodelijk gewond. Ze vonden het fantastisch.

Ik hoorde de echo van houthakken rondom de grote granieten spleten, toen ik over een slingerende weg naar beneden door een bergrug liep. Eindelijk zag ik een vrouw, juist op het moment dat de boom die ze aan het omhakken was met groot geraas omviel en een wolk rood stof deed opwaaien. Ze stapte achteruit, sloeg trots de aarde van haar handen en lachte toen ze me 'Bravo!' hoorde roepen.

We schudden elkaar de hand terwijl ik haar feliciteerde.

De wildernis bestond alleen uit lage struiken, met af en toe een doornbosje of een boom die spuugt, wat heel vefrissend is. In een maand tijd was het landschap gewijzigd van dicht regenwoud tot droge savanne en semiwoestijn. Het wild bleef beperkt tot gazellen, bavianen en apen, maar het was enig ze gade te slaan en het leidde me een beetje af van het onattente gedrag van de chauffeurs.

Hete winden begonnen uit de Sahara te waaien en ik merkte dat ik oververhit raakte. Ik arriveerde voor een pauze en zag dat de jongens het water in de zon hadden laten staan en de achterdeur open, zodat ze niet te veel hoefden te doen als ik kwam om mijn fles opnieuw te vullen. Het water had in de zon staan koken, maar dat kon ze niet schelen.

Tijdens het lopen ging ik onder een doornbosje zitten waarvan de stekels aan je kleren blijven hangen, toen ik aan het vreselijke kloppen in mijn hoofd voelde dat ik oververhit was. Ik nam een beetje water om mijn gezicht af te koelen en streek met mijn vingers over mijn huid, waardoor er een lichte rilling over mijn hele lichaam ging, alsof je huivert. Ik nam mijn zonnebril af en babbelde tegen mijn spiegelbeeld als tegen een oude vriend. Ik liep zonder ondersteuning, ze vormden geen vangnet. Telkens kwam ik te laat binnen, maar dat merkten ze niet eens op. Wat zou er gebeuren als ik op een dag níet zou arriveren? Zouden ze dan gewoon inpakken en naar huis rijden?

Na nog een week passeerden we de grens met Nigeria. De kaart gaf niet aan dat er op dat punt een grenspost was, maar iedereen die we tegenkwamen, verzekerde ons ervan dat het wel zo was. Het was een oude smokkelroute, die recentelijk was ontdekt, en er was in de buurt een grenspost neergezet. Maar over de grensrivier liep geen brug en er ging geen veerboot. Er hing op de witte zandoevers een stel knapen rond die hun slag wilden slaan en een belachelijke prijs vroegen voor het naar de overkant brengen van voertuigen. Ze gingen gekleed in vliegeniersjacks, droegen de baretten van de rebellen en boden hun diensten aan voor 50.000 naira (100 pond). Als we weigerden en het zelf probeerden en vast kwamen te zitten, dan werd de prijs verdubbeld. Voor zo'n prijs wordt je dus òf uitgekleed, òf het is echt een gevaarlijke overtocht.

Maar ik ging het aan de douane vragen en die zei dat 2.000 naira (4 pond) het correcte bedrag was. Tim waadde de 500 meter naar de overkant; het water kwam niet verder dan zijn knieën en de bodem bestond overal uit kiezel. Hij kwam terug, zei dat hij geen helpers nodig had om te duwen, maar dat hij 15.000 naira zou betalen als hij vast kwam te zitten. Daar stemden ze mee in. Hij reed de Land Rover het water in en Johann en ik bleven erachter lopen om ons ervan te vergewissen dat ze niet op de achterkant sprongen om hem naar beneden te trekken. Een van die kerels klom op de ladder, maar toen Tim de andere oever had bereikt, gaf hij een dot gas en reed in een hels tempo zigzaggend door het zand om hem af te schudden. Toen wij bij het immigratiekantoor aankwamen, zat hij er nog steeds op en alle anderen eisten betaling. Kalmpjes pakten we onze passen en stapten het meest ontspannen immigratiekantoortje binnen dat ik ooit heb gezien.

De beambte lag op zijn mat in zijn grashut, met alleen een broek aan. Hij stempelde alles af wat je hem voorlegde. Toen ik vertrok, stonden die rotzakken buiten nog steeds geld te eisen voor helemaal niets, dus liep ik weg in de richting van een rij apebroodbomen. Tim en Johann betaalden hun een luttel bedragje omdat ze ons de weg hadden gewezen en gingen er toen in de hoogste versnelling vandoor.

Een paar kilometer verder stuitte ik op een controlepost. Nigeria is één grote politiecontrolepost, met kleine stukjes weg daartussen. Toen de Land Rover arriveerde, keken ze onze paspoorten door en stuurden Tim terug om ze correct te laten stempelen; de ontspannen beambte had het meeste stempelwerk helemaal niet gedaan.

Wij hadden alleen valuta uit Kameroen en moesten naira hebben. Ik stuurde Tim en Johann vooruit naar Yola om geld te wisselen, brandstof in te slaan en extra malariapillen en voedselvoorraad te kopen. Het was ver, maar als ze snel waren, konden ze het binnen tweeëneenhalf uur voor elkaar hebben. Het was 45 °C, er waren geen dorpen, dus nam ik zoveel water mee als ik kon; maar het terrein was erg heuvelachtig en ik had het meeste al binnen het eerste uur opgedronken.

Ik stopte na zeventien kilometer bij de kilometerpaal om op hen te wachten. Ze arriveerden na viereneenhalf uur met het bierschuim nog op de lippen. Ze verontschuldigden zich niet dat ze te laat waren en nee, ze hadden geen malariapillen gekocht. En het sprak vanzelf dat ze geen biertje voor mij hadden meegenomen.

Ik liep op een vrijdagmiddag Yola binnen en vroeg aan de jongens me in het oog te houden, terwijl ik door de stad liep. Vrijdag is geen goede dag om alleen te lopen, omdat moslims wel degelijk drinken en na de gebeden gluiperig worden. Tim en Johann hadden geen zin in het getreiter, dus vonden ze dat niet erg. De antichristelijke hetze werd steeds erger naarmate ik verder door het dorp liep, en tegen de tijd dat ik aan de andere kant was, was ik ervan overtuigd dat ik opgehangen zou worden.

Een paar dagmarsen voorbij Yola, ongeveer tien kilometer voor het einde van de dagmars, zag ik dat er vóór mij een Range Rover naast de Land Rover stopte. Ik deed een gebedje dat het een plaatselijke inwoner was, die ons zou uitnodigen in zijn huis met airconditioning en een koude douche en een zwembad. Het was zó heet dat mijn neus ervan bloedde en mijn huid aanvoelde als perkament. De chauffeur, directeur van een uitgestrekte katoenplantage, had ons inderdaad uitgenodigd om te komen logeren. En hij bezat inderdaad al die dingen waar ik van gedroomd had – inclusief een videorecorder. Wij logeerden daar twee nachten en een hele rustdag.

De volgende dag kreeg ik onder het lopen de schijterij. In Afrika de schijterij krijgen is verschrikkelijk. De hele volgende week liep ik te braken en had ik buikloop, die plotseling opkwam. Op een keer liep ik de markt op, in het gedrang van kooplieden in hun lange gewaden, en voelde opeens een dringende steek in mijn darmen. Ik kon me nergens verstoppen en sprong daarom maar van een doornige berm af, groeten en vragen negerend, naar een betrekkelijk beschutte plek. Overvloedig zwetend tot er een kudde en een nieuwsgierige herder voorbijgetrokken waren, sloeg ik de achterkant van mijn jurk omhoog en hield mezelf met mijn andere hand in evenwicht. Op de blatende geluiden die ik maakte, verzamelde zich een menigte om me heen, die wenste te zien wat deze wandelende blanke vreemdelinge daar toch aan het doen was, want het klonk als het slachten van een schaap. Toen ik voelde dat ik mijn last kwijt was, schopte ik er aarde overheen, reageerde zwakjes op hun vragen naar mijn gezondheidstoestand, en met zoveel waardigheid als ik kon opbrengen, begaf ik mij op de open macadamweg die vóór mij in de hitte lag te blakeren. Duizelig en misselijk trof ik twee kilomter verderop de Land Rover. Dit was een van de zeldzame gelegenheden dat ik opgelucht was hem te zien. Johann en Tim hadden daar natuurlijk weer een 'lekker drankje, schat' in de schaduw.

De buikkrampen werden gestaag erger. Uiteindelijk besloot ik op te houden met heldhaftig te zijn en op zoek te gaan naar een arts. Ik ging naar een kliniek, waar de diagnose werd gesteld dat ik amoebische dysenterie had. Ik nam een atebrinekuur, maar moest een paar dagen rusten – ik was voorheen een keer met atebrine doorgelopen en daar was het alleen maar erger van geworden.

Wij reden naar het Yankari Wildreservaat, waar de warme bronnen van Wiki lagen. Daar was Johann afgelopen kerst geweest. Er waren al in geen twee maanden reizigers geweest. Ik had ernaar uitgezien, omdat Johann er tijdens de rit met de Exodustruck over had gesproken. Er is een diep ravijn in de droge savanne, waar een lang, smal meer is gevormd door een natuurlijke bron, met helderblauw water en een zandbodem. Van onder de grond komt er water naar boven van 31,1 °C uit een enorme, zandstenen monoliet, aan één kant van het meer. Verder bij de bron vandaan wordt het meer ondieper. Het is treurig dat de monoliet ontmanteld was. Er liep een roestige pijp in een gebroken betonnen ommanteling die vastgemaakt was aan de rots, waar ze ooit Yankariwater hadden gebotteld. Het is nu een bad voor minnaars, en aan de lucht kon je ruiken dat de mensen erin pisten. Er was geen leven in vanwege het hoge gehalte aan mineralen, geen ontbindend gebladerte op de bodem: gewoon helder, schoon, warm water, dat de huid doet verschrompelen alsof je oud bent. Vingers die in de zon opgezet waren, worden dun en de ringen vallen af – een toerist had er in de vijf weken dat hij daar had vastgezeten, wachtend op de uitkomst van de onderhandelingen met de Toearegs, honderdvijftig verzameld.

Wij brachten er twee fantastische dagen door en zetten daarna onze tocht voort. Tim kreeg opnieuw malaria, maar ik gaf hem niet het laatste beetje Halfan, onze gebruikelijke antimalariakuur, maar een andere kuur, omdat hij daar niet allergisch voor was en ik wel.

Ondanks de medicijnen hielden mijn eigen symptomen niet op. Een paar dagen later voelde ik me tijdens het eerste kwart doodmoe worden. Ik probeerde mezelf op te jutten en het van me af te schudden, maar ik begon in slaap te vallen. Ik kwam veertig minuten te laat het kamp binnen en zakte in een stoel in elkaar. De chauffeurs behoren de tijd te controleren en terug te rijden als ik meer dan tien minuten te laat ben – dat was het vangnet en de reden waarom ze er waren. Maar Tim en Johann maakten zich niet druk. Ik nam de temperatuur op. Die was maar 38 °C, maar ik voelde me als dood.

'Tim,' zei ik, 'ik móet naar een dokter. Mijn hoofd doet zeer. Ik voel me erg moe, ik heb verhoging en er zit een lymfeknoop in mijn kruis die pijn doet.'

Zoals gewoonlijk gaf hij geen teken dat hij zelfs maar gehoord had wat ik zei en aarzelde zijn gebruikelijke halve minuut voor hij antwoord gaf.

'Wil je dat we inpakken?'

'Nee, je moet alles onder de boom laten staan voor de kinderen.'

Geen van beiden vroeg hoe het ermee ging; ik bleef gewoon liggen en liet ze maar begaan. Ze reden heen en weer en op en neer en in de rondte, zonder naar de juiste weg te vragen, tot ze uiteindelijk het ziekenhuis in Darazo hadden gevonden. Tim ging de dokter zoeken terwijl ik zat te wachten in een wachtkamer zonder tussenmuren, waar banken voor de zieken stonden in een entourage van bederf.

Wij werden achter een gordijn geleid naar de spreekkamer van een dokter, een donkere, smerige en stinkende plek met een gordijn aan de ene kant, waarachter de onderzoektafel met zijn schuimrubber matras, overtrokken met gekreukeld plastic, kraakte. Een prima plaats om Joost mag weten wat op te lopen.

De dokter jongleerde met patiënten, laboranten, ziekenhuisfinanciën en regelingen voor een lift in het Engels, Haussa, Fulani en andere stamtalen, en dat op precies de goede opbeurende toon of uitbarsting van woede, al naar gelang de situatie. Dat deed me denken aan de verkeersleiders op Heathrow. Hij onderzocht me en concludeerde dat alle lymfeknopen in mijn nek, onderarmen, kruis en knieholten opgezet waren. Hij instrueerde een mannelijke assistent om bloed af te nemen.

Dat had de assistent nog nooit eerder gedaan. Dus deed de dokter het zelf maar en hij besloot deze handeling tot een instructieles voor zijn hele staf te maken. Ze verzamelden zich rondom mij en zagen hoe hij de ader miste, ook al stak hij de naald in zijn volle lengte naast een blauwe ader.

'Maak u niet ongerust,' zei hij, 'we gebruiken bij geëxpatrieerden nooit twee keer dezelfde naald.'

Wij moesten wachten terwijl ze bezig waren het bloed te onderzoeken. Ik zat rusteloos te wriemelen en op mijn handen heen en weer te wiebelen, en ik kreeg het heet en werd duizelig.

De uitslag kwam: dubbel positief malaria, witte bloedlichaampjes 5.000 – met andere woorden, geen virus.

'Dat is goed nieuws,' zei hij.

Maar dat zei niets over die opgezette lymfeklieren, en hij deelde mee dat hij niet over de faciliteiten beschikte om verdere onderzoeken te laten uitvoeren. Ik moest ervoor naar Kano. Hij stond op het punt ons in te kwartieren tot de volgende dag, zodat ik twee injecties met chloroquinum kon krijgen, maar ik stelde voor dat ik Halfan zou krijgen.

Hij stemde ermee in en zei toen: 'Ik moet u nu verlaten, ik ben nodig in de operatiekamer,' en haastte zich weg om de arm van een vrouw met gangreen af te zetten. Hij stopte in de deuropening en zei, bijna terloops: 'U bent toch niet naar Yankari geweest en daar gebeten door een buffelvlieg?'

'Jawel,' zei ik.

'Dan wil ik u niet laten schrikken, maar u moet wel vlug maken dat u in Kano komt.'

Tim en ik liepen terug naar de Land Rover. Johann vroeg niet hoe het met me was. Hij keek niet eens om.

Ik slikte twee Halfantabletten en we gingen in de Land Rover zitten met cola. Tim wilde niet, vooruitlopend op het schema, naar Kano rijden, en vroeg of ik het niet zou kunnen redden als we daar een paar dagen later aankwamen.

Uiteraard wilde ik de wandeling niet onderbreken, en ook niet eerder Kano binnengaan als ik er niet heen was gelopen, maar er was iets helemaal mis met mij en het ging niet over. Hij keek me weer zo onnozel aan, een blik die hijzelf 'cool' vond, voordat hij met een licht vooruitstekende onderkaak antwoord gaf. Terwijl hij daarmee bezig was, legde ik alles aan Johann uit, die, het moet gezegd worden, de motor startte en naar Kano vertrok.

Wij reden vijf uur lang, onderweg vier keer stoppend, zodat ik kon plassen. Bij de laatste gelegenheid viel het me op hoe weinig ze zich om me bekommerden als ze aan de kant van de weg stopten in de buurt van een muur en voorstelden dat ik erachter ging zitten. Ik kon nauwelijks een voet voor de andere zetten, en de muur stond tweehonderd meter achter ons. Ze hadden de Land Rover gemakkelijk even kunnen keren.

Vijf uur lang nam geen van beiden enige notitie van me of vroeg zelfs maar even 'hoe gaat het?' Ik moest zelf mijn temperatuur opnemen, omdat geen van beiden wist hoe ze een thermometer moesten aflezen – wat je toch niet zou verwachten van een gewezen truckchauffeur bij Exodus en zelf opgeleide expeditieleider. Ik lag opgerold op de achterbank, waar herinneringen bovenkwamen aan de manier waarop ik hen beiden had verzorgd toen ze ziek waren.

We kwamen in Kano aan, maar in plaats van te vragen waar het ziekenhuis was, reden ze rond en probeerden elkaar te overtreffen in oriëntatievermogen, waardoor ze tijd verloren. Ten slotte kwamen we aan, maar niet bij het ziekenhuis. Het was het postkantoor.

Daar lag ik in de Land Rover met 39 °C, terwijl Johann even ging kijken of er nog post voor hem was gekomen. Toen de temperatuur in de stilstaande wagen steeg, voelde ik me licht in het hoofd worden en werd ik steeds slaperiger.

Na een tijdje kwam Johann terug, klagend over de Afrikaanse bureaucratie. Het was Tims beurt om naar binnen te gaan. Johann keek voor de eerste keer in zes uur achterom naar me en zag dat ik met glazige ogen, zonder te knipperen en met mijn mond open, snel en moeilijk adem lag te halen. Hij greep mijn hand, verzekerde me dat we naar het ziekenhuis gingen en rende daarna naar binnen om Tim te halen. Het duurde even voor ze weer naar buiten kwamen.

Tim zei tegen Johann dat hij mijn temperatuur moest opnemen, hetgeen eigenlijk inhield dat ze de put dempten nadat het kalf verdronken was, en staken de thermometer in mijn mond. Mijn mond stond open en het ding viel eruit. Ze kibbelden er onderling over waar het ziekenhuis was en het draaide erop uit dat ze me naar de oogkliniek brachten. Inmiddels was ik zó verward en bang geworden dat ik tegen Johann vocht toen hij probeerde me uit de Land Rover te halen. Gesteund in zijn armen, die me vasthielden, strompelde ik over het terrein van het ziekenhuis achter de verpleegster aan, tussen smerige bijgebouwen door, steeds dieper het aftakelende verval van een eens functionerend ziekenhuis binnen. Ik was niet in staat mijn ogen ergens op te richten en brulde vreemde uitroepen naar iedereen.

De kliniek was vergrendeld met hangsloten. De verpleegster wees buiten op een bank en zei dat we moesten wachten. Wachten in Afrika kan dagen duren. Na een half uur kwam er een vrouw die naar ons drieën keek en vroeg wie van ons ziek was. Ze ontsloot de hangsloten en leidde me door een smerige, vochtige wachtkamer naar de spreekkamer. Daar stonk het naar stilstaande pis. Er lag een kapotgesneden schuimrubbermatras op een roestig bed; sprinkhanen vluchtten naar hun schuilholletjes door een stoffige, niervormige schaal met naalden.

Tussen uitbarstingen van hysterie en warrigheid, waarin Johann meer dan driedimensionaal was geworden, kon ik tamelijk samenhangend tegen hem praten en zei ik dat ik daar niet wilde blijven.

De verpleegster kwam terug.

'Wat is er aan de hand?' vroeg ze verveeld en ongeïnteresseerd.

'Ik heb malaria.'

'Ik neem bloed af.'

'O nee, dat doet u niet, dat is al vastgesteld.'

Tim vroeg: 'Waar is de dokter?'

'Maar de dokter is een Egyptenaar.'

'Kan me geen moer schelen waar hij vandaan komt,' zei ik, 'ik wil hem spreken.'

'Dat kan niet,' zei ze. 'Hij is in Egypte.'

Mijn ogen leken te branden toen we weggingen. We reden naar de Internationale Kliniek, waar een schone dokter in een moderne spreekkamer ons te woord stond maar weinig zei. Misschien werd hetgeen hij zei onhoorbaar door mijn delirisch geschreeuw, maar ik was nog wel in staat om uit te leggen wat het probleem was.

Hij dacht dat het gewoon malaria was, maar wilde evengoed een onderzoek doen, dus leidde Johann me naar boven. Daar gaven ze me een privé-kamer met airconditioning, een televisie en een koelkast. Het was er smerig, stoffig en vol muggen, maar tenminste privé.

Ze namen bloed af en brachten een infuus in. Niemand vertelde me officieel wat er aan de hand was, maar Johann hoorde een van de verpleegsters mompelen: 'Tyfeuze koorts.'

De jongens vertrokken om een colaatje te gaan halen omdat ik erg veel dorst had, maar ze kwamen niet binnen tweeëneenhalf uur terug. De verpleegster wilde mij een slaapmiddel geven, maar dat wilde ik niet tot ze terug waren. Ze blééf maar vragen waar ze waren. Eindelijk verschenen ze weer – ze waren een pizza gaan eten. Maar ze hadden er wel een voor mij meegebracht, die ik verslond.

Toen verdwenen ze opnieuw, om in het duurste hotel in Kano kamers te boeken en in het duurste restaurant te gaan eten. Ze ontbeten de volgende ochtend op hun gemak en kwamen om tien uur opdagen om mij iets te eten te brengen. Ik rammelde van de honger en kon mijn pillen niet innemen zonder gegeten te hebben. Tim had Raymond niet gebeld, waar ik om had gevraagd, om te informeren naar mijn ziektekostenverzekering, omdat hij zei dat hij wist dat ik weer beter zou worden.

De verpleegster gaf me een erg pijnlijke injectie in mijn hand om me te laten slapen. Die was zo pijnlijk omdat ze was vergeten de oplossing te verdunnen. Er zaten ook belletjes in het infuus die ik eruit probeerde te knijpen, en toen ik in een medicinale slaap viel, schreeuwde ik tegen Tim: 'Zorg er in godsnaam voor dat ik weer wakker word.' Maar ik kon niet alle woorden uitbrengen en ik voelde paniek opkomen. Ik wist dat ik er niet op kon rekenen dat ze ervoor zouden zorgen dat ik weer wakker werd.

Na vier dagen verhuisde ik naar het toeristenkamp. Mijn nieren begonnen weer op te spelen en ik moest om de twintig minuten plassen. De kamer was heet als een oven, vol muggen, de toiletten waren verstopt en liepen over in het douchegedeelte. Er was alleen water voor een paar uur per dag.

'Krijg wat,' zei ik, en ging naar het Central Hotel.

Mijn kamer zat vol vliegende mieren en ik belde de baas. Die was er niet, en degene die de telefoon opnam, zei: 'Bel morgen maar weer.'

Ik belde de receptie en vroeg om een andere kamer en of de sleutel daarvan boven gebracht kon worden.

'De man heeft pauze, hij heeft de sleutel' – de gewoonlijke Nigeriaanse reactie op alles.

'Er is vast wel iemand anders.'

'Nee, u zult moeten wachten tot hij terug is van zijn diner.'

En ze gooide de hoorn op de haak.

Tim ging naar het Britse consulaat om advies te vragen. Daar trof hij Karen Blackburne, de ene helft van de meest kundige, behulpzame en nuchtere echtparen die ik in Afrika ben tegengekomen. Later vertelde ze dat het lang duurde voor ze iets uit Tim had kunnen trekken, gewoon omdat hij maar had staan staren. Ze verwees ons naar Sanju, de arts van de geëxpatrieerden, een Indiase dame, die een uitgebreider onderzoek deed en me behandelde voor een infectie van de urinewegen.

Karen stuurde Tim naar haar man, Harold, die de leiding had over Nigerian Oil Mills. Hij is een oud-Afrikaganger en was verscheidene malen door de Sahara gereisd. Hij is ook de Britse verbindingsman in Kano en had een regeling ingesteld waarbij reizigers voor elkaar informatie in het toeristenkamp achterlaten over de situatie op alle routes door de woestijn.

Harold was de man die mensen uit de problemen hielp. Als een van de geëxpatrieerden midden in de nacht, wanneer het vliegveld gesloten was, een hartaanval kreeg, dan wist Harold hem het land uit te krijgen. Een man zonder franje; volkomen recht door zee, bescheiden en bijzonder onderhoudend. Hij vertelde Tim dat alle routes naar het noorden gesloten waren en dat de gevarenzone zich nu al uitstrekte tot Agadez, net twee weken lopen ten noorden van Kano. Hij hoopte dat de situatie rond september weer verbeterd zou zijn, drie maanden vanaf nu, maar daar kon hij niet zeker van zijn. Hij bevestigde opnieuw dat er geen andere wegen waren om de Sahara per voertuig te doorkruisen. Toen deed hij Tim een aanbod dat mij een enorm geldbedrag, laat staan zorgen, bespaarde: 'Parkeer de wagen bij de werkplaats tot het overgewaaid is.'

Ik kon dus tot Agadez doorlopen, maar moest dan 2.000 kilometer rijden naar Niamey, de hoofdstad van Niger, teneinde visums te krijgen om Nigeria weer binnen te mogen, vervolgens 1.000 kilometer rijden naar Kano, de Land Rover parkeren en terugvliegen. Die twee weken lopen naar Agadez waren de extra weeksalarissen die ik moest betalen om visums te krijgen en de kosten van de brandstof voor die 3.000 kilometer niet waard, omdat ik geen enkele kans had om erdoorheen te komen.

Ik besloot naar de grens van Nigeria met Niger te lopen, want als ik terugkeerde, zou ik waarschijnlijk een Land Rover meenemen vanuit Engeland en de kosten van de autodocumenten zouden sterk gereduceerd worden als ik Nigeria niet meer in hoefde. We reden terug naar Darazo, waar ik gestopt was, en ik 'zwom' de 500 kilometer naar de grens op kalmerende middelen.

Toen ik bij de groenwit gestreepte hefboom van de Nigeriaanse grenspost kwam, raakte ik die aan en pakte een wandelstok, die een van de jongens in de Land Rover had laten liggen. Ik zette hem in de grond en zei tegen mezelf: 'Eind van een kwart, eind van een dag, eind van een week, eind van een land, maar niet het eind van de voettocht. Ik kom terug'.

We reden terug naar Kano en kampeerden daar in het toeristenkamp, voor de laatste nacht van de chauffeurs. We werden stomdronken van een of andere smerige whisky en ik vertelde Tim precies hoe ik over hem dacht. Zijn reactie was te proberen me in bed te krijgen. Jezus, ik ging nog liever lopend terug naar Kaapstad – op mijn handen.

Tim en Johann vlogen de volgende dag terug naar huis, nadat ze de Land Rover bij de werkplaats van Nigerian Oil Mills hadden geparkeerd. Toen Harold de sleuteltjes van Tim in ontvangst nam, vroeg hij hem wat hij nu ging doen.

Tims antwoord verbaasde me niet.

'Ik trek me terug uit het leven,' zei hij.

Mijn gereduceerde vliegticket naar Londen zou me door DHL toegestuurd worden; Harold en Karen nodigden me uit om een week bij hen te logeren in het gastenverblijf, terwijl ik erop wachtte. Het kwam erop neer dat ik een weeklang iedere dag naar het kantoor van DHL ging.

'Hebt u een poststuk voor mevrouw F. Campbell?' vroeg ik op de zevende dag.

'Ik kijk al.'

Even later kwam hij terug.

'Nee, ik heb niets.'

'Onder welke naam hebt u gekeken?'

'O,' zei hij, 'dat ben ik vergeten.'

Die dingen moet je opschrijven. Ik stuurde hem nog eens terug en ja hoor, hij had de ticket.

Toen ik terugliep van het DHL-kantoor kreeg ik een inval en liep naar het toeristenkamp. Net wat ik dacht: het terrein stond volgeparkeerd met reizigerstrucks en Land Rovers; de eigenaren hadden ze daar neergezet toen ze merkten dat ze de woestijn niet door konden. Misschien kon ik er een van de eigenaar lenen om als ondersteuningsvoertuig te gebruiken, in ruil voor het overbrengen van de wagen. Ik kreeg van de bedrijfsleider een lijst met namen en adressen.

Ik zou uit Lagos vertrekken, waar ik vanuit Kano heen zou vliegen. De dag vóór mijn vertrek namen Harold, Karen en hun tienjarige dochter Cherina mij mee naar hun huisje in de bossen. Zij hadden vele jaren in het woud geleefd, toen Harold nog als ingenieur bij de bosbouw werkzaam was. Ook al was Karen een zeer beschaafde vrouw, ze had het buitenleven gemist. Daarom had Harold een houten hut bij een riviertje gebouwd, waar rotsen waren om op te zonnebaden. Hij had ook een barbecuegelegenheid gemaakt met een tafel. In de weekends gingen ze daarheen. Ik bekeek die rotsen eens en dacht hoe volmaakt ze waren om mijn kleren op te wassen. Toen daagde het me, terwijl Karen en ik onze handdoeken uitspreidden, dat ik nu anders tegen de dingen aan moest kijken. Ik lag daar in gedachten afscheid te nemen van mijn manier van leven. Alles ging vanaf nu veranderen: terugkeren naar Engeland was voor mij even traumatisch als een middelbare PR-man midden in het regenwoud neer te zetten en tegen hem te zeggen: 'En nou eruit lopen.'

Eind juni 1992 vloog ik terug naar Engeland. Ik verbrak de samenwerking met Luly. Ik bracht een paar weken door met een gang van de ene arts naar de andere en van het ene ziekenhuis naar het andere voor verschillende tests. Mijn klachten waren zó ernstig geworden dat ik af en toe krom lag van de pijn in mijn buik. Mijn ouders wisten een plaats voor me te regelen in het Royal Naval Hospital in Plymouth, waar ze gewend waren aan het doen van onderzoek naar tropische ziekten en hongerig genoeg bleken om veel tijd aan me te besteden. Ik werd twee weken geïsoleerd. Ze onderzochten alles maar vonden niets, dus concludeerden ze dat ik een prikkelbare-ingewandensyndroom had.

In de kranten stond een stompzinnig verhaal dat ik gestopt was met de tocht omdat ik ziek was. Dat hielp niet erg bij het verwerken van hetgeen ik kwijtgeraakt was – deze keer was het anders dan de eerste evacuatie, omdat er geen enkele manier was om terug te keren tot de grenzen weer opengingen. Ik wist dat ik het oorlogsgebied niet kon omzeilen en via de andere kant kon gaan, omdat ik nog wist hoe ik me voelde toen ik dat in de Centraalafrikaanse Republiek had geprobeerd. En het was maar goed dat ik daar niet ben blijven hangen om te wachten of er een kans kwam toch door de woestijn te gaan, want pas een jaar later begonnen ze weer konvooien door te laten. En zelfs toen ging het met tachtig kilometer per uur.

Iedere week belde ik met Buitenlandse Zaken voor het laatste nieuws. Ik belde met hulporganisaties, met filmploegen en reisorganisaties, maar kreeg steeds hetzelfde verhaal te horen: er was niemand door het noorden van Afrika gekomen. Soedan/Egypte kon meteen al niet vanwege de militaire zone bij de grens. Iedereen moest per boot, en ik zou vier dagen van de voettocht missen. Nee dus. Bij de grens tussen Tsjaad en Libië lag bij Tibesti een versterkt leger van opstandelingen en we zouden in Libië door de Lockerbie-affaire toch al niet welkom zijn. De grenzen tussen Niger en Algerije, en tussen Mali en Algerije waren gesloten wegens de conflicten met de Toearegs, en de grens tussen Mauretanië en de bezette Westelijke Sahara was al zeventig jaar gesloten vanwege de Marokkaanse bezetting van de Westelijke Sahara.

Raymond kwam me opzoeken, maar alleen samenzijn was eng – het bracht sterke herinneringen naar boven aan het in de val zitten in Afrika. Het duurde langer dan een jaar voor we ons weer veilig genoeg bij elkaar voelden om samen in het bos om het kampvuur te gaan zitten.

Een vriendin van mijn zus bood me haar flat in Brixton aan, omdat ze pas een baby had gekregen en verhuisde. Hoewel dat een toevluchtsoord was, weg van het kleingeestige gekibbel als je een flat met iemand deelt, was het er vochtig, schimmelig, donker en kil, en dus duurde het niet lang of ik voelde me ook zo. Ik probeerde de eindjes weer aan elkaar te knopen en begon aan mijn boek, maar al mijn pogingen vlogen het raam uit – letterlijk – toen er in de flat werd ingebroken en mijn computer inclusief al mijn diskettes gestolen werden.

Twee weken later viel ik in als verzorgster van een vriend van mij, Trevor Jones, die verlamd is vanaf zijn nek. Ik werd wakker en zag een man door het raam naar binnen klimmen. Toen ik schreeuwde, nam hij de benen.

Mijn leven stortte totaal in. Ik kon geen baan vinden, kon aan niets nieuws beginnen omdat ik mijn voettocht terug wilde en niet wist wanneer dat zou gebeuren. Ik kon aan niemand uitleggen waarom ik was weggegaan. Voor hen was het weer hetzelfde liedje. Vrienden belden op en zeiden: 'Hé, Fi! Je bent er weer! En, heb je het gehaald?'

'Nee, alle routes door de Sahara zijn gesloten, vanwege...'

Hou maar op.

Ik was nimmer zo wanhopig geweest. Ik had niets meer over. Het weer werd koud en miezerig, ik werd bleek en raakte uit vorm, mijn buikkrampen gingen niet over en ik had geen geld. Net als een Australische aboriginal zat ik tussen twee werelden – niet in staat terug te keren naar de bush, waar ik thuishoorde, en niet in staat me aan te passen aan de westerse manieren. Net als zij ging ik met de fles naar de muur zitten staren.

Ik ging naar het kantoor van de bijstand in Brixton en stond te wachten om me te laten inschrijven, toen iemand in die rij mij herkende. Ze was een freelance journaliste die mij in 1988, voordat ik Engeland verliet om mijn wandeling door Australië te gaan maken, een interview had afgenomen.

'God, Ffyona, jij bent wel de laatste die ik hier had verwacht!'

Ik slofte terug naar mijn vochtige flatje en belde de reisorganisaties, de filmploegen, de hulporganisaties en Buitenlandse Zaken maar weer eens, maar er was niets veranderd.

Ik had behoefte om met mijn eigen mensen te zijn, mensen die een ander leven hadden gekend. Ik belde Mark Shand en ging met hem uit lunchen, ik bracht verscheidene uren aan de telefoon door met een dominee, Geoff Howard, die met een kruiwagen door de Sahara was getrokken. En daarna belde ik met Robert Swan. Wij brachten samen twee dagen door in Yorkshire en praatten over alles, van eenzaamheid tot de manier waarop de mensen ons bekeken. Daarna voelde ik me niet meer zo geïsoleerd; wij kunnen rotzakken voor elkaar zijn, maar dat lieten we na en het verminderde de last.

Na twee maanden besloot ik terug te gaan en met kamelen door de Sahara te trekken. Vóór die tijd was dat niet mogelijk geweest vanwege het seizoen: niemand die de woestijn kent, trekt daar in de zomer doorheen, wanneer het kwik kan oplopen tot 65 °C in de schaduw (zo die er al is). Om het plan te laten slagen, moest ik echter wel een Arabisch sprekende persoon meenemen. Trevor gaf me de naam van een oude schoolvriend, Alasdair Gordon-Gibson, een arabist, die voor het Rode Kruis in Ethiopië werkte, na zeven jaar in Beiroet op het hoogtepunt van de crisis en in Koerdistan te hebben gezeten. Ik zond hem een brief met het verzoek of hij me wilde vergezellen. Hij schreef terug met een bevestiging.

Een andere vriend, Anthony Willoughby, belde op om te zeggen dat hij terug was uit Japan en we gingen samen wat drinken. Zijn agenda was zo overvol dat hij twee afspraken tegelijk moest houden met mensen, dus schoof ik aan bij hem en zijn eerste baas, Detmar Hackman, die de jonge Willoughby een baan had gegeven als handelaar in koperen armbanden. Ik had het over de schrik die me om het hart was geslagen toen de kerel door het raam was geklommen, en we kwamen erachter dat Detmar Trevor Jones ook kende – ze bleken op dezelfde school te hebben gezeten, Gordonstoun.

Aha! Mijn vader ook, en zijn neef was de conrector. Toen kwam er een amusant gesprek op gang en we kwamen op het onderwerp wat ik deed. Ik zei dat ik probeerde de Sahara met kamelen te doorkruisen. Anthony had zelf veel kameelreizen geleid voor zijn bedrijf I Will Not Complain – 'Ik zal niet klagen', dat Japanse zakenlieden meeneemt op expedities om hun leiderschapskwaliteiten te verbeteren. Zij moeten een document ondertekenen waarin staat dat zij niet zullen klagen als zij opgevreten worden door de muggen, achtergelaten worden, overlopen worden door een kameel of wat dan ook.

Detmar leek zeer geïnteresseerd in wat ik deed, voornamelijk omdat ik op dat moment had gepoogd geld in te zamelen voor Trevors liefdadigheidsfonds voor mijn voettocht door Europa. De wereld werd nòg kleiner: Detmar was een van de gevolmachtigden.

'Ik heb een PR-bedrijf ingeschakeld om mijn produkten te promoten,' zei hij. 'Ik zal met hen praten over sponsors voor jou – dat zou een goed idee kunnen zijn. Kunnen we elkaar volgende week misschien weer ontmoeten?'

Is de paus soms katholiek?

Hij belde me een paar dagen later op om te zeggen dat zijn PR-mensen me inderdaad wilden ontmoeten: ze wilden beoordelen of ik genoeg charisma had om me erdoorheen te slaan. Dat werkte als een rode lap op een stier. Ik verzamelde een stapel grote artikelen en speciale reportages in tijdschriften en de video's van mijn beste televisie-interviews (niet die met Wogan, waarin ik me had uitgesloofd voor mijn sponsors; dat doe ik niet weer) en maakte enorme indruk. Ik was echter niet zo onder de indruk van hen. Ze schenen de omvang van de onderneming helemaal niet te overzien, zeker niet toen ze me vroegen of ik nog 2.000 kilometer extra kon lopen langs de noordelijke kust van Afrika, zodat ik voor het tijdschrift *Hello* nog een interview kon doen. Toen Detmar mij een sponsorbedrag van 15.000 pond aanbood, vond ik het moeilijk mezelf ervan te weerhouden de voorwaarde te stellen dat hij een ander PR-bedrijf in de arm moest nemen.

Raymond bracht me in contact met een heel goede kerel in Spanje, die in expeditiekringen bekendstond als Dokter Diesel, vanwege zijn vakkundigheid als junglemonteur. Hij had al veel kameelreizen geleid en sprak Tamashik, Arabisch en Frans. Indien hij over te halen was om met me mee te gaan, had ik een bekwamere kerel voor dit karwei dan Alasdair.

Ik vloog naar Malaga om hem te overreden de woestijn met mij over te steken. Jean Pierre was zeer enthousiast over dit vooruitzicht en we brachten enige dagen door met het bestuderen van kaarten. Maar terwijl ik daar was, kwam er een fax van Harold in Kano. Hij zei rechtstreeks dat 'alles wat beweegt en maar in de verste verte op een Toeareg lijkt, direct wordt afgeschoten'. Sterker nog, alle Toearegs waren nu in hun bewegingen beperkt en het oorlogsgebied strekte zich inmiddels uit tot aan de grens met Nigeria. Opnieuw een reis voor niets.

Ik belde Detmar zodra ik terugkwam.

'Het moet wachten tot er een grens opengaat,' zei ik.

Hij zei: 'Maak je geen zorgen, Fi, de sponsoring staat.'

Nicholas Duncan, de man van Niagara Therapy, die me op de radio in Perth had horen spreken en me wat sponsorgeld had bezorgd, belde toevallig een paar dagen later op en vroeg me met hem te gaan lunchen omdat hij in Londen was. Hè fijn, ik had weer een keer te eten! Hij stelde me voor aan de directeur van zijn bedrijf in Engeland, die bereid was me te sponsoren in ruil voor motiverende lezingen voor zijn zakenlieden. Dat kon ik gebruiken om bij het sponsorgeld van Sabona te leggen, indien en wanneer het project ooit weer van de grond kwam.

En dat deed het. Opeens herleefde de voettocht in november, toen ik een telefoontje kreeg van een chauffeur van Encounter Overland met de mededeling dat een van hun wagens van Mauretanië naar de bezette Westelijke Sahara was gereden. Maar de wet van Murphy weer: dit was de langst mogelijke route vanuit Kano naar de Middellandse Zee. Het betekende dat ik 4.000 kilometer naar het westen moest lopen voordat ik maar een centimeter naar het noorden kon afbuigen. Maar het wàs een doorgang!

En alweer rinkelde de telefoon met goed nieuws – het tijdschrift *You* had een belletje ontvangen van een man in het Midden-Oosten die mijn verhaal had gelezen en geld wilde doneren als tegemoetkoming in de kosten. Robin Allen werd een soort 'Vadertje Langbeen' voor mij – hij stak niet alleen geld in de zaak, maar ook nog eens een enorme opsteker qua zelfvertrouwen dat ik op de goede weg was. Deze bijdrage, samen met die van Niagara, zou het sponsorgeld van Sabona aanvullen, dat slechts een reis van drie maanden dekte – hiermee hield ik het tenminste zes maanden uit. Maar zelfs met de best uitgewerkte budgetplanning kun je nooit incalculeren wat Murphy op je pad gooit.

Ik maakte een afspraak met Andy Sutcliff, de chauffeur van Encounter

Overland, om iets te gaan drinken en hij vertelde van de aaneenschakeling van bureaucratie waar je in Mauretanië tegenaan loopt. De route zelf was erger dan ik me had voorgesteld – het betekende dat ik zonder piste de Sahara door moest, wat vervolgens inhield dat ik ondersteuning nodig had.

Ik schreef Alasdair om hem te vragen of hij het prettig vond in een andere opzet mee te gaan, namelijk als chauffeur. Ik schilderde het karwei af als tamelijk saai en vervelend, maar beëindigde de brief met te zeggen: 'Ik hoop werkelijk dat je mee kunt'. Hij schreef terug dat het hem speet van de kameelreis, maar in de nieuwe opzet graag mee wilde.

Toch had ik nog een chauffeur nodig en een paar als reserve. Ik zette advertenties in Australische en Nieuwzeelandse tijdschriften en bij de ambassades. Ik wilde mensen die al aan het reizen waren, omdat zij geen verplichtingen opzij hoefden te zetten om zes maanden vrij te nemen. Aussies en Kiwi's zijn er ook aan gewend op moeilijk terrein te rijden en ik hield van hun ontspannen instelling en bereidheid om zich in te zetten.

Ik kreeg ongeveer zestig telefoontjes en organiseerde ontmoetingen met de meest veelbelovend klinkende personen. De gesprekken moesten binnen drie dagen afgewerkt worden, in een tempo van één per uur, tien uur lang. Op de avond van de eerste dag ging ik wat drinken met een vriendin, Anna Ginty. Ook al kenden wij elkaar niet zo lang, wij hadden de neiging samen krankzinnige escapades uit te halen. Die avond had ik zin om buiten de kroeg over een muur te klimmen, maar viel drie meter en kwam op mijn hoofd terecht – natuurlijk. Ik nam de volgende ochtend een taxi naar het ziekenhuis omdat ik had overgegeven en flink bloedde. Ze hechtten mij en hielden me daar voor observatie.

Om een of andere reden besloot mijn zuster die ochtend niet naar haar werk te gaan. Toen de bel ging en mijn sollicitanten begonnen te arriveren terwijl ik er niet was, belde ze alle ziekenhuizen af. In de tijd dat ze mij wat spullen bracht, arriveerde Tom Metcalfe bij de flat voor zijn sollicitatie om drie uur die middag. Omdat er niemand was, bleef hij een paar uur in de kroeg op de hoek hangen. Toen hij het opnieuw probeerde, was Shuna terug en legde hem uit wat er gebeurd was. Ze zei dat ik contact met hem zou opnemen.

Ik ontsloeg mezelf de volgende dag uit het ziekenhuis, deelde de sollicitatiegesprekken opnieuw in en voerde die met een barstende hoofdpijn. Ik was ook mijn reukvermogen kwijt, maar daar maakte ik me geen zorgen over. Dat was in Afrika niet zo erg.

Shuna vertelde me over Tom en zei: 'Hij kwam op mij over als een fatsoenlijke kerel.' Na ongeveer dertig gesprekken nam ik iemand anders in dienst.

Anna en ik namen hem een dagje mee om hem beter te leren kennen. Ik bleek een grote fout te hebben gemaakt, want die knaap was zó oversekst dat hij zelfs de maat van de bierflessen nam. De eerste man die op de reservelijst stond, was Tom. Hij vertelde dat hij geen professionele monteur was; hij kon improviseren, maar als de Land Rover niet in goede staat verkeerde, dan was hij niet de juiste persoon. Ik belde hem op en vertelde hem dat ik naar Frankrijk ging om te informeren hoe het er met de Land Rovers voorstond. Als ik er een in goede staat vond, wilde ik hem graag de baan aanbieden. Hij zei dat hij een week naar Ierland ging, maar daarna weer terug zou komen.

Ik belde alle eigenaars van de achtergelaten wagens in Kano en vloog vervolgens naar Aix-en-Provence om die ene knaap te ontmoeten die ja had gezegd. Hij had een Land Rover met korte wielbasis, die op diesel liep en in uitstekende staat verkeerde – zijn vrienden namen me zelfs apart om te zeggen dat ik mij geen zorgen over de motor hoefde te maken, want Laurent was een Pietje Precies met motoren. Wij kwamen overeen dat ik zou betalen voor de kosten van het terugbrengen als hij me de auto voor de duur van mijn tocht gratis leende . Ik gaf hem een aanbetaling en 500 pond voor een nieuw autopaspoort.

Tom belde vanuit Ierland.

Ik zei: 'Wil je mee naar Afrika?'

We boekten onze vlucht voor 5 januari, waardoor we net drie weken de tijd hadden om visums voor Nigeria te krijgen, vaccinaties te halen en verzekeringen af te sluiten, en zodat hij zijn licht kon opsteken over Land Rovers. Ik kocht alle uitrusting in waarvan ik dacht dat we die nodig zouden hebben en het goede soort kisten om het systeem handzaam te maken.

Ik hield een paar afscheidsfeestjes en Tom verscheen rond middernacht voordat we vertrokken. Ik had niet veel met hem gepraat – daar was nog tijd genoeg voor als we er waren en alleen elkaar als gezelschap hadden.

Ik had de lading de vorige dag al op een vliegtuig van Air Nigeria gezet en Trevor reed Tom, Shuna en mijzelf in zijn busje naar de luchthaven. Ik gaf hem een afscheidskus en omhelsde Shuna. Ik rekende nu op haar om alles vanuit Londen te regelen. Hoe konden we weten wat een nachtmerrie dàt zou worden!

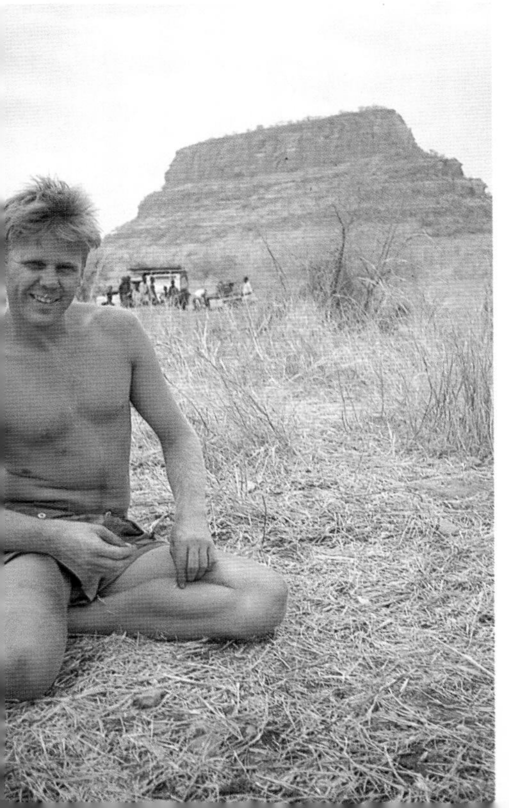

Boven De wandeling wordt hervat als er een grens opengaat, maar in die maanden van wachten zijn we pondjes zwaarder geworden. Nigeria. (*Tom Metcalfe*)

Links Tom. (*Ffyona Campbell*)

Onder G. (*Ffyona Campbell*)

Boven Een echt prettig avondkamp. Nigeria. (*Tom Metcalfe*)

Onder Bij de mooiste vrouwen ter wereld, de Fulani in Niger. (*Tom Metcalfe*)

Rechts Toen ik eenmaal het rimboefornuis had geperfectioneerd, kon ik eindelijk iets met de mango's aanvangen. (*Gordon Nicholson*)

Onder Rustig lopen door een dorp in het Dolol-gebied voordat ik gezien word. (*Tom Metcalfe*)

Boven Gordon. (*Ffyona Campbell*)

Links Shuna brengt een week bij ons door, als dank voor haar inzet bij het regelen van de ondersteuning vanuit Londen. (*Gordon Nicholson*)

Onder Jagga Jagga in goede doen. (*Ffyona Campbell*)

Boven Mijn vader loopt mee in Senegal. (*Tom Metcalfe*)

Onder Gestenigd door kinderen op de route van de Parijs/Dakar-rally. Senegal. (*Gordon Nicholson*)

Boven Praten over baby's, de prijs van levensmiddelen en mannen. (*Tom Metcalfe*)

Rechts In de woestijn vóór de knieblessure. (*Tom Metcalfe*)

Onder Ik moet me haasten om de grens te halen voordat hij gesloten wordt. Mauretanië. (*Gordon Nicholson*)

Boven Pete. (*Ffyona Campbell*)

Boven Na 2.000 kilometer van seksuele intimidatie en geweld was dit de laatste druppel – Pete moest de laatste vier dagen samen met een escorte van de gendarmes achter me aan rijden. (*Peter Gray*)

Links Ffyona Campbell. (*Gordon Nicholson*)

Onder De Sahara lijkt wel een kerkhof. (*Gordon Nicholson*)

Boven We zijn er bijna. (*Fiona Hanson* {PA})

Onder Beter dan zo kan het nooit worden. (*Fiona Hanson* {PA})

Boven Eind van de reis. Tanger. (*Fiona Hanson* {PA})

27

Wij vlogen met Air Egypt omdat dat het goedkoopst was, maar met het nadeel van een nachtstop in Egypte. Ik had bedacht dat we op de luchthaven zouden slapen om geld uit te sparen, of in de buurt een goedkope kamer zouden nemen. Bij aankomst in Caïro kwamen we erachter dat de reisagent ons niet had verteld dat Air Egypt ons zou onderbrengen in een viersterrenhotel met een buffetdiner, ontbijt en een tour langs de piramiden en de sfinx voordat de vlucht van negen uur opsteeg, en dat alles voor tien dollar extra!

Wij namen onze intrek in het Central Hotel in Kano en ik belde Harold om te zeggen dat we er waren. Toen gingen we vol verwachting op zoek naar onze nieuwe Land Rover bij het toeristenkamp, een eindje lopen verderop.

Hij verkeerde in een weerzinwekkende toestand: alle banden plat, de carrosserie was slecht opgelapt en hij wilde niet starten. Tom keek eens onder de motorkap. Dit ging een langdurig karwei worden – niet slechts een kwestie van de accu opladen. Harold stuurde een takelwagen om hem naar zijn werkplaats te slepen.

Afgezien van het feit dat de wielen vervangen moesten worden, à 100 pond per wiel, duurde het twee weken voor we wisten welk deel van de koppeling vervangen moest worden. Het bovenste deel van de bak werd vervangen, daarna de bodem, en vervolgens daagde het akelige besef dat het probleem in de koppelingsplaat zelf zat. De motor was een Land Rover 1981 110 diesel, ingebouwd in de smalle ruimte van de oorspronkelijke Serie III met benzinemotor. De kieskeurige Fransman had me voor dat kleine detail niet gewaarschuwd. Het resultaat was dat de bereikbaarheid van veel belangrijke onderdelen zó beperkt was dat de panelen moesten worden verwijderd en naderhand weer vastgeklonken. Ik liet ook alle verkeerde onderdelen eruitslopen.

De staat van de Land Rover was zeer zorgwekkend, a) omdat Tom geen ervaren monteur was, b) omdat het de financiële middelen voor de reis uitputte, c) het was onze levenslijn dwars door de Sahara, en zo te zien kon er van alles mee misgaan. Harold kwam ons te hulp door zijn bedrijf te overreden mij te sponsoren met arbeidsuren als ik betaalde voor de onderdelen. Zijn bekwame monteurs zijn een maand bezig geweest om de wagen in een goede staat te brengen.

De universele lasnaad werd vervangen, de brandstoftank schoongemaakt, de ontbranding werkte in alle cilinders. De bedrading was echter één grote puinzooi, het resultaat van oplappen en geïmproviseerde reparaties die geen enkel logisch patroon volgden, en binnendringend stof veroorzaakte kortsluiting. Alle lampen werden vervangen, de binnenkant werd ontdaan van de repen lakens die langs het dak en de ramen waren geprikt, waardoor grote stukken binnenvoering zichtbaar werden. De voorgaande eigenaars hadden het imperiaal ook overbelast, waardoor er scheuren tot aan de raampjes waren ontstaan. Deze werden verstevigd, evenals het imperiaal zelf. Aan het eind hadden de Nigeriaanse monteurs het voertuig Jagga Jagga genoemd, wat ik best lief vond klinken, tot ik erachter kwam dat het Hausa was voor 'rotzooi'.

Ik kocht een oude munitieaanhangwagen van het leger die Harold had gevonden, maar het duurde twee weken voor we er Land Roverwielen voor hadden gevonden, want ze moesten onderling vervangbaar zijn met het hoofdvoertuig. We namen ook twee reservewielen mee. Er werd een remsysteem in de aanhanger gebouwd zodat hij niet achter op de Land Rover zou botsen, een elektrische trekhaak, er werd een nummerbord gemaakt en er werden reflectoren opgezet. Om te voorkomen dat er bij iedere grens invoerbelasting betaald moest worden (in sommige landen loopt dat op tot 200 procent), werd hij in dezelfde kleur gespoten als de Land Rover, zodat het een eenheid leek. Laurent had mijn contract gedeponeerd bij de A.C.F., die ook het autopaspoort had verzorgd – met een logboek, dat afgestempeld werd bij binnenkomst en verlaten van elk land, om te bewijzen dat hij niet werd geïmporteerd om te koop te worden aangeboden – als garantie dat we hem niet zouden verkopen.

De werkelijke waarde van dit sponsorschap was het haviksoog van Harold op de werkzaamheden en zijn schat aan kennis over woestijnreizen. Hij stak heel veel werk in het project en gaf ons veel onderdelen van zijn eigen uitrusting mee, met inbegrip van een trekhaak, middelen tegen slangebeten, boeken, waterzak en koplampen. Hij had ook het canvasafdak van mijn dromen ontworpen en gemaakt, evenals een afdekzeil voor de aanhangwagen en een canvashoes voor het beddegoed. Het imperiaal was nog steeds zó zwak dat dit alles was hij dat het kon torsen.

Harold en zijn monteurs moesten dit project tussen hun gewone werkzaamheden door uitvoeren en uitstel was dus onvermijdelijk. Elke verrichting moest in de juiste volgorde gedaan worden, maar als ze ergens mee bezig waren, realiseerden ze zich dat er eerst iets anders gedaan moest worden voordat ze verder konden. Tom, en Jamal, de hoofdmonteur van Harold, gingen nogal eens de markt van Sabongari op om onderdelen te zoeken. Jamals kennis hield de 'witte prijs' laag, maar vaak leidde het niet vinden van een essentieel onderdeel tot onmiddellijke stagnatie. Dan kwam een van hun eigen wagens binnen waaraan gewerkt moest worden en stond het hele project stil. Ik was ervan overtuigd dat als Harold niet de leiding over het werk had gehad, het allemaal weken langer was gaan duren, met oplopende spanning, omdat de zomer naderde en de mogelijkheid dat die onzekere grensovergang vóór ons weer zou sluiten.

Harold leende me de diensten van de verzekeringsman van zijn bedrijf om de 'bruine kaart' te krijgen die in de meeste Westafrikaanse landen geldig is. Dit ging in de map met de documenten, samen met het autopaspoort, de *carte grise* (het Franse eigendombewijs) plus de brief met de vergunning om de Land Rover te gebruiken; deze had Laurent door de Franse politie laten stempelen, plus een Engelse vertaling van dit alles. Ik had ook een brief bij me van Survival International, met daarin de reden van mijn komst en wat ik deed.

Gedurende deze hele periode was ik prikkelbaar, omdat ik slechts heel weinig kon doen om te helpen de Land Rover weer op de weg te krijgen. Ik deed er lang over om alle spullen in een van Harolds loodsen in orde te maken en op de markt van alles en nog wat in te slaan. Laurent of Arabia en zijn mede-ontdekkingsreizigers hadden gezegd dat in de Land Rover alle kampeerspullen lagen die we maar nodig konden hebben – en wat voor! In overeenstemming met hun beoordeling van de staat van de Land Rover was het allemaal troep. Er was niet genoeg ruimte in het voertuig om die rommel mee te nemen, dus gaf ik het allemaal weg.

Charles had Stormin' Norman, de eerste Land Rover, een paar weken nadat ik vertrokken was opgehaald, en hem naar Oost-Afrika gereden. Ik had wat van de uitrusting bij Harold achtergelaten en Charles had aan mij gevraagd of hij er iets van mocht gebruiken, omdat het toch nutteloos was voor een reis met kamelen. Ik vond het goed dat hij de koelkast leende – die gebruikten we tòch niet, omdat hij de accu leegde – en stuurde Harold een lijst met spullen waarvan ik vond dat Charles ze terug kon krijgen of mocht lenen.

Harold stond op te letten toen hij over de verschillende dingen begon te zeuren.

'De medicijnkist is van mij,' zei Charles.

Inderdaad, maar niet de inhoud. De helft was van mij, en ik had er 600 pond voor betaald, maar dat kon Harold niet weten.

Toen zei Charles dat de schep van hem was.

Harold zei: 'Luister eens, ik ga niet in discussie over een schep.'

Charles dacht toen dat hij die kreeg, maar Harold deed gewoon de deur op slot en liep weg.

Nu ik inmiddels zoveel meer van een uitrusting af wist, had ik precies de dingen meegebracht die ik wilde (zie aanhangsel 2) en borg dat allemaal op in kisten of zakken die ik gemaakt had. Nu had alles zijn eigen plaats: er was een waskist, een kookkist, een dagkist, een camerakist, een boekenkist, enzovoort.

Ik had verscheidene binnenvoeringen voor slaapzakken gekocht om jurken van te maken – Egyptische katoen is zó fijn en zacht en beperkt de wrijving. Ik sneed de stof los en stuurde ze naar mijn moeder, die de hele kerst doorwerkte om ze te naaien. Ik verfde ze donkerblauw; dat steekt zo mooi af tegen al die zandkleurige achtergronden en het is de kleur van de Toearegs, die vast wel hadden ontdekt wat het beste was. Daarna stuurde ik ze naar Sabona om hun logo erop te laten printen – niet als promotie voor onderweg, maar voor de foto's die er gedurende de reis gemaakt zouden worden.

De stickers voor de Land Rover waren in Engeland gemaakt, en Detmar had me een aantal koperen armbanden met een goudlaagje doen toekomen om weg te geven. Olympus voorzag me van een OM4-camera en 50mm en 50-250mm-lenzen; Ian Dickens van Olympus had me vanaf mijn wandeling door Amerika gesteund door me een Pearlcorder dictafoon te geven voor mijn dagboeken. Helaas werd die, samen met al mijn tapes, dagboeken en negatieven, een paar weken nadat de wandeling afgelopen was in San Francisco gestolen, de reden waarom ik over die voettocht geen boek heb geschreven.

Tom en ik brachten twee weken door in het Central. Toen verhuisde ik naar het gastenverblijf van Harold en logeerde Tom bij Harolds rechterhand, Zaven. Dat was een Armeense vluchteling, die ons overstelpte met gastvrijheid. Hij nam ons mee uit racen in zijn buggy, liet ons de stad zien en nodigde ons uit in zijn vriendenkring bij de Motorclub van Kano. Zij gaven ons beiden een trofee met inscriptie: 'TransAfrica Walk – Kano to Tanger'.

Toen de Land Rover bijna klaar was, afgezien van nog een paar kleine karweitjes, reden we naar Yankari om een proefrit te maken en een proefkamp op te slaan. Het was een rit van negen uur over slechte wegen, maar het verliep goed. Wij raakten hem echter bijna kwijt door een aanvallende olifant. Na twee mislukte aanvallen kwam de stier opnieuw aanstormen en de gids zei tegen Tom dat hij moest versnellen. Tom meende dat hij bedoelde wegrijden, maar de gids bedoelde: laat je motor gieren. Gelukkig verloor die stier zijn belangstelling. Het reservaat werd geplaagd door buffelvliegen, en nu ik de kans kreeg uit een zwerm weg te komen, wilde ik die nemen ook, maar Tom had dat nog niet meegemaakt en hij had er niet zo veel last van. We zijn allebei gemeen gebeten. Het werd tijd om onze profylactische malariapillen in te nemen, bittere pilletjes, die je met een heleboel water achterover moet gooien, anders blijf je ze proeven. Maar Tom wist dat niet.

'Je moet iedere dag twee van deze Paludrinetabletten innemen,' zei ik, terwijl ik ze aan hem gaf. 'Je moet ze goed kauwen en minstens twintig minuten lang geen water drinken.' Hij heeft het me nooit vergeven.

Alasdair (met de bijnaam G) zou eind januari arriveren, en al voor we elkaar hadden leren kennen, had ik een heleboel verantwoordelijkheid op zijn schouders geladen. Tom en ik konden niet best met elkaar overweg; we waren het over vrijwel alles oneens en geen van ons beiden wilde inbinden. Ik hoopte dat G in staat zou zijn de botsingen van deze twee motoren te verzachten, die elkaar afmatten. Maar ik hield wel van Toms opvliegendheid; dit was niet de juiste plek voor een jaknikker.

Wij haalden G op van het vliegveld na zijn vlucht vanuit Addis Abeba, waar hij zes maanden voor het Rode Kruis werkzaam was geweest. Ik had hoge verwachtingen, vooral omdat hij aan verzekering en de vlucht naar Kano evenveel had gekost als Tom en ik samen. Toen we naar het hotel terugreden, vertelde hij ons dat hij, dankzij mijn baas, Robin Hanbury-

Tenison, op tijd uit Ethiopië was aangekomen. G's aanvraag voor een Nigeriaans visum was steeds gehinderd door uitstel en omkoperijen. Ik had hem een bereidheidsverklaring gestuurd op mijn papier met briefhoofd, met de naam Robin Hanbury-Tenison OBE in vette letters onderaan. De Nigeriaanse ambtenaar met wie G onderhandelde, ging rechtop zitten toen hij het las, veegde zijn voorhoofd af en sprak op bijzonder hartelijke toon: 'U zult geen problemen hebben om een visum te krijgen – uw baas is een heel belangrijk man in Nigeria, deze meneer OBE.'

G deed een frisse wind waaien. Hij was een leukerd, lachte graag en ik kon zien dat hij iemand was die de zonnige kant van het leven ziet. Maar toen ik met hem in zijn kamer in het Central zat, was de eerste vraag die hij stelde: 'Hoe houden we het moreel hoog?'

Dat vond ik een vreemde vraag, vooral omdat ik niet wist wat hij eigenlijk wilde vragen. Toen wist ik nog niet dat G hier eigenlijk niet wilde zijn.

De nieuwe route hield in dat ik helemaal naar de westkust moest lopen, door het noorden van Nigeria, het zuiden van Niger, Burkina Faso, Mali, Senegal en dan naar het noorden door Mauretanië, de bezette Westelijke Sahara en Marokko – een reis van zes maanden als alles op rolletjes verliep.

De timing wat betreft de weersomstandigheden kon niet slechter zijn. Ik zou door de Harmattan moeten lopen, die heel fijn zand en mica uit de woestijn blaast en voor Afrikaanse begrippen bitter koud is, door het mangoseizoen, wanneer er niets te eten is, en dan midden in de zomer door de Sahara. Ik hoopte dat de temperaturen langs de kust onder invloed van de Atlantische Oceaan koeler zouden zijn. Ik had werkelijk geen benul hoe koud het zou worden. Maar ik had geen keus – de grens kon ieder ogenblik dichtgaan, want er kwamen berichten binnen over toeristen die opgepakt waren omdat ze hadden geprobeerd alcohol in de Islamitische Republiek van Mauretanië binnen te smokkelen. Ik werd razend, omdat dit de enige route was die openlag voor reizigers, en deze gekken verknalden de kansen van iedereen omdat ze niet zonder hun biertje konden.

G en Tom pakten de aanhangwagen en de Land Rover zo snel ze konden in, maar wel heel zorgvuldig. De aanhanger moest precies in evenwicht zijn omdat hij alle jerrycans met water en diesel vervoerde, samen met de reserveonderdelen. Harold hielp hen eraan herinneren goed op te letten dat ze op een vlak stuk grond moesten parkeren als ze loskoppelden, want een reiziger had zijn aanhangwagen op een helling losgekoppeld, waarna deze naar voren was gegleden en het hoofd van de man had verpletterd.

Eindelijk, op 5 februari 1993, was Jagga Jagga gereed om te vertrekken.

Ik startte vanuit het Central Hotel, waar ik voorbij was gelopen op mijn weg naar het noorden. Het was pas vijf uur in de ochtend, donker en heel koud vanwege de Harmattan.

Zaven was er om ons uit te zwaaien en in het donker foto's te nemen.

'Lachen, mensen!'

Ik haat dat gevoel op de eerste ochtend van een voettocht; de week die voor de boeg lag, zou een hel zijn. In je ritme komen, kost tijd en het doet pijn – je spieren worden stijf, er ontstaan zere plekken door wrijving, de blaren komen op je voeten omdat ze niet meer in conditie zijn, en bij dat alles heb je de ziedende kwelling van het trainen van een nieuw team. Ik had geen ritme en zou de kilometers aftellen tot aan een pauze: zouden ze er wel op tijd staan?

Ik had mijn gebruikelijke bagage, een westers ingerichte dagzak en waterfles, vervangen door plaatselijke spullen, want ik was het beu dat kinderen die voortdurend opeisten. Ik droeg een schoudertas van de Fulani, gemaakt van geweven gras, een kalebas voor mijn water en een Fulanihoed met brede rand en een zonneklep die je voor kon binden, om het stof uit mijn ogen te houden. G had op de markt voor ieder van ons een Arabische sjaal, een kaffiyeh, gekocht, en leerde ons hoe je die moest knopen. Die van mij verving al spoedig mijn hoed, omdat ik hem voor mijn neus en mond kon binden tegen het stof. Hij ving ook het vocht van mijn adem op, wat mijn gezicht koel hield, en doordat hij over mijn oren zat, dempte het loeien van de wind. Maar het hielp niet tegen de neusbloedingen door het stof.

Terwijl ik langs de oude stadsmuur van Kano liep, passeerde ik een uitgebrande vrachtwagen in een greppel bij een brug – waarschijnlijk de verliezer in een bravourespelletje. De religieuze leus die erop aangebracht was, deed me in de lach schieten: 'Niets is blijvend'. Ik kwam een hoek om en daar stond de Land Rover. De motorkap stond open; hij was er na tien kilometer mee gestopt.

Tom zat met zijn armen in het binnenste van de motor als een veearts die een kalf helpt bij de geboorte. 'Ik denk dat het kortsluiting is,' gromde hij, 'waardoor de startmotor gaat hikken terwijl de hoofdmotor draait. Maar dit wrak is zó gammel dat het van alles kan zijn.'

Toen ik verder ging, kwam Zaven voorbijrijden en bood aan terug te gaan naar Nigerian Oil Mills om een reserve-onderdeel te halen. Maar Tom improviseerde prima en had het spoedig verholpen. Het kwam op hem neer de wagen op de weg te houden en dat was een zware verantwoordelijkheid. Hij wist net zogoed als ik dat hoewel Harold had aangeboden zijn takelwagen te sturen als we ergens in Nigeria vast kwamen te zitten, wij dat gemak niet gedurende de resterende 5.000 kilometer zouden hebben – waarvan het grootste gedeelte woestijn was.

In Nigeria heb je om de één of vijf kilometer een kilometerpaaltje. Ik bereikte het paaltje van vierendertig kilometer buiten Kano, waar we een lunchpauze zouden houden, maar de Land Rover stond er niet. Waar was die in godsnaam? Even later kwamen ze door de stoffige nevelen van de Harmattan over de kapotte weg aansukkelen.

'We waren bij zeventien kilometer gestopt,' zei Tom, 'twee kilometer verder.'

Ik hield vol dat dit niet klopte. Ik weet hoe je je na zeventien kilometer voelt, of je nu fit bent of niet.

Toen Zaven terugkeerde met het reserve-onderdeel, reden ze zeventien kilometer op zijn teller en merkten dat de teller van de Land Rover er 1,4 kilometer naast zat. Zeventien kilometer stond op de teller aangegeven met 15,6 kilometer. Als Tom en ik niet steeds botsten, had ik het laten zitten en zou ik heel wat sneller in Tanger zijn aangekomen.

Ik moest vijftig kilometer per dag overbruggen, zes dagen per week, anders zou ik het niet halen met het geld dat ik had. De motivatie om 's morgens op te staan en opnieuw te beginnen was moeilijk op te brengen, dus deed ik net alsof mijn wandeling mijn werkgever was: ik moest opstaan om naar mijn werk te gaan. Wanneer ik iets uit mezelf moet doen, laat ik het erbij zitten; dat is mijn aard. Als ik iedere dag het doel haalde, zou de wandeling zijn eigen impuls aannemen. Eerder stoppen is ondenkbaar. Ik start iedere dag met de drijfveer om die vijftig kilometer te halen; als er iets gebeurt waardoor dat niet lukt, moet ik het de volgende dag weer proberen. Het is net als een dieet houden: telkens wanneer je 'zondigt', raak je steeds een beetje geloof in jezelf kwijt, tot je zegt: 'Waarom zou ik eraan beginnen als ik het tòch nooit afmaak?'

Ik moest de chauffeurs nog leren hoe ze het kamp moesten opzetten, maar het probleem met Tom en G was dat ze niet naar mijn suggesties luisterden, ze moesten experimenteren en het zelf uitvinden. Zo ben ik zelf ook, maar wanneer hun experimenten niet slaagden, hadden die een onmiddellijke weerslag op mij, want dan kwam ik bij een niet efficiënt bereide lunch aan. In die eerste weken was ik aan het worstelen met mijn eigen ritme en kon ik een twist met het team er niet ook nog bij gebruiken.

Langs de weg lagen stapels brandhout te koop. Het was het gele hout dat je gebruikt voor langdurig en langzaam koken. Cassave en gierst zijn daar het hoofdvoedsel en daarvoor hebben ze deze soort brandstof nodig. Ze is niet geschikt om snel water te koken om thee te zetten – daar heb je kleine takjes voor nodig, die snel branden. Dit vertelde ik de jongens, maar iedere keer weer kwam ik een pauzekamp binnen waar een stervuur van geel hout brandde, met een ketel waarvan de inhoud niet wilde koken, ook al ging ik niet zitten en keek ik er een uur niet naar om. Het ging er niet alleen om dat ik wilde dat deze dingen op tijd en goed werden gedaan, het was ook voor hen prettiger als ze het goed deden, zodat dergelijke karweitjes eenvoudig worden.

Ze moesten het afdak tijdens de pauzes opzetten, omdat er zo weinig bomen waren die beschutting boden tegen wind en zon, en omwille van de privacy. Het is onbeleefd voor de neus van anderen te gaan zitten eten zonder hun iets aan te bieden, maar wij hadden een lange reis voor de boeg en konden ons niet veroorloven de plaatselijke bevolking drie keer per dag te laten meeëten. Deze mensen kwamen niet om van de honger en zij leefden niet zoals wij. Wij boden de mensen gastvrijheid aan wanneer dat passend was, maar we verlaagden kleine hoffelijkheden niet door ervoor te betalen, zoals veel reizigers doen. Zij hebben een spoor van sociale vervuiling achtergelaten, zodat de mensen nu betaald willen worden als ze je helpen.

Een boer benaderde G en wees op de nationaliteitssticker op de Land Rover.

'Komt u uit Londen?'

'De baas wel.'

Hierdoor aangemoedigd, haalde hij een kaart te voorschijn en liet die aan G zien. 'Kunt u me misschien een tip geven voor de voetbalpool?'

De boer bood G geen geschenk aan voor zijn advies, een reiziger zou dat wel hebben gedaan als hij een Afrikaan was geweest.

De zon kwam nooit helemaal boven de horizon, maar verscheen net een stukje boven het stof, zo rond tien uur 's morgens, en verdween 's avonds als een vager wordende oranje lamp in de stofwolken. De Harmattan woei van voor zonsopgang tot even voor de schemering. 's Avonds ging het stof liggen en kon je de maan helder zien schijnen – een vreemd gezicht, als je de zon zo wazig had gezien.

Ik kwam in gelijke tred naast een jonge Fulani te lopen die een gettoblaster droeg, met Enigma erop. We praatten wat. Ik gooide wat van mijn brood naar een paar eenden, maar die liepen angstig weg – niemand had ooit voedsel voor ze gestrooid. Geiten wankelden op hun smalle hoefjes langs een door de regen uitgesleten richel, ezels balkten zoals Bob Dylan en de 'spuug'- en gombomen boden schaduw aan de randen van uitgedroogde gierstvelden, waar een oude man de grond met een schoffel aan het bewerken was. Hij keek op van zijn werk toen ik mijn metgezel vroeg naar het seizoen van de Harmattan.

'De Fulani zijn veedrijvers, maar hij is een Hausa, hij kan je over de velden vertellen.'

De mannen kenden elkaar niet, maar mijn metgezel schudde hem de hand, wisselde begroetingen uit en nam hem de schoffel uit handen, terwijl de oude Hausa een praatje met me kwam maken.

Als je met een ondersteuningsteam loopt, heb je een dilemma. Dit soort kleine uitwisselingen vond plaats wanneer ik alleen was, maar zodra ik een pauze had, stapte ik een Engelse enclave binnen. Dan moest ik mijn bezittingen beschermen, omdat men mij dan opeens beschouwde als iemand als alle andere reizigers – grof en rijk.

Dit nieuwe team experimenteerde ook met het avondkamp. Ook zij overlaadden me met dezelfde overbekende kritiek dat ik onnodig precies was.

'De waskom hier en het vuur daar, de kist met dagrantsoen...'

Maar dan kwam Tom eroverheen met: 'Hou toch op, Fi, wat ben jíj een fijnpoeper.'

'Als je het systeem niet wilt leren, hou dan op met klagen over hoeveel je te doen hebt.'

Maar de ervaring leert gewoon dat het minder werk betekent als je een kamp steeds op dezelfde manier opzet, omdat je dan precies weet wat je in welke volgorde moet doen. Je kunt zien wat er ontbreekt, wat er gekocht of gerepareerd moet worden, en de bevolking die zich verzamelt, kan zien dat er geen spullen liggen te slingeren dus gemakkelijk te gappen zijn. Het avondkamp is thuiskomen, en in het ongeregelde zooitje dat de wildernis is, is het heerlijk om iets te hebben dat schoon en ordelijk is. Net als het dragen van een uniform geeft het je een gevoel van trots. Bovendien houdt kamperen op een droog, vlak en schoon stukje grond in dat je minder last van insekten hebt, je kunt de slangen beter zien aankomen en als je iets laat vallen, vind je het gemakkelijker terug.

Maar ze bleven in het gras kamperen en zetten iedere avond het kamp volkomen anders op. Tom deed het expres, om wat autoriteit te laten gelden. Wij vochten een machtsstrijd uit. Geen van ons beiden deed een stapje terug en G moest scheidsrechtertje spelen. Het ging zelfs zóver dat we bij iedere pauze een eredivisiewedstrijd op het hoogste niveau uitknokten, wat voor ons allebei vermoeiend was en uitputtend voor G. We praatten er iedere week redelijk over als we samen acht kilometer liepen, en zwoeren dan het op te lossen. Er zit een groot verschil tussen 'gaan zitten praten' en 'praten onder het lopen'. Dat laatste vind ik gemakkelijker, omdat je het in een bepaald ritme kunt doen en je de ander niet hoeft aan te kijken als je niet praat. Tom kookte op de vierde avond. Na veel voorbereiding had hij een verrukkelijke spaghetti bolognese klaargemaakt en hij overhandigde ons de borden met een buiging. Na één hap bleek dat het te heet was, maar als graadmeter van onze gespannen verhouding duurde het tien minuten voordat één van ons er iets over zei. De Afrikanen vinden het zeer onbeleefd om iemand te blijven aankijken als je praat; dat duidt op een confrontatie. Dus leerde ik te doen zoals zij en sloeg mijn ogen neer. Ik leerde dat staren ook een manier van communiceren is – als we tijdens de pauzes niet terugstaarden, dachten zij dat ze gewoon op één been konden blijven staan gapen. Maar door terug te staren, worden ze onzeker en opeens zichtbaar in de menigte; wij konden ze er één voor één uitpikken en dan liepen ze door.

Vanaf Kano liep ik in westelijke richting langs de macadamweg naar Gwarzo en volgde daarna de sporen door de wildernis naast de granieten keien die beroemd zijn van Road Runner. Het zoeken naar de juiste richting was soms een beetje problematisch, omdat de dorpsbewoners aannamen dat ik ergens via de grote weg wilde komen. Ik moest nadrukkelijk duidelijk maken dat ik de oude route wilde nemen. Het duurde even voor de chauffeurs zich realiseerden dat het handiger was dat ze na een pauze snel opruimden en naar de volgende stop reden, waar ze het rustig aan konden doen tot ik arriveerde. Ik bracht het te berde om hen te motiveren me voor te blijven, aangezien ze geen aandacht schonken aan mijn verzoek het te doen, ingeval ze panne kregen en me niet konden bereiken. Tom pikte algauw de taal van de Hausa op. Ook controleerde hij de route en liet stenen pijlen voor me achter bij de kruispunten, voor het geval hun sporen uitgewist zouden worden. Hij had een levendige, onderzoekende geest en een goed geheugen. Als we geen ruzie hadden, hielden we de interessantste gesprekken, van de hulp in Afrika tot wie het grootste stuk van de mangotaart kreeg.

Zaven kwam ons wel drie keer opzoeken, met zijn auto tot de rand gevuld met vruchten en Libanese gerechten, die zijn vader speciaal voor ons had bereid. Telkens wanneer hij kwam, vertelde hij hoeveel verder hij nu weer had moeten rijden, en dat gaf me een prettig gevoel over de vooruitgang die we boekten. Hij dacht waarschijnlijk dat een wandelaar heel wat tijd in zijn gebied zou verblijven, maar na vier dagen was ik tweehonderd kilometer verder – een rit van acht uur heen en terug met de auto.

Het systeem klikte ten slotte, toen Tom het leiderschap van het team op zich nam. We kwamen in Gusau aan, een klein plaatsje dat geheel bewoond scheen te worden door patriotten: elke boom en elk paaltje – ja, elk verticaal, levenloos object – was groen en wit geschilderd, de nationale kleuren. We brachten de rustdag door in een hotel; Nigeria is erg goedkoop, dus kon ik het me voor deze keer permitteren.

De volgende dag zette G me af bij de start voor die dag en ging terug om Tom op te halen, die geld wisselde om de rekening te betalen. Ze waren na drieëneenhalf uur nog niet terug, en in die tijd had ik geen water meer en steeg de temperatuur. Ik ging in de schaduw van een boom zitten wachten. Het katoenseizoen was voorbij en de bruine stengels werden in schoven op de velden verzameld. Ik viel in slaap. Toen ik wakker werd, zag ik een karavaan met kamelen, ongeveer vijftien in getal, de berijders allen gekleed in het blauw van de Toearegs met een zware hoofdbedekking. De kamelen stapten gehoorzaam voort, hun last ingepakt in geweven matten die rond gebonden waren met het traditionele sisalkoord, dat kraakt als het aangespannen wordt.

Ik ging in de schaduw van de laatste kameel lopen. Achter ons klonk geblaat. Wij keken allemaal tegelijk om en daarna naar elkaar en moesten lachen – als de kinderen van Hamelen kwamen alle geiten en schapen van de velden naar ons toestromen en volgden ons. De Toearegs vervoerden zout uit de mijnen van Bilma, zoals ze al jaren doen. Om hun handel te beschermen, is het vrachtwagens verboden zout te vervoeren. Ik was erg opgewonden. Dat er een karavaan was, betekende dat de Toearegs weer onderweg waren. Hield dat in dat de mogelijkheid bestond dat ik via de oorspronkelijke route door de woestijn kon gaan? Zo ja, dan was de beste plaats om je bij een karavaan te voegen Niamey, en daar zou ik pas over een maand aankomen.

De Toearegs hadden er geen bezwaar tegen dat ik naast hen meeliep en ook vroegen ze me niet wat ik daar deed. Ik ging naar voren, in de schaduw van de eerste kameel lopen. Na een tijdje bood ik de berijder mijn waterfles aan. Er zat slechts een klein beetje water op de bodem – ik drink een fles nooit helemaal leeg, dat is psychologisch – maar ik meende dat als ik dorst had, hij dat ook wel zou hebben. De man nam de fles aan en keek erin. Toen gaf hij een signaal naar een van de anderen achter ons, die een guerba losmaakte, een waterzak, gemaakt van geitemaag, en zonder de karavaan stil te laten staan, schonk hij de inhoud ervan in een houten kom. Het water was groen en ondoorzichtig, maar dat kon me niet schelen. Ik bedankte hen niet, want dat zou als zeer onbeleefd worden beschouwd.

Even later kwamen we bij een dorp. De leider van de karavaan gaf aan dat hij hier van het spoor afweek en wuifde gedag. De Toearegs mogen niet door de dorpen rijden, omdat ze de vrouwen over de muren van de erven heen kunnen zien. Als ze dat tòch doen, worden ze gestenigd.

Aan de andere kant van het dorp haalde de Land Rover me in. Ze waren te laat omdat ze travellers' cheques hadden moeten wisselen om de rekening te betalen, maar het hotel wilde dat niet doen en bij de bank wilden ze smeergeld om tegen de correcte koers te wisselen. Ik dronk tot ik geen dorst meer had en we zetten nog een paar kilometers door, ook al waren we ver voorbij een pauze, want het getuigt van slechte manieren om midden in een dorp te kamperen. Wij stopten bij een stokoude apebroodboom. Daar zat een groot gat in, en in de bast bij de ingang ervan lag een menselijke kies.

'Ik vermoed dat die daar zit om kinderen af te schrikken om erin te gaan,' zei ik. 'Misschien zit hij wel vol met slangen.'

'Welnee, ik denk dat het gewoon voodoo is,' zei Tom.

Ook daar maakten we ruzie over.

Terwijl we daar zaten te kiften en thee te drinken, naderde de kameelkaravaan langzaam over de weg. Ik vond het enig ze weer terug te zien en riep een groet naar hen toe. Ik haalde een jerrycan met dertig liter water te voorschijn en gebaarde dat ze al hun guerbas konden vullen. Wij gaven hun ook sinaasappelen en zij gaven ons gedroogde dadels. Dit was de beste manier om hen te bedanken voor hun eerdere gastvrijheid. Ik liep een eindje met hen mee en ging toen alleen verder, na afscheid genomen te hebben.

Toen Tom en G het avondkamp opzetten, kwam er een groep tieners aan die duidelijk op een gevecht uit waren. Ze zeiden dat ze betaald wilden worden voor het kamperen op die plek, wat volkomen onterecht was. G zei dat we wegarbeiders waren en er recht op hadden in de buurt van ons werk te kamperen!

Aangetrokken door de heisa, naderde er een oudere man over het omgeploegde veld, die me drie grote eieren in een kalebas overhandigde. Ik greep naar mijn portemonnee, maar hij maakte bezwaar. Soms is het moeilijk te onderscheiden wanneer je moet betalen en wanneer je iets gewoon als geschenk moet aannemen. Later die avond keerde hij terug met zijn kinderen om hun de nieuwste show in het plaatsje te laten zien.

Soms draai ik het om en ga naar de mensen staan kijken die op het pad lopen, in afwachting van hun reactie op het moment dat ze begrijpen dat hun een vreemdelinge tegemoetkomt. Iemand stopt, kijkt goed en gaat dan de anderen inlichten. Dan vormen ze een hechte groep en komen op me toelopen. Gelukkig voor mij zitten ze niet uren voor de televisie zieke beelden op te nemen over wat ik wel zou kunnen zijn. Ze zijn nog niet zo geperverteerd als wij, dus hebben de kinderen en hun ouders meer zelfvertrouwen. En ze beginnen niet zo walgelijk te janken als de kinderen in de supermarkt wanneer hun moeder niet stopt bij de rekken met snoep. G had het ook gemerkt – in al de jaren die hij in de Derde Wereld had doorgebracht, had hij dergelijk geschreeuw nog nooit gehoord en had hij kinderen ook nooit in een driftbui zien uitbarsten. Hij schreef het toe aan de manier waarop ze zichzelf zien: ze zijn in hun kindertijd niet het centrum van het universum voor iedereen om hen heen.

De ommanteling van het remsysteem van de aanhanger was er afgevallen, waardoor hij iedere keer wanneer de Land Rover remde er vol tegenop botste. Daarna kregen we een lekke band. De dorpsbewoners hadden mij de weg gewezen, maar vertelden de chauffeurs dat de Land Rover me daar niet kon volgen omdat de weg te slecht was. In plaats daarvan voorzag het dorpshoofd hen van een paar fietsen en G vertrok om me voor het invallen van de duisternis te zoeken.

Tom repareerde met de hulp van een paar mensen uit het dorp à l'improviste de Land Rover. Toen hij opkeek van zijn werk zag hij een vrachtwagen vol passagiers een heuvel opkruipen. De wagen kwam tot stilstand maar had geen remmen en begon met een akelige vaart achteruit te glijden, zodat vrouwen en kinderen er aan alle kanten uitvielen. Ongelooflijk genoeg was er niemand ernstig gewond.

De ontsteking van de Land Rover deed het, maar toen sprong er een bout kapot, waarmee de brandstofleiding naar de motor vastzat. Tom schroefde hem met het laatste stuk schroefdraad vast, maar we hadden een andere bout nodig. We hadden geen keus dan die middag nog terug te keren naar Gusau om vervanging te halen. Het probleem was dat Zaven die avond ook zou komen.

'Als we snel zijn,' zei Tom, 'kunnen we Nigerian Oil Mills bellen vóór hij vertrekt en hem die twee onderdelen laten meebrengen.'

De dichtstbijzijnde telefoon was in Gusau. Zaven was al vertrokken, maar Harold was zo vriendelijk een chauffeur te sturen met een nieuwe slotbout en een remmantel. Ook Zaven slaagde erin ons te vinden door het spoor van toiletpapier te volgen dat we in de bomen langs het pad hadden achtergelaten. We zetten het kamp op en hij laadde weer een hele voorraad heerlijkheden uit. Vervolgens begon hij een verrukkelijk gerecht van kebab te bereiden en zette ons een waar feestmaal voor. Wij waren werkelijk ondersteboven van zijn gastvrijheid, maar hij wuifde alle bedankjes weg met zijn gebruikelijke bevel: 'Eet toch! Eet!' Tijdens het eten kwam er een verstoten vrouw naar ons toe en wij lieten haar bij ons vuur plaats nemen. Ik gaf haar eten en water.

Het was heel heet. Als ik een pauzekamp was binnengelopen, bonsde mijn hart na een paar minuten nog na in mijn oren. Er was maar weinig schaduw in de doornstruiken en de donspotige vliegen wandelden over mijn bovenlip. Elk deel van Afrika heeft zo zijn eigen vormen van ongemak. Hier in de savannen was het gras irriterend. Diepwortelend gras steekt met naaldscherpe wortels in je vlees als het vocht voelt. Droge klitten blijven overal aan hangen, van sokken tot beddegoed. Ik moest vaak onder de schaduw van een doornstruik stoppen om ze uit mijn broek te trekken. Maar het allerergste waren wel de stervormige rotzakken ter grootte van kopspijkertjes die in de wielen van de Land Rover drongen en de binnenbanden lek prikten. Trap er maar eens op als je 's nachts naar buiten gaat om een plasje te doen – niemand slaapt dan meer van het geschreeuw.

Tegen het eind van die week bereikten we Jega – met een bevolking van 10.000, van wie de meeste kinderen zijn. Net als bij die Russische moederpoppen waren er altijd nog weer kleinere. Er liep een rivier door het plaatsje, die ons van een prima plek voorzag om het zweet en het zand uit onze kleren te wassen. Tom vond een nieuwe oplossing voor het onvermijdelijke getreiter wanneer we door kinderen omringd waren. Hij klom boven op de Land Rover terwijl zij daar beneden stonden te kijken en zong: 'Day-O!' waarna de echo terugkeerde: 'Day-O!' In ware big brother-stijl wist hij hen eronder te houden en tegelijk zijn ego op te poetsen.

'Wie is de leider van de bende?' zong hij, op het melodietje van de Mickey Mouse Club.

'Wie is de leider van de bende?'

'T-O-M'

'T-O-M'

'M-E-T'

'M-E-T'

'C-A-L-F-E'.

Ik had verscheidene wagens van de oproerpolitie zien rondrijden, maar wist niet waarom. De oproep tot het gebed begon die ochtend veel eerder dan op de voorgaande dagen en het beviel G niet wat hij hoorde: dat kwam bepaald niet uit de koran. Er waren botsingen geweest tussen moslims en christenen in een dorp in de buurt en daarbij waren verscheidene mensen omgekomen. De aanstichters, drie moslims, kwamen uit Jega en zouden die dag worden geëxecuteerd. Wij gingen er met een grote boog omheen en luisterden naar het plaatselijke radiostation om op de hoogte te blijven.

Die avond, toen Tom en ik onder de thee weer zaten te bekvechten, zei G: 'Òf jullie twee zorgen ervoor dat je die egobotsingen oplost, òf ik stap op.'

Ik was geschokt. In mijn scenario is het ondenkbaar dat je midden in een trip dreigt met opstappen, alleen maar omdat je het niet naar je zin hebt. Emotionele oprispingen horen nu eenmaal bij het leven tijdens een expeditie, en de eerste weken zijn altijd de moeilijkste.

Ik ging slapen met het plan zo snel mogelijk van beiden af te komen: G zou naar huis vliegen en Tom zou de Land Rover naar Nouakchott rijden, wachten tot ik de woestijn door was, en ik zou met een ezel verder gaan. Dat was een volslagen onpraktisch plan, omdat ik snel de grens over moest en het lopen met een ezel twee keer zo lang zou gaan duren. Ook had ik het geld niet – maar er bleek wel uit hoe graag ik hier van af wilde zijn.

Ik verzocht Tom die ochtend met me mee te lopen. Ik zei dat we het tot Niamey zouden proberen, dat nog twee weken lopen voor ons lag, en als we het dan niet met elkaar konden uithouden, zou hij moeten vertrekken.

'Waarom ik? Waarom moet ik gaan?'

'Omdat het weinig zin zou hebben als ik dat deed.'

Ik besloot het nog eens te overdenken. Tom vond het ook moeilijk om met G samen te werken, hoewel ze graag in elkaars gezelschap schenen te zijn als alles goed ging; ze hielden lange discussies over de geschiedenis en vertelden reisverhalen. Maar G was een moeizame ploeteraar. Het is niet slecht om een lid van een expeditie te hebben die gewoon zijn schouders ergens onder zet en het karwei voortzet, maar G was extreem langzaam en bleef een eeuwigheid weg als hij naar de markt ging. G's talenkennis was heel nuttig, maar wat wij nu nodig hadden, was een monteur – het was belangrijker om verder te gaan en niet in staat te zijn om te communiceren dan een onstuimig gesprek te hebben en maandenlang vast te zitten. Het was helder dat als er één van hen weg moest, dat G zou zijn. Het betekende dat ik met Tom overbleef en dat was ook niet bepaald ideaal, tenzij we onze meningsverschillen konden bijleggen.

Wij staken bij Gaya de grens met Niger over, onder een licht bewolkte hemel en een zacht windje, dat me van achter voortdreef. Na het agrarische land van Nigeria kregen we nu een landschap van droge, ruwe bebossing en uitgestrekte vlakten, bezaaid met termietenheuvels. Sommige stukken leken wel een maanlandschap met kale stukken grind, maar toch liep ik ook over verhoogde wegen langs weelderige moestuinen – ze kweken daar ook kalebassen om er potten en kommen van te maken.

Wij kampeerden die eerste nacht op een steile heuvel. Maar om twee uur in de morgen waren we op om het kamp te verplaatsen. Een onguur type had daar rond lopen snuffelen, die zei dat er bandieten in de buurt waren en dat we moesten vertrekken. Grappig genoeg zijn het altijd de waarschuwers tegen het gevaar van wie de grootste dreiging uitgaat.

We volgden de rivier de Niger, een enorme, traag naar het westen stromende watermassa, en kampeerden de volgende rustdag op de oever ervan. De Schotse ontdekkingsreiziger Mungo Park had in 1775 deze rivier bevaren en bewezen dat ze naar het oosten stroomde. Hij was ongetwijfeld de bet-betovergrootouders tegengekomen van mensen die heden ten dage hun pirogues over de rivier voortbomen, die heen- en teruggaan naar de markt in Bumba, aan de kant van Benin.

Onze spullen en onze lichamen zagen er hetzelfde uit: zandkleurig. Heerlijk om je te wassen en te ontdekken dat je veel bruiner bent dan je dacht, maar dat je sokken niet lekker zaten. Ik trok iedere dag een schoon paar sokken aan en deed ze dan in de was tot de rustdag. Ik zat op een gladde rots en boende ze met een harde borstel en Omo uit. Zo kreeg mijn bovenlichaam ook eens een flinke oefening.

Toen ik verder liep en de rivier achter me liet, veranderde het landschap in Dolol-gebied, de naam voor de uitgedroogde, vruchtbare oude rivierbeddingen – lichtgeel zand met kleine 'lawaaipalmen', die eruitzien als grote ananassen. Hier kwam ik veel van die bevallige Fulani-vrouwen tegen, in hun prachtige kleuren. Het zijn mooie, elegante vrouwen, met halskettingen en armbanden en hun hoofden bedekt met zilveren munten. Het vlees van hun benen is glanzend mahonie en het trilt niet onder het lopen; zelfs hun kuiten zijn hard. De Fulani zijn een zachtaardig volk; je voelt je volkomen ontspannen in hun aanwezigheid, bijna slaperig.

Wij kampeerden naast een apebroodboom en natuurlijk kwam de plaatselijke bevolking naar ons kijken. Een van de jongere mannen, een ongelooflijk acrobatisch iemand, klauterde de boom in, plukte de harde vruchten en gooide ze naar beneden. Nadat hij de buitenste schil had verwijderd, liet hij het witte vruchtvlees zien, dat bij elkaar gehouden wordt door droge, gelige koorden met een uiterlijk als popcorn. Hij beet erin, spuugde de pitten uit en bedekte die met aarde met zijn voet. Hij gebaarde erbij dat zij tot een boom zouden uitgroeien. Hij liet alle vruchten voor ons achter. Die smaakten citroenachtig en verfrissend, maar als je er te veel van nam, kreeg je veel dorst. Ik at ervan onder het lopen en deed er wat van in mijn waterfles als het water niet goed was.

Na verscheidene dagen kwamen we in het land van de 'toeri-vogel' – mijn naam voor het geluid dat de kinderen maken wanneer er toeristen in de buurt zijn geweest. Dan kun je dag met je handje zeggen tegen een prettige tijd – ze willen geen vriendschap sluiten, alleen maar een veeleisend gejoel opzetten om cadeautjes. Ik word er heel kwaad om, omdat ze kunnen zien dat je niets bij je hebt, maar bij kinderen is dat vergeeflijk – het was hun manier van blanken begroeten. Het haalt zelfs niets uit als je zegt: 'Ik geef je een pen als jij mij ook iets geeft', want dan trekken ze hun shirtjes uit. Maar de volwassenen doen het ook. Tom had een uur lang onder de kap van een jungletaxi met een doorgebrande motor gestaan om de gestrande passagiers verder te helpen. Hij slaagde erin de motor weer aan de praat te krijgen, en terwijl hij de olie van zijn handen stond te vegen, kwam er een van de passagiers aankuieren met de woorden: 'Donnez-moi un cadeau'.

Toen we bij de macadamweg naar Niamey kwamen, was daar een controlepost. Wij toonden onze passen, het autopaspoort, de verzekeringspapieren en de carte grise en kreeg iemand van hen zover dat hij mijn getuigenboek tekende.

'Komt u uit Kano wandelen?'

'Uit Botswana,' zei ik, Zuid-Afrika niet noemend. 'Ik wilde helemaal naar Algiers lopen, maar de grens is gesloten, dus moet ik om de Sahara heen lopen.'

'Maar de grens is nu niet gesloten. Gisteren nog kwam er een Italiaan in een Mercedes door. Ik heb zijn autopaspoort gezien. Hij zei dat hij via Tamanghasset bij Assamakka de grens was overgestoken.'

Niet te geloven! Dat nieuws hield in dat we daar konden afsteken – een reis van drie maanden in plaats van zes maanden langs de rand.

Ik had geen tijd te verliezen, ik moest die knaap zien te vinden voor hij verder ging. Ze noemden zijn naam en vertelden dat hij zijn Mercedes waarschijnlijk zou verkopen voordat hij naar Italië terugvloog. We reden verder en probeerden niet opgewonden te raken. Bij de controlepost buiten de stad wisten ze ons te vertellen waar de man logeerde. Wij troffen hem aan in een hotel en ik bestelde een biertje voor hem. Het was mijn verjaardag en dat biertje was wel het prettigste cadeau dat ik kon krijgen – zó koud dat het de achterkant van mijn ogen verdoofde.

'Ja, het is mogelijk om de grens over te gaan,' zei hij, met een onverschillig schouderophalen. 'Maar dan moet je wel in konvooi met de militairen gaan.'

'Hoe snel gaat dat?'

'Misschien zo'n tachtig à honderd kilometer per uur. Maar dan is het nog niet gezegd dat je erdoor komt. Als je afhaakt, wachten ze niet op je. Het zijn niet meer de Toearegs die de wagens hebben, het zijn òf bandieten òf het leger.'

Maar toch kon het lukken. De Land Rover kon met het konvooi meescheuren en G en ik zouden met een kameelkaravaan meegaan. Een manusje-van-alles liet ons kennismaken met verscheidene kameeldrijvers, maar geen van hen wilde verder gaan dan Agadez, aan de zuidkant van het oorlogsgebied. Ze zeiden dat ik daar een karavaan kon vinden die me naar Tamanghasset aan de Algerijnse kant kon brengen, maar dat geloofde ik niet. Het was geen traditionele handelsroute, en met het gevaar van een hinderlaag was er geen kans dat ik hen dat traject kon laten afleggen, want de bandieten hingen rond bij de waterbronnen en je kon op geen enkele andere manier de woestijn doorkruisen.

Ik moest het plan schoorvoetend laten varen. Het zal wel een grote klap voor G zijn geweest, aangezien dit zijn enige kans was om de kameeltocht te maken waarvoor hij eigenlijk was meegegaan. Nu we in de Franstalige landen kwamen, voelde hij zich meer thuis. Eindelijk had hij een rol. Maar de teleurstelling met de kamelen was te veel voor hem, met bovendien het irritante gedrag van Tom, en hij sloot zichzelf nog meer op.

We moesten Niamey snel verlaten; er werden controversiële presidentsverkiezingen gehouden en de hele stad zou na middernacht twee dagen lang gesloten worden. Wij reden terug naar het punt waar we gestopt waren en ik begon weer te lopen, nu in de richting van de rivier. De Sahelsavanne begon nogal wild te worden en er woonden nauwelijks mensen. Àls er al dorpen waren, dan waren het huizen van leem, met lemen, gewelfde daken en opslagcontainers ernaast, die eruitzagen als gigantische kruiken, of rondavels met strodaken, alle met een gevlochten punt.

Tom en ik zorgden om beurten voor het avondmaal, wat hielp een band te kweken. Het was leuk om je rivaliteit in iets zinvols te gieten. Ook al was ik er meer bedreven in, omdat ik al zo lang in de wildernis kookte, wist Tom zich uitstekend te weren. Tijdens het mangoseizoen is er behalve mango's weinig te eten, wat prima is als je het prettig vindt om ermee te ontbijten, te lunchen en je avondmaal mee te doen. Dus maakte ik groene mangotaart, die smaakt als appeltaart, of ik stoofde de oude mango's met kruiden. Op de markten kochten we peulvruchten en maakten kerrie of chili, en als we eieren hadden, maakte ik quiches – prachtig gebruind, met plakjes tomaat erbovenop. Tom kon me daarin niet overtreffen. De warme geur van het bakken en de manier waarop het hongerige mensen samenbrengt, begon de diepe kloof tussen Tom en mij te dichten. Overdag merkte ik dat ik tijdens het lopen zong, iets waar ik sinds de periode met Bill en Blake niet meer toe gekomen was.

Maar nu konden G en Tom niet meer met elkaar overweg. Het werd op dat traject ongelooflijk heet en ik maakte mijn geest leeg om me erdoorheen te slaan. Tijdens de pauzes waren er soms onheilspellende tekenen van een meningsverschil en zag je G gebogen over het waterfiltersysteem staan pompen. Ik moedigde G aan om met me mee te lopen teneinde Tom even kwijt te zijn. G had een fantastische hoeveelheid verhalen – of de helft ervan ook werkelijk was gebeurd, zei hij er nooit bij. Maar acht jaar in Libanon, en zijn werk bij het Rode Kruis als enige Brit in Irak tijdens de Golfoorlog, hadden hem een enorme voorraad aan verhalen opgeleverd. Hij leerde me een gedicht 'De crematie van Sam McGee' in één strofe per keer en liet me die uit mijn hoofd leren tot ik het kamp bereikte, waar ik het voordroeg. Het was een goede keuze in die hitte: Goudzoekers aan de noordpool.

We verlieten de macadamweg weer, afbuigend naar het zuidwesten in de richting van de rivier de Niger, om de drukke weg naar Niamey met al die onbetrouwbare types langs de kant af te steken. Een aftandse oude Peugeot pruttelde langs. De chauffeur hing uit zijn raampje en riep: 'Bon courage!' De mengeling van stof en stenen was nauwelijks gaan liggen of er kwam een gloednieuwe Land Cruiser voorbij. Een hele rij witte hoofden draaide zich om en keek naar me. Ik wuifde naar hen, in de hoop een babbeltje te kunnen maken en een koud biertje te drinken. Maar ze zwaaiden niet eens terug. En ook de volgende drie niet.

'Stelletje Franse klootzakken!' schreeuwde ik ze na. Hulpverleners die een weekendje vrij nemen.

Ik zei tegen het jongetje dat stil naast me meeliep dat hij zojuist een zeer tekenend voorbeeld had gezien van de lompheid van westerse mensen jegens elkaar. Ik wond me er steeds meer over op, tot ik niet meer in het Frans wilde praten en gewoon verder draafde. Ik eiste een verklaring waarom ze, wanneer ze een blanke vrouw alleen door de wildernis zagen lopen, niet even stopten om gedag te zeggen. Hij schopte tegen de stenen en keek me verscheidene malen met een verbaasde en niet-begrijpende blik aan, maar hij vond het fijn om ondanks mijn woedeuitbarstingen naast me mee te draven.

De wolken kwamen opzetten, grote, witte stapelwolken, en ik vertelde hem in het Frans: 'Als je drie jaar lang iedere dag naar het noorden blijft lopen, kom je in een land dat er net zo uitziet als de wolken.'

Op de plaats waar ik de rivier de Niger wilde oversteken, was geen brug, dus reden we om via Niamey, waardoor Tom de kans kreeg nog wat reparaties te verrichten. De knalpot viel er op het parkeerterrein af en moest gelast worden. (Prompt viel hij er drie weken later opnieuw af.) Tom besteedde alle tijd aan de reparaties en kreeg niet veel rust. Wij begonnen elkaar te plagen op een manier die tegen flirten aan zat. Dat verbaasde me toen ik het me realiseerde, na zovele weken waarin ik een hekel aan hem had gekregen en spijt had dat ik hem in dienst had genomen. En wat me nog meer verbaasde, was dat ik hem aardig begon te vinden.

We moesten nog een extra vrije dag nemen toen we de rivier overstaken, omdat ik ziek werd – waarschijnlijk van iets dat ik in de stad had gegeten. Tom maakte een vlieger om me op te vrolijken. De volgende dagen waren vreselijk heet. Voor de chauffeurs die op me stonden te wachten, was het nog erger, omdat er geen wind stond; zelfs het kleine zuchtje dat ik veroorzaakte door het lopen in de stilstaande hitte was voldoende om mijzelf een beetje koel te houden. Maar dat voordeel hadden zij niet en ze moesten ook nog vuur maken om thee klaar te hebben als ik arriveerde. Juist voor de grens zagen we een kampeerplaats aan de rand van een wildpark, het Parc National de W. Aangezien de grens toch voor de volgende ochtend openging, reden we erheen.

Daar was een zwembad. Het ene moment bezwijmden we zowat van de hitte en het volgende moment plonsden we het helder blauwe water in.

De eerste avond over de grens met Burkina Faso kampeerden wij naast een groep reizende besnijders. Dat was een stel opgewekte oude kerels, die het erg naar hun zin hadden. Ze hadden vijf jongens bij zich en we gingen een kijkje bij hen nemen. Ze heetten ons welkom bij hun vuur, maar we begrepen dat zeker ik niet behoorde te blijven. Vier van de jongens waren bedekt met rode verf en de andere met wit krijt.

Tom hoorde het vreselijke gejank van een hond die overreden werd. Hij pakte zijn mes om het dier uit zijn lijden te verlossen, maar een van de mannen waarschuwde hem; een hond doden, schijnt ongeluk te brengen.

Die avond reden Tom en ik terug naar de stad om wat bier te halen. Daarvoor moesten we voorbij een controlepost en op de terugweg opnieuw, en we zaten in een kleine ruimte te wachten tot iemand ons te woord kon staan. Er verscheen een kerel in uniform en ik verklaarde in slecht Frans dat we de nacht in de wildernis doorbrachten, maar teruggereden waren om proviand te halen, waarna we weer terug zouden komen. Of dat in orde was, zodat ze ons niet opnieuw zouden aanhouden? Hij deed nerveus, maar zei dat hij het prima vond. Daarna ging hij ervandoor. Later begreep ik dat hij helemaal geen politieman was en ik toestemming aan een boswachter had gevraagd.

Het werd steeds vochtiger. De mangoregens waren begonnen en de lucht hing laag, met stapelwolken. Ik leerde een dorp op afstand te ontdekken aan de gieren die rondcirkelen als vliegtuigen boven een luchthaven, die moeten wachten om te landen. Als ze landden, kon ik zien hoe lelijk en zwaar ze waren; hun oren lagen plat en rond op hun kale koppen en ze hadden sterke nekken.

Na een paar dagen arriveerde ik op een stopplaats waar een zwerm bijen zat. Tom en G hadden hooglopende ruzie over het stoppen op die plek en Tom stelde zich als altijd theatraal aan. Hij was ontzettend moe omdat hij in Niamey geen rustpauze had gehad en gespannen was door de enorme verantwoordelijkheid om de Land Rover op de weg te houden.

Er moest iets aan gedaan worden, niet alleen om Tom te laten inzien dat zijn razernij onaanvaardbaar was, maar ook om hem even te laten uitblazen. Ik besloot hem wat geld te geven en zei dat hij naar de hoofdstad, Ouagadougou, moest liften om daar een paar dagen uit te slapen, een vrouw te zoeken en de wandeling even te vergeten. G en ik zouden het een paar dagen zonder hem moeten doen. Tom was ontzet.

'En als ik terugkom, ontsla je me zeker?'

'Pak gewoon je spullen, Tom. En ik verwacht je niet terug te zien bij de volgende rustpauze.' Als hij niet een beetje opgeknapt en uitgerust terugkwam, voegde ik eraan toe, zouden we de hele kwestie opnieuw moeten bekijken.

Ik ging op pad en even later haalde de Land Rover me in. Tom stapte uit om gedag te zeggen. Hij zag er zó ongelukkig en moe uit dat ik mijn armen om hem heen wilde slaan, maar deed het niet.

Tijdens zijn afwezigheid vertelde G mij waarom hij was meegegaan.

'Ik voelde me geprest om Trevor niet teleur te stellen,' zei hij. 'Ik had de tijd niet om er zes maanden tussenuit te gaan, maar voelde me verplicht.'

'Ik had hetzelfde soort gevoel,' zei ik. 'Ik dacht dat je je ontslag bij het Rode Kruis had ingediend toen we waren overeengekomen de kameelreis te maken, en dat ik je niet kon laten zitten door je niet uit te nodigen mee te gaan met de Land Rover. Ik had in Engeland twee chauffeurs willen aannemen, zodat ik zeker wist dat ze met elkaar overweg konden.'

Tom en G hadden gescheiden taken. G kende die van Tom niet helemaal omdat deze daar nogal bezitterig over deed, maar we modderden ons erdoorheen. Eindelijk scheen G zich een beetje te ontspannen – meestal werkte hij gestaag door, van zonsopkomst tot zonsondergang, steeds maar pompend aan dat stomme filter. Maar het leek alsof we nu met alleen ons tweeën minder werk hoefden te verzetten en we hadden een paar heerlijke avonden met verhalen rond het vuur.

We hadden rustdag op de dag voordat Tom terugkwam, maar besloten die eerder te nemen voor het geval we hem zouden missen. Wij hadden een bordje zien staan van een safarikamp en besloten de rustdag daar door te brengen. Het zou wel vervallen zijn en zonder water, maar we beproefden ons geluk. Toen we de weg afreden, zagen we het park voor ons liggen – witgepleisterde rondavels, bedekt met bougainvillea's, een zwembad met Griekse urnen en fonteinen en een leeuw in een kooi. In dit gebied van Burkina Faso heb je nog leeuwen, en deze plaats was een jachthuis. Wij konden ons enthousiasme nauwelijks bedwingen bij deze vondst. Ik liep er rond en rebbelde geestdriftig tegen het barpersoneel, terwijl we wachtten op de manager om twee kamers te boeken.

'Luister eens,' zei G, 'het kan me niet schelen hoeveel het hier kost, ik betaal mijn kamer.'

Gezien het feit dat hij maar 50 pond per week verdiende, was dat een edelmoedig aanbod. Een Franse vrouw van middelbare leeftijd verscheen en stak haar neus in de lucht bij de aanblik van dit ruige stel naast hun aftandse Land Rover, die o zo treurig afstak tegen de zebra-geschilderde Toyota's.

'Wat wilt u?'

Het duurde even toen ik overdacht waar ik het eerst om wilde vragen – een rondje koud bier voor alle aanwezigen of twee heerlijk frisse, schone eenpersoonskamers. Ik kreeg de kans niet om iets te zeggen.

'We zitten vol, u kunt hier niet blijven.'

'Kunnen we hier kamperen en gebruik maken van uw accommodatie?'

'Nee.'

'Kunnen we wel gewoon een biertje bestellen?'

'Nee.'

Er bestaan maar weinig erger dingen in het leven dan de aanblik van een koele, schone plek te midden van de dodelijke hitte en de toegang ontzegd te worden. Je kon het nog het best vergelijken met een kop hete chocola en een zaak met warme muffins rond een open houtvuur aan de noordpool en afgewezen worden. We reden de jungle weer in en om ons moreel hoog te houden, beledigden we haar met de woorden 'Mogen we je dan tenminste je nek omdraaien?'

Er was geen water in de buurt, dus zochten we voor het donker de beste plek op. Het begon te regenen en we zetten de tenten op. Die nacht stak er een verschrikkelijke storm op en we kregen allebei het gevoel dat er een leeuw in het kamp liep. 's Ochtend bleek dat er tamelijk hoog tegen G's tent gepist was en wij hadden niet de indruk dat het vee was geweest. Er was nòg een schrik voor hem in petto. Toen we de volgende dag bij het vuur zaten, voelde hij gekriebel op zijn been. Er liep een schorpioen tussen de haartjes, op weg naar zijn kruis. Héél, héél voorzichtig veegde hij hem met een doek van zich af.

Terwijl ik met behulp van het water in de jerrycans de was deed, ging G vogels kijken, iets dat hij vaak deed tegen het eind van de dag, als Tom en ik aan het koken waren en hij klaar was met zijn werk.

Hij was een paar uur weggebleven en besloot toen terug te gaan.

'Ik zei bij mezelf: "Ik ga alleen even kijken over de richel waar die adelaar naartoe is gevlogen en ga dan terug."'

Hij stond daar op die richel uit te kijken over een vlakte waar hij nog een Land Rover zag. Hij raakte er heel enthousiast over, denkend dat ze misschien koud bier hadden en liep de helling af. Niet meer zo heel ver ervandaan zag hij het SABONA-logo aan de zijkant en hij vond het nogal opmerkelijk dat ze nog een andere tocht over land sponsorden, die dezelfde route volgde. Ongeveer honderd meter van de wagen verwijderd daagde het hem dat dit zijn eigen kamp was. G was de eerste om toe te geven dat hij geen gevoel voor richting had, maar dit was toch wel het toppunt.

Hij kwam het kamp binnenwalsen, zijn oude liedje zingend:

'Wijs me de weg naar huis,
ik ben vermoeid en wil gaan slapen,
een half uur geleden nam ik een kleine teug
en die is mij naar het hoofd gestegen.
Waar ik ook ga
op vaste bodem, water of in hoger sferen
daar hoor je mij dit deuntje zingen
wijs me de weg naar huis.'

Mijn ideale rustdag bestaat eruit mijn kleren te wassen, de Land Rover schoon te maken, mezelf en mijn haar te wassen, om vier uur in de middag een cake te bakken en dan aan tafel te gaan zitten met alles schoon om me heen en te gaan schrijven. Dat is puur genot. Ik speelde een bandje van Sarah McLaughlin – een van Toms bandjes – en realiseerde me opeens hoezeer ik hem miste. Ik was tamelijk geschokt over mezelf, net als ik dat in Niamey was geweest, maar ik zag er werkelijk naar uit hem weer bij me te hebben. Wij hadden hetzelfde gevoel voor humor, hielden van dezelfde muziek en dat geplaag en gejen van ons was leuk.

Ik legde de volgende dagen hele afstanden af, ook al was dat tamelijk zwaar voor G, die al zijn eigen werk, plus het werk waar hij niet aan gewend was, alleen moest verzetten.

De avond voordat Tom terugkwam, sprak hij me aan met de woorden: 'Het spijt me, Fi, maar met Tom erbij houd ik het niet vol. Ik weet dat jij hem nodig hebt omdat hij monteur is, en dus vertrek ik.'

Ik kon hem niet ompraten, maar ik had behoorlijk de pest in – het had me een fors bedrag gekost om hem hier te krijgen (evenveel als voor Tom en mij samen), maar overeenkomstig de afspraak moest hij zijn eigen terugreis betalen als hij vrijwillig vertrok. Ik moest zorgen dat Shuna bericht kreeg, zodat zij voor een nieuwe chauffeur kon zorgen, en we zagen dat de enige plaats waar die zich bij ons kon voegen in Bamako was – nog een maand te gaan.

Even buiten het plaatsje Fada hield de Land Rover ermee op en G en ik kregen hem op geen enkele manier aan de praat. Wij hadden daar ongeveer tien minuten gestaan toen ik opkeek en Tom naar ons toe zag komen rennen. Perfecte timing.

Ik rende hem tegemoet en viel hem om de hals.
'We hebben je gemist,' zei ik.
'Ik jullie ook,' glimlachte hij, en sloeg zijn armen om me heen.
Hij toog onmiddellijk aan het werk en ontdekte dat we hetzelfde probleem hadden als even buiten Kano – de ontsteking van de startmotor had door het stof kortsluiting gemaakt en deed de motor hikken terwijl hij liep. De startmotor was kapot. Terwijl Tom en G probeerden te repareren wat ze konden, begon ik hout te verzamelen voor de thee.
Een oude man op de fiets begreep dat hij niet kon helpen met het grote probleem van de reparatie van de Land Rover, maar hij zag wat ik aan het doen was. 'Sanu!' riep hij, legde zijn fiets neer en hielp me hout sprokkelen. Hij vroeg niet of hij een handje kon helpen – dat wist hij wel, en hij wist wat hij moest doen. Ik bedankte hem niet – dat zou betekenen dat ik niet had verwacht dat hij zou helpen en hij dus een laag-bij-de-gronds persoon was. Toen het vuur brandde, maakte ik een kop thee voor hem, en dat was in orde.
Een Franse hulpverlener passeerde zonder een poot uit te steken, maar een Amerikaanse zendeling stopte en nodigde ons uit bij hem te logeren. Helaas lag zijn huis zestig kilometer verderop in de wildernis, en op dat moment konden we nergens heen.
Tom kreeg op een of andere manier de motor aan de praat, waarna we naar Fada terugreden, waar we parkeerden bij een Franse zendelingenschool. We merkten dat een belangrijk kenmerk van Fada was dat niemand in de stad startmotoren in voorraad had. We moesten ervoor naar Ouagadougou. Maar de monteur van de school kende de garages daar en ook de plaatsen waar ze reserve-onderdelen hadden en wilde wel met Tom en G meegaan om er een te zoeken.
Ik schreef een fax voor Shuna om een nieuwe chauffeur voor me te zoeken. Van alle sollicitanten die ik had gesproken, was een lijst overgebleven met tien personen die stand-by wilden blijven. Dat was een begin. Zij zou de man moeten uitkiezen, informeren, verzekeren, laten vaccineren, een visum voor hem verzorgen en hem op het vliegtuig zetten, en dat alles binnen slechts drie weken. Het moest ook nog de juiste kerel zijn en zijn zaken op orde hebben. Ik deelde haar ook mee dat ik verschrikkelijke blaren had omdat ik dure schoenen had gekocht die niet meegaven. Ik wist dat Hi-Tecs gemaakt waren van goedkoop spul dat zich naar mijn voeten voegde, maar Hi-Tec maakte ze niet meer. Ik stelde voor dat ze contact opnam met Zuid-Afrika om direct drie paar naar Ouaga te laten opsturen. Dat was een verschrikkelijk verzoek.
De jongens verzonden de fax vanuit Ouaga en bleven de hele volgende dag weg. Intussen maakte ik wat plezier.
Jean-Pierre, een Franse onderwijzer, nam een dag vrij om me het een en ander te laten zien.
'Burkina is voor het grootste deel christelijk,' vertelde hij, 'maar ze houden hun eigen religie in stand. Wil je de heilige berg zien?'
Slaapt Dolly Parton op haar rug?
Wij reden de stad uit met Claude, een man van de plaatselijke Gor-

manche-stam, die het heerlijk vond al mijn vragen te beantwoorden. De vrouwen waren kaal en vijlden hun tanden, omdat dat een teken van schoonheid was, vertelde hij.

'En deze insekten?' zei ik, terwijl ik de zweetbijen uit mijn oren veegde, 'hoe noemen jullie die?'

Hij noemde een plaatselijke naam die hij in het Frans vertaalde en die ik in het Engels vertaalde – zweetbijen!

Het was een berg naar Burkina-normen, ongeveer als Hanging Rock in Australië – een verzameling oprijzende granieten rotsen, die alleen op een vlakte staan. Wij parkeerden een eindje daarvandaan en liepen rustig door de wildernis en de helling vol steentjes op tot we aan een richel kwamen.

'Hier bracht de grootvader van het huidige stamhoofd van de Gormanche een offer voor de regen,' verkondigde Claude. 'Hij was een zeer machtig man. Hij bracht een offer om een eind te maken aan een verschrikkelijke droogte en toen zijn mes neerkwam op de nek van het offer, klonk er een donderslag, de hemel spleet open en de regen viel in stromen neer.'

Wij konden in de kleine grot kijken. In het midden stond een gladde altaarsteen en aan de zijkanten zaten een paar kippeveren vastgeplakt met gedroogd bloed.

'Nu brengt het stamhoofd offers van kippen om de krokodillen te doen ophouden de vrouwen te grijpen in de poelen bij Fada,' legde Claude uit, en Jean-Pierre vertaalde het.

'Hoe vaak brengt hij een offer?' vroeg ik.

'O, twee keer per jaar,' zei Jean-Pierre, die zich hoffelijk tot Claude wendde om zijn feiten te laten corrigeren.

'Nee!' zei Claude in perfect Frans, 'hij doet het iedere vrijdag.'

Wij vonden in Fada de weg naar een 'dolo-bar', een verfrissende, licht alcoholische drank, gemaakt van gierst. De sfeer was er gul; iedereen begroette ons zonder enige verlegenheid of gegniffel. Het was heerlijk zo gastvrij ontvangen te worden en het maakte me heel nieuwsgierig om te weten wat zij van mensen af wisten. Ze hebben zoveel diepte in hun manier van communiceren – niet alleen door de woorden en hun verbuigingen, maar ook door een hele reeks van buitengewoon subtiele en ongeremde lichaamstaal.

De bar was ook een brouwerij. Er stonden vier aardewerken potten in een vierkant. Daartussenin brandde een vuur, die de drank kookte. Eenmaal klaar werd deze drank door een hangmand van gras geperst en vervolgens gekoeld en geserveerd in kleine kopjes van kalebas.

Eén man had een medicijn aan zijn drank toegevoegd. Hij werd in zijn slaap door demonen gekweld. Hij hield zijn kalebaskopje voor zichzelf, maar er gingen er vier rond om de anderen te laten delen. Ik wilde niet uit dit gezelschap weg en het kostte me grote moeite op te staan, niet omdat ik dronken was, maar omdat ik me daar zo onthaald voelde. Weg van het gedonder met het team, weg van het wanhopige doorlopen met oogkleppen op, weg van het gevoel een excentriekeling te zijn.

Tom en G keerden die avond terug na slechts één zaak te hebben gevonden met een startmotor – hij was gloednieuw en kostte 1.000 pond. In Burkina had je gewoon geen Land Rovers.

Na een nieuwe grote droogte in de jaren zeventig stroomden honderden hulporganisaties het land binnen met hun Japanners met vierwielaandrijving. Ze waren uitgerust met alle spullen van Gucci – zelfs snorkels, God betert. Als er in dat land genoeg water was geweest om te kunnen gaan duiken, dan hadden ze er geen hulporganisaties nodig gehad. De wegen in Burkina waren goed, geen behoefte aan dergelijke dure uitrusting. De hulpverleners woonden in mooie huizen met airconditioning en bedienden, ze leefden van de situatie en speelden in op de westerse ideeën over wat er in Afrika nodig is. Wij hadden het daar op een avond over en G vertelde ons een verhaal over een vrouw die hij in Koerdistan had gekend.

'Dit waspoeder is niet goed,' zei ze, terwijl ze maar bezig was haar kleren te boenen, 'het schuimt niet.'

G had het pak naast haar opgepakt en op het etiket stond: 'Instant mix voor aardappelpuree'.

De monteur van de school had een garage instructies gegeven de week daarop uit te zien naar een tweedehands startmotor. In die tijd zou ik in Ouaga aangekomen zijn. Als er geen gevonden kon worden, zou het goedkoper zijn naar Gabon te vliegen en er daar een te kopen.

Gedurende die week moesten we de Land Rover iedere ochtend aanduwen om hem te laten starten en hem tijdens de pauzes stationair laten draaien, wat verspilling van brandstof en lawaaiig was. Aanduwen op het zand was erg zwaar, maar we konden hem niet op de macadamweg laten staan, want dan was hij de volgende ochtend een wrak door de botsingen. Tom merkte dat G fysiek niet erg sterk was, na zes maanden in Ethiopië op alleen geitevlees en rijst te hebben geleefd. Er rezen meer spanningen.

Tom was goed opgeknapt toen hij terugkwam, maar deze verantwoordelijkheid drukte zwaar op hem. Hij liep op een keer met me mee en zei dat hij tot Tanger bij me zou blijven, ook al moest hij de jerrycans zelf door de woestijn dragen. Hij voelde zich zeer betrokken; ik had niet meer van hem kunnen verlangen.

Wij stelden al onze hoop op Shuna, die een vervanger voor G moest vinden, anders kon deze niet weg. Het was vooral belangrijk voor Tom, want een goede monteur zou zijn verantwoordelijkheid halveren.

Ik bereikte Ouaga en we gingen naar het hotel waar ze de fax hadden verstuurd. Het antwoord zou daar ook binnenkomen. Er lag een fax op ons te wachten, vol goed nieuws. Shuna was de boel volkomen meester, had een hele lijst van kerels met wie ze al contact had gehad, gaf aan waar de post naartoe was gestuurd en zei me naar het kantoor van DHL te gaan, waar ik mijn schoenen kon ophalen. We brachten met koude Coca-Cola een toost op haar uit. Wij waren zó opgelucht over haar instelling – het maakt een groot verschil als je een volledige, competente en enthousiaste ondersteuning van thuis hebt.

Wij bleven drie dagen op het terrein van het toeristenkamp staan, zodat Tom aan de startmotor kon werken. Daar leerden we een Schots stel kennen dat West-Afrika op de fiets had rondgereden. Ze werkten voor een hulporganisatie in Glasgow en wilden de resultaten van hun werk zien. Na zes maanden was hun mening ten aanzien van de hulp aan Afrika volkomen veranderd – ze hadden de verspilling en de verkeerde projecten gezien. Zij zagen de vreugde van de Afrikaanse mensen en de rijkdom van hun leven, en dat had hen verbaasd – ze hadden de eenzijdige informatie geloofd die maandelijks in hun bulletins stond, dat de Afrikanen moedeloos, vertrapt, wanhopig waren en stierven van de honger.

Ik was werkelijk diep onder de indruk dat deze twee mensen hun route naar Kayes op de fiets hadden afgelegd. Ze hadden die fietsen op de trein kunnen zetten, hun reis was geen pure fietstocht, omdat ze een lift aannamen als die nodig was, maar ze gingen voorwaarts, anoniem. Bob had malaria en Susannah een zware blaasontsteking, en toch hielden ze het vol. Toen ik dat traject liep, moest ik steeds aan die twee denken en aan de ongelooflijke vastberadenheid waarmee ze doorzetten. Lopen is makkelijk, fietsen over een hobbelig pad en door mul zand een zware opgave. Ze gaven me inspiratie.

Buiten het postkantoor ontmoetten we een Amerikaanse reiziger, die vertelde dat hij journalist was. Hij was naar Agadez geweest om de kwestie met de Toearegs uit te zoeken en was gearresteerd.

'Maar heb je hun verteld dat je journalist was?'

'O ja, en ik ben acht uur lang ondervraagd.'

Er was voor ongeveer 150 pond een tweedehands startmotor gevonden en die werd ingebouwd.

Alles ging goed tot er voor het eerst tijdens de hele tocht in de Land Rover werd ingebroken. Dat wat betreft de betekenis van 'Burkina Faso': 'Land van eerlijke mensen'.

De dieven namen alle camera's mee, maar niet de film (die hadden we godzijdank in de koelbox bewaard) en allebei de tassen van G. Hij was alles kwijt – niet alleen zijn belangrijke kampeerspullen, maar alle persoonlijke bezittingen uit de jaren dat hij van huis weg was geweest. Hij was er niet vreselijk rouwig om; hij noemde ze zijn 'dingetjes' en zijn rugzak de Tardis. Het was een flinke klap voor hem.

Wij gingen naar het politiebureau om aangifte te doen en om een verklaring voor de verzekering. Het nam twee dagen in beslag voor ze één formulier hadden ingevuld. (En negen maanden om de verzekeringsmaatschappij zover te krijgen dat ze uitbetaalde, want ze wilde meer documentatie van de politie en begreep maar niet waarom ik die niet had.)

We gingen op weg naar Bamako, twee weken verder, vol verwachting dat Shuna daar met een vervangende chauffeur zou staan te wachten. Als dank dat zij mijn steun en toeverlaat in Londen was, had ik haar uitgenodigd om in Mali een weekje bij ons te logeren. Zij had geprobeerd om aan het eind van mijn tocht dwars door Amerika over te komen, maar kreeg een week ervoor blindedarmontsteking en moest afzeggen. Ze had ook het plan over te komen tijdens mijn vrije maand in Kinshasa, maar moest dat na de evacuatie ook afzeggen. Dit was de laatste keer dat er een mogelijkheid voor haar was om naar me toe te komen. Zij wist niets van expedities of Afrika, maar had wel geleerd zich aan te passen en te improviseren door jarenlang mijn moeders instelling te observeren bij al die plotselinge verhuizingen.

Die twee weken van Ouaga naar Bamako waren een paar van de gelukkigste weken in mijn leven. Ik had Tom gepest met zijn overgewicht, had hem 'Dikkie' genoemd, en dat had hem behoorlijk gestoken. Daarom liep hij iedere dag een kwart met me mee, in de wetenschap dat ik het haatte in gezelschap te lopen. Wij babbelden onder het lopen, observeerden, vertelden verhalen en liepen met elkaar in de pas. Wij hielden het gesprek een paar uur gaande, pakten de draad weer op als ik voor een rustpauze arriveerde en vervolgens opnieuw in de avond. Wij produceerden iedere avond geweldige maaltijden en de lach kwam het kamp binnen door het geflirt. Onderweg in mijn eentje liep ik te lachen en te zingen en voelde ik me in een euforie. Dat had G ook in de gaten, en al had hij afstand van ons genomen, hij zag er duidelijk veel ontspannener uit.

Op een avond in het kamp deden we een spelletje met de kinderen. Tot hun verrukking speelde ik de bazige echtgenote: 'Hoe kan hij van me verwachten dat ik zuinig kook als hij het fornuis niet maakt? Snap je? Hij heeft dat ding in een driftbui in elkaar geslagen en nu wil er niets meer bruin bakken...'

's Avonds luierden Tom en ik na het werk op het dak en reisden mee op de sterren, met op de achtergrond de geluiden van de wind in de 'lawaaipalmen', de tamtam in de verte, de cicaden met hun pulserende getsjirp, en dat alles in de warmte van vrede in het kamp. Op een avond zaten we opeens rechtop toen er over het spoor naast ons een licht bewoog.

Na wat geschuifel in de struiken riep Tom: 'Pas de problème.'

Geen beweging. 'Continuez, s'il vous plaît.'

De stem van Tom klonk in de stilte zo kalm en autoritair dat ik ervan verstijfde. Na een tijdje riep een stem dat we daar niet konden kamperen. Ons bekroop het gevoel dat er slecht nieuws op komst was. We klommen van de Land Rover en de lange bezoeker, geheel in het zwart gekleed, ging ons voorbij zonder ons de hand te schudden en wees op verscheidene grote aardhopen.

'Les petits animaux?' vroeg ik, omdat ik het woord voor termieten vergeten was.

'Non!' Hij boog zich voorover en bewoog zijn hand over de lage, stevig aangestampte heuvels.

Een begraafplaats!

'Je m'excuse, monsieur.'

De man reed verder op zijn fiets, wij wekten G en verplaatsten het kamp naar de andere kant van de weg.

Tom liep op open sandalen en schepte steentjes. Hij babbelde als een wooky die pijn heeft wanneer hij op een steentje trapte dat onder een blaar zat. Hij haalde telkens het vocht uit zijn blaren, maar bleef lopen. Dit verbaasde me nogal – geen van de anderen zou met een blaar zijn doorgelopen.

Hij kreeg een slank, gespierd en gebruind lichaam en zijn haar werd woest en blond. Dikkie was voorbij, maar ik ging door met pesten. 'Hé, Tom, jij groot junglemens, laat je haar knippen.' Ook ik was uitstekend in vorm, mijn lichaam was stevig, glanzend en diep bruin. Mijn haar was gebleekt, en ik voelde me zo heerlijk vrij van zorgen.

Tijdens de rustdag aan een rivier bouwden we een vlot met de kampeerbedden en een paar jerrycans. We speelden en lachten. Het was zo'n simpel leven en het liep zo gesmeerd – er ging niets mis met de Land Rover, zodat ik iedere dag mijn volledige traject kon afleggen. We zaten in de groef.

Onderweg waarschuwde ik mezelf dat het geflirt een beetje rustiger aan moest. Ik moest niet aan een verhouding met hem beginnen, dit plezier was veel te kostbaar om het te verknoeien met al die zorgen over de aanwezigheid van een minnaar. Bovendien zou het spanningen geven binnen het team als G weg was.

Maar ik was verliefd op Tom en het leek erop dat het wederzijds was.

De nieuwe schoenen maakten dat ik flink kon doorlopen zonder de adembenemende steken van kapotte blaren. Dat was heus niet de ergste soort pijn die je kon hebben, maar ik werd er wel heel moe van. Vrij van pijn was ik veel minder veeleisend en had ik meer consideratie.

De pauzes waren nu heel leuk. Tom hing de zit-hangmat voor me op, waarin ik luisterrijk van mijn thee en een boek kon genieten en van tijd tot tijd een plagerige opmerking maakte, zodat wij er weer op door konden borduren.

De gesprekken gingen voornamelijk over het deel van de wandeling met Raymond samen en later met Tim en Johann. Ook al hadden we een nieuwe radio, we luisterden er zelden naar, afgezien van het programma *Africa Watch*, om op de hoogte te zijn van probleemgebieden vóór ons. Tom zocht altijd naar de interessante invalshoek, en zoals veel Nieuw-Zeelanders, was hij een bron van informatie over zeer veel onderwerpen. Wij lieten onze gedachten de vrije loop, misschien als compensatie voor het feit dat we ons niet lichamelijk konden laten gaan. Ik was er niet aan gewend tijdens de kwarten te praten en had het niet prettig gevonden met de andere chauffeurs te lopen, omdat ik me gedwongen had gevoeld te babbelen. Maar toen Tom en ik eindelijk hadden uitgevochten wie er de baas was, klikte het.

Langs het smalle, stoffige pad zag ik twee mannen voor me uit slenteren met een waterfles en een tafel op het hoofd. Af en toe stopten ze om hars uit de knoesten van boombast te halen. Ze keerden zich met de rug naar de weg om hun lekkernij op te eten. En de tafel bleef naar voren wijzen.

Toen we de grens met Mali overgingen, veranderde het landschap van droge, lage bosjes in open, agrarisch land. Wij bevonden ons in dat deel van Mali dat de hele rest van het land voedt, want dat bestaat voor het grootste deel uit Sahara. Elk stuk land was netjes bewerkt in uitgestrekte velden, die helemaal tot aan de muren van de moslimdorpen reikten. En de velden werden zorgvuldig nagelezen, dus was het moeilijk voor ons om een kampeerplaats en hout te vinden.

Hier beantwoordden de mannen mijn wuiven, groeten en lachen niet, maar de vrouwen wel. Zij zagen er meer negroïde uit dan de mannen en waren even ijdel als elders. Ze kleurden hun handen, voeten en nagels volgens verfijnde patronen met henna, vlochten hun haren, maakten ze langer met extra haar en droegen kleding van allerlei snit en ontwerp, maar met één overeenkomst – ze moest vanaf de schouder gedragen worden. Soms liep ik door een dorp waar de vrouwen elkaars haren aan het vlechten waren en me riepen om mee te doen. Ze vonden het enig om iets te proberen met mijn blonde warboel, maar de vlechtjes bleven niet zitten. Het gebeurde echter ook dat vrouwen mij op de weg zagen, op een holletje hun kinderen verzamelden en de huizen in duwden.

Tom en ik vroegen ons af hoe het leven er over een week zou uitzien met een nieuwe chauffeur, zoals G zich ongetwijfeld afvroeg hoe het leven eruit zou zien als hij vrij was. In plaats van rechtstreeks naar Engeland te vliegen, had hij besloten over land langs onze route verder te reizen en te proberen de grens tussen Mauretanië en de bezette Westelijke Sahara over te gaan.

Wij kwamen in het dorpje Konseguela, waar Tom wijn vond. Wij hadden juist ons kamp opgezet naast een bosje hakhout van 'lawaaipalmen' toen het dorpshoofd arriveerde. Hij begroette ons hartelijk en opgewekt en legde uit dat hij had vernomen dat wij wat alcohol hadden gekocht.

'Dit is een ernstige zaak,' zei hij tegen Tom, met een knipoog naar mij. 'Het is verboden zonder mijn toestemming wijn te drinken.'

Hij vroeg om een kroes. De mensen hier vragen altijd om presentjes en ik dacht dat hij er een wilde hebben in ruil voor zijn toestemming. En omdat hij zo'n geschikte kerel was en we toch wel een paar extra kroezen hadden, gaf ik hem er een. Hij hield hem ondersteboven, keek erin en keek mij vervolgens bevreemd aan.

Opeens daagde het me wat hij werkelijk wilde. Gelukkig maar dat Afrikanen je nooit iets nadragen; als er ergens verwarring over is en het valt op zijn plaats, dan brullen ze van het lachen. Hij en zijn gevolg dronken slechts elk een kroes en namen toen afscheid.

Deze nacht was erg vervelend vanwege de 'racespinnen', zoals ik ze noemde. Ze renden bliksemsnel door het kamp. G had er een gruwelijke hekel aan, omdat hij dacht dat het schorpioenen waren.

'Nee, dat zijn geen schorpioenen,' zei Tom. '*Dat daar* is een schorpioen.' Hij wees op een beest dat op dat zelfde moment onder G's kampeerbed kroop.

De volgende dag liep Tom het laatste kwart met me mee. Wij staken een bijrivier over van de Niger, die naar Timboektoe stroomt; de brede, zanderige vlakte met rivierslib leek ons een prachtige plek om die avond naar terug te keren voor de rustdag. Terwijl we over de stoffige, oranjekleurige weg en door een dorp op de heuvel stapten, liepen we zó met elkaar te lachen dat ik alle kracht moest opbrengen om mezelf voor te houden dat dit geflirt niet serieus moest worden. Maar het was tot een koortsachtig niveau gestegen en ik wist dat dit zo niet kon doorgaan – iedere avond had ik een gevoel van een anticlimax, en mijn hele leven scheen erom te draaien plezier met hem te maken. Ik barstte uit elkaar van geluk.

Wij hadden er op een nogal indirecte manier over gepraat, toen ik had gezegd nooit een verhouding met mijn chauffeurs te beginnen. Ik wilde plezier met Tom maken, zonder dat het zou veranderen, dus maakte ik hem van het begin af aan duidelijk dat het handen thuis moest blijven. Maar ik was er niet langer van overtuigd dat ik het zo wilde houden. Ik had al zoveel jaar van mijn leven celibatair doorgebracht vanwege de groepsdynamiek, en als ik naar Engeland terugkeerde, was ik steeds zó druk bezig met mijn werk dat ik maar weinig tijd overhield om een relatie te beginnen. Hier, op deze eigen plek, mijn manier van leven, had ik het werkelijk naar mijn zin. Het nam de scherpe kantjes van de ontberingen weg en maakte het lopen gemakkelijker. Dus waarom niet?

Als ik alleen liep, liep ik er voortdurend over na te denken. En als ik met Tom liep, voelde ik hem altijd achter me. Dan keek ik om en zag dat hij naar mijn kont liep te kijken, dus begon ik een beetje te heupwiegen. Op een keer had hij mijn rug gemasseerd en daarna, toen ik erom vroeg, mijn benen. Ik dacht dat hij een beetje bleef hangen met zijn handen, maar dat was zó subtiel dat ik me ook vergist kon hebben. Ik wist niet wat hij voelde en ik werd er heerlijk gek van.

Wij reden terug en hadden nogal wat problemen met het rijden over de zandvlakte naar de oever van de rivier. Wij moesten de Land Rover een paar keer uitgraven. Het had een paar dagen niet geregend, maar als dat wel gebeurde terwijl wij daar nog waren, zou het een heel karwei worden om de auto er weer uit te krijgen. We zetten het kamp een paar meter van het water op. Toen alles klaar was, pakte ik mijn badpak en rende naar het water voor een duik. Er was geen begroeiing op de oevers of in het water, alleen maar koel, helder water, dat stil noordwaarts naar de woestijn stroomde. Toen ik het water in waadde, raakte ik met mijn tenen iets hards. Ik reikte naar beneden en raapte een schelpdier op. Er lagen er honderden, in de vorm van grote kinkhoorns met parelmoeren schalen, begraven in de helderwitte zandbodem. Ik dacht dat we er de volgende dag wel een paar van zouden kunnen koken, omdat we niet veel anders te eten hadden.

Ik riep Tom om ze te komen onderzoeken. Wij speelden in het water, spetterden elkaar nat, renden achter elkaar aan, doken en trokken elkaar omver. Voor het eerst sinds Niamey zag hij mijn lichaam.

'Tjonge, Fi, wat zie jij er goed uit!' zei hij.

Na het eten stookten we het vuur goed op en G ging naar bed. We pakten de fles met miswijn, waarvan we godsliederlijk vrolijk werden. Daarna renden we naar de rivier en gingen in het maanlicht zwemmen. Toen droogden we ons af bij het vuur. Tom en ik waren gewend elkaar aan te raken. Nu zaten we schouder aan schouder op te drogen, maar ik was zó teut geworden dat het naar mijn hoofd steeg en ik door het kamp wilde rennen om ervan af te komen voordat ik me weer naast hem liet ploffen. Ik struikelde een keer en kwam met mijn hoofd op zijn dijbeen terecht. Ik stond op het punt om weer te gaan rennen, maar toen ik overeind zat, kuste Tom me op mijn mond.

Na enkele seconden duwde ik hem weg.

'Nee, laten we dat niet doen.'

'Goed. Oké, sorry...'

Maar ik kon er niet meer tegen. Ik kuste hem en we gingen de tent in.

Ik was te dronken om me te herineren wat er daarna gebeurde. Ik weet alleen dat ik de volgende ochtend naast hem wakker werd; zijn lichaam zag er heel mooi uit, maar de zon begon te stijgen en de tent werd klam en zweterig. Even had ik een gevoel van verlies, dat het plezier was geweest maar dat ik het allemaal niet had meegemaakt.

Toen werd Tom wakker en keken we elkaar aan.

'Wat is dit voor een uitgemergelde man naast me?' zei ik. 'Sta op en ga iets eten.'

En we moesten lachen.

Later op de ochtend gingen we samen op pad naar de rivier met onze was, met het idee om die maar te laten weken, terwijl wij een goed, zanderig plekje op de oever tussen de bomen zochten om elkaars lichamen nu eens goed te leren kennen. Maar er was geen privacy door de veedrijvers. En ook hadden we niet veel tijd, omdat we de was moesten doen en terug moesten naar het kamp om G van zijn taak te ontheffen, zodat die vogels kon gaan kijken, de lunch te verzorgen, de Land Rover schoon te maken en de reparaties uit te voeren. Ik begreep dat de logistiek van deze relatie, als het zo doorging, erg ingewikkeld ging worden.

Ik had bedacht dat we wel wat van die schelpdieren konden koken, en verzamelde een hele bak vol en maakte ze schoon. Ik rolde ze in een laagje meel met olie en zette de olie op om heet te worden. Op dat moment zag G een veedrijver aankomen en vroeg hem naar de schelpdieren, gebruik makend van gebarentaal. Het antwoord was zeer beeldend: als je die dingen in je mond steekt, ga je overgeven.

Gedurende de volgende drie dagen naar Bamako moesten Tom en ik wennen aan wat er gebeurd was. Ik was zó volkomen onafhankelijk geweest dat ik zijn uitingen van genegenheid als een overval beschouwde. Ik had algauw in de gaten dat Tom al mijn vrije tijd wenste. Maar ik weigerde er spijt van te hebben; als wij hier een relatie konden opbouwen, zouden we iets heel bijzonders hebben. Ik sprak er met hem over en vroeg om de ruimte. Hij zei niet veel. Het was tamelijk krengerig van me, maar ik had niet gedacht dat het echt zou gebeuren en ik was er niet op voorbereid.

Wij moesten op 8 april in Bamako zijn om op tijd te komen voor het vliegtuig van de nieuwe chauffeur. Dit was geregeld toen we Ouaga verlieten, maar daarna hadden we geen contact meer gehad, dus kon het best zijn dat het niet doorging. Vanwege de twee dagen uitstel in Ouagadougou naar aanleiding van de aangifte van de diefstal zaten we op de avond van de 7de april nog ongeveer tachtig kilometer voor de stad. We bouwden een kegelvormig gedenkteken van stenen en reden naar de stad. Het was G's laatste rit met de Land Rover en zijn last scheen lichter te worden. Die ochtend had hij zijn laatste liter water gepompt en zijn weinige spulletjes die niet gestolen waren bij elkaar gezocht. Ik keek eens naar hem en dacht: 'G, met je platte pet, kaffiyeh om je hals en je overalls, met je heel erg Schotse voorouders en je verhalen, ik heb je eigenlijk nooit echt leren kennen.'

We zetten hem af in de stad en waren van plan elkaar de volgende avond weer te ontmoeten in een club om de bloemetjes flink buiten te zetten.

Hij zei: 'Ik ga door, hoor, als Shuna geen andere chauffeur heeft kunnen vinden. Het is veel beter geworden en eigenlijk ben ik het leuk gaan vinden.'

Het moet hem veel hebben gekost om dat aanbod te doen.

Ik stuurde Shuna een fax met de vraag wanneer zij zou komen en wie de chauffeur was. Ik kreeg geen antwoord, waardoor ik dacht dat ze misschien in hetzelfde vliegtuig zat. Ik wist dat ze van plan was geweest een gereduceerde ticket voor de volgende dag te nemen als 'dochter van de staf', maar dit was een zustermaatschappij en daarmee werkt dat soms niet.

Wij hadden in gedachten altijd naar dergelijke steden toe geleefd als een punt waar je flink kon stappen en uitrusten, maar eigenlijk was zo'n verblijf één en al hollen om je spullen gerepareerd of vervangen te krijgen, geld te wisselen of over te laten maken, faxen te versturen en in ontvangst te nemen en gewoon om ergens te kunnen overnachten. Tom en ik boekten een kamer in het Sofitel Hotel, een uit de keten van Franse hotels door heel Afrika. Ik had ze in de grote steden gezien en ernaar verlangd erbinnen te gaan, me schoon te maken, me in een privé-sfeer te ontspannen en goed te eten, maar ik kon het me nooit veroorloven. En een deel van mij wist ook dat het moeilijk zou zijn weer te gaan lopen nadat je zo schoon bent geworden. Maar dit was een feestje: een etappe van de tocht zat erop en Tom en ik begonnen aan een nieuwe.

De parkeerplaats was het domein van verscheidene manusjes-van-alles. Wij namen iemand in dienst en lieten hem verschillende punten op de lange lijst afwerken, zoals reparaties aan het canvas afdak, de stoelen en de tent, de was doen en nog een paar andere alledaagse karweitjes. Van een ander kocht ik een heel dure vrijstaande bergtent voor 15 pond, die in Engeland 200 pond zou hebben gekost. Hij was vast van twijfelachtige herkomst – maar ja, meedogenloos.

Ik zag mezelf voor het eerst sinds zes weken in de spiegel en kon mijn ogen niet geloven. Ik was volkomen slank, met stevige spieren, en glansde. Ik ging uit mijn bol. Ik nam een krachtige douche, trok een oude 501 aan en een singlet dat ik met een knaap in de jungle had geruild en ging met Tom naar beneden naar het zwembad. Hij probeerde me erin te gooien, maar ik hield hem vast en dus gingen we samen. Het was nog vollemaan ook, de sterren schenen en er was verder geen mens in het zwembad of in de buurt. Wij speelden. Ik geloof dat ik toen gelukkiger was dan ooit.

De volgende ochtend namen we weer zo'n krachtige douche en gingen naar beneden voor het ontbijt. Dit is het spul waarvan dagdromen gemaakt zijn. Het laatste buffetontbijt dat ik had gehad, was in het Victoria Falls Hotel, bijna twee jaar geleden. Heel Afrika door was ik blijven denken aan het lostrekken van de pootjes van verse croissants en het was het enige voorbeeld dat ik zou willen gebruiken om de beschaafde wereld te beschrijven. Deze croissants waren zó vers dat de pootjes gemakkelijk loskwamen; ik kickte enorm toen het zachte binnenste samen met het pootje naar buiten kwam.

Wij maakten de Land Rover schoon om ruimte te creëren, zodat de nieuwe chauffeur samen met ons voorin kon zitten, en we reden naar het vliegveld. Wij hadden geen idee wie we daar zouden aantreffen, hoe we elkaar zouden moeten herkennen of wat hij voor effect op ons zou hebben. Wij wisten ook nog niet of we de relatie openlijk zouden toegeven of dat we ze voor onszelf zouden houden. Het was allemaal zo nieuw: in krap drie dagen had het leven een geheel andere structuur gekregen. Na drie maanden van een onveranderlijke, strikte dagelijkse routine en levenswijze, duizelde het me allemaal nog.

De luchthaven van Bamako onderging een zeer noodzakelijke verbouwing. Het wachtgedeelte was één grote berg stenen en de aankomende passagiers moesten gewoon over de macadamweg lopen en over de stapels stenen en puin stappen.

Wij kochten een koud colaatje en wachtten.

'Hé!' riep Tom, 'daar heb je je zuster!'

We moesten blijven wachten waar we stonden tot ze door de hindernissen waren, maar toen – wham – die enorme omhelzing waar ik al weken van had gedroomd. En naast haar stond een lange slungel van één meter vijfentachtig, de nieuwe chauffeur. Ik wist niet meer of ik met hem gesproken had, maar Shuna stelde hem snel aan ons voor.

'Dit is Gordon Nicholson, een vriend van Andrew – een van de mannen met wie je een gesprek hebt gehad. Het is een lang verhaal.'

Wij schudden elkaar de hand, ik verwelkomde hem met koude cola en liet het toen aan Tom en hem over om de bagage te gaan ophalen, terwijl Shuna en ik in onafgemaakte zinnen de belangrijkste dingen bespraken die we de laatste vier maanden hadden gedaan.

Shuna had haar benen uit haar kont gelopen om de juiste vent te vinden en hem zijn spuitjes te laten halen, te verzekeren, een visum voor hem te krijgen, hem te instrueren, een contract uit te schrijven en te laten ondertekenen, spullen voor hem aan te schaffen, de vlucht te regelen – alles binnen drie weken.

Gehoor gevend aan de instructies in mijn fax vanuit Ouaga had Shuna met Bill Preston gebeld. Hij leidde de werkplaatsen van Encounter Overland, waar hij de afgejakkerde wagens opknapte die van een reis terugkeerden, zodat ze de weg weer op konden. Hij had een netwerk van chauffeurs en stelde voor dat ze contact opnam met Peter Hickey, een knaap die vroeger bij de SAS had gewerkt. Peter kwam drie weken voor de vertrekdatum bij Shuna en Raymond eten in haar flat. Ze boden hem de baan aan en hij accepteerde. Shuna betaalde zijn vaccinaties, begon aan zijn uitrusting te werken en verdere instructies uit te voeren, toen hij drie dagen later opbelde om mee te delen dat hij had besloten terug te gaan naar Australië.

Shuna begon iedereen op mijn reservelijst af te bellen. Peter Gray stond boven aan de lijst, maar die had al verplichtingen. Veel van de anderen waren onvindbaar, want aangezien ze reizigers waren, waren hun contactnummers allang gedateerd. Ze stuurde een fax naar Ouaga met een gedetailleerde beschrijving van twee mannen, de nummers zeven en negen op mijn lijst van tien. Geen van beiden leek geschikt. Ik drong erop aan dat ze zou proberen Andrew, de nummer twee op de lijst, op te sporen. Hij was in de ruige natuur van Noorwegen iets gevaarlijks aan het doen, maar hij zou ideaal zijn.

Een week voor de deadline ontmoetten Shuna en Andrew elkaar. Hij was buitengewoon enthousiast, had alle kwalificaties en kreeg de baan aangeboden. Hij nam aan. Ze kwamen overeen de zaterdag daarop alles tot in de details te regelen, omdat maandag om negen uur de deadline was om hun passen naar Parijs te sturen teneinde visums te krijgen voor Mali. Andrew verscheen met zijn vriendin en een fles champagne – het was haar verjaardag. Ze hadden na enige uren alle kleine dingen rondgepraat en Shuna was ervan overtuigd dat hij een eersteklas vent was met een prima instelling.

En aan het eind van het gesprek zei Andrew: 'Maar ik kan natuurlijk niet zonder mijn vriendin gaan.'

Shuna had hem wel kunnen wurgen. Ze wist dat het onmogelijk was, maar ze had niemand meer achter de hand. Ze belde Raymond op voor advies. Hij zei: 'Absoluut niet doen.' Hij legde uit dat het geen vakantiereisje was, er geen ruimte in de Land Rover was voor nog iemand en dat het evenwicht binnen een hard werkend team volkomen op zijn kop zou komen te staan als er een gratis passagier op sleeptouw werd genomen. Shuna belde Andrew op zondagochtend om de kwestie uit te leggen. Hij bleef weigeren zonder zijn vriendin te gaan, dus dat was dat. Maar in het grote plan der dingen was het maar beter zo, want dat ene feit dat hij voor Shuna had verzwegen, was dat hij multiple sclerose had.

Anna Ginty, een van mijn beste vriendinnen, belde uit Parijs om te zeggen dat ze een volmaakte kerel had gevonden voor deze baan, maar hij had al die verschillende papieren niet en er was geen tijd meer om die in orde te laten maken. Op zondag om middernacht, negen uur voor de deadline, had Shuna nog geen chauffeur. Andrew belde op om te zeggen dat hij het rot vond dat hij haar liet zitten, maar hij wierp een lijntje uit. Hij kende iemand die het kon doen: zijn kamergenoot Gordon Nicholson, een Australiër, die per onmiddellijk weg kon. Gordon was een goede monteur en een sportman, zei hij, wel een beetje stil maar zeer betrouwbaar. Andrew had het met Gordon besproken, die Shuna om één uur 's nachts opbelde. Het gesprek was kort; ze bood hem over de telefoon de baan aan en hij accepteerde. Daarna bracht ze de verdere nacht slapeloos door met zich af te vragen of ze opnieuw in de steek zou worden gelaten. Ook Gordon had zo zijn bedenkingen gehad – wat nauwelijks verbazingwekkend is, omdat zijn hele leven op het punt stond te veranderen en hij geen idee had waar hij in zou stappen.

Ze spraken af om negen uur in Shuna's kantoor om zijn pas in te leveren. Hij verscheen op tijd, maar Shuna had ernstige twijfels toen ze hem zag. Hij had alle juiste kwalificaties, maar geen uitstraling. 'Fi walst over hem heen', dacht ze. Maar ze had geen andere keus.

De visums voor Mali konden alleen in Parijs in orde worden gemaakt. Shuna kon het niet regelen via de Visa Shop, omdat dat zeven tot tien dagen zou duren en er geen garantie was dat ze dan op tijd klaar zouden zijn, zodat ze met de wekelijkse vlucht van Aeroflot mee konden. Ze had iedereen gebeld die ze kende of ze drie dagen vrij konden nemen om naar Parijs te vliegen en de passen af te leveren, maar niemand kon. Ze belde een oude vriendin van de familie, Katinka Wells, die in Parijs woonde en die ze in tien jaar niet meer had gesproken. Ze vroeg haar een enorme gunst. Geen punt, zei Katinka, stuur me de passen en ik regel het zelf.

Shuna had op haar tandvlees doorgebuffeld – ondertussen toch haar volletijdsbaan volhoudend. Haar werkgevers gaven haar een uitbrander omdat ze zoveel tijd aan de tocht besteedde, maar ze wees hen erop dat ze tijdens het sollicitatiegesprek had vermeld dat ze daarnaast voor mij werkte. Ze hielden haar in de gaten. Shuna besefte dat ze haar baan kwijt was als er weer zoiets gebeurde – een baan waar ze zes maanden achteraan had gezeten om hem te krijgen.

De dag nadat Shuna Gordon had aangenomen en de passen had opgestuurd, belde Peter Gray om te zeggen dat hij het kon doen. Hij kwam vierentwintig uur te laat.

Wij namen Shuna en Gordon mee naar het hotel om zich op te frissen en begaven ons daarna naar een goedkopere plek, waar we allemaal konden logeren. Shuna en ik deelden een kamer en Tom en Gordon een andere. Daarna ging de doos met lekkers open. Shuna had een videocamera van Sabona meegebracht, om wat opnamen voor de media te hebben. Ze had ook een hele lading papieren van het PR-bedrijf van de sponsor meegebracht, maar die legden we allemaal opzij toen ze de spullen die we nodig hadden te voorschijn haalde, plus de extra lekkernijen in allerlei soorten. Drie dozen chocola van Anna Ginty verdwenen in een ommezien; Tom en ik werden hondsberoerd van die toevoer van suiker.

Die avond troffen we G in een club. Hij was in ongelooflijk goede doen, levendig, spraakzaam, grappen makend – een heel andere G dan die we gekend hadden. Hij hield van muziek en had besloten een paar dagen te blijven om naar de bands te luisteren. Maar hij beloofde boodschappen voor ons achter te laten bij de poste restante in Nouakchott en Nouadibou in Mauretanië om ons op de hoogte te houden van zijn reisverloop.

Shuna en Gordon waren moe en ik wilde hen terugbrengen naar het hotel. Daar kregen Tom en ik een enorme ruzie over, wat op Shuna en Gordon enigszins verontrustend moet zijn overgekomen, toen ze het voor het eerst meemaakten, en een grote opluchting voor G om het voor de laatste keer te moeten aanhoren.

'Ruziemaken is gewoon de manier waarop wij praten en stoom afblazen,' zei ik tegen Shuna. 'Het wordt niet persoonlijk opgevat.'

'Ik kom misschien nog terug,' zei ik tegen Tom, maar dat deed ik niet. Als mijn zus en ik samen zijn, kunnen we niet ophouden met praten.

Ik had Shuna beloofd dat we een paar dagen vrij zouden nemen om op safari te gaan in het Parc National de la Boucle, niet ver ten noorden van Bamako. Ik wilde niet de hele week tijdens haar verblijf lopen, want dan zou ik geen tijd hebben om met haar te praten. De volgende dag kregen we de benodigde toestemming en gingen op weg naar het noorden.

De ruwe wegen gaven Gordon de mogelijkheid om met de Land Rover te rijden en hij bleek heel goed te zijn. De toestand klaarde op! Ik waarschuwde hen niet al te hoge verwachtingen van dit park te hebben, want waarschijnlijk was er niets te zien, de herberg zou vervallen zijn en er zou geen water zijn. Wij huurden een gids in die op zijn bromfiets meereed. Hij kreeg een lekke band en was een uur bezig die te repareren. Daar gingen we weer. Opnieuw een lekke band en weer een uur weg. Daarna reden we verder en gebeurde het opnieuw. Hij wees ons de weg naar de herberg, waar hij zich later bij ons zou voegen.

Wij hadden een hele dag gereden om vijftig kilometer te overbruggen, we waren moe en moesten het kamp opzetten voor het donker werd. Ondanks mijn pessimistische geluiden om een grote teleurstelling te voorkomen, was het kamp nog erger dan ik me had kunnen voorstellen – het was volkomen onbewoonbaar. De enige delen van de muren die nog overeind stonden, waren overdekt met spuitbusgraffiti, de betonnen binnenplaats was gebarsten en tot steentjes vergruisd, de raamsponningen waren gebroken, de waterpomp was kapot en er was geen stromend water. Een paar roestige bierblikjes wezen erop dat er tientallen jaren geleden iemand had gekampeerd.

De gids arriveerde en Tom gaf gas.

Wij besloten ten slotte maar terug te gaan naar Bamako en de tijd door te brengen aan de 'Oesterrivier', de plaats waar we onze laatste rustdag hadden doorgebracht. We kampeerden op de weg terug en Shuna uitte in alle toonaarden haar verbazing over de geweldige manier waarop het kamp werd opgezet. Ze zag mij in mijn element en was dol op mijn manier van leven. Ze had me alleen meegemaakt tussen de wandelingen in, moedeloos en slecht op mijn gemak in Londen, op zoek naar geld en bezig met het plannen van de volgende reis. Nu bevond ze zich op mijn terrein en ik was weinig subtiel in mijn manier van aantonen hoe huichelachtig het stadsleven hiermee vergeleken was.

Wij kwamen de volgende middag bij de rivier aan en gingen therapeutisch zwemmen. De volgende dag ging voor het grootste deel op aan het doornemen van de papieren van het PR-bedrijf. Ze wilden over twee weken een live-interview opnemen via de telefoon bij een radiostation waar niemand van had gehoord. Tegen die tijd zouden we diep in de rimboe zitten. En opnieuw zou Shuna tussen twee vuren staan.

Midden in de laatste nacht regende het. Beter gezegd, het góót. In totale paniek zochten we onze kleren bij elkaar, pakten de spullen in en probeerden van het zand te rijden voordat we vast kwamen te zitten. We moesten de zandmatten gebruiken en de hele weg graven tot we op harde bodem stonden. Daar vielen we een uur later totaal uitgeput in slaap.

Wij reden terug naar de startplaats en ik liep Bamako in. Shuna liep ongeveer vijf kilometer met me mee. Ik was teleurgesteld dat ze de wandeling niet in volle gang had gezien – alleen maar het heen en weer rijden, in een poging om een goed plekje te vinden. Maar ze vond het leuk. Zij en Gordon kookten op haar laatste avond in de jungle het eten; het smaakte heerlijk en Gordon leek te weten wat hij deed.

We reden terug naar de luchthaven om haar op het vliegtuig te zetten. Ik had het fijn gevonden om een andere vrouw bij me te hebben, maar ik zag ook uit naar de voortzetting van de voettocht. Als je te lang op één plaats blijft, verlies je je prikkel. Het leek dat Tom er ook zo over dacht – het was een lange etappe geweest naar Bamako, maar dat was het einde niet; we moesten ons voorbereiden op het volgende traject, twee weken van ongebruikte wegen naar de grens met Senegal, waar mijn vader zich tien dagen lang bij ons zou voegen.

Wij vroegen in Bamako visums aan voor Mauretanië. Daar deden ze dagen over, met het excuus dat de man die erover ging niet aanwezig was. Gordon was bijna zijn pas kwijt toen hij een manusje-van-alles toestemming gaf die op te halen toen de visums werden afgegeven. Dat was een beetje onervaren van hem, maar zijn reizen in Zuid-Amerika hadden hem niet voorbereid op typisch Afrikaanse incidenten, zoals door de oproerpolitie gearresteerd worden en naar het hoofdkwartier te worden gebracht, op grond van de weigering een verkeersagent om te kopen.

Er lag een brief in het gastenverblijf van een medewerker van de Amerikaanse ambassade die we in Bangui hadden ontmoet. Hij was naar Bamako overgeplaatst en had gehoord dat wij in de stad waren. Ik ging naar de ambassade en Mel, een grote, zeer Amerikaanse vent, nodigde ons uit om met ons allen bij hem te logeren. Dat was voor Tom en Gordon een mogelijkheid om op een veilige plek aan de Land Rover te werken, terwijl ik boodschappen ging doen. Ik sloeg voedsel en de alledaagse benodigdheden in en vermaakte me wel op de markten, waar ik bij de kunstenaars bleef kijken die houtsnijwerk maakten met een walkman op. Tijdens een van die uitstapjes vond ik de oplossing voor ons containerprobleem voor water en brandstof op het traject door de woestijn – twee vaten van tweehonderd liter, die rechtop in de aanhangwagen konden staan, vastgesjord met touwen. Net als bij het kopen van jerrycans in Kano kon ik de twee die we nodig hadden niet uitkiezen, omdat ik niet kon ruiken. Ik kocht ook een slang voor een sifon en zette met verf een merkje op de vaten om ze uit elkaar te kunnen houden.

Wij ontmoetten toevallig ook weer de Amerikaanse reiziger die in Agadez was gearresteerd, nadat hij had verteld journalist te zijn. Hij was naar het zuiden komen reizen en had tot dusver geen problemen meer gehad.

Wij vertrokken op 18 april. De eerste twee dagen gingen tamelijk goed, de weg was behoorlijk hobbelig en onze lading zwaar, maar Gordon en Tom wisten de Land Rover met vaardige hand te besturen. Als ik mijn ogen dichtdeed, was het net Bill die reed. Wij kwamen bij een dorp waar we een deel van de imperiaal opnieuw lieten lassen en ontvingen informatie over de weg voor ons.

'Die is erg slecht,' vernamen ze.

Tom haalde zijn schouders op.

'Wij zijn uit Bamako komen rijden,' zei hij. 'We weten hoe slecht hij is.'

Er stapte iemand naar voren die zei: 'Neemt u me niet kwalijk, maar de weg van Bamako hierheen is goed. Hierna wordt het veel slechter.'

En zo was het. Alle auto's en goederen werden tussen Mali en Senegal per trein vervoerd; deze weg was jarenlang niet gebruikt. Achter keien ter grootte van tafels gingen diepe ravijnen schuil, sporen liepen in alle richtingen uiteen zonder weer samen te komen, dorpen die op de kaart stonden, hadden nooit bestaan en het werd steeds heter met een woestijnwind als een haardroogkap. Voor mij was het lopen buitengewoon prettig – geen verkeer, geen mensen, geen macadamplaten, gewoon springen van de ene rots naar de andere, doorstappen over harde, oranje aarde en de sporen van kleine dieren volgen. Dit was wildernis, hier was ik thuis.

Het regende een paar keer; het overspoelde het kamp, waardoor de muggen opleefden. Tegen het eind van de week kwamen we bij een zijtak van de Senegal. Na veel gezoek vonden we een waterval, een uitstekende plek om een paar dagen te stoppen, dachten we, teneinde de Land Rover op te knappen na die zware rit.

De waterval stond vrijwel droog, maar in de rivierbedding stond water. Tom en ik bliezen een paar binnenbanden op en klommen naar beneden langs de gladde rotsen om in het water te komen. De rots was vol holen, trechters en kamers. We dreven erdoorheen op het stille water en kwamen in spelonken, waar het licht van het water op de wanden weerkaatste en we de echo van ons gespat hoorden.

Daarbuiten in de hoofdstroom zag ik een enorme plons.

'Hé Tom,' schreeuwde ik, 'maak dat je wegkomt, er zit een krokodil in het water.'

Ik betwijfelde dat het zo was, maar als je bang wordt, is het beter iemand anders angst aan te jagen en voor gek te zetten. Ik vond het te gek hem tegen de zeer steile rots op te zien klauteren als een spin in een badkuip. We baanden ons een weg naar een oever waar een stenen krib lag – perfecte rotsen om op te wassen. Aan de andere kant was een met gras begroeide oever, die vol bavianen zat. Niet van die arrogante, snel geïrriteerde beesten als in Yankari; deze waren volkomen natuurlijk, waarschijnlijk hadden ze slechts zelden mensen gezien. De hele plek straalde een schone, frisse vriendelijkheid uit en een rust die op een of andere manier scheen te zeggen: 'Zo is het altijd geweest'. Dat was ik nog nergens anders tegengekomen – een diep en zeker gevoel dat hier de natuur de baas was.

Tom en ik bedreven de liefde op die rots en lieten ons toen in het heldere water vallen om af te koelen van de hete zon. De visjes knabbelden aan onze tenen. Toen het te koud werd, klauterden we er weer uit en zonnebaadden op de rots tot we het weer heet kregen.

Dit was geen vakantie, maar onze manier van leven; we werkten de hele dag en kwamen 's avonds thuis. Als ik ermee om was gegaan alsof het een reis was, zou ik gestreden hebben om ergens te komen in plaats van te genieten van wat ik om me heen zag. De relatie had onze vriendschap niet veranderd. Wij waren het erover eens dat we het zouden proberen en dat, als het niet werkte, wij terug zouden keren tot de oude orde. Soms zeiden we dat we niet oud genoeg waren om een stel te zijn, op andere momenten waren we gewoon ontzettend gelukkig en compleet. Hier begon de magie van Afrika voor mij – wanneer ik kon stoppen en wachten tot het stof van mijn voetstappen was gaan liggen en kon luisteren naar de dieren die terugkeerden.

Maar datgene wat mij voortdreef in plaats van stil te blijven staan, was de behoefte om mezelf van die ambitie te bevrijden, en de enige manier om dat te doen, was Afrika te voltooien en vervolgens Europa. Tom en ik botsten – wij bezaten dezelfde hoeveelheid overtuiging, en in plaats van een relatie die gebaseerd was op één motor en één roer, waren we allebei motoren en matten we elkaar af. Ik hield ervan ruzie te maken – dat is oefening voor een slaperige geest – en hij kon het niet laten te happen. Ook kon hij de verantwoordelijkheid voor de Land Rover niet met Gordon delen; ook al deed Gordon het leeuwedeel van het werk, omdat hij een betere monteur was, eigende Tom zich dat nog altijd toe. Het maakte hem oververmoeid.

Er is een moment waarop de schemering valt en het kamp nog niet opgezet is, noch het hout verzameld, en dat je een plotselinge angstaanval krijgt dat je gevangen zit. De Indianen van Noord-Amerika noemen dat de 'Onruststoker'. Tom en ik kwamen na de lange wandeling terug van het water, licht in het hoofd door vochtgebrek, en er was niets wat we onmiddellijk konden eten of drinken. Losse spullen slingerden wanordelijk rond op de kampplaats, de jerrycans met water hadden in de hete zon gelegen, het vuur was uit en er was geen hout.

Tom pakte een kledingstuk op en smeet het in de struiken. Hij schopte tegen de pan bij het vuur en schreeuwde: 'Ik haat deze kelerezooi!' zoekend tussen de rommel naar iets dat hij kapot kon gooien.

Ik ging wat hout verzamelen, stak het vuur aan, goot water in de ketel en zette die op voor thee. Ik bracht de tafel naar de andere kant waar schaduw was, veegde hem af met een doek uit de wasbak, zette het theegerei klaar, boende de met vliegen bezaaide borden schoon en sneed wat mangotaart af die over was van de vorige avond. Terwijl de ketel op stond, haalde ik het beddegoed van de verschillende struiken waar het had gelucht, maakte een bezem van een paar takjes en veegde de kampplaats ermee schoon. Ik waste mijn handen en mijn gezicht.

'Theetijd, jongens!'

Tom slofte terug naar het kamp, ging zitten, pakte de kop hete thee aan en het schone bord en barstte bijna in tranen uit. Die Onruststoker kan je zo te pakken nemen, net als de blinde paniek die ik had gehad toen ik na duizenden kilometers de insekten nog niet uit mijn oren had; maar het keerpunt komt wanneer je de koe bij de horens vat, je je realiseert dat je er iets aan kunt doen en dat ook gewoon dóet – weglopen met twee vrienden naast je.

'Hé, Fi,' hij pakte mijn hand, 'dank je wel, het spijt me.'

'Tom, dit doe jij iedere dag voor mij.'

We zetten 'Eric Clapton Unplugged' op toen de avond viel en gingen op het dak achteroverliggen. Ik wilde hem tonen dat hij niet alle verantwoordelijkheid zelf hoefde te dragen, dat wij allemaal op elkaar moesten steunen – Gordon voor het monteurswerk en ik voor de emotionele steun, en dat het niet betekende dat hij alles uit handen gaf of dat hij een zwakkeling was.

'Je bent er nog steeds bij,' zei ik, 'gebruik gewoon de steuntjes die er zijn.'

31

Ik kwam bij een dorp waar iedereen bezig was de daken te repareren, ter voorbereiding op de regens. Het gras om daken mee te bedekken is op zijn best juist vlak voor de regenval: de wet van Murphy schijnt in de natuur niet van toepassing te zijn. Ze namen me bij de hand mee naar het dorpshoofd om naar de weg te vragen; de weg was gesplitst en de Land Rover was nog achter mij, ze waren bezig in te pakken na de lunch. Hij stuurde zijn zoon met me mee, die me naar de droge rivierbedding bracht en naar links wees langs de oever. Ik bedankte hem, stak de met grijze stenen bezaaide bedding over en sloeg over het zand linksaf.

Op de rustdag haal ik altijd de kaart te voorschijn om de route voor de volgende week te bekijken, omdat we ons soms moesten aanpassen aan een logistiek probleem. Ik had op deze plek gewezen, maar wist niet zeker of dat tot hen was doorgedrongen. De Land Rover reed altijd voor me uit, want meestal hadden ze me na een half uur al ingehaald nadat ze de spullen voor een pauze hadden ingepakt. Daarna volgde ik hun sporen en was eraan gewend ze er tussen alle andere uit te pikken. Maar zij waren er niet aan gewend míjn sporen te volgen. Door naar de sporen te kijken, kan ik aan de hand van voetafdrukken van kinderen zien dat ik een dorp nader. Ik kan ruwweg mannen van vrouwen onderscheiden als die voorbij zijn gekomen, en ik kan zien waar ze zijn gestopt om een praatje te maken en waar hun honden elkaar hebben ontmoet. Maar deze had ik nog niet gezien – groter dan mijn handpalm, geen klauwafdrukken, vijf tenen en een rond kussen. Leeuwen. Ik keek iets beter en zag dat dit een leeuwin met vijf welpen was – pas langsgekomen, want er was geen andere afdruk overheen gegaan.

Kelere!

Ik vloog een boom in en besloot te wachten tot de Land Rover kwam. Na een tijdje verveelde het me en vroeg ik me af of ik misschien overdreven reageerde. Het was midden op de dag; hopelijk lagen ze onder een boom te dommelen.

Ik klom weer naar beneden en ging verder. Ik had niet dat zelfde gevoel dat ik gevolgd werd zoals die keer bij Kafue in Zambia, maar de sporen liepen door en waren heel vers. Het werd tamelijk heet en ik droogde snel uit. Ik verwachtte de Land Rover na niet meer dan vijfenveertig minuten te zien, dus ik had mijn water vrijwel opgedronken.

Ik moest om de paar minuten hurken om te plassen. Ik had een zware blaasontsteking, en de laatste paar keer dat ik had geplast, was er bloed meegekomen. Nu had ik twee problemen. Ik had niet alleen behoefte aan water, maar liet ook nog een spoor van bloed achter.

Er ging anderhalf uur voorbij en ik had een verschrikkelijke dorst. Toen zag ik zóiets ongelooflijks dat ik dacht te hallucineren: een waterpomp, helemaal alleen tussen de struiken. Nadat ik het dorp bij de rivier had verlaten, had ik geen dorpen of mensen meer gezien. Ik trok aan het handvat en het eerste dat er verscheen, was een zwerm uitgedroogde bijen die in de leiding waren gaan zitten op zoek naar vocht. Ik maaide ze van mijn gezicht toen het water eruitspoot. Ik kon het niet ruiken, maar het zag ernaar uit dat het in orde was. Ik wist dat ik er niet van moest drinken, maar na weken van lichtelijk uitgedroogd zijn, kon het me niet meer schelen. Later ontdekte ik dat deze situatie tamelijk gebruikelijk is – dorpsbewoners pakken hun zaakjes op en vertrekken wanneer er cholera in het water zit.

Ik liep verder. Ik had aangenomen dat de Land Rover door het moeilijke traject vertraging had, maar nu begon ik me zorgen te maken. Maar ik was nu voorbij het punt vanwaar ik niet meer terug kon: de avond viel en achter me liepen leeuwen. Ik kon maar beter doorlopen. Even voor de schemering klom ik in een apebroodboom, maakte mezelf met de riem van mijn heuptasje vast aan een tak en bereidde me voor op een mogelijk koude en angstige nacht. Pas veel later hoorde ik dat leeuwen ook in bomen klimmen. Onnozelheid is een zegen.

Ik hoorde de Land Rover in de verte aankomen, gas gevend op de rulle grond, wat een vreselijk lawaai maakte. Twee zeer vermoeide mannen stopten en vielen me om de nek. Ze waren de rivierbedding recht overgestoken en in plaats van linksaf te gaan, rechtdoor gereden naar een volgende droge bedding. Het had twee uur geduurd voor ze eroverheen waren – keien ter grootte van bungalows. De zoon van het dorpshoofd was vanaf het dorp de hele weg achter hen aan gehold. Toen ze bijna aan de andere kant waren – ongetwijfeld mij vervloekend – had de jongen hen ingehaald en gezegd dat madame langs de rivier achter hen was gegaan. Ze konden onmogelijk keren of achteruitrijden met die volgeladen aanhanger achter zich, voordat ze helemaal aan de andere kant waren. Daarna stonden ze voor de opgave om opnieuw twee uur lang de bedding over te steken, met de groeiende vrees dat de afstand die ons scheidde behoorlijk groot was geworden. Het dorpshoofd had hun verteld dat er leeuwen in dit gebied zaten. Op de weg terug over de keien had de stuurpook een knauw gekregen die vertraging gaf op de achttien kilometer rulle weg die tussen ons in lag. Tom had als een waanzinnige gereden – hij had gedacht dat ik woest zou zijn.

Maar dat was ik niet. Ik was alleen maar opgelucht dat ze in veiligheid waren en de Land Rover nog liep. Wij hielden het vuur de hele nacht brandend.

Het werd overdag zó heet dat alles wat de jongens konden doen, was stilletjes gaan zitten zweten zonder te bezwijmen. Dat gevaar liep ik niet zo sterk, vanwege het kleine briesje dat ik produceerde tijdens het lopen, maar ik herkende wel de tekenen van oververhitting – mijn ademhaling werd kort en scherp, mijn gezicht werd heet. Ik goot dan een beetje water in mijn hand, maakte mijn gezicht nat en draaide mijn gezicht naar wat voor windje er maar was. Als ik genoeg water had, drenkte ik mijn kaffiyeh en maakte mijn hoofd nat.

Mijn blaasontsteking was in een zorgwekkend stadium gekomen. De beste remedie is water drinken, maar ik nam al tien liter per dag in. Ik piste bloed en er zaten bloed en slijm in mijn ontlasting. Ik wist dat het laatste veroorzaakt kon zijn door verschillende dingen waar we iets voor bij ons hadden, maar medicijnen zouden me een paar dagen stilleggen. Ik kon me die tijd niet veroorloven; ik moest snel naar de grens met Senegal, omdat mijn vader me daar opwachtte. Ik zag ernaar uit, maar het maakte me ook zenuwachtig. Ik had innerlijk zóveel opgekropt dat ik had besloten er met hem over te praten.

De hitte kwam laaiend vanuit de woestijn opzetten en ik kon voelen hoe mijn huid erdoor samentrok. Ik begon vroeg met lopen en wachtte drie uur tot de ergste hitte van rond het middaguur voorbij was. Maar het kamp was dodelijk; voorbij het stadium van prikkelbaarheid voelden we ons allemaal misselijk.

Kegelvormige vulkanen stonden in het landschap als gigantische pionnen op een schaakbord. Er waren meer voetafdrukken van apen dan van mensen en de sporen splitsten zich als een niet gevlochten touw. Zoals gebruikelijk, was de prettigste wandeling het ergste voor het team; ik had het prima naar mijn zin, maar zij konden mij niet eens inhalen. Ik hield hen op gehoorafstand en moest een paar kilometer terugrennen toen de Land Rover en aanhanger begonnen te scharen op een geërodeerde helling. Het nam ons drieën een halve middag in beslag om hem met schoppen, zandmatten en stapels stenen uit te graven.

Ik had vaak aan de bevolking gevraagd of het 's avonds zou gaan regenen, maar ze zeiden altijd nee, ook als het wel zo was. Dit waren nog steeds mangoregens – de grote regenval zou over een paar weken komen. Ik zag bij kinderen plukjes haar van wilde honden aan een koordje om de hals hangen en in het haar van meisjes, en vroeg de zoon van een dorpshoofd waar dat voor was.

'Dat beveiligt hen tegen ziekten.'

Hij wees op plekjes op de huid en voegde eraan toe: 'Het medicijn is niet wetenschappelijk, het is Afrikaans.'

Door het stof en de hitte ontstond er een brandje onder het dashboard, waardoor de stroom een paar dagen uitviel. Diezelfde avond reden de jongens een gat in de radiator doordat ze met gedoofde koplampen naar een kampeerplaats in de rimboe zochten en tegen een boom reden. En alsof dat nog niet genoeg was, begrepen we dat het zou gaan regenen, maar we ontdekten dat een van Toms tentpalen weg was. Er was een moment waarop we dachten dat de wolken misschien over zouden waaien – zonder was het toch al een van de meest stressvolle dagen van de reis – maar het mocht niet zo zijn.

De volgende dag brak het carter. We verloren elke twintig kilometer ongeveer een liter olie en aangezien al de reserves die we hadden meegenomen al op waren, zei een eenvoudig rekensommetje dat we de volgende stad niet zouden halen. Op de kaart stonden geen dorpen aangegeven tussen ons en Kayes in, en dat lag 150 kilometer verder. In het ergste geval kon ik gaan lopen om olie te halen, maar ik plaste nog steeds bloed. Onze kaart, de Michelin 953, was uitgevouwen ongeveer twee meter lang en we vorderden daarop per dag ongeveer de breedte van een kleine vingernagel. Van alle kaarten van Afrika was dit een heel goede, maar het was al een tijdje geleden dat een kaartenmaker enkele van deze plaatsen had bezocht, en de informatie dateerde van ongeveer twintig jaren her. Er waren steden met duizenden mensen ontstaan, andere waren verdwenen zonder een spoor achter te laten.

Wij kwamen bij een spoorbrug over de rivier de Bakoye, die ook diende als brug voor motorvoertuigen en voetgangers. Een of andere niet-officiële knaap in burgerkleding eiste betaling om eroverheen te mogen. Wij weigerden dat en ook al was hij een zwendelaar, hij werd buitengewoon kwaad!

Mahina was het eerste plaatsje dat we in twee weken zagen. Maar – geen olie, alleen Fanta.

We besloten het risico te nemen en naar Kayes te rijden. De toestand begon er vrij ernstig uit te zien, maar we konden een paar kostbare liters kopen bij een cementfabriek om de stad in te komen. Na de Land Rover flink te hebben uitgekamd, vond ik de pillen die Susannah me in Ouaga tegen blaasontsteking had gegeven. Daarvan kleurde mijn plas rood/oranje – niet helemaal de kleur van bloed, maar even griezelig. We informeerden ook naar de trein naar Senegal – wij verwachtten niet dat de Land Rover dat zou halen en het maakte niet uit als de auto per trein ging. Helaas ging de volgende trein pas over vijf dagen, dus reden we terug.

Toen ik Kayes binnenwandelde, stopte ik in een buitenwijk om te kijken naar de ruïnes van een Franse legerpost naast een rivier die zo helder was als glas – het soort oppervlak dat op zwemmers dezelfde uitwerking moet hebben als maagdelijk wit tekenpapier voor een kunstenaar.

Wij waren nog twee, misschien drie dagen verwijderd van de Senegalese grens – de kaart gaf aan dat er een stuk van vijfenveertig kilometer niemandsland tussen de grensposten lag, maar dat kwam mij erg vreemd voor.

Een stel Fransen in een auto die van de grens met Senegal kwamen, stopte, om de chauffeurs te zeggen dat mijn vader aan de grens stond en erg ongerust was. Het maakte me woedend dat ik hem geen bericht kon sturen omdat er geen verkeer in die richting ging – alles ging per trein naar een andere grensovergang.

Het maakte me werkelijk aan het huilen. Hoewel mijn vader bij de Koninklijke Marine was geweest en gewend was initiatief te nemen, maakte ik me er druk om. Hij was hier al vier dagen zonder iets van ons gehoord te hebben en ik vond het een vreselijke gedachte dat hij ongerust was. Ik kon de stress van de panne met de Land Rover aan, de hitte, de uitdroging en de blaasontsteking ook, maar van dergelijke dingen word ik emotioneel.

Op de tweede dag na Kayes verzocht ik de chauffeurs vooruit te rijden naar de grens, waar Tom alleen verder kon gaan en de bus door niemandsland naar de kant van Senegal kon nemen, om mijn vader te treffen voordat die naar huis terugging.

Ik wandelde alleen door een bos van apebroodbomen – gekke, wanordelijke bomen op plaatsen waar niets anders wil groeien. Ik ging op volle kracht vooruit om die dag de achtenzestig kilometer af te leggen naar de grens. In een klein dorp hield een jongeman een glas op – teken voor een waterpauze. Ik bedankte hem en dook onder het rieten dak, waar mijn ogen aan de plotselinge duisternis moesten wennen. Ik was te dorstig om me druk te maken over het water en dronk verscheidene glazen leeg.

'Hebt u honger?' vroeg mijn gastheer.

Ik had geen honger, vanwege de hitte, maar had best zin in wat gezelschap en ging op mijn hurken zitten, net als zij. Vier mannen, alle onberispelijk schoon in hun witte gewaden, zelfs hun sandalen waren stofvrij. Een vrouw bracht een gestoofd gerecht met rijst in een kalebaskom en een vork in een kom water. Ik wilde de vork niet gebruiken en gebaarde met mijn handen dat ik zo wilde eten als zij. Wij wasten onze handen, waarbij we het water van het oppervlak afschepten om de rest ervan niet vuil te maken – een gebruik dat we in het kamp hadden overgenomen. De kom stond in het midden op een felgekleurd plastic zeiltje en we schepten de rijst op. Daarbij brachten we het naar de zijkant om het af te koelen voordat we het in de mond veegden.

'Mmm, lekker.'

'Vindt u het lekker?'

'Erg lekker.'

Ik waste mijn handen toen ik klaar was met eten en vertelde hun over mijn reis en dat mijn man op me stond te wachten. We drukten elkaar de hand en ik dook het felle zonlicht weer in.

Gordon kwam terug met een gendarme die zei: 'U kunt op dit stuk niet lopen.'

'O nee?'

Deze zielige, kleine, opgedofte bobby denkt zeker dat hij me kan tegenhouden na tienduizend kilometer?

'En waarom dan wel niet?'

'Omdat er bandieten zitten. Twee weken geleden liep hier een Fransman en hij was na drie dagen dood. En er is geen water.'

'Ik heb water, ik heb een ondersteunende auto,' zei ik. 'Waarom volgt u me niet?'

En ik keerde terug naar de weg en liep verder. Gordon reed met de Land Rover in een kruiptempo een eindje achter me aan, maar na ongeveer vijf minuten reed hij naast me. De gendarme wilde niet in dit tempo de vijfendertig kilometer naar de grens rijden, dus reed Gordon hem vooruit naar de grens.

Toen ik in het grensplaatsje kwam, zag ik de Land Rover.

‘En is Tom aan de andere kant gekomen?’

‘Nee, dat wilde hij niet.’

Ik kon mijn oren niet geloven. Tom wist hoe belangrijk ik dit vond en hij wist hoe graag ik mijn vader wilde zien, maar hij had evengoed dit moment uitgekozen om me door het dolle te brengen. Wij kwamen bij de rieten muur van het immigratiekantoor, terwijl ik tegen Gordon liep te foeteren dat hij Tom niet op zijn huid had gezeten om te gaan – of zelf niet was gegaan – en raakte erg verhit. Ik liep de hut in en mijn ogen vielen op Tom. Toen zag ik met wie hij stond te praten. Iedereen juichte toen we elkaar om de hals vielen en ze legden uit wat er was gebeurd.

Mijn vader had twee dagen aan de kant van Senegal gewacht en aan iedereen die over de grens kwam gevraagd of men ons gezien had. Niemand. Hij liep de brug naar de grenspost van Mali over om het daar te vragen, maar ook zij hadden ons niet gezien. Iedere dag liep hij naar de andere kant en men gaf hem eindelijk toestemming om met een tijdelijk visum de trein naar Kayes te nemen. Als we vandaag niet waren komen opdagen, zou hij op de trein zijn gestapt. Hij was juist over de brug gelopen toen hij de Land Rover had zien aankomen. Na wat ‘kapitein Campbell neem ik aan?’-gedoe reden ze samen terug om op mij te wachten.

Het wachten van mijn vader was niet geheel zonder incidenten verlopen. Toen hij bij de Senegalese grens was gekomen, laat in de avond, was hij door een jong meisje meegenomen naar wat hij dacht dat een pension was. Toen ze hem een kamer had binnengebracht, begon ze zich uit te kleden en hij had moeten praten als Brugman om een kamer voor zichzelf te krijgen.

Mijn vader en ik liepen samen in een flink tempo de brug over, wuivend naar de vissers beneden, die juichten dat de blanke man zijn dochter had gevonden.

‘Hoe gaat het met mijn kat?’ vroeg ik, na een snelle ronde over de familie en de vrienden.

‘O!’ lachte hij, in zijn schone westerse kleren en zijn malle strohoed op, ‘heel goed. Is weer aan het vechten geweest met een vos en kwam binnen met een kwaaie kop. Hij wou eten.’

Drijfhout is meer dan een zwerfkat die ik weer gezond had gekregen, hij is de schakel waardoor mijn vader en ik genegenheid voor elkaar tot uiting kunnen brengen.

We kwamen bij het eind van de brug en handelden de formaliteiten af.

‘Campbell?’ vroeg de beambte. ‘De Campbells komen eraan!’

Het was tijd voor een rustdag. Geheel afgezien van alles was er veel werk aan de winkel met de Land Rover, na die zware doortocht van de afgelopen twee weken.

We reden naar de rivier de Senegal en parkeerden hem daar twee dagen lang. Dat gaf mijn vader de kans om zijn rugzak leeg te maken, lekkers uit te laden en ons om ervan te genieten. Net als met de magische tas van Mary Poppins scheen er geen eind te komen aan de heerlijke uitstalling van presentjes, van mix voor kaassaus tot smeerolie.

'En een ietse-pietsje voor de avonduren!' zei hij, een fles Glenfiddich te voorschijn halend. Dat begon erop te lijken.

Het kamp was zonder hout – althans zo leek het. Mijn vader droeg armenvol doorntakken aan, maar die wilden niet branden. Wij kochten wat van een voorbijkomende houtverkoper, maar zelfs dat was niet genoeg.

Dit was de Sahel; een leraar had me verteld dat het er twintig jaar geleden had gewemeld van het wild, maar er door overbegrazing niets meer over was dan zand. Mijn vader en Gordon konden goed met elkaar overweg terwijl ze aan de Land Rover sleutelden. Zo konden Tom en ik even alleen zijn. Wij gingen naar de rivier om te zwemmen, te wassen en te luisteren naar de vogels die op het water klapten als gedempt dynamiet. Onze ruzies waren vermoeiend voor ons beiden, maar zo waren we altijd met elkaar omgegaan, met of zonder relatie.

Mijn vader had maanden getraind om met mij te kunnen meelopen.

'Ik wilde je niet vertragen,' zei hij.

Hij hield het prima bij en liep iedere dag een kwart – meestal het eerste, omdat het dan nog niet zo heet was.

Er kwam een truck voorbij.

'Moet je opletten,' zei ik.

En zoals altijd kwam er zo'n week handje uit het raam met een vragend gebaar, terwijl de truck snel doorreed.

'Nou, het begon allemaal... Hé, kom terug!'

Mijn vader en ik hadden vanaf mijn dertiende, toen wij met een jacht door het Caledonisch kanaal van Inverness naar de Schotse westkust waren gezeild, nooit meer tijd samen doorgebracht. Nu was hij op mijn terrein. Hier was ik de baas en hij had ermee ingestemd geen kritiek noch enig ongevraagd advies te leveren – dat waren mijn voorwaarden. Een van de problemen die ik met hem had, was het gevoel dat hij altijd over mijn schouder meekeek en wat aan te merken had op wat ik deed. Dat maakte me dermate onzeker dat ik niet in staat was ook maar iets goed te doen. Daarom had ik al mijn tochten op mijn manier gepland en uitgevoerd, strikt zonder enige bijdrage van hem.

Wij hadden een ragdun respect voor elkaar en hielden het op een armslengte afstand, en we spraken niet veel. Maar onderweg in de hete zon zei ik tegen hem dat er veel dingen waren die ik hem wilde zeggen die ik jarenlang had opgekropt.

'Ik ben hier om te luisteren,' zei hij.

Tom ging plat met dysenterie. Hij had hoge koorts, last van uitdroging en van die zielige uitstapjes van om het half uur naar de struiken. Hij raakte zóveel gewicht kwijt dat hij weinig weerstand overhield. Er komen nog veel meer maanden van hetzelfde, zei ik bij mezelf, en verder de woestijn in wordt het voedsel schaarser. Jezus, zou hij het wel halen?

Gordon en ik namen alle belangrijkste taken op ons, met enorm veel hulp van mijn vader, die gewoon níet wilde ophouden. Op een nacht werd ik om één uur opeens wakker van de wind. Er steekt altijd een harde wind op voordat het gaat regenen – de manier van de natuur om je een paar minuten de tijd te geven om je voor te bereiden op de stortvloed. Ik wekte Gordon en we zetten drie tenten op en verhuisden Tom.

Mijn vader werd wakker en begon hout te verzamelen voor de thee. Hij was hondsmoe, maar ging over op de automatische piloot, denkend dat het ochtend was en tijd om op te staan. Terwijl ik hem naar een tent trachtte te dirigeren, herinnerde ik me een oud gezegde uit Zaïre: 'Hij die de olifant wil opdrijven, moet rekening houden met de richting die de olifant zelf inslaat'.

De omgeving bestond uit niets anders meer dan zand en stof. Je kon het volgende dorp ver weg zien liggen, gekenmerkt door de moskee – er waren geen scholen of klinieken, alleen moskeeën. De Fulani drijven hun dieren naar de rivier om te drinken. Zij komen per soort – eerst de ezels, dan de geiten en vervolgens de speenvarkens. En de Wolof brengen hun schaapjes. Ze zijn zó vredig, dat ze het temperament van hun herders schijnen te hebben. Wij brachten de dagen door met het zoeken naar iets kouds om te drinken. Het Katadyn-waterfilter was zo verstopt geraakt dat het niet meer te repareren viel, dus kookten wij al ons drinkwater eerst. Het kreeg nooit de tijd om af te koelen, dus dronken we het heet. Men scheen verrast toen we om bier vroegen. De plaatselijke bevolking dronk het wel, maar niet *warm*.

Toen kwamen we in een gedeelte waar, voor de eerste keer tijdens mijn reis, de dorpelingen elektriciteit hadden en koude Coke! Ze hadden ook massa's chocoladeprodukten in hun kleine winkels, en al die suikertoevoer bracht ons danig uit balans. Er was geen verse groente of fruit, afgezien van de bekende mango, maar voldoende blikjes. Wij aten laxerende middelen bij iedere maaltijd en duimden. Langs de rivier was zó weinig hout te vinden dat we de niet opgebrande uiteinden nat maakten, ze op de motorkap bonden en meenamen. Jammer genoeg werkte de wind als een blaasbalg als de jongens reden en werd de hele voorruit verduisterd door rook en vervolgens vlammen! Er kwam een akelige geur van het brandende hout af.

'Heb je erop gepist?' vroeg mijn vader.

'Ja,' zei Gordon, 'dat doe ik om water te sparen.'

Toen kwam er een stuk macadamweg, waar de bevolking onvriendelijk was. Daar liep ik, zoals gewoonlijk omringd door kinderen, maar die wilden niet spelen of mijn hand vasthouden en ook reageerden ze niet op het gromspelletje. Ze jouwden me uit en joegen me achterna; toen begonnen ze met stenen te gooien. Tom had een ontzettend sterk beschermend gevoel jegens mij, zó sterk zelfs dat hij, half in een delirium op zijn kampbed, wakker was geworden en schreeuwde: 'Fi had hier al moeten zijn, nog vijf minuten en dan gaan jullie terug, want ze heeft moeilijkheden.'

Inderdaad was ik in de verte net zichtbaar.

De oorzaak voor deze plotselinge vijandigheid was te wijten aan buitenlanders. En wij ontdekten dat dit traject deel had uitgemaakt van de Parijs/Dakar-rally, en de wagens hadden een heleboel kippen doodgereden. Toen mijn vader, op zijn beblaarde voeten, en ik door een dorp liepen, begon het gejoel. Het begon zachtjes en ongeregeld, maar toen kwam het in een ritme, werd het luider en dreigender. Het was weleens goed dat er iemand anders hier was om het mee te maken, maar het vergalde de wandeling voor hem. Ik denk dat hij zich erg moest inhouden om dit door ons te laten afhandelen – uiteindelijk was hij toch mijn vader en hij zag hoe zijn dochter in de problemen kwam. Maar ik wandelde er met behulp van mijn team ook weer uit.

Aan het eind van de week reden we naar de rivier. De avond viel voordat wij daar aankwamen, en in het licht van de koplampen zagen we twee stenen zuilen met een versierde top opdoemen – een poort die ergens heen leidde. Toen we erdoorheen reden, zagen we de omtrekken van siertuinen en begrepen we dat we op iets groots gestuit waren. Hier had blijkbaar ooit een fraai, koloniaal landhuis gestaan, met drie verdiepingen, zuilen en stenen trappen, maar het stond er nu verlaten en vervallen bij.

We zetten ons kamp op en besloten de volgende ochtend de rivier te zoeken. De huisbewaarder verscheen met een kip in een zak en vertelde ons het verhaal van dit landgoed.

'Het huis was tijdens de onafhankelijkheidsstrijd in beslag genomen. Wij hebben het laten staan om onze kinderen te laten zien dat we hebben gevochten en gewonnen!'

Dit was een bekend thema in Afrika. De overwinnaars gaan niet in de huizen van verdreven zendelingen of kolonialen in de rimboe wonen, ze maken ze kapot en gaan er vervolgens naast wonen. Dat deed me denken aan koppen op palen.

Wij verplaatsten ons kamp naar de rivier, waar de kinderen ons echter niet met rust lieten. Ze wilden vechten en treiterden ons, daagden ons joelend uit, tot één brutale deugniet te ver ging. Tom rende hem uit alle macht achterna en gooide hem halsoverkop in de rivier. Gordon haalde hem in en zwom hem achterna. De jongen was zó bang dat hij desnoods naar Mauretanië zwom! Later kwamen er een paar vrouwen en ik bood hun aan voor ons de was te doen tegen een lage vergoeding. Dat maakte mijn dag fantastisch – mijn sokken zouden me wel een paar uur in beslag hebben genomen, laat staan de jurken en de lakens.

Die avond, buiten het kamp, bespraken Tom en ik zijn vervolgtaak. Hij kon de verantwoordelijkheid voor de Land Rover of mijn veiligheid niet opgeven en de spanning vrat aan hem. Hij kon het niet verwerken en verhaalde dat soms op ons allemaal. Hij was nu ook fysiek verzwakt en dat zou nog erger worden als we verder de woestijn introkken.

'Je moet deze spanningen onder controle krijgen,' zei ik. 'Denk erover na als je een beetje gekalmeerd bent en geef me uitsluitsel als mijn vader vertrekt. Dan kan hij Shuna opdracht geven een andere chauffeur te zoeken.'

Ik wilde niet dat hij vertrok. Dat zou betekenen dat ik een groot bedrag moest uitgeven dat ik niet kon missen, en het zou voor Shuna en ons weer extra gedoe geven. En ik wilde dat hij bleef, omdat hij dan de wandeling kon voltooien. Bovendien had ik hem nodig om zijn energie, zijn humor en ongelooflijke inzet wat de tocht betreft.

Onderweg met mijn vader, op een doodsaaie grindweg met doodsaaie rechte bermen tot aan de verre horizon, sprak ik over deze spanning tegen iemand die daar alles van af wist.

'Mag ik je hier van advies dienen?' vroeg hij voorzichtig.

'Kom op nou,' zei ik.

'Als wij op oefening waren, konden wij meestal een vervanger krijgen die het overnam als iemand van ons gewond raakte of niet meer verder kon. Ik vind dat je moet overwegen hem naar huis te sturen en een frisse kerel laten komen.'

'Ja, ik heb hem gevraagd erover na te denken.'

De logistiek rond dit alles wierp ook een heleboel conflictstof op, want als ik hem ontsloeg, zou ik mijn vader om een lening moeten vragen teneinde de kosten van zijn vertrek en van het aanstellen van een nieuwe chauffeur te dekken. Ik was nooit meer dan twee keer in mijn leven in een situatie geweest waarin ik hem om geld had moeten vragen, en had hem ook steeds binnen twee maanden terugbetaald. Deze keer kon ik niet garanderen dat ik aan het eind van de reis geld zou hebben – en vijf asbakjes van malachiet zouden de balans niet in evenwicht brengen. Maar de gezondheid van Tom en het succes van de tocht waren belangrijker dan een beetje gekwetste trots.

'Als hij gaat, kan ik me niet veroorloven de vliegreis te betalen en een nieuwe chauffeur aan te stellen. De kosten van de Land Rover en de aanstelling van Gordon hebben het budget voor onvoorziene uitgaven uitgeput. Hoe denk je erover mij duizend pond te lenen? Ik moet je erbij vertellen dat ik blut ben, helemaal niets bezit en je misschien gespreid over een jaar kan terugbetalen.'

Ik bereidde me voor.

'Geen probleem. Laat het me gewoon weten en ik maak het geld aan Shuna over.'

Op de dag dat mijn vader vertrok en we op de bus stonden te wachten die hem naar Dakar zou brengen, vroeg ik Tom wat hij besloten had.

'Kun je die stresstoestanden aan, denk je?'

'Ik zet me helemaal in voor de tocht, zoals ik steeds heb gedaan. Ik wil blijven.'

'Goed dan,' zei ik, 'we gaan het weer proberen.'

Toen ik mijn vader bij het afscheid omhelsde, vroeg hij of hij naar Tanger mocht komen. Het leek wel alsof hij het had lopen opzouten; dit was misschien de eerste keer dat hij me ooit heeft gevraagd of hij iets voor me kon doen.

'Kom naar het feest in Londen,' zei ik. Ik wilde hem niet kwetsen, maar met die controversiële verhouding tussen ons zou het een schaduw over de prestatie van alle anderen werpen als hij daar zou zijn. Toen hij in de bus stapte, realiseerde ik me opeens iets. Ik stond stil toen hij wegreed.

13-5-1993. Ik schreef in mijn dagboek: *De wind gaat liggen na het ochtendbriesje. De lucht wordt heter. De weg lijkt wel nat, het stroomt. Heet op mijn borst. Gebons in mijn oren. Lichaam hijgt. Zoek de schaduw. Moet de eerste struik nemen, wachten tot een andere, en ik vecht, ben ongerust en maak ruzie met mezelf. Schaduw. Achterkant losritsen, achteruit reiken en fles pakken, beoordelen hoeveel ik nu nog te drinken heb, kleine druppels op mijn hand om armen en gezicht nat te maken. Omdraaien om het lichtste briesje of de koelte op te vangen.*

Als de lucht een bijzonder stilstaand en verstikkend hoogtepunt bereikt, begint de bries te waaien, als het van achteren komt, moet ik me omdraaien om af te koelen, mijn gezicht klopt, zo rood als een biet. Waterpauze wordt dansstop. De schok van de wind is koud op mijn lichaam als ik me in water dompel, hijg naar adem, wil de juiste temperatuur vinden maar dat duurt maar een paar ogenblikken. Op de weg naar het westen was ik de hele dag op mijn hoede met die toenemende dorpen, vriendelijk, vredelievend blijven en mogelijke crises bezweren, al van tevoren AARDIG MOETEN ZIJN *vergt concentratie – het leidt je af maar wordt aangedreven door angst. Het dorp binnenwandelen, de eerste tekenen horen dat je opgemerkt bent zonder dat je iemand gezien hebt – het 'ba' van 'touba' (toerist) of 'dam' van Madame of 'Eh!', dat dreigende gerommel. Ik keer me naar hen toe en hef mijn hand op in een groet maar zeg nog niets. Dan komen de kinderen aanzwermen op de weg, beweging tussen de huizen als een vloedgolf die zich tussen de rotsen door perst, met geschreeuw, geklap en gegil van plezier. Ik wuif naar ze en forceer een brede glimlach en grinnik drie keer om mijn gezicht te ontspannen. Ik zeg 'Ça va?', dan vragen ze het terug en ik zeg 'Ça va bien' en blijf lopen, lopen, lopen, groetend terwijl ik loop – ik probeer diep in de schaduw van het afdak te kijken, zorg ervoor gelijkmatig en vriendelijk te blijven.*

Maar als ik handen schud, komt er een onderbreking, dan hebben ze niet langer eerbied en zwermen ze om me heen, wachtend op het juiste moment, onder het aanheffen van lawaai. En ik moet erop letten niets te doen wat zij kunnen naäpen of waar ze allemaal aan mee kunnen doen – iets wat hen verenigt tegen mij, wat mij als eenling afzondert, waardoor ze zich realiseren dat hier iets heel kwetsbaars loopt waarmee ze kat en muis kunnen spelen.

De Land Rover moest aan het eind van elk dorp op me blijven wachten omdat het stenen gooien zo erg werd. Een steen die je op je hoofd raakt, kan je ernstig verwonden. De volwassenen kan het geen barst schelen en houden hun kinderen niet in toom. De vrouwen bleven zitten kijken. Ze hadden de huid om hun mond paars geverfd, net als Dibble uit *Top Cat*.

Het landschap veranderde: de grond bestond nog steeds uit geel zand, maar er stonden meer palmbomen. Ik noemde ze de medusapalm, omdat hun takken zich bewogen als slangen. Het leek wel een slaapkamer, geen losse bladeren op de grond, alleen maar zand, en bomen die erbovenuit staken, en de vrouwen liepen er rond alsof ze binnenskamers waren. Elke verhoging in het landschap heeft aan de zuidwestkant een duin – elke twijg, elke geitedrol en elke grote tak.

Wij kwamen in Richard Toll, waar de winkels voornamelijk bagage verkochten, en we ontdekten er een bar met koud bier! Toen ik dat in mijn keel goot, voelde ik een immense opluchting, alsof ik ziek was en net op het nippertje bij de dokter was gearriveerd.

Wij dronken in een roze, koloniaal hotel met half begraven wielen bij de ingang als een karikatuur van het monster van Loch Ness, en bougainvillea die op de patio tegen een raster opklom, aan de rivier de Senegal. Voor de eerste keer in weken vond ik een deur die ik op slot kon doen. In plaats van verse croissants was nu het kenmerk van de beschaving geworden dat ik na maanden naar het toilet kon zonder dat er kinderen naar me stonden te kijken, gewoon even de deur achter me kon dichtdoen en totale privacy kon genieten. Er waren geen raampjes. Ik was aan de blik van iedereen onttrokken. Ik bleef daar lange tijd voordat ik terugkeerde naar de bar.

We konden òf een nachtje blijven zonder dronken te worden, òf dronken worden en ons later druk maken over een kampeerplaats. We kozen voor het laatste. Die avond verloor ik mijn zelfbeheersing. Niet door de drank, maar door mijn eigen opgekropte zenuwen. Niet zozeer vanwege de stenigingen of wat dan ook tussen blank en zwart, maar juist dat grijze gebied van principes in mijn hersens waar geen landkaart voor bestaat.

Alsof ik op een zeepkist in Hyde Park stond, kwam alles eruit waar ik in geloofde en spuugde ik uit waar ik níet in geloofde, in een poging te ontdekken wat ik nu met Tom aan moest. Als ik dat allemaal in dagdromen door elkaar had gehaald, ontstond er een flinke crisis, meestal aan het eind van de dag. In flagrante tegenstelling daarmee liep ik overdag langs hele gezinnen, waar de jongeren omringd zijn met opvoeding in goed en kwaad. Maar ook zij komen hiermee in contact wanneer ze naar de stad vertrekken, want opeens is er dan niemand meer die hen in het gareel kan houden. Misschien worden ze gek, net als ik, schreeuwend van razernij, in hun geest speurend naar een kwestie om kwaad over te worden. Jezus, was het maar zo gemakkelijk als gewoon onderdrukt te worden.

Ik wist dat ik mezelf kon kalmeren, maar dat wilde ik niet – net als met huilen, moet je het er soms uitgooien. Toen ik klaar was met mijn tirade ging ik aan de oever van de Niger in de hangmat liggen. Toen Gordon en Tom wilden vertrekken, reden we de jungle in en zetten het kamp op.

Ik liep de volgende ochtend naar de grens bij Richard Toll, waar we de veerboot naar Mauretanië namen. Dit was de eerste keer dat ik ons feliciteerde met een nieuw land, toen we de tweede grenspost voorbij waren. Dat had ik niet moeten doen.

De baas van de veerboot wilde me voor een vrachtwagen laten betalen omdat we een aanhanger hadden. Dat was flauwekul. Ik legde hem het verschil in gewicht uit en dat voertuigen van toeristen volgens zijn eigen tarief een tiende daarvan kostten. Toen begon Tom zich er schreeuwend mee te bemoeien. Op die manier kun je met Afrikanen niet tot een overeenkomst komen; ze beginnen gewoon te lachen. Het bezorgt hun veel plezier als een blanke opgewonden raakt, omdat dat zo gemakkelijk het geval is. Uiteindelijk kreeg ik hem toch zover dat hij het normale tarief accepteerde.

Toen toonden we onze passen. Ze werden afgewezen omdat onze visums verlopen waren. De consul in Bamako had ze verkeerd uitgeschreven. Dat had ik moeten controleren. Maar het visum van Gordon was nog één dag geldig, dus lieten ze hem door om naar Nouakchott te gaan, waar hij ze kon laten verlengen. Toen veranderden ze van gedachten en zeiden dat we allemaal terug moesten naar Dakar om nieuwe te halen. Dat betekende dat we een halve dag moesten wachten, acht uur terugrijden, twee dagen wachten tot na het weekend, nog twee dagen om de visums te laten uitschrijven, acht uur terugrijden, een halve dag wachten op de veerboot en nog weer een paar uur voor we de grens over waren. Wij vroegen of er geen andere mogelijkheid was om dit probleem op te lossen, maar de wet van Murphy verordonneerde dat dit de eerste douanebeambte op onze tocht was die geen smeergeld wilde aannemen.

Wachtend op de boot terug ging ik naar de rivier om alle troep uit te wassen die zich in mijn dagtas had opgezameld. De pillen tegen de blaasontsteking waren gesmolten en hadden alles een giftig geel kleurtje meegegeven.

Ik zat op een golfbreker van beton met schelpen, met een stuk gewone zeep en een boender. Ik gebruikte maar zelden iets van de toiletspullen in de Land Rover, voornamelijk omdat ik vergeten was wat ik allemaal had, maar ook omdat ik het leuk vond mezelf af en toe te trakteren op een oppeppertje door alles eruit te halen en te bekijken, zoals Mr. Fox de eieren in het nest van Jemima Puddleduck natelt.

Er kwam een tenger meisje spelen bij de toilettafel van grote zus en toen ze de spullen voor me had schoongemaakt, liet ik haar experimenteren. Ze ging er met een rechte rug voor zitten en wist precies waar alles voor diende. Ze raakte alles even lichtjes aan en koos het meest glimmende uit, waarna ze de dop eraftrok. Ze bracht de lippenstift volleerd op en tuurde naar mij voor goedkeuring, terwijl ze over haar volle onderlip streek. Evenals mijn mammie mij had voorgedaan, rolde ik mijn lippen naar binnen om de kleur goed te verdelen. Ze deed die beweging na en begon te giechelen; toen bedekte ze haar mond een beetje verlegen met haar hand. Ik sprenkelde wat geparfumeerde olie op haar vuile pols, deed er een armband omheen en begon aan haar haarverzorging – shampoo met ontklitter voor een warrige bos, dreadlocks waarin stukjes stro zaten en bruin waren van het stof. De sessie kwam na verloop van tijd tot een eind toen ze me vragend aanstaarde met een tampax in haar hand.

Terug naar Dakar dus, waar we de aanhanger bij de eigenaars van de auto in Richard Toll achterlieten. Daar verbleven we twee dagen, en in die tijd gebeurden er twee belangrijke dingen. Allereerst was het gedrag van Tom niet in het minst veranderd en ik besloot dat hij in Nouakchott zou vertrekken. Voor ons uit lag de woestijn, en die is niet zo vergevensgezind als wij mensen. Ten tweede liepen we opnieuw tegen de Amerikaan op die in Agadez al zoveel faam had gemaakt.

Hij had zich rustig gehouden tot aan Bamako, waar we hem de laatste keer hadden ontmoet, maar had in Ghana vier dagen vastgezeten, op verdenking van spionage.

'Je hebt ze toch niet verteld dat je journalist bent?' vroeg ik.

'Jazeker wel.'

Hij bleek niet eens een echte journalist te zijn, maar was door de redactie van het plaatselijke sufferdje thuis gevraagd om iets over zijn reizen te schrijven als hij terugkwam.

Ik belde Shuna. Die was al bezig geweest met de lijst van reservechauffeurs en ze had er een paar gevonden. Ze faxte ook instructies van Stan, een chauffeur van Encounter Overland, die de grens tussen Mauretanië en de bezette Westelijke Sahara pas geleden was overgegaan.

Wij brachten het weekend door aan het strand. Dat was niet zo'n weekend als van de Bounty-reclame. Oude vrouwen met kromme benen die zout wonnen in ronde vijvers. Daarachter een betonnen fabriek die stof uitbraakte dat de bomen bedekte en zo wit was als sneeuw. De onderaardse schokken in de mijnen veroorzaakten scheuren in de huizen. Niemand deed er wat aan, ondanks vele gevallen van ademhalingsmoeilijkheden in het gebied. Men heeft er geen stem om die te verheffen – zelfs geen kraakstem – tegen de enorme macht van de handel en corruptie.

Ik wilde dat het zich niet zo voortsleepte. Ik wilde dat Tom wegging. Ik wilde fris beginnen. Ik wilde zijn plannen niet aanhoren over wat hij vervolgens ging doen. Allemachtig, ik wilde er ook aan ontsnappen, maar dat kon niet. Ik voelde dat hij opgelucht was dat hij kon gaan, zag de stress verdwijnen en merkte dat hij mentaal opknapte. Het enige dat ik kon doen, was bij mijn beslissing blijven, toen ik hem zo ontspannen zag.

De visums waren in één dag klaar, dat was het snelste dat ik ooit heb meegemaakt, en we reden die avond nog terug. We namen de eerste overtocht met de veerboot, passeerden de grens en feliciteerden elkaar. Toen de mensen in Senegal om een 'cadeau' hadden gevraagd en wij uitlegden dat we nog een verre reis te maken hadden, vroegen ze ons waar we heen gingen.

'Naar Mauretanië.'

'O,' hadden ze gezegd, 'dan heb je alle spullen nodig die je hebt.'

Senegal was met Mauretanië vergeleken een rijk land; de chauffeurs moesten nu voor water betalen. Vier dagen lang liep ik rechtstreeks naar het noorden, naar Nouakchott, 'de plaats van de winden'. Het landschap was als een Hollywood-woestijn, grote, gele duinen die de weg op kropen. En de wind! Maakt niet uit in welke richting je loopt op een continent, je hebt altijd tegenwind. Dit was een koude wind, die rechtstreeks van de Atlantische Oceaan kwam en tot diep in de nacht waaide. Er zat ziltigheid in de lucht; we naderden de zee. Na de oranje duinen, zo volmaakt gebeeldhouwd als origami, begon het grijswitte zand, vlak land met polletjes gras.

Er was geen hout, daarom gebruikten we kameelmest en we experimenteerden met de verschillende graden van versheid. Het brandde heet en snel en verkruimelde dan tot stoffig poeder, wat de kooltjes daaronder vochtig maakte. Dat is nou iets wat je je kleinkinderen vertelt, zei Tom – thee zetten op kamelestront in de Sahara. Ik vond dat het goed zou verkopen in het westen, milieuvriendelijke brandstof, vooral als barbecuebriketten voor yuppies.

Ik droeg mijn kaffiyeh altijd over mijn hoofd – ik had nauwelijks zonder het ding gelopen, dus was het niet zo'n grote verandering. Maar mijn lange jurk was wèl een probleem – de tegenwind was zó sterk dat hij als zeil fungeerde en me naar achteren drukte.

Als ik de tenten van de nomaden passeerde, hieven de vrouwen een leeg glas op, wat betekende dat ze me iets te drinken aanboden. Soms dook ik even in de schaduw om van de muntthee te genieten.

De kinderen bleven agressief. Ze hadden een militante, bevelende klank in hun geroep, zoals 'Kom hier!'; het leken wel kleine sergeant-majoors. Ik riep terug dat ze bij me moesten komen als ze met me wilden praten. In een bepaald dorp liep het dusdanig uit de hand dat ik op zoek ging naar het dorpshoofd. Ik begroette hem zoals ik overal in Afrika gedaan had, gebruik makend van de plaatselijke begroetingsgewoonten, en stak mijn hand uit. Toen hij dat zag, sprong hij achteruit, sloeg met zijn handen in de lucht, waarbij hij een geluid maakte als een schoolmeisje dat een dooie rat in haar schooltafel vindt. Ik wist niet dat het hier de gewoonte was dat mannen en vrouwen elkaar niet aanraakten. Wat zal dàt een opwindende seks opleveren.

Wij kwamen in Nouakchott aan, een stoffige, winderige stad met lage, betonnen gebouwen en met zand bedekte straten. Daar haalden we wat post op bij de poste restante. Voor het eerst waren er brieven voor Tom – tot nu toe hadden zijn vrienden niet geweten hoe ze hem te pakken konden krijgen. Ik wist wat voor afknapper het voor hem was geweest zich te verheugen op een poststop en dan te ontdekken dat er geen post voor hem was.

Ik kreeg Tom op de standby-lijst voor de vlucht van die avond en de rest van de dag brachten we door met het uitzoeken van zijn spullen en het wegmeppen van vliegen in de openluchtcafés, waar we brieven schreven om mee te geven naar huis.

Er kwam een stel Europeanen het café binnen. Ze zeiden dat ze ons in Kano hadden gezien in het Chinese restaurant. Angelo was autohandelaar; hij reed de auto's vanuit Europa binnen en verkocht ze in West-Afrika.

'Maar de grens tussen Nigeria en Algerije is gesloten,' zei hij, 'dus ben ik via Marokko gekomen.'

'Wij hebben in Niamey lui ontmoet die de grens zijn overgegaan met een militair konvooi,' zei ik.

Daar had Angelo niets over gehoord en hij geloofde het ook niet. Maar het waren jongens die van een pleziertje hielden en ze vertelden ons over een plaats buiten de stad waar je kon kamperen. Ze kenden ook de manier waarop je op het stuk strand kon komen dat naar de woestijnoversteek naar Nouadibou in het noorden van Mauretanië leidde. Ze namen Gordon mee om het hem te laten zien. Toen hij terugkwam, keek hij zorglijk.

'Die Land Rover krijg je onmogelijk over dat stuk zand zonder voortdurend te moeten graven,' zei hij, 'en dat stuk is nog maar het begin.'

Het was 500 kilometer naar Nouadibou, tien dagen lopen. De aanhangwagen zou in het begin vol zitten met water en dus onmogelijk zwaar. Er was nog een andere route die het binnenland in leidde en daarna westwaarts naar de kust, maar dat zou een maand aan de wandeling toevoegen – en het was onmogelijk om voor een maand lang water mee te nemen.

Ik zei: 'Misschien vind ik kamelen voor het stuk langs het strand. De Land Rover zou kunnen omrijden en me aan de andere kant opwachten.'

De avond viel en we reden Tom naar de luchthaven. We deden er luchtig over en haalden herinneringen op aan de goede momenten.

'Tja, terwijl jullie door de woestijn zwoegen, ben ik op weg naar het land van Haagen Daaz.'

'Rot op jij, Metcalfe,' zei ik en gaf hem een stomp. 'Ik hoop dat je erin stikt.'

Hij kon met de vlucht mee; wij zwaaiden hem uit en keerden terug tot de wandeling.

Gordon zei: 'Het is een verlies.'

Ik zei: 'Het is beter zo.'

Het was zo'n intense relatie, met zulke ongelooflijke hoogtepunten en radeloze dieptepunten, dat ik geen energie meer overhield.

Toen Gordon en ik naar de woestijn reden en in de duisternis het kamp opzetten, zag ik het vliegtuig opstijgen. Ik wist dat hij in die voorbijtikkende seconden steeds verder weg ging. En ik wist ook, dat wanneer ik weer begon te lopen, elke stap de afstand tussen ons zou verkleinen. Het enige wat ik ervoor moest doen, was 4.000 kilometer lopen en dan zou ik hem weerzien.

32

Wij hadden een lange weg voor de boeg en nog heel veel te doen voor ik aan de wandeling kon beginnen.

G had een brief voor me achtergelaten waarin hij schreef dat hij de grens niet over was gekomen en vanuit Nouadibou naar huis was gevlogen. Hij had geen reizigers ontmoet die naar het noorden gingen of er over horen vertellen. Hij drong er bij ons op aan dat we, als we een illegale doortocht wilden wagen, een gids tot aan Nouadibou zouden nemen, nog vóór het mijnenveld – hij had een Brit ontmoet die met zijn Land Rover had willen oversteken. Hij raakte die in het drijfzand kwijt en had er vijf weken over gedaan om hem er weer uit te krijgen.

De volgende dag begonnen we aan de toegestane weg die over de grens leidde. Wij gingen naar de Britse consul, een fantastische dame die haar eigen fabriek voor kameelmelk dreef. Ze was een Schotse, maar met een Mauretaniër getrouwd en sprak vloeiend Arabisch. Ze ging gekleed in de plaatselijke kledij en schreef voor ons een brief aan de minister van Binnenlandse Zaken.

Wij gingen ook op bezoek bij de Canadese consul, van wie de Encounter Overland-chauffeurs zeiden dat hij op de hoogte was van de bureaucratie hier te lande en die ons zou aanbevelen bij de minister.

Hij liet ons zitten en zei: 'De grens is gesloten. Enkele personen kwamen er met toestemming van de minister nog door, maar in februari heeft hij een telex naar alle consuls gestuurd met de boodschap dat er geen toestemming meer zou worden gegeven om de grens over te gaan.'

Dit was een behoorlijke klap. Maar de chauffeur van Encounter Overland was illegaal gegaan door een gids te huren die hem door het mijnenveld kon loodsen. Wij hadden de naam van de gids, dus indien alle deuren gesloten bleven, moesten we die proberen.

De landmijnen waren gelegd door de Spanjaarden, de Mauretaniërs en de Marokkanen, en opgegraven en opnieuw gelegd door Polisario. Niemand wist waar ze lagen, behalve dat ze in het zand lagen en dat de duinen zich verplaatsten. De Westelijke Sahara was een Spaanse kolonie geweest. Van de ene dag op de andere hadden de Spanjaarden ze opgegeven, maar ze hadden het verdeeld: Marokko had tweederde gekregen en Mauretanië eenderde. De Mauretaniërs deden hun derde deel over aan Marokko, omdat ze het zich niet konden veroorloven tegen de Polisario te vechten. Dat waren de vrijheidsstrijders voor de bevolking van de Westelijke Sahara, die hun land terug wilden. Zij vochten een zeventien jaar durende oorlog tegen Marokko, dat geld kreeg van Algerije, omdat het een haven aan de Atlantische kust wilde. Marokko legde de kwestie voor aan het Internationale Hof van Justitie en vroeg om een referendum teneinde de geschillen bij te leggen. Het Hof stemde daarin toe en gelastte de Verenigde Naties erop toe te zien dat de mensenrechten werden geëerbiedigd. Intussen had Marokko duizenden Marokkanen in de bezette Westelijke Sahara overgebracht om de verkiezingsbasis te verbreden, maar de Polisario weigerde onderhandelingen te voeren als die niet verdwenen. Om de verwarring nog groter te maken, had Mauretanië de grens met de bezette Westelijke Sahara gesloten, om wat voor reden dan ook, maar de grens van de bezette Westelijke Sahara was open. Dus kon je tamelijk eenvoudig van het noorden naar het zuiden de grens over, maar niet van het zuiden naar het noorden.

Wij stuurden Shuna een fax over de nieuwe chauffeur. Ze had voor Peter Gray gekozen, met wie ik een gesprek had, maar van wie het visum geweigerd was door de Mauretaanse ambassade in Parijs. Ze probeerden het opnieuw. Het zag ernaar uit dat we ongeveer tien dagen lang in Nouakchott zouden zitten, om de reparaties aan de Land Rover uit te voeren en voorbereidingen te treffen voor de doortocht door de woestijn – genoeg tijd voor hem om opnieuw een aanvraag in te dienen, zijn visum rond te krijgen en hierheen te vliegen.

Wij gingen naar de start van het traject door de woestijn, om te kamperen en ons plan de campagne uit te denken. Angelo arriveerde met zijn vriend Giorgio, die die avond ging proberen naar Marokko te komen. De eerste 170 kilometer van de route voerde rechtstreeks over het strand, daarna zou hij landinwaarts gaan en 355 kilometer woestijn moeten overbruggen naar de grens. Hij moest 's avonds vertrekken, in verband met de getijden, want om de vier uur komt het water tot aan de mulle zandduinen. Toen het onze beurt was om het te proberen, beseften we dat we werkelijk in de problemen zouden komen als de Land Rover niet tegen de duinenrij op of er niet van af kon komen. Gelukkig zou het geen vollemaan zijn.

Na het eten waste Giorgio zijn bord af, stapte in zijn 4 × 4, stak een sigaret op, wuifde en vertrok – in de verkeerde richting. Even later kwam hij terug en hielpen we hem duwen door het diepe zand naar het strand.

Een jonge Belg kwam bij ons kamp zitten. Hij hoopte met zijn motorfiets naar het noorden te komen, maar zat ook vast in verband met de toestemming. Aha – Gordon en ik keken elkaar aan – een paar extra handen! Het zou me een hoop geld schelen als we hier een nieuwe chauffeur vonden.

'Misschien kunnen wij samen iets regelen,' zei ik. 'Wij kennen een gids die ons erdoorheen kan loodsen. Wij hebben een extra man nodig en betalen je eten.'

Hij zei dat hij erover na zou denken en later terug zou komen. Maar toen wij hem de volgende ochtend spraken, zagen we wel in dat hij niet het goede type was om zich in ons tempo voort te bewegen. Hij bewoog zich en sprak alsof hij onder hoogspanning stond.

Die nacht was het ijskoud, met een stormachtige wind die vochtige lucht over zee aanvoerde, en ik had me al een paar dagen tamelijk beroerd gevoeld. Nadat we de stad in waren gegaan om een garage te zoeken waar Gordon aan de Land Rover kon werken, reden we terug naar de woestijn en zetten rond het middaguur het kamp op. Ik rolde me op mijn bed op tegen het binnenwaaiende zand en mijn temperatuur schoot omhoog. Angelo kwam met zijn vriend Rosario, de Italiaanse consul en nog een Italiaan. Hij zou die avond naar huis vliegen en kwam afscheid nemen.

Rosario zei tegen zijn vriend 'Wat is zij mooi.'

Het antwoord, voor zover ik het kon verstaan, was: 'Ja, maar ze moet zich wel wassen.'

Ze beseften onmiddellijk dat ik een dokter nodig had en brachten me naar de stad. De dokter prikte en voelde en gaf toen zijn onderlegde diagnose ten beste: 'Blindedarmontsteking.'

De mannen die me binnen hadden gebracht, hielden hun adem in.

'Je zult naar Engeland terug moeten,' zei Angelo. 'Een dergelijke operatie kunnen ze hier niet uitvoeren.'

De dokter keek me met ernstige bezorgdheid aan.

'Ik denk dat het niet nodig is,' zei ik.

'Waarom niet?'

'Ik heb mijn blindedearm elf jaar geleden laten weghalen.'

Onderzoeken toonden aan dat het amoebische dysenterie was. Rosario bracht me naar zijn huis en reed naar Gordon toe om het hem te vertellen.

Vier dagen en nachten lang was ik vreselijk ziek, met buikpijn en diarree, erger dan ik ooit had gehad, waarschijnlijk omdat ik zoveel zwakker was geworden. Toen ik wakker werd, drong het opeens tot me door dat Tom er niet meer was. Het drong eveneens tot me door me dat ik nog een mijnenveld en een woestijn door moest en dat Gordon een klungel was.

Ik voelde me zo depri en leeg. We gingen een colaatje drinken en een Hollander kwam het café binnenlopen toen hij buiten onze Land Rover had zien staan. Die had hij in het toeristenkamp in Kano al gezien voordat Tom en ik waren aangekomen.

'Gaan jullie naar het noorden?' vroeg hij.

'Ja, maar we gaan in tien dagen in plaats van twee.'

De Hollander was niet verbaasd over mijn antwoord. Hij stelde zich voor als René en nam drie vrienden mee – twee meisjes, Helga en Karen, en een man die Hans heette. Wij gaven een rondje cola weg. Ze hadden heel westelijk Afrika doorkruist en gingen terug naar huis. Hans had verhoging en begon behoorlijk ziek te worden, dus stuurde ik ze naar de dokter die ik had geraadpleegd en we maakten een afspraak om elkaar later in een hotel in de stad te ontmoeten.

'Waar is Hans?' vroeg ik aan René, toen ik hem zag.

'Naar huis gevlogen. Hij heeft vermoedelijk tyfus.'

Ze hadden één mannelijk persoon minder, waardoor ze nog gretiger waren om met ons mee te gaan door de woestijn. Het maakte hen niets uit dat het zoveel langer zou gaan duren. Fantastisch! Nu hadden we het probleem opgelost van één chauffeur – Peter was opnieuw een visum geweigerd en hij zou ons in Dakhla, in Marokko, opwachten. Zo was ook het houtprobleem opgelost: de Hollanders hadden een fornuis.

Ik kon een getijdenkaart van de Franse ambassade krijgen, zodat we de kwarten tussen de getijden door konden plannen, binnen die drieeneenhalve dag op het strand. Wij hadden gehoord dat we in het laatste dorp aan het strand een gids konden krijgen die ons door de woestijn kon leiden. Het had geen zin om er een uit Nouakchott mee te nemen – die waren exorbitant duur, zelfs als je een normaal tempo aanhield.

Wij berekenden de hoeveelheid brandstof, water en voedselvoorraden die we moesten inslaan en verdeelden de lading over de twee wagens. Die van hen was een tamelijk nieuwe Land Rover 110 (gelukkig liep hij ook op diesel), met een extra brandstoftank, maar hij verdroeg het zand niet beter dan die van ons. We hadden drie zandmatten en drie scheppen over twee wagens verdeeld.

Terwijl Gordon de laatste hand legde aan de sleutelkarweitjes liep ik Nouakchott door naar de start van het strandtraject. Rosario kwam me halen om me terug te rijden. Toen ik bij de zee aankwam, kreeg ik in de gaten dat een belangrijke mijlpaal ongevierd voorbij was gegaan – ik had het zelfs niet als een mijlpaal herkend. Maar ik was voor het eerst op mijn voettocht vanuit Kaapstad bij de zee aangekomen. Amerika lag precies aan de andere kant van de oceaan; in feite wàs ik de wereld rondgewandeld!

We gingen op 11 juni 1993 om halfzes 's ochtends van start. Iedere stap was moeilijk. Mijn voeten zonken weg in het zand, maar ik herhaalde bij mezelf: 'Iedere stap is er één!'

Onze Land Rover moest over het moeilijke stuk geheel met zandmatten geholpen worden, maar toen hij eenmaal op het vlakke zand kwam, geen probleem, ze haalden me in en stopten na twintig kilometer op de hoge rand – dat was de afstand die ik kon afleggen voordat het tij keerde. De dolfijnen sprongen op uit het water en het leek alsof ze me aankeken. Heen en weer schoten ze, glijdend, spelend en etend, en dat tegen een pastelkleurige achtergrond van opspattend zeewater en geel zand.

Ik werd extatisch van de wind, de oceaan en het gemakkelijke lopen. Ik voelde me voor het eerst nadat ik ziek was geweest weer levendig. Het strand lag bezaaid met visjes, zowel heel als alleen graat, en dode haaien, waarvan de vinnen door de vissers waren afgesneden voor export naar China. Ik had nog nooit een hamerhaai gezien, laat staan er een geaaid – in één richting was hij glad, in de andere richting ruw als schuurpapier. De vissers langs dit strand hebben meestal geen boten omdat er geen hout is, dus riepen ze de in hulp van de dolfijnen. Door op het wateroppervlak te slaan, roepen ze die dieren, waarna ze de vissen in de netten van de vissers drijven. De overeenkomst die ze schijnen te hebben gesloten, is dat ze delen in de vangst.

Op de tweede dag begon mijn rechterknie onderweg pijn te doen. Op dat moment schonk ik er niet veel aandacht aan; waarschijnlijk was het alleen maar een lichte spierverrekking of peesontsteking, en ik meende dat het wel verholpen kon worden met een zwachtel. Maar tegen het eind van de dag kon ik er niet meer op staan. Daarbinnen was iets verrekt, misschien door het voortdurend schuin oplopende strand.

Ik startte de volgende ochtend na slechts een paar uurtjes geslapen te hebben vanwege het late tij, maar ik kwam niet verder dan twintig kilometer. Gordon was atleet geweest en wij gingen er allebei van uit dat mijn knie gewoon rust nodig had. Samen met de Hollanders had hij een kamp opgezet bij een scheepswrak. Daar rustten we zes uur lang, uit de wind, tot het tij keerde. Ik ging op weg in het donker, met mijn rechterschoen uit om tegenwicht te geven op de hellende vlakte. Dat werkte niet, dus ging ik op de duinen lopen, zodat mijn voeten niet zo neerploften. Ook dat werkte niet. Mijn knie knikte gewoon door. Ik wachtte op de Land Rovers.

'Het gaat niet,' zei ik. 'Ik heb langere rustpauzes nodig.'

'We hebben niet genoeg water om langer dan een dag te rusten,' zei Gordon.

Jezus, nog 100 kilometer op deze manier, en ik kon er nog geen tien doen! En daarna hadden we nog 500 kilometer rulle woestijn voor ons.

Het was gemeen koud en de wind huilde om de tenten, die klapperden als het slaan van een zweep. Al het beddegoed was vochtig en vol zand gewaaid.

Gordon wekte me vóór zonsopgang, zodat ik samen met het tij kon vertrekken. Ik nam pijnstillers in, zwachtelde mijn knie en strompelde weg. De pijnstillers werkten maar gedurende acht kilometer. Normaal gesproken zou ik ze niet hebben ingenomen, maar nu kon het niet anders. Ik slikte een cocktail van pijnstillers en kalmerende middelen en spoelde die weg met koffie.

De volgende tien kilometer liep ik zonder mijn rechterschoen. In het rulle zand liep het moeilijk; er was een constante concentratie vereist om de linkervoet op hogere stukjes en polletjes te zetten. Aangezien de pijn was verdoofd, liep ik ook het gevaar mijn knie verder te beschadigen. Daar moest ik mezelf aan herinneren op de momenten dat ik me liet meeslepen door het geweldige gevoel weer te kunnen lopen. Met nog veertig minuten te gaan, raakten de pijnstillers uitgewerkt. Ik voelde een golf van ellende op me afkomen en keek uit over de zee. Er dreef op de oceaan een albatros als een bootje.

Wij kwamen in het dorp Nouamghar, het laatste van de drie dorpen langs het strand en het begin van het Parc National de Banc D'Arguin, een reservaat voor wilde vogels. Het lag ook op de belangrijkste vouw in de kaart: daardoorheen gaan betekende dat we op het noordelijk halfrond kwamen.

Dit was een serieuze vouw, en het vouwfeest was dus ook serieus. We namen een rustdag en brachten de tijd door met water aanvullen en het bereiden van een heerlijk maal. René had twee grote, verse kreeften van de visser meegebracht. Helga en Karen maakten mayonaise en chips en bakten een chocoladecake met slagroom uit blik.

Ik kon me niet verroeren, gedeeltelijk omdat ik mijn been volstrekt in de hoogte moest houden, omwonden met een rekverband en een doek, gekoeld met zeewater en gedeeltelijk omdat ik een overdosis aan pijnstillers had genomen en onderuit was gegaan. Ik viel in slaap op het geluid van het kloppen van eierdooiers voor de mayonaise en werd even later weer wakker door hetzelfde geluid. Helga liep rond met een kom en een garde. Ik zag haar biceps uitstaan als de schaar van een wenkkrab.

De kampeerplaats werd geteisterd door vliegen, die wanhopig op zoek waren naar eten en vocht. Alles moest bedekt worden, en zelfs tijdens het hakken en het slaan van de room moest iemand anders de vliegen wegjagen bij de kok. Ze kropen op onze bezwete huid, in ons haar en op onze wonden. Evenals in de bossen gaan wonden in de woestijn niet dicht. Elk klein sneetje of schaafwondje moet onmiddellijk met zout water uitgewassen worden.

Gordon ging peddelen en verloor zijn teen bijna aan een kleine haai. Op vlak water kon hij niet toehappen; hij zwom weg en kwam terug om opnieuw een kijkje te nemen. Onverstoorbaar gingen Karen en ik het water in en ten slotte kwam Helga er ook bij. Het was vreemd, want ik had gedacht dat het traject door de woestijn in de zomer verschroeiend zou zijn en een duik in de oceaan ons zou afkoelen. Maar het was voornamelijk zó vochtig en koud dat we er bijna niet aan moesten denken nat te worden in die korte golfjes. Die dag was het echter heerlijk; de oceaan was diepgroen en de helderblauwe lucht weerkaatste op het natte zand. De lage golven liet strepen van fijne stukjes wier achter, wat me deed denken aan de peperkorrels langs de rand van de salami.

Wij gingen naar het kantoor van het Nationale Park om een gids te zoeken. De baas bood ons de diensten aan van zijn privé-chauffeur – geen limousine, wat we meenden te hebben gehoord, maar een oersterke Land Rover. Galo, een charismatische en komische vent die een goudgerande pilotenzonnebril droeg, was de beste woestijnchauffeur in de omtrek.

Hij zei dat er twee manieren waren om de woestijn door te trekken – de korte route hield in dat we drie rijen duinen over moesten, de lange route bestond uit een paar duinen, maar voornamelijk vlakke stukken. Wij kozen voor de korte route. Wij hadden een gids nodig omdat het geen zaak was van alleen maar een spoor volgen – die worden gewoon weggeblazen – maar er waren ook nog verscheidene stukken drijfzand.

Onze Land Rovers slurpten veel meer brandstof dan we verwacht hadden, afgezien van het rulle zand. Wij hielden voldoende in reserve, zodat, als we het niet konden halen, de ander vooruit kon rijden naar Nouadibou, brandstof kon inslaan en weer terugrijden. Wij kochten wat diesel van een passerende tankwagen, één van slechts drie auto's die we sinds Nouakchott gezien hadden, en vertrokken de volgende ochtend vroeg.

Mijn knie voelde een stuk beter aan op de vlakke grond, maar weldra begon hij opnieuw pijn te doen. Ik had een voorraad pijnstillers in mijn kontzak en vrat ze alsof het snoepjes waren. Ik werd misselijk van de medicijnen en voelde me zwak zodra ze uitgewerkt waren. De eerste dag ging het nog, maar toen we eenmaal de kenmerkende gele, halvemaanvormige duinen van de Sahara bereikten, was de pijn ondraaglijk. Onze Land Rover moest uitgegraven worden en met behulp van de zandmatten worden vlotgetrokken, om vervolgens nog een paar meter dieper in het zand te duiken. Helga, Karen en ik groeven, terwijl Galo aanwijzingen stond te geven en Gordon en René reden. Wij meenden dat Galo een gemakkelijke taak had; hij zei echter dat hij zijn energie spaarde – het zou nog veel erger worden.

Het waaide onophoudelijk. Het bulderde in mijn oren als een trein die door een tunnel zonder eind raast. Mijn jurken woeien op als spinnakers, tot ik ze kort afknipte. Ik droeg mijn kaffiyeh vast om mijn hoofd en leende Gordons ombindbare zonneklep, om de klep te vervangen die ik in Niamey was kwijtgeraakt, maar de randen van mijn ogen zaten evengoed vol zandkorreltjes, gehuld in slijm. Algauw merkte ik dat ik niet moest wrijven, want dan ging het slijmzakje kapot en schuurde het zand in mijn ogen. De wind ging soms tijdens het lunchuur liggen en dan werd de lucht zwaar van de hitte. Wij probeerden vervolgens te gaan slapen, maar dan kwamen de vliegen ons uit de slaap houden.

Daar stonden andere dingen tegenover. Ik zag prachtige, dieproze flamingo's, wenkkrabben die territoriumbewust met hun scharen zwaaiden – opvliegende beestjes, ze holden niet weg, maar galoppeerden. Ik zag ook goudkleurige jakhalzen, die lagen te rusten voordat ze in de nacht op krabben gingen jagen.

Ik raakte verdwaald. Toen ik boven op een duin kwam, waren de Land Rovers nergens te bekennen. Hun sporen waren weggeblazen. Je gevoel voor diepte verdwijnt. Voor een ongeoefend oog is het onmogelijk onderscheid te maken tussen een klein voorwerp in de buurt en een groot voorwerp in de verte. Verscheidene malen dacht ik de Land Rovers te zien en liep ik erheen, om even later te merken dat het een verwarde oude struik was. Ik kwam boven op een volgend duin en tuurde de horizon af. Ik voelde een golf van ongerustheid opkomen en ging zitten om mezelf te kalmeren. Ik dronk een beetje water en keek opnieuw. Een voor een verwierp ik elk donker voorwerp. Er bewoog iets. Ik keek er niet rechtstreeks naar, maar via de randen van mijn blikveld, vanwaar ik om een of andere reden duidelijker kon zien. Het waren de Land Rovers.

Vanaf dat moment besloten we dat ze bij elke verhoging op me zouden wachten. Dat legde een grote inspanning op de schouders van de anderen, omdat het voor hen gemakkelijker was naar een rustpauze te rijden, waar ze tijd te over hadden om de zeildoeken op te zetten als windschermen.

Mijn neus zat dichtgemetseld met zand, waardoor ik gedwongen was door mijn mond te ademen. Algauw had ik een enorm zere keel van al het zout en zand dat ik er had opgezameld. Mijn knie voelde aan alsof hij in een klem zat en waar van de zijkant een botte schroef werd ingedraaid. Naaldscherpe pijnscheuten gingen in alle richtingen. Tegen het eind van een kwart stonden de spieren in mijn knie volslagen op slot. Ik kon de Land Rovers op de volgende top zien staan, maar dat was vijf kilometer verderop. Een uur lang gebruikte ik dat been als een soort houten aanhangsel, waarbij ik het naar buiten zwaaide, niet in staat het te buigen, daarna ging ik erop staan, terwijl het andere been doorboog en de volgende stap nam. Ik had tegenwind.

Toen ik de Land Rover bereikte, hees ik me op in de beschutting van de cabine, waar ik in tranen uitbarstte. Gordon bracht me een kop thee en liet me alleen. Ik kreeg mezelf weer onder controle, stapte uit en ging verder.

Als ik 's avonds liep, waren er momenten waarop ik de lichten van de Land Rovers in de verte kon zien en dan draaide ik een scène af van wat ik zou doen als ik daar aankwam.

'Hoi, jongens!'

'Ha die Fi!'

'Hè, wat ruikt dat héérlijk!'

'Kom, ga gauw zitten, je ziet eruit als een vaatdoek.'

Pfff, ik ga zitten.

'Hè, wat heerlijk om te zitten.'

'Koffie?'

'Graag! En een saffie! Het leven kan níet beter zijn.'

Helga en Karen maken het eten klaar.

'Geef mij dat spul maar aan, dan snijd ik het,' zeg ik.

Ik laat mijn sigaret in het zand glijden, pak het mes en snijd de rest van de tomaten.

Galo is net een kat. Hij heeft de minste droge plekken gevonden en voelt zich heel gelukkig. René en Gordon praten over motoren. Helga zingt een liedje voor ons. Ik ben zo blij dat ik in het kamp ben, in mijn stoel kan wegzakken en mijn knie omhoog kan doen, wachtend tot de pijnstillers hun werk doen. O, tering! Opeens dringt het weer tot me door dat ik niet in het kamp ben, maar nog altijd in de woestijn zit. Ik ben gaan zitten en weggedommeld.

Het gebeurt nogal eens dat mensen heel dicht bij een kamp doodgaan. De overlevenden en redders vragen zich dan af waarom ze het opgaven terwijl ze het kamp zagen liggen. Ik kwam tot het inzicht dat ze het helemaal niet hadden opgegeven, ze dachten dat ze er waren en gingen zitten.

Een flinke tik tegen je kop brengt je weer in beweging, een goede stevige tred, dat been behandelen alsof het normaal is, jezelf pijn doen, daar word je wakker van en krijg je de zaak weer onder controle.

Ik kwam in het kamp aan en hielp mee met koken. Het was een anticlimax en ik wilde huilen. Er hadden klokken moeten luiden en vredesduiven moeten rondvliegen, of er had een zonsopgang moeten plaatsvinden, of wat dan ook. Dit was de manier waarop het ondersteunende team mij voor het grootste deel van de tijd zag: moe, hongerig, en opgelucht dat ik er weer was. Ongeveer vijf minuten lang deed ik knorrig, een reactie op het gevecht – ik had de energie niet meer om leuk te doen en blij te zijn, tot ik rustig zat en de boel losgelaten had, in het besef dat het nu geen droom was.

Wij hadden geen water om ons te wassen, alleen maar een halve mok om onze tanden te poetsen. Wij gebruikten zand om de borden schoon te vegen, maar dat moest wel snel gebeuren, anders was het voedsel opgedroogd. Zodra we klaar waren met eten hoorde je een plof als het eerste bord in het zand viel en dan werd er geschuurd, geschuurd met zand op het vuil. Met het tweede bord ging het schuren al een stuk moeilijker, maar ik bedacht er een oplossing voor – je knijpt het vocht uit je theezakje op het opgedroogde eten en dan haal je het er heel gemakkelijk af.

Ik stond voor zonsopgang op en haalde dan grote klonters zand uit mijn neus. Mijn sokken leken wel van karton en al onze kleren stonden stijf van het zweet, het zout en het zand. Wij hadden ons al in geen vijf dagen gewassen. Ik peesde flink door.

Als een gigantische bezem veegde de wind 's morgens los zand en puin van het noordoosten naar het zuidwesten, en 's middags weer terug van het noordwesten naar het zuidoosten. Het verse fruit was op, maar we hadden vruchten in blik gekocht. Een toevloed van suiker door de siroop, ook al was die voor het grootste deel uitgelekt, legde knopen in mijn ingewanden.

We waren inmiddels halverwege en je kon de dagen aftellen. Alleen onderweg liep ik aan fijne dingen te denken; oude dagdromen over snelle wagens waren achterhaald, die maakten niet langer deel uit van mijn wereld. Ik mijmerde over de gelukkige momenten met Tom, dacht aan eten en dan opnieuw aan Tom. Ik had zijn glimlach in mijn geest bewaard en ik keek ernaar alsof het een foto was, en dan dacht ik aan zijn grappige verhalen. Toen hij zes was, had hij een geweldige ruzie met zijn moeder gehad. Hij was naar haar slaapkamer gestormd om de kleine koffer te pakken die hij vaak in haar garderobekast had zien staan. Die had hij naar buiten willen trekken maar de koffer was ongelooflijk zwaar geweest. Zijn moeder was binnengekomen en had hem gevraagd wat hij aan het doen was.

'Ik loop weg.'

'Wat?' had ze gezegd. 'Met de naaimachine?'

Ik begon te grinniken en daarna te gieren van het lachen, en ik herinnerde me zijn gezicht nadat hij het verhaal had verteld. Daarna viel ik om van de pijn en schreef met mijn vinger in het zand:

THUIS
TOM

Met een pijl naar het noorden. Door de hele woestijn heen schreef ik dit in het zand, op een vlak stuk, waar het misschien nooit erodeert, en in de duinen waar ik struikelde. Ik bouwde een beeld op van een leven met ons tweeën in een huisje. Hij ging dan naar zijn werk en ik zou mijn boek schrijven, brood bakken en de zwerfkatten te eten geven. In Australië had ik geleerd dat kwaadheid je een duw in de rug kan geven, maar de liefde kan je van voren naar zich toetrekken. Ik sloot een overeenkomst, zoals altijd wanneer ik dagdroom: 'Je kunt van alles dromen, Fi, en alles werkelijkheid laten worden, als je er maar komt. Bewaar het gedoe met het uitrafelen van geestelijke spelletjes maar voor het eind.'

Men zegt dat er in de woestijn iets magisch gebeurt als je daar alleen in het niets staat en de stilte hoort. De tegenwind had altijd enige vorm van stilte onmogelijk gemaakt, en zelfs het rechtop staan, maar op een dag hield het opeens op. Het gekraak van mijn voetstappen over een vlak stuk werd zó luid dat het me eraan herinnerde stil te staan en te luisteren. De toon van de motoren van de Land Rovers en het dubbele geluid van koppelingen vóór me was na verscheidene minuten weggestorven, zodat er een volkomen stilte heerste. Ik hoorde alleen het bloed in mijn oren. Ooit had ik in een grot diep in de Mendip Hills de totale duisternis ervaren. Ik had de totale wildernis in Mali meegemaakt. Nu had ik deze stilte. Dergelijke dingen geven me het gevoel dat er een plek voor mij is, dat ik ergens deel van uitmaak en niet alleen maar moet vechten om te overleven, zoals in de stad.

De woestijn was onvruchtbaar, afgezien van schelpen en schitterend gebleekte witte botten. Ik dreunde als een machine de dagen door, en Gordon en onze Hollandse vrienden gaven mij volledige ondersteuning. Galo gaf me nog een extra injectie door te vertellen dat een Fransman een poging had ondernomen om de woestijn door te wandelen, maar na drie dagen had opgegeven. 's Avonds vertelden we schitterende verhalen – de mooiste die ik ooit had gehoord – omdat we allemaal de stand van zaken kenden en er niets hoefde te worden uitgelegd.

Op een avond na een bijzonder moeilijk stuk met duinen, wat vijf uur had geduurd om erdoorheen te trekken, kampeerden we in de luwte ervan. Galo begon te dansen. Hij nam ons mee naar de rand en wees naar het noordwesten. Je kon het niet zien als je rechtstreeks keek, maar vanuit de onderkant van onze ogen zagen we lichtjes.

'Nouadibou! Nouadibou!' zong hij.

We hielden een weddenschap hoever het was tot de legerpost aan de spoorlijn, waar we zouden stoppen, naar Nouadibou rijden, dat op een schiereiland ligt, en hopelijk terugkeren met een gids, om het mijnenveld te doorkruisen.

Galo zei 28; Gordon 45; René, Helga en Karen zaten daar een beetje tussenin.

Als het achtentwintig kilometer was, zouden we er vóór de lunch aankomen – tijd genoeg om de vijftig kilometer naar Nouadibou te rijden voor het donker werd. Met hoge verwachtingen gingen we de volgende ochtend van start. Karen, een pittige wandelaarster, liep een uur met me mee. Wij liepen langs harde, witte formaties met van die kleine golfjes, die ongelooflijk mooi zijn.

Ik liep tot de ontbijtpauze alleen verder in de luwte van een volmaakt halvemaanvormig duin.

'Nog elf kilometer te gaan dus, Galo?'

Galo begon er een beetje schaapachtig uit te zien.

Gedurende het tweede kwart trof ik de Land Rovers om de vier kilometer aan, zodat we elkaar in het zicht konden houden. Dit bleef zo urenlang doorgaan, doormalend op mijn knie, die het bijna begaf. Bij elk trefpunt was Galo een beetje dieper in zijn passagiersplaats weggedoken. Maar na vijfendertig kilometer zagen we de spoorlijn.

Yeeha!

Ik liep nog zes kilometer westwaarts langs het spoor naar de legerpost. Zij hadden een houten plankier aangelegd, vastgespijkerd op het spoor. Ik liep erheen, raakte de legerpost aan en omhelsde iedereen. Wij hadden het ergste stuk overwonnen.

De legerpost was slechts een verzameling lage stenen hutten, in een heuvel ingebouwd: een sombere en akelige plek om een post neer te zetten. De mannen droegen niet eens behoorlijke uniformen en het bleek dat ze hun schamele voorraden aanvulden door de reizigers om voedsel te vragen.

Galo legde uit dat wij op weg waren naar Nouadibou, maar de chef begreep niet waarom we er elf dagen vanaf Nouakchott over hadden gedaan. Hij kreeg argwaan en nam René en Gordon mee in een van de hutten. Ik stond de haren uit mijn kop te trekken omdat ik daar naar binnen wilde, maar aangezien ik een vrouw was, was het beter dat ik dat niet deed. Het duurde lang voor ze naar buiten kwamen.

'De chef wil de bewijzen zien van wat je doet,' zei Gordon.

Ik liet hem mijn getuigenboek zien.

Wij hadden Galo verteld, en nu vertelden we het aan deze mannen, dat we wilden proberen toestemming te krijgen Marokko binnen te gaan; als dat niet lukte, zouden we de Land Rovers naar de Canarische Eilanden verschepen en vandaar naar Casablanca, om vandaar uit verder te gaan. Ik neem niet aan dat Galo, die in dienst was van de regering, dit ook maar een beetje geloofde – hij had me door die woestijn zien ploeteren en wist dat ik geen stap zou overslaan. Maar om hem en onszelf te beschermen, hielden we ons aan dit verhaal.

Er loopt geen weg naar Nouadibou – alles gaat per trein en boot. Galo reed in een bloedvaart vooruit over het zand, het stuurwiel snel heen en weer draaiend om de banden greep te laten houden op het zand en hij gebruikte elk stukje verhard uitziend zand en elke struik of rots. Wij moesten een paar keer de matten gebruiken en raakten René kwijt toen Galo wegscheurde voordat zij een route hadden gevonden.

Wij gaven een lift aan een soldaat die te voet op weg was naar Nouadibou, maar hij hielp niet duwen. Op zeker moment hadden we onszelf juist uitgegraven en naar een stevig stuk terrein gereden toen René stopte. Hij stapte uit de Land Rover en zwaaide met iets dat op een stok leek. Toen hij dichterbij kwam, zagen we dat het inderdaad een stok was – de versnellingspook. Zijn Land Rover zat vast in de tweede versnelling.

Acht uur later, doodmoe en hevig verlangend gewoon maar ergens aan te komen, bereikten we de legerpost aan de rand van Nouadibou. Ze wilden onze valutadeclaraties controleren en ons geld tellen. Ze ontdekten een verschil bij mij van vijftig francs – ongeveer zeven cent. Ze stonden vrijwel op het punt me op grond hiervan te arresteren, tot ik zei dat ze het bankbiljet wel mochten houden. Ze lieten ons door en Galo wees ons de weg naar een hotel.

Wij hadden ons in tien dagen niet gewassen. De langste ongewassen periode die ik had meegemaakt, was zes weken, maar dit was erger. Mijn haar was één ruige dot, met een laag zand van een centimeter dik op mijn hoofdhuid, zodat mijn haren recht overeind stonden. Ook mijn oren zaten dicht, om maar niet te spreken van alle andere kleine plekjes.

Toen Helga en ik binnenkwamen, vielen we elkaar om de hals en lachten en dansten. Jazeker hadden ze kamers! Jazeker hadden ze douches! Jazeker konden ze onze was doen! En jazeker hadden ze hier koud bier!

We gingen met ons allen naar de bar. Waarschijnlijk hadden we deze zin al zo vaak in onze geest voorbereid, en toch scheen iedereen te aarzelen hem uit te spreken.

Ten slotte bracht ik het uit: 'Zes koude pilsjes, alstublieft!'

Die pilsjes sloegen in en ze verdoofden je oogbollen. De condens aan de glazen gleed over onze vingers en we lieten ons in de gemakkelijke stoelen zakken, uit de wind, uit het zand, vanwaar we in stilte onze dankgebedjes opzonden tot God.

Verscheidene rondjes later stond ik op met de woorden: 'Ik ga een ommetje maken en denk dat ik wel even weg zal blijven.'

Ik liet me onder de douche zakken en dacht bij mezelf: Dit is echt! Ik had het me zó vaak verbeeld. Dat was totale, onbeschrijflijke weelde. Ik had me net ingezeept toen het water tot slechts een straaltje afnam en het vervolgens helemaal liet afweten. Klote Afrika!

Ik stormde, geheel met zeep overdekt, naar buiten en vroeg of het water weer aangezet kon worden. Dit was helemaal geen beschaafde wereld. Die nacht werd ik in mijn kamer zó verschrikkelijk door de muggen gebeten dat ik er niet van kon slapen. Dus ging ik naar de bar, waar ik het dusdanig op een zuipen zette dat iedere mug die me daarna nog beet waarschijnlijk is gestorven aan een alcoholvergiftiging.

De volgende dag gingen we naar het hoofdkantoor van de gendarmerie om opnieuw een poging te doen toestemming te krijgen om de grens over te gaan. De chef liet ons vijf uur wachten. Toen we eindelijk op audiëntie mochten komen en uitlegden wat wij aan het doen waren, zei hij doodleuk: 'Nee. De grens met Marokko is gesloten.'

Wij probeerden de gids, Mohammed, te pakken te krijgen, maar hij bevond zich niet op het adres dat we hadden en ook het telefoonnummer was niet correct. Onbetrouwbare kerels bleven ons pesten met de vraag of wij soms een gids nodig hadden, maar we konden ze geen van allen vertrouwen, omdat ze wel spionnen konden zijn. De paranoia in Afrika schijnt besmettelijk te zijn. Eén bijzonder onguur type bleef ons maar achtervolgen en heen en weer schieten om ons briefjes van de bank te laten zien. Wij schudden hem af en vervolgden onze speurtocht naar Mohammed. Op zeker moment werd Gordon zó kwaad op die kerel dat hij hem naar zijn naam vroeg.

'Mohammed,' zei hij. 'Ik ben Mohammed.'

33

We zouden over twee dagen vertrekken. We vonden een terrein in de luwte van een steile duinopgang om te kamperen. De wind ging niet liggen, maar we hadden tenminste brandhout en konden ons warm houden. Helga ging met verhoging naar bed, maar de symptomen volgden niet het gebruikelijke patroon van malaria of dysenterie. Wij besloten samen de grens over te gaan en als Helga niet beter was geworden, zouden de Hollanders de 400 kilometer naar Dakhla, de eerste stad in de bezette Westelijke Sahara, alleen rijden.

Nouadibou is de grootste havenstad van Mauretanië; daar kun je zo'n beetje alles krijgen. Alle groente en fruit worden daarheen vervoerd vanuit Marokko en Spanje en het is tamelijk goed. Wij waren gewend aan groene sinaasappelen en zwart gevlekte bananen, maar dit was heel iets anders. Volkomen ronde sinaasappelen die oranje waren, stevige gele bananen die er zo volmaakt uitzagen dat je zou denken dat ze van plastic waren.

Ik belde Shuna om te zeggen dat we aangekomen waren. Tom nam de telefoon op: hij deelde de flat met haar. Mijn God wat was het heerlijk zijn stem weer te horen – zo heerlijk te horen dat hij van me hield en me zo miste. Die woorden hielden me helemaal tot aan Dakhla op de been, waar we Peter troffen met een hele zak brieven. Shuna had echter een heel naar bericht. Ze was haar baan kwijtgeraakt omdat ze zoveel tijd besteedde aan de voettocht.

'Maar maak je geen zorgen, eigenlijk voel ik me een stuk gelukkiger nu ik voor een uitzendbureau werk,' schreef ze.

Dat was vast wel waar, maar toch voelde ik me er heel erg rot over.

En toen de woestijn uit, het mijnenveld in.

We kregen een *laissez passer* van de gendarmerie om aan te tonen dat we toestemming hadden om terug te rijden naar Nouakchott – dat zou ons in ieder geval door de legerposten helpen. Wij vulden onze brandstof- en watertanks en kochten vers fruit en brood, maar we konden haast geen afscheid van Galo nemen. Dat deed werkelijk pijn; hij had het de autoriteiten misschien niet verteld, maar we konden het risico niet nemen.

Mohammed, een heimelijk en opvliegend iemand, klom achter het stuur en reed met veel minder deskundigheid dan Galo terug naar de legerpost waar ik gestopt was. Daar legden we uit dat we teruggingen omdat we geen toestemming hadden gekregen en dat ik ging lopen. Wij gaven hun wat brood en weg was ik.

Na zes kilometer staken de Land Rovers de spoorlijn over, het mijnenveld in. Ons voertuig bracht ons nogal in verlegenheid, omdat het niet eens zonder zandmatten de spoorlijn over kon. We moesten opschieten omdat de militairen ons waarschijnlijk vanaf de top van een zandduin stonden gade te slaan.

Ik bleef in het spoor van de wagens, in looppas in plaats van lopend, om uit het zicht van de spoorlijn te komen. Even later begon ik te rennen, niet vanwege de militairen, maar omdat ik hoognodig moest plassen.

Even later wees Mohammed op een zwarte tafelberg in de verte en zei: 'Dat is de Marokkaanse legerpost.'

Toen eiste hij zijn geld op, zeggend dat hij ons niet verder bracht.

Iemand begon te zingen 'Don't pay the ferryman…'

Geen enkele vorm van onderhandelen kon hem ertoe bewegen verder te gaan. Iets had hem afgeschrikt en wij wisten niet wat.

Heel voorzichtig liep ik verder. Wij gingen in de sporen van wagens rijden om ons een beetje zekerder te voelen. Uit berichten van Encounter Overland wisten we dat we bij een macadamweg zouden aankomen die loodrecht op onze route lag. Daar zouden we op de Marokkanen moeten wachten om ons over het ergste stuk heen te helpen. We kwamen bij de weg – een oud Spaans, brokkelig lint van macadamplaten – en pakten onze verrekijkers. Wij konden de soldaten op de berg zien en zij ons. Ze wuifden.

'Wat denken jullie dat het betekent?' vroeg ik. 'Blijf waar je bent of kom maar?'

'Ik heb liever geen spijt als het te laat is,' zei Gordon.

We bleven een half uur lang waar we waren. En zij ook. Een impasse.

'Kom op, laten we gaan!' riep ik en begon vooruit te lopen. Voor mij was het best; het was niet waarschijnlijk dat ik opgeblazen zou worden omdat dit anti-tankmijnen waren. De Land Rovers volgden een beetje voorzichtiger. Uiteindelijk bereikten we de berg, waar we begroet werden door drie soldaten alsof we zojuist over de Berlijnse Muur waren gevlogen.

Wij hadden onze gegevens bij de Marokkaanse ambassade in Nouakchott achtergelaten, die ze had doorgegeven aan Rabat, waar ze op hun beurt contact hadden opgenomen met de hoofdgrenspost. Nu namen de soldaten onze gegevens erbij om bij de hoofdgrenspost te controleren dat we een vrije doortocht hadden. Ik vertelde hun dat het hoofdzaak was dat ik ging lopen, en van mijn verzoek om toestemming moesten ze de gegevens hebben, samen met die uit Rabat.

Terwijl ze aan het controleren waren, bracht de chef ons meloen en dadels, geroosterde amandelen en vers water. Wij boden hem soep aan, maar daar hield hij niet van. Dit begon ons allemaal behoorlijk op de zenuwen te werken, maar we waren al door tè veel obstakels gekomen om nu nog gehinderd te worden.

Het PR-bedrijf van Sabona had Tom in Londen verteld dat het contact had met een hooggeplaatst iemand. Het kon toestemming voor mij krijgen, maar niets garanderen. Daar was hij veel te belangrijk voor. Toen nam Tom de zaak ten slotte in eigen hand en nam contact op met de Britse ambassade in Rabat en met de Marokkaanse ambassade in Londen. De eerste kon ons niet helpen, omdat het niet aan hen was toestemming te geven. Daaruit zou men kunnen opmaken dat ze de bezetting van Marokko van de Westelijke Sahara erkenden, en dat deden ze niet. De laatste had wel wat invloed en daar waren ze erop gebrand mensen de doortocht te laten maken vanuit Mauretanië, net als bij de ambassade in Nouakchott.

Mijn vader had onderzocht of er iemand op de basis van de Verenigde Naties was aan wie hij een gunst kon vragen. Gelukkig was het hoofd van die basis iemand van de mariniers, kolonel Adrian Wray, die, na een 'perfecte' brief van Tom te hebben ontvangen, contact opnam met het hoofd van het Marokkaanse leger en gedetailleerd opgaf wat we nodig hadden.

Over de radiofoon kwam het bericht dat Gordon en ik erdoor mochten en dat ik kon gaan lopen! Ze wilden dat ik die avond naar de hoofdlegerpost ging. Het was donker, we zaten in een mijnenveld, het was ontzettend koud en winderig en geen van ons had zin om tweeëneenhalf uur te gaan lopen of rijden naar de hoofdbasis, zestien kilometer verder. Bovendien zou het vierentwintig tot achtenveertig uur gaan duren voor de Hollanders hun toestemming kregen, en we wilden bij elkaar blijven.

'Kunnen we hier kamperen?' vroeg ik.

Nog meer radiocommunicatie, en het hoofd van de hoofdbasis kwam naar ons toe.

'Chez Morocco,' sprak hij, 'est chez vous.'

Er kwam nog meer voedsel van de berg. Deze gastvrijheid was oprecht, en het intelligentiepeil en de opleiding van deze jonge soldaten waren het hoogste dat ik vanaf Zuid-Afrika was tegengekomen. Ze droegen behoorlijke uniformen, hun geweren zagen eruit alsof ze het deden – en ze hadden munitie. Geen wonder dat deze knapen de oorlog tegen de Polisario wonnen.

Eindelijk kwam het bericht dat we konden blijven kamperen en de volgende ochtend verder mochten. Gordon had verhoging en ging naar bed. Helga was nog altijd erg ziek, maar we hoorden dat er op de hoofdbasis een arts was. Hij had bericht gekregen dat we eraan kwamen. De volgende ochtend kregen we een gids die ons de weg wees en hij bleef goed tussen de routeaanwijzers. Ik besloot met het neerprikken van het denkbeeldige blauwe lint, dat de grensovergang van een ander land markeerde, te wachten tot we bij de hoofdbasis waren.

De Land Rovers werden geparkeerd op een voetbalveld. We zetten een dagkamp op, maar de wind was hard. De hoofdlegerbasis was opgetrokken uit steen en zag er heel comfortabel uit. Na een paar uur kwam de chef, kapitein Hassan, om ons uit te nodigen in de basis. Hij bracht ons naar een lange, comfortabele kamer met goed sluitende ramen, geen wind, geen lawaai, geen vochtige lucht en geen vliegen. Langs de wanden stonden platte banken met kussens en ik voelde me haast overstelpt toen een soldaat-huisknecht een blad met hete muntthee kwam brengen!

Wij bedankten hem en vlak voor hij wegging, zei hij: 'De koning weet dat u komt.'

Wij namen allemaal een hete douche, waarna we binnengeroepen werden voor het diner. Wij werden getrakteerd op een geweldige stoofpot geitevlees met plat, Marokkaans brood, verse tomaten en komkommer, onderwijl op de televisie naar voetbal kijkend. Het was allemaal een beetje veel van het goede. Ik was erg moe toen ik in mijn bed klom; een onmiddellijke ontheffing van ontberingen kan je enorm slaperig maken.

Gedurende de nacht klopte kapitein Hassan op de deur om te zeggen dat de Hollanders toestemming hadden gekregen om naar Dakhla te reizen, maar niet in ons tempo. Dat was waarschijnlijk maar beter zo, want Helga was nog altijd erg ziek en de legerarts had voorzichtig vastgesteld dat ze diabetes had.

Ik werd wakker met een brok in mijn keel omdat onze vrienden vertrokken. Wij hadden samen een heleboel zware beproevingen doorstaan en spraken een reünie af na de voettocht. Dan zouden we voor een hele bak zand zorgen, een plafondventilator aanzetten, warm water drinken en daarna de kroeg induiken om ons te laten vollopen.

Wij verdeelden onze spullen en het voedsel. Samen met hen verdween ook het gasfornuis – helaas voor ons, aangezien er op het volgende stuk geen hout was en ook geen mogelijkheid om struiken te verzamelen, vanwege de mijnen. Wij dronken samen onze laatste kop hete thee en kregen onze escortes – één soldaat in elke cabine, om ervoor te zorgen dat we niet van de weg raakten en op een mijn zouden lopen. Wuivend ten afscheid naar René, Karen en Helga en naar kapitein Hassan ging ik tegen de wind in voorwaarts.

Rachid, onze escorte, stond op het punt te gaan trouwen. Uit de manier waarop hij het beschreef, konden we opmaken dat een Marokkaanse bruiloft niet zomaar een fuif is: zeven dagen non-stop-feesten, iedere dag nog overvloediger dan de voorgaande.

De kust grensde aan de rijkste, nog ongerepte visgronden ter wereld. Vissers kwamen hier drie maanden lang vissen en ze leefden in tijdelijke tenten. Hun vangst werd dagelijks met koelwagens opgehaald. De chauffeurs raakten aan ons gewend, aangezien er geen andere auto's waren. Rachid kende hen niet, maar zij en de vissers stopten vaak om een praatje met hem te maken. Ze gaven ons vis, brood en sinaasappelen – een gastvrijheid die me het gevoel gaf dat we op weg naar huis waren en dat deze voettocht zou eindigen zoals hij in Zuid-Afrika was begonnen, met een ongelooflijke vriendelijkheid en vrijgevigheid.

Acht dagen lang worstelde ik met de wind en de vochtige kou, met niets dan kilometerpaaltjes, die de enige onderbreking vormden in het monotone land – en ook die paaltjes waren allemaal hetzelfde. Het was verdomd vervelend dat elk ervan de afstand naar Tanger aangaf. Je begint bij 2.524. Tien minuten tegenwind later ben je op 2.523. Weer tien minuten later op 2.522. Ik gebruikte ze als waterstops – ze waren net laag genoeg dat je er gemakkelijk op kon zitten en net hoog genoeg om te voorkomen dat de wind alles terugblies als ik ze als plee gebruikte, met mijn achterste in de luwte.

Ik zag de zeevogels op de hete, opstijgende lucht zweven, maar meestal zat ik diep in mijn dromen. Gordon deed zijn werk fantastisch als kok en verzamelaar van hout. Rachid kende de gevaarlijkste trajecten in het mijnenveld en kon daardoor een kort stukje van de weg af om struiken te verzamelen. Op een dag vonden ze een oude kist – genoeg hout om brood en scones op te bakken.

Tijdens het ontbijt stopte er een sedan die een witte caravan trok. Zij wilden het fijne weten over de weg naar Nouakchott; ze hadden hun huis verkocht en reden naar het zuiden om een boot te kopen en om de wereld te varen. Ze hadden ongeveer vijfenveertig centimeter speling onder hun wagen, geen voorwielaandrijving, geen zandmatten, zelfs geen schep.

Gordon zei het zonder omwegen: 'Jullie komen er niet door.'

Maar ze gingen toch verder, zoals ik ook zou hebben gedaan. De mensen zeggen altijd dat het onmogelijk is en ze hebben nooit gelijk. Maar wij in dit geval wel.

Wij ontmoetten een kameelhandelaar in een gammele Land Rover, die enkele tientallen liters brandstof nodig had om naar Dakhla te komen. Die gaven we hem, waarna hij vroeg of hij voor ons iets kon kopen als hij daar aankwam, omdat hij binnen een paar dagen weer terug zou zijn.

'Bier, dat is alles. Een krat bier!'

We gaven hem wat geld en deelden ons avondmaal met hem achter in zijn Land Rover, omdat het daar beschut was. Toen de maaltijd voorbij was en Rachid en Gordon naar buiten klommen, baande ik me een weg naar de deur, maar de nomade trok mij terug. Hij maakte zielige jammergeluidjes en probeerde me te kussen. Ik schudde hem van me af.

Gordon deed heel erg zijn best, maar hij was doodmoe. Het vergde enorm veel van hem in dit tempo door te gaan, wetend dat hij binnen twee uur in Dakhla kon zijn in plaats van pas over vier dagen. We hadden aan het eind van de dag een prettige gewoonte aangenomen. Als Rachid had afgewassen, nestelde hij zich in onze tenten met een mok hete chocola om wat te lezen. Dat uurtje aan het eind van de dag, als alles klaar was, was volmaakt – net niet lang genoeg om lui te worden, net genoeg om je weer op te laden voor de afmars bij zonsopgang. Dan kon je de zorgen en het kleingeestige geknaag uit je geest bannen en de zaken weer op een rijtje zetten en inventariseren hoe de zaak ervoor stond. Dat doen de Afrikanen ook – met behulp van wat voor merk alcohol of drug er voorhanden is – zoals de brandnetel en de zuring. Ontspanning groeit in de buurt.

De tegenwind maakte dat de Land Rover niet in de hoogste versnelling kon. Mijn knie was aan de beterende hand en ik telde de kilometerpaaltjes één voor één af. De woestijnbegroeiing zag eruit als één groot bitterkoekje. Soms kon ik over de rand van de rots naar beneden kijken, naar het roze zandstrand. Naar beneden lopen, zou je het gevoel geven in een schelp te zitten.

Er was een zachter gevoel over mij gekomen. Af en toe brak het door, zoals de stem van een jongen die de baard in de keel krijgt; als ik liep, deed ik alsof ik met mijn kind liep, dat ik de weg door Afrika liet zien. Ik heb heel vaak een metgezel bedacht – in Nigeria was het een ezel geweest, maar er was een lange periode zonder, toen Tom er nog was. In plaats van de vertrouwelingen die ik in Australië had, waren dit wezens voor wie ik zorgde. Ik droeg het kind op mijn rug als een Afrikaanse, het werd gevoed en gewassen, de luiers werden verwisseld en het werd voorgesteld aan de mensen die we tegenkwamen en met wie we praatten.

De aanwezigheid van Rachid verlichtte de spanningen tussen Gordon en mij. 'Gumby', zoals ik hem had omgedoopt, pochte zó erg op zichzelf dat ik hem een nieuwe naam had gegeven – 'Heer van het Universum'. Het maakte niet uit wat voor verhaal ik vertelde, Gordon had altijd een beter verhaal.

Soms zette ik een val voor hem en dan deed ik het in mijn broek van het lachen als ik verder liep.

Zoals 'ik geloof dat ik op mijn twaalfde voor het eerst achter het stuur van mijn grootvaders tractor heb gezeten'.

Het antwoord was dan: 'Ik zat op vierjarige leeftijd voor het eerst achter het stuur van mijn grootvaders tractor'.

Hij deed me denken aan een kind dat voor de neus van een hele groep mensen van zijn fiets valt en zegt: 'Dat was de bedoeling.' Bij alles wat er goed ging – per ongeluk of niet – kon je verwachten dat Gordon zou zeggen dat hij het zo gepland had. Hij pochte voortdurend op zijn atletisch vermogen, zijn triathlons, het roeien, het zeilen, zijn vader en zelfs op de kwarktaarten van zijn moeder.

Ik vond die lulligheid van hem af en toe beschamend – onder ons of tussen mensen die geen Engels verstonden was het nog te verteren, maar na dagen stilzwijgend met kromme tenen te hebben gezeten, had ik er kramp van gekregen. Hopelijk kon Peter me een beetje masseren.

Op een dag tijdens een pauze stopten er twee witte wagens met vierwielaandrijving. Het waren mannen van de VN, die vertelden dat ze allemaal in Dakhla op ons zaten te wachten, en dat kolonel Wray in Laayoune een min of meer correcte aankomstdatum van ons wilde hebben. Hij was namelijk van plan ons allemaal op een diner te trakteren als we daar aankwamen. Ze maakten de koelboxen open en gaven ons de rest van hun lunch – koud bier, koude Coke, sinaasappelen en boterhammen met kaas en ham. Ik had wel met allemaal naar bed gewild.

Ik hoorde Gordon toevallig zeggen: 'Meestal loopt een van de chauffeurs iedere dag een kwart met Ffyona mee.'

Toen ze weg waren, sprak ik hem erop aan.

'Gordon, hoe vaak ben jij met mij meegelopen?'

'Tom en ik liepen in Senegal om de dag met je mee.'

'Hoelang hebben jullie dat gedaan?'

'Een week.'

'Dus je hebt drie dagen iedere dag acht kilometer gelopen, dat is vierentwintig kilometer op de 4.000. Zou je denken dat het *meestal* zo is dat chauffeurs meelopen?'

Hij gaf toe dat het niet zo was. Daarna zei hij dat ik zo paranoïde was dat ik aannam dat de mensen ervan uitgingen dat de chauffeurs meestal meeliepen.

'Nee, geen paranoia, jij hebt het ze zojuist gezegd.'

Hij bleef de hele verdere dag mokken.

Ik begreep dat hij als sportman altijd in de schijnwerpers had gestaan en zich waarschijnlijk met me wilde meten. Het moet gezegd worden dat hij een opmerkelijke prestatie had geleverd door een zesentwintig jaar oude, gammele Land Rover door het moeilijkste gedeelte van het zwaarst begaanbare land ter wereld te loodsen – iets wat ik absoluut nooit had gekund. Maar op die prestatie was hij niet trots.

De avond voordat we de afslag naar Dakhla bereikten, kampeerden we op de rots boven het roze zand en keken uit over de oceaan naar een ander schiereiland, waar de lichtjes van de stad glinsterden in de ondergaande zon.

'Daar zit Peter,' zei ik.

'En post!'

Wij probeerden er niet over te praten; alleen de gedachte aan post bezorgde me al een golf van angst omdat ik er niet bij kon. Geduld!

Ik bracht de dagen door met mezelf te kalmeren en het tempo te aanvaarden. Ik liet toe dat ik over de stad droomde, maar ik wilde niet piekeren. Ik zou weer schoon worden, mijn haar zou weer zacht zijn en in lokken vallen, niet in slierten, en ik zou in een schoon cafeetje zitten, waar de ober kopjes hete koffie serveerde, waar een vol pakje sigaretten voor me op tafel lag en ik de brieven van Tom kon lezen.

Bij de afslag kwamen we bij de legerpost aan en we groetten hen. We juichten en schudden handen. Daarna reden we naar Dakhla, om Peter te zoeken en onze post te lezen.

We stopten onderweg om foto's te maken van een spectaculair roze ravijn, maar het raampje viel uit de deur van de passagierszitplaats en brak. Weer iets dat gerepareerd moest worden als we aankwamen. Gordon had onderweg door de woestijn al zijn energie gestoken in het verzorgen van die bejaarde Land Rover en nu was hij hard aan rust toe. Ik beloofde hem minstens één hele dag waarop hij niets anders hoefde te doen dan wat hij wilde.

Rachid bracht ons naar de gendarmerie. Daar volgde een hele ochtend van bureaucratisch gedoe – vier verschillende kantoren in drie verschillende gebouwen. God mag weten hoeveel duplicaten er werden gemaakt, maar in ieder geval wist iedere afzonderlijke man wat hij deed. Als dit in het zuiden had plaatsgevonden, zou het dagen hebben geduurd.

Rachid bracht ons naar een goedkoop hotel, waar veel soldaten ondergebracht werden, en daar namen we twee kamers. Toen gingen we weer terug naar de gendarmerie om Rachid af te zetten en nog meer formulieren in te vullen.

Toen dat allemaal voorbij was, wist ik dat het einddoel te halen was. Ik was over de laatste lichamelijke horde gekomen. Nu nog een sprintje van 2.000 kilometer naar de Middellandse Zee.

Ik kreeg een blanke man met een rugzak in het oog en vroeg me af of het Pete was. Maar ik dacht van niet, anders zou hij achter ons aan gekomen zijn toen de enige blondine aan deze kant van de Sahara hem voorbijliep.

Toen we in de Land Rover stapten, kwam hij naar ons toe rennen.

'Hallo. Ik heb naar jullie lopen zoeken!'

Hij stapte in de auto voor een toost. Gordon en ik popelden om hem te vragen of hij onze post had opgehaald en ik kon me niet inhouden tot het moment waarop het beleefd genoeg was om ernaar te vragen.

'Heb je post voor ons?'

'Mmm.'

'Peter!'

'Ja. Ik heb al jullie post... en chocola... en whisky...'

We reden naar zijn hotel om de spullen op te halen. Terwijl wij op straat op hem stonden te wachten, verschenen onze vrienden met hun wagen met caravan. Ze waren niet eens voorbij de hoofdlegerpost gekomen en teruggereden. Gordon en ik deden ons best om ons gegrinnik te onderdrukken en hadden een natte broek van het lachen toen ze wegreden, op zoek naar een plaats waar ze hun caravan konden verkopen en een boot konden kopen.

Wij wasten ons onder een krachtige douche en vertrokken voor een uitgebreide maaltijd, zodat we onze post konden lezen. Het kwam wat ongelukkig uit voor Pete dat hij de post had meegenomen – nu werden we verscheurd tussen willen praten en het lezen van onze brieven. Max Arthur, de uitgever van *Feet of Clay*, stuurde me een fantastische oppepper, zoals altijd. Hij zei dat hij in mijn laatste brieven veel meer rijpheid had aangetroffen en meer van mijn echte ik, die ik zo lang had onderdrukt. 'Denk eraan dat ik dol op je ben en er nog prachtige dagen voor je liggen.'

Shuna's brieven waren vol roddels, wat me weer deed beseffen dat er nog een andere wereld bestond, eentje van lachen en seks. Dat was mijn wereld niet en ik wilde het ook niet, maar ik vond het prettig dat zij zoveel plezier maakte.

De brief van Tom besloeg maar anderhalf kantje, in zijn lunchpauze geschreven. De zak!

Ik had in Nouakchott geprobeerd een groene kaart voor Marokko te krijgen, maar omdat de grens dicht was, konden ze die niet uitschrijven.

Ik ging naar de enige verzekeringsmaatschappij in Dakhla, maar daar konden ze er ook geen verzorgen. Maar, zei de man, we konden zonder verzekering niet verder. Ik legde hem het vuur na aan de schenen en uiteindelijk deed hij de suggestie dat ik het in Laayoune nog eens probeerde. Dat ligt 550 kilometer noordelijker.

Dakhla is een legerstad. Alle gebouwen hebben kantelen en zijn versierd met Marokkaanse vlaggen en posters van koning Hassan II. De stad is gebouwd om de bezetting van Marokko van de Westelijke Sahara een basis te verschaffen – het eerste stadium van de expansie van het land tot wat Hassan noemt 'Groot-Marokko' – als de strijd voorbij is, verdwijnt de stad. Er wordt niet over gerept wat er met de bezette Westelijke Sahara gebeurt, wanneer en àls het een deel van Marokko wordt. Er is geen industrie, geen vruchtbaar land, er zijn geen delfstoffen, afgezien van fosfaten, en de wereldmarkt zit niet te wachten op die voorraad. Alle mensen die ze daar geplant hebben om er te gaan wonen teneinde een bredere basis voor het referendum te hebben, zullen weer terug moeten verhuizen. Brandstof, voedsel en behuizing worden allemaal zwaar gesubsidieerd om er mensen heen te trekken, maar het gaat dus allemaal weer verdwijnen.

Wij werden uitgenodigd op een diner met mensen van de VN, in een basis aan de rand van de stad. Het waren toffe lui! De Aussies zorgden voor het bier en we lieten verschillende blikjes Foster naar binnen glijden, maar probeerden het innemen iets te beperken – wij waren inmiddels zó afgevallen dat we heel snel dronken werden. De dagdromen begonnen uit te komen toen er chocolademousse als dessert verscheen.

Zij verschaften ons gedetailleerde informatie over de route naar het noorden en haalden er een kaart bij. Er waren stukken met mijnen in het zand helemaal tot aan Laayoune, maar niemand wist waar ze lagen. Toen de weg was aangelegd, hadden de Marokkanen het tamelijk goed geweten.

Ze lieten ons gebruik maken van de radiofoon om naar huis te bellen. Ik sprak met Tom en vergat steeds dat rotding op de handle te plaatsen. Hij klonk ver weg en het was lastig praten met al die mensen om me heen.

De volgende dag ging Gordon op reserve-onderdelen uit en trof Angelo. Als je een gezicht voor de tweede keer tegenkomt, ben je maatjes; de derde keer ben je familie. Angelo nodigde ons uit om die avond aan het strand te dineren. Hij was teruggekomen met een truck met een 4 × 4 motor, die hij naar Niger reed om hem daar te verkopen. Hij had zijn zoon meegenomen en had ook een boodschap voor me van Rosario. Ik schreef hem een briefje terug. Ook Giorgio was geslaagd in zijn doortocht en alweer op weg naar het zuiden.

Deze twee avonden uit, drinkend in het gezelschap van andere mensen, boden de kans ons even te ontspannen en het effende die rare kennismaking met de nieuwe chauffeur. Pete had een handelaarsgeest. Hij had een tig aantal zonnebrillen meegenomen om te verhandelen bij de plaatselijke bevolking en had in Agadir een kamer bemachtigd tegen de halve prijs door een zonnebril van twee dollar te overhandigen. Hij was naar Agadir gevlogen en had de bus naar Dakhla genomen – jammer voor hem, meende ik, want nu had hij het land al gezien waar we doorheen zouden lopen.

Gordon probeerde op een onbeholpen manier Pete aan zijn kant te krijgen, zodat ze met z'n tweeën sterker stonden. Hij vroeg me hoeveel ik op de markt had uitgegeven aan boodschappen.

'Je bent afgezet,' gniffelde hij waar Pete bij was.

Ik wees hem erop dat hij niet eens wist wat ik gekocht had.

Maar Pete wees dit toch van de hand. Hij wilde samenwerking met ons drieën. Hij was open, nuchter en zag altijd de grappige kant van de dingen. Hij was dol op vrouwen, en dat pikte ik onmiddellijk op. Wij konden elkaar aanraken en dat voelde prettig aan. Er kwam weer leven en humor in de brouwerij.

Goed uitgerust begonnen we aan de eerste van de vijf etappes naar Tanger – elf dagen regelrecht naar Laayoune.

Twee dagen na het uitstapje in Dakhla bracht Gordon me aan het eind van de dag naar een steile helling en eroverheen naar het kamp. Daar, tussen de door de wind gevormde zandstenen rotsformaties, op een vlak stuk, was Pete bezig het eten te bereiden. Hij had deze kampeerplaats uitgezocht, met zijn schitterende uitzichten over de lege vlakte. Wij keken naar de zonsondergang, drinkend van de Kaluha, die hij had meegebracht. Toen kwam er een chocoladecake. Het was een feestje, omdat we weer een vouw gepasseerd waren – onze eerste die naar het oosten wees – en ik was het volkomen vergeten! Wij vierden ook het feit dat we de Kreeftskeerkring vlak voor Dakhla waren gepasseerd, die we ook waren vergeten, omdat we zo druk waren geweest met in de stad komen.

Toen de afwas klaar was, haalde Pete zijn harmonika te voorschijn. O, die muziek weerkaatste zo mooi tussen de rotsen.

Hij vertelde van zijn safari's door Zimbabwe, waar hij tochtjes maakte naar het nationale park, als gids om de toeristen de mooiste plekjes te tonen. 'Ik wees een aantal greenhorns op een springbok; weet je wat zo'n stomme Duitser zegt? "Ooo, bijt hij?"'

Hij had zeer interessante verhalen, die me afleidden van het lopen – hij begon tijdens een pauze met een verhaal, maar dan moest ik weer gaan en tweeëneenhalf uur op de clou wachten.

Hij had een van zijn vingers verloren.

'Ik was vijftien en werkte bij de garnalenvissers,' zei hij, met een twinkeling in zijn ogen. 'Soms vingen we ook haaien in de netten, waar ik wat mee donderjaagde. Op een keer zat ik in zo'n haaieoog te prikken toen de schipper me riep. Ik keek om en de haai kreeg mijn vinger te pakken. Die was zodanig verminkt dat de schipper hem eraf moest hakken.'

Gumby slikte het met haak, lijn en dobber tegelijk.

De volgende ochtend wilde de Land Rover niet starten; de accu was leeg. We probeerden te duwen, maar in het rulle zand konden we niet genoeg vaart maken. Gumby ging langs de weg staan om een auto aan te houden die hem kon trekken. Het duurde daar eeuwen. Eindelijk stopte er een vrachtwagen met vis, maar die had geen kabel. Ze stapten toch uit en kwamen duwen. Wij gaven ze koffie en een heleboel suiker en ze kregen de auto vlot.

Ik realiseerde me hoe prettig Gordon het vond dat Pete erbij was, dus stelde ik voor dat ze gewoon vooruit zouden rijden in plaats van me halverwege het laatste kwart op te wachten met water. Dan konden ze het kamp opzetten en een beetje spelen. Ik wist dat ze frisbee speelden of oefeningen deden met stenen en touwen. Ik vond het leuk om te zien dat ze plezier hadden. Maar toen ik het avondkamp inliep en er nog niets klaarstond, was ik woedend.

Ik kan me slecht beheersen als er iets fout gaat en na zoveel weken van goede ondersteuning zonder problemen had ik niet zo heftig moeten reageren. Gordon kwam met het excuus aan dat ik te vroeg was, maar ik wist precies op tijd te zijn. Arme Pete wist niet hoe hij het had.

Pete was in het hotel in Dakhla erg gebeten door luizen. Hij kreeg overal op zijn lichaam rode bulten en begon te schudden. Dit kon levensgevaarlijk zijn, omdat wonden in de woestijn nu eenmaal niet snel genezen. Ik was aan dit stuk begonnen met drie zweren, die inmiddels diep waren geworden, gezwollen en zwaar ontstoken, ondanks het frequente uitwassen en antibiotische poeder. Pete maakte zijn wonden schoon met Betodine en ik behandelde de plekken waar hij niet bij kon. We moesten lachen als ik zijn rug met watten afdepte, maar ik wist wel dat als zijn lichaam zo sterk op het gif bleef reageren, dit één grote tropische zweer zou worden en hij heel snel naar een dokter moest.

Soms, als we de flesopener niet konden vinden, trok ik de doppen van de colaflesjes er met mijn kiezen af. Ik heb erg sterke tanden – geen enkele vulling – maar op een dag deed ik het weer en brak mijn kies. Die bleef afbrokkelen, tot er nog maar één hoekje overeind stond als een punt en er een gat zat dat groot genoeg was om er een olijfpit in te steken. Eigen schuld, natuurlijk, maar de Sahara is niet bepaald de goede plaats om tandartshulp nodig te hebben, en ik kon er verder niets aan doen.

Langs dit traject was de kust ongelooflijk mooi: kale, korstige rotsen, afgebrokkeld tot een koraalrood vlak dat bijna licht gaf in de morgendauw. Als de munten in een goktent lagen de schelpen klaar om teruggespoeld te worden naar de zee waar ze vandaan gekomen waren. Wij kampeerden ernaast, met uitzicht op de zonsondergang boven de Atlantische Oceaan. Op een avond waren de keien onweerstaanbaar. Pete en ik gingen op onderzoek uit aan het strand, waarvoor we pittig moesten klimmen. Hij had zijn geïmproviseerde visgerei meegenomen; ik zag zijn goed geproportioneerde lichaam toen hij half ontbloot de lijn uitwierp. Hij bewoog zich soepel, met zijn gebronsde en scherp afgetekende spieren. Er schoot een gedachte door mijn hoofd, maar ik verwierp die. Je moest hem niet te serieus nemen, hij was veel te dynamisch.

De volgende dag ging Pete in op mijn voorstel om een kwart met me mee te lopen. Eigenlijk jogde hij de hele afstand naast me mee en kwam uitgeput voor de lunch aan. Ik nam een lange teug van mijn zwaar gechloreerde drinkwater uit mijn fles.

'Heeft iemand zin in een rondje zwemmen?'

Ik gaf de fles door aan Pete. Hij keek erin en zag de rand van groene algen rondom de bovenkant.

'Fi, dit is goor, het lijkt wel een Ninja-hol.'

Toen ik aanstalten maakte om verder te gaan, zei hij: 'Mag ik het volgende kwart ook meelopen?' Ik was er ondersteboven van.

Aan het eind van de dag was hij erg moe en tuurde ingespannen naar de kilometerpaal. Toen we die bereikten, zei ik: 'Sorry, ik had het verkeerd, we moeten nog een half uur.'

Hij brak zowat mijn nek.

Om niet voor Pete onder te doen, vroeg Gordon de volgende dag of hij met me mee mocht lopen gedurende het laatste kwart. Hij wilde in elk geval een hele dag gelopen hebben, zoals Tom ook gedaan had op de dag voordat hij vertrok. 'Ik zou je nog een paar dingen kunnen leren over lopen,' zei hij.

Ik was enthousiast toen hij besloot een kwart te lopen ter voorbereiding op een volle dag. Ik kon me nog herinneren wat Tom over die dagmars had gezegd: 'Ik had geen idee van wat jij hier allemaal doormaakt.'

Wij vertrokken en ik hield mijn normale tempo aan, in de verwachting dat hij wel gelijke tred zou houden, aangezien hij zo fit was. Maar hij begon al spoedig achterop te raken. Ik bleef steeds op hem wachten, maar hij gebaarde dat ik moest doorlopen. Gewoonlijk houd ik de chauffeurs in het oog, voor het geval ze vallen, maar Gordon was een triatlonatleet. Hij zat al achter het stuur van zijn grootvaders tractor toen hij vier was. Zijn moeders kwarktaart kende zijn weerga niet.

Ik kwam bij het avondkamp terwijl ik Gordon ergens in de trillende hitte had achtergelaten. Ik wachtte een half uur en zei toen tegen Pete: 'Je moet maar even terugrijden om hem te halen.'

Pete reed weg met de Land Rover en bleef lang weg. Een uur later kwamen ze eindelijk terug. Gordon was in elkaar gezakt wegens zoutgebrek. Zijn spieren trokken samen. Peter had hem opgeraapt van de vluchtstrook en hem als een dode eland over de kap van de Land Rover gelegd. Hij kon niet rechtop zitten. We brachten hem weer tot leven en welzijn met bouillon, zouttabletten, suiker en water.

Ik nam Pete terzijde en zei: 'Ik denk dat Gordon niet een hele dag kan lopen.'

'Nee,' zei Pete, 'we hebben niet genoeg zout in de Land Rover.'

Het voorproefje van een aankomstfeest bij de VN-basis in Laayoune arriveerde tijdens de lunch, drie dagen voor we de stad bereikten. Ik voelde me nogal verlegen in aanwezigheid van zoveel vreemden van mijn eigen soort, maar werd losser nadat ze een koelbox hadden geopend met bier dat in ijs verpakt lag en repen chocola hadden uitgedeeld. Ze zeiden dat er in Laayoune een medisch contingent van veertien Zwitserse verpleegsters van het Rode Kruis aanwezig was – nieuws waar Gordon en Pete de hele verdere weg een hoog moreel aan overhielden, tot we aankwamen en merkten dat ze allemaal al vergeven waren.

Op de ochtend van de dag waarop we de stad zouden bereiken, kwam Jim, een van de VN-lui, met een paar anderen een mand croissants brengen. Ik genoot er naar hartelust van, maar de vliegen deden zoals altijd hun best om je plezier te vergallen.

De weg naar de stad had geen vluchtstrook. De wind stak hevig op en bracht me uit mijn evenwicht op de macadamweg. Ik pakte twee grote stenen op en droeg die elk in een hand als stabilisators. Af en toe stopte er een vrachtwagen die me een lift aanbood, maar die chauffeurs letten nooit op het verkeer achter hen. Bij verscheidene gelegenheden scheelde het niet veel of ik was vlees tussen een sandwich van metaal.

Kolonel Wray wachtte ons aan de rand van de stad op. Hij was een open, zeer amusante, hartelijke man en zeer alert.

'Ik zal je moeten laten escorteren,' zei hij.

De wet van Murphy verordonneerde dat we moesten arriveren op de eerste dag van de vredesonderhandelingen tussen Polisario en de Marokkanen na zeventieneneenhalf jaar. De stad wemelde van mannen met donkere brillen en gehoorproblemen.

De stad was schitterend gebouwd, met rijen palmbomen aan roze met wit betegelde trottoirs en tuinen met fonteinen. Voortsukkelend over een van die elegante boulevards gaf de Land Rover het op. Dit was voor Gordon, die werkelijk een moment rust nodig had, de laatste druppel. Hij zette de wagen in de garage van de VN, maar wist dat hij er gedurende de rustdag aan zou moeten werken.

Ik liep naar het hotel waar de meeste Australiërs verbleven en die hadden daar, midden in de woestijn, een Australische bar neergezet. De K-club was aangekleed met vlaggen, kurken hoeden, cartoons, je kon er darten, en er stonden apparaten waarop je Australisch voetbal kon spelen. De bar had alles in voorraad, van Foster tot chocoladerepen. Ik proefde van beide, en dat verscheidene keren.

Wij werden, dankzij het Australische contingent, in het hotel ondergebracht, waar we kamers konden betrekken van mensen die op oefening weg waren. Daar namen we een uitgebreide, krachtige douche – niemand zorgt er voor betere douches dan een Australiër – en gingen vervolgens dineren met kolonel Wray. Hij nam een heel stel van ons mee naar een traditioneel Marokkaans open restaurant, waar we een traditioneel Brits gezellige avond doorbrachten.

De beten van Pete waren genezen, maar die van mij zwaar ontstoken en behoefden medische behandeling. De mensen van het Rode Kruis verveelden zich zó stierlijk dat ze blij waren weer eens de hand te kunnen leggen op een ziek mens. De tandarts was drie uur bezig met het herstellen van mijn kapotte kies. Dit was de eerste keer dat ik tandartshulp nodig had in mijn leven; hij deed het zó voorzichtig dat ik me voelde wegdommelen in zijn stoel.

De Australiërs gaven ons ook nog een lading spullen mee toen ze zagen dat die van ons niet goed genoeg waren om ons gedurende de koude, vochtige dagen en nachten warm te houden. Ze overstelpten ons met gastvrijheid; iedere avond was er wel een barbecue en iedere ochtend erna wel een kater.

Maar in het team rommelde het. Gordon was moe en wilde een rust inlassen, maar in plaats van er met mij over te praten, klaagde hij tegen Pete. Pete vertelde het me en toen moest ik een beslissing nemen. De VN organiseerde iedere week een vlucht naar de Canarische Eilanden voor soldaten die gedwongen rust moesten nemen. Gordon wilde weten of hij mee kon. Hij vroeg het aan kolonel Wray, die, na de beschikbaarheid van plaatsen gecontroleerd te hebben, toestemming gaf. Hij zou een week wegblijven.

Gedurende zijn afwezigheid hadden Pete en ik een fantastische tijd. Wij zetten het kamp op zoals wij het wilden en namen er de tijd voor om een fijne sfeer te creëren. Ik voelde me echt thuis. Gordon was er zó aan gewend geraakt het kamp op te zetten als een windscherm, dat er geen enkele warmte meer in was.

Pete vond de prachtigste kampeerplaatsen tussen rotsformaties. Op een avond kampeerden we in een formatie die leek op een amfitheater en namen het ervan met vers gebakken bananenbrood, bereid op een krat dat ik onderweg had gevonden. We zetten onze kampeerbedden naast elkaar onder het afdak, waar we zachtjes lagen te praten, tot iets ons het zwijgen oplegde: De hemel stond in vuur en vlam van verschietende sterren.

De muziek keerde terug in het kamp. Pete hing tijdens de pauzes zijn hangmat op, we maakten heerlijke maaltijden klaar, lachten en vertelden elkaar de hele dag door verhalen.

De jongens van de VN kwamen weer en lieten ons via de radiofoon naar huis bellen. Ik belde mijn ouders en sprak voor de eerste keer in zes maanden met mijn moeder.

Gedurende de rustdag kampeerden we in een omsloten baai, beschut tegen de noordenwind, waar een rivier traag in zee stroomde. Het was een verschrikkelijk karwei om over het zand te rijden, maar Pete kreeg ons eroverheen door de aanhanger los te maken en die aan een touw voort te trekken. We maakten een thuis en ik bakte croissantjes en we noemden de baai dan ook 'de Croissantenbaai'. We speelden met de frisbee en gingen het strand uitkammen. Het was treurig dat zoveel rommel die prachtige plek ontsierde – er lag van alles, van afwasmiddelflacons tot injectiespuiten – voornamelijk uit Spanje afkomstig. Maar er lag ook zoveel drijfhout dat we het vuur voortdurend brandend konden houden. Het aanzien van de rots bestond uit verscheidene lagen van verschillende soorten gesteente; sommige hadden de vorm van natuurlijke zitplaatsen, als paddestoelen. Ik beklom een paar lagen en bleef een tijdje als een kikvors op zo'n zetel zitten.

Die avond vond Pete een oplossing voor ons lichtprobleem. Onze buitenlamp was kapotgegaan en hoewel we een aantal stormlampen hadden gekocht, werkte geen van allen. Pete's motto luidde – improviseren, aanpassen en overwinnen. Hij draaide lappen om de punt van een metalen spijker en doopte die in dieselolie. Hij brandde schitterend. Wij noemden het de 'Al Haji-toorts', naar het hoofdwindsel van de moslims.

Iets had zich in Pete's voet geboord, en bij het licht van de 'Al Hajitoorts' probeerde ik dat eruit te halen. Het scheen een angel van een vis of plant te zijn, die zo zijn eigen gemene manier had om er niet uit te willen komen. Deze operatie duurde uren, omdat ik steeds moest stoppen om hem een pauze zonder pijn te geven. Ten slotte besloot hij het er maar op zijn eigen manier uit te laten groeien.

De open zweren op mijn voeten, kuiten en handen wilden niet helen, ondanks twee diepgaande schoonmaakbehandelingen in Laayoune en mijn dagelijkse spoelbeurten met zout water. Er waren vulkaantjes van pus omheen ontstaan. Mijn voet was gezwollen, helemaal rood en voelde heet aan. Ik liep met mijn hand omhoog, hetgeen hielp om te voorkomen dat het gif zich daar zou verzamelen, maar dat zelfde kon ik niet met mijn voet doen.

Het bleek overduidelijk dat wij gelukkig waren, ons thuis voelden en het op deze manier tot het einde toe konden volhouden. Geen van ons beiden wilde Gordon nog terug. Misschien kwam hij een beetje uitgerust terug, maar Pete en ik spraken af dat hij moest vertrekken als hij niet in dit systeem paste. Wie weet dacht Gordon er ongeveer hetzelfde over, maar wist hij geen manier om eronderuit te komen. In dat geval zou ik hem een voorzichtig handje helpen. Ik voelde me niet schuldig over deze samenzwering; Gordon was een eersteklas chauffeur geweest, maar hij had duidelijk laten merken dat hij niet geloofde in wat ik deed. Hij vond dat het een grootser doel moest dienen dan alleen maar mij en Survival International.

Ik vind het belachelijk dat de pers en het publiek niet kunnen accepteren dat de leden van de expeditie de enigen zijn die voordeel hebben van hun harde werk. In plaats daarvan moet de expeditie ten goede komen aan de wereld. Ze schijnen te denken dat het de mensen die aan zo'n expeditie meedoen om de roem te doen is, maar ik ben nog nooit iemand tegengekomen die door de hel is gegaan om roem te oogsten. Het is echt niet leuk om als een excentriekeling verkeerd begrepen en raar bekeken te worden.

Expedities begonnen als ontdekkingsreizen, maar de wereld ìs al ontdekt. Wat overblijft, is een ontdekking van jezelf, de noodzaak om een reis te maken. Inheemse mensen beschouwen dit als een onderdeel van het leven. Westerse mensen zoeken naar een filosofisch antwoord op het grote Waarom dat aan het menselijk ras en het universum wordt gesteld. Ik heb die vraag ook vaak overpeinsd maar heb er nooit een verbaal antwoord op gevonden. Maar ik heb het wel gevoeld – wanneer ik me realiseerde dat ik deel uitmaakte van iets heel groots en dat daarin een natuurlijke plaats voor mij was weggelegd.

Gedurende die week met Pete raakte ik aan iets binnen in mij dat ik slechts één keer daarvoor had ervaren, tussen Ouaga en Bamako: vrede. Ons leven was zó simpel, zachtaardig, oprecht, zuiver, vol van lachen, en met uitdagingen die je dagelijks het hoofd moest bieden. Dit had een richting, een doel en een ritme.

Op een bord langs de weg in de andere richting stond: 'Poort naar de Sahara'. Toen ik er langs liep, sloot ik de poort achter me. Vóór me lag een beploegd veld, een rij gombomen als beschutting voor een boomgaard, waar een man bezig was met zijn oogst, die op vierkante geïrrigeerde stukjes grond groeide. Toen ik weer rook, een tractor hoorde en de warmte van de avondzon met zijn mooie, zachte gloed voelde, drong het pas tot me door dat ik door de woestijn de Sahara was gelopen.

Gordon was in het kamp aangekomen toen ik aan het eind van mijn dagmars binnenliep. Hij had een lift gekregen op een vrachtwagen en zag er bleek en gevlekt uit. Zijn eerste woorden waren dat hij doodziek werd van de toestand van de Land Rover.

Pete en ik zetten het afdak op voor het avondkamp, wat we prettig vonden omdat het een huiselijk gevoel gaf en een begrenzing vormde voor ons speciale plekje, zoals muren dat doen.

'Waar is dat voor?' vroeg Gordon.

Toen ik het hem vertelde, grinnikte hij. De rustweek had Gumby geen goed gedaan. Hij bekritiseerde de nieuwe veranderingen die Pete en ik hadden ingevoerd om het leven wat aangenamer en gezelliger te maken. Hij zei dat de 'Al Haji-toorts' niet milieuvriendelijk was – waarschijnlijk omdat hij die zelf niet had bedacht. Wij begrepen allemaal dat het moeilijk voor hem zou worden terug te keren in een eenheid die het heel goed zonder hem had gedaan.

Hij had een fles Pimms van kolonel Wray meegebracht, die we rond het vuur keurig opdronken. Ik nodigde hem uit vrijelijk zijn hart te luchten.

'Mijn taak zit erop,' zei hij. 'Het is me nu allemaal te saai geworden. Er is geen uitdaging meer. Ik wil vertrekken.'

Ik aanvaardde zijn ontslag, bedankte hem voor het harde werk dat hij in de voettocht had gestoken en stelde voor dat hij bleef tot aan Agadir, waar we over een week zouden aankomen en vanwaar hij naar huis kon terugvliegen. Ik zei dat ik voor hem zou betalen, ook al vertrok hij vrijwillig, maar evenals met het geld dat ik hem gegeven had om zich op de Canarische Eilanden een beetje te vermaken, zei hij geen dankjewel.

Gedurende de volgende week ontwikkelde zich dezelfde sfeer als er vóór Gordons vakantie had geheerst. Deze keer waren de spanningen groter, omdat Pete en ik zo goed met elkaar overweg konden. Nog iets anders nam een aanvang, wat me het leven erg zuur zou maken.

Het begon in de buurt van Tan Tan, de eerste grote stad na de woestijn, in het werkelijke Marokko. Ik had diarree en hurkte achter een bosje. Er stopte een auto en ik wuifde dat ze moesten doorrijden en schuifelde verder achter de schrale struiken. Maar die kerels in de auto bleven daar gewoon naar me zitten staren. Ik verwenste ze de hel in.

Later die dag werd ik de stad uit gevolgd door twee kerels, die snel liepen. Ik wilde me door ze laten inhalen, zodat ik achter een struik kon duiken voor wat privacy. Ik liep van de weg af en zat net op tijd achter de struiken. Een van die kerels liep van de weg af en daalde af in mijn richting.

'Blijf daar!' schreeuwde ik. 'Je ziet toch wat ik aan het doen ben!'

Hij bleef doorlopen, naderde me tot op tien meter en bleef staan kijken hoe ik de diarree had. Geen toiletpapier te krijgen in het noorden. Ik had een schrale kont, alsof ik met een toiletborstel was bewerkt.

'Laat me met rust!' riep ik.

Toch bleef hij staan kijken.

Toen ik klaar was, liep ik naar hem toe en zei hem op te sodemieteren. Hij staarde me gewoon aan.

Ik was een paar dagen lang volslagen verbijsterd waarom er auto's voor me uit stopten, de chauffeurs hun banden controleerden en gingen staan pissen. Dat was toch geen toeval meer, dat ze allemaal zo nodig onder mijn neus moesten urineren? Maar toen ik er eentje voorbijliep, drong het eindelijk tot me door dat deze kerels niet stonden te plassen maar aan het masturberen waren.

Er stopte een Mercedes. Die had ik al de andere kant op zien rijden, maar hij was zeker gekeerd, voorbijgereden en voor me gestopt en uitgestapt. Ik zag zijn hand duidelijk heftig bezig. Hij riep dat ik moest komen kijken, maar liep door.

Die dag had ik juist de Land Rover verlaten om water te drinken toen een fietser mij op een heuvel inhaalde, omkeerde en terugkwam, heuvelafwaarts, waarbij zijn lange gewaad openstond en een erectie tentoonspreidde. Toen de Land Rover snel daarna voorbijkwam om de volgende rustpauze voor te bereiden, vertelde ik Pete en Gordon wat er gebeurd was. Ze gingen de potloodventer achterna, de achterafsteegjes van een dorp door, waar ze hem ten slotte in een hoek dreven op een binnenplaats. Hij zei dat hij hen nog nooit had gezien, dat het iemand anders moest zijn geweest, maar zijn fiets stond daar tegen de muur. Volgens de jongens zag hij er zeer geschrokken uit.

Ik besloot mijn kleren te verwisselen, misschien was dat de oorzaak van het probleem, ofschoon ik in geen van de andere acht moslimlanden waar ik doorheen was gekomen last had van seksuele intimidatie. Met mijn schouders, benen en hoofd bedekt, ging ik om halfzes in de ochtend van start. Bijna meteen kwam er een fietser langs die verderop stopte en zijn penis te voorschijn haalde. Jezusmina, dacht ik, wat is dit voor een land?

Hetzelfde gebeurde de hele dag door, dus begon ik weer de kleren te dragen die comfortabel zaten; lange gewaden hinderen je als je tempo wilt maken, broeken veroorzaken vochtige wrijfplekken en schimmelinfecties, en mouwen veroorzaken wrijfplekken aan mijn onderarmen als ze nat worden. Ik droeg mijn kaffiyeh onder mijn konttasje, om mijn botten te beschermen tegen het stoten van de waterfles.

Wij kwamen in Guelmim aan, waar alle huizen dieproze waren met blauwe deuren en luiken. De inwoners droegen identieke witte gewaden. Maar de markt was precies als iedere andere markt waar ik doorheen was gelopen. De kraampjes werden bemand door brutale jongetjes, die me naäapten, hoewel ik hen vriendelijk begroette. En als ik in de schaduwen achter de kraampjes keek, op zoek naar volwassenen die me konden helpen, mocht het uit de hand lopen, zag ik dat ze me alleen maar aanstaarden en obscene gebaren maakten.

Gordon had een fax meegebracht van Pat, de vrouw die het PR-bedrijf voor Sabona leidde. Ze zei dat ik in de reclamefolder zou komen te staan van het Marokkaanse Verkeersbureau, om Britten naar Marokko te halen. Ze staken veel geld in de reclame. Waarom zou ik daaraan meedoen, vroeg ik me af.

Er ging een doos van Pandora open. Het bleek dat de mensen van de PR circa acht bedrijven in stelling hadden gebracht om dingen te verzorgen zoals hotelaccommodatie, vluchten, een nieuwe Land Rover, teneinde Sabona in de sponsorkosten tegemoet te komen. In ruil daarvoor wilden ze mijn instemming.

Tom belegde een belangrijke vergadering met Detmar in Londen, om uit te leggen dat dit volkomen onaanvaardbaar was. Detmar had geen verstand van de vreemde wereld van sponsoring en daar had hij ook geen reden toe – daarvoor had hij immers een PR-bedrijf ingehuurd. Hij was bereid tot een verdere financiële injectie om de lening te dekken die ik had moeten sluiten, maar in ruil daarvoor moest ik beloven dat ik mijn mond hield over wat er in Marokko allemaal met me gebeurde. Er werden drie persconferenties geregeld – in Marrakech, Casablanca en Rabat, en tijdens geen van drieën mocht ik iets zeggen over de intimidatie.

Ik schikte me, maar niet omdat het PR-bedrijf dat wilde. Het was opeens bij me opgekomen dat de Marokkanen mij heel simpel het land uit konden schoppen als ze dat wilden, en dan zou ik mijn voettocht niet af kunnen maken.

Gordon vertrok in Agadir en geen van ons liet daarbij een traan. Pete en ik gingen verder. Pat wilde dat ik naar Marrakech ging voor een persconferentie van Sabona, wat inhield dat ik een lange, uitputtende omweg moest maken over het Atlasgebergte. Had ik geweten dat Sabona eigenlijk geen markt heeft in Marokko, en dat die persconferentie was om het toerisme in Marokko te promoten, dan was ik niet over die bergketen van 1.400 kilometer boven de zeespiegel en in hartje zomer geklommen om aan haar verzoek tegemoet te komen.

Niet ver buiten Agadir leidde de weg langs een groep kinderen die onder de olijfbomen zaten, terwijl hun geiten de takken boven hen afgraasden.

'Ay! Donnez-moi d'argent!' klonk het bevelend.

Ik groette hen vriendelijk, maar ze herhaalden hun eis.

'Waar is dan het geld dat ik jullie zou moeten geven?' zei ik lachend, terwijl ik verder liep. Een van hen stond op en begon met me mee te rennen. Hij gooide een steen. Dat negeerde ik. Hij gooide er nog een. Die raakte een auto, die met hoge snelheid de andere kant opreed en de voorruit versplinterde. De wagen raakte van de weg.

Ik rende terug om hulp te gaan halen, maar de kinderen bleven doorgaan met stenen gooien. Ziehier het land waarvoor ik reclame moest maken. Dit waren geen 'eenvoudige heikneuters', dit was duidelijk allemaal inteelt. Ze hadden grote, bolle voorhoofden, scheve ogen en zeer slechte manieren. Velen schenen hun dag door te brengen met alleen maar onder de doornbosjes op de rode rotsgrond of tegen droge stenen muren te zitten staren.

Het kostte moeite van het landschap te genieten als je zoveel onaangenaamheden meemaakt, maar het zag er tamelijk mediterraans uit. Cactussen als zeeanemonen sproten op uit het zand. Rijen taps toelopende heuvels staken in lichte pasteltinten af tegen de lucht. Op een steile helling waar ik hoopte een prachtig uitzicht aan te treffen, naderde ik drie meisjes met rugmanden vol stro. Ze bleven naar me staan staren en begonnen toen mijn wijde armzwaai na te doen. Toen ik hen bereikte, kwamen er meer meisjes van de helling af om mee te doen aan het getreiter van dit nieuwe geval. Ik wuifde. Een van hen duwde me van achteren. Ik draaide me om en duwde haar terug. Een jongen pakte me vast, maar ik schudde hem af. Hij bleef het doen, en iedere keer was het moeilijker zijn greep los te maken. Het geschreeuw en gejoel echode door de kloof met een ritme dat steeds sneller en feller werd. Er werd een steen gegooid en er volgde een hele stenenregen.

Piepend stopte er een Mercedes voor me en ik vroeg om hulp. De chauffeur sprak weinig Frans, maar suste de situatie en ging naar de bendeleider toe. Hij nam de jongen terzijde en verklaarde langdurig dat ik een toerist was. De rest van de troep verzamelde zich aan de andere kant van de weg, eerst stil, daarna giechelend en joelend. De chauffeur zei tegen me dat ik verder met rust gelaten zou worden.

Ik ging weer verder, maar bij de top stond een andere groep te wachten om de pesterijen over te nemen. Ze kwamen gewelddadig op me af, duwden me, probeerden me te laten struikelen en gooiden met stenen. Zodra ik bij hen kwam, dromden ze om me heen en vlak achter me. Ik probeerde dat gescandeerde, hysterische gegil te negeren en liep door. Eén kind duwde een rollend stuk speelgoed aan een stok voor zich uit. Hij stak het voor me over het pad, zodat ik eroverheen zou vallen, en opeens had ik er genoeg van. Ik pakte het ding en sloeg er net zolang mee op de grond tot er alleen nog maar kleine stukjes van op de weg lagen.

Toen zag ik Pete op me af komen rennen. Hij had het verschrikkelijke lawaai gehoord en begreep dat ik in moeilijkheden was. Hij bukte voor een steen. Ik dacht dat hij die naar een van de kinderen wilde gooien, maar hij was bedoeld voor een hond die naar zijn hielen beet. Hij rende door en de kinderen verspreidden zich over de helling – maar één kreeg hij te pakken. Ze begon te schreeuwen, maar in dit land van lafaards was er niemand van haar vriendjes die haar te hulp kwam. Ik liep naar haar toe en gaf haar een klap recht in haar stomme gezicht.

Peter keek nu anders tegen me aan. Wanneer ik hem vertelde van al die beledigingen, herinnerde hij me aan de gastvrijheid die wij van deze mensen hadden ontvangen – tijdens één avondkamp in de buurt van een boerderij waren er jonge mannen gekomen die courgettes, pompoenen, appels, olijfolie, verse melk en honingraat brachten. 'Ja, Pete,' zei ik dan, 'dat is ook zo, maar alleen wanneer wij samen worden gezien.'

Nu begreep hij het.

In ieder dorp werd ik uitgelachen en gestenigd. Zoals een glimlach een universele witte vlag is, zo is gegrinnik een universele afwijzing. Ik probeerde ermee om te gaan door te bedenken dat ze me als een vreemd geval beschouwden. Maar ik had tegelijk wel een brok in mijn keel en moest innerlijk huilen. Gestenigd worden raakt een heel primitief gevoel. Op het moment dat ik me een beetje trots begon te voelen op hetgeen ik had gedaan, was het erg moeilijk te verdragen dat ik 2.000 kilometer lang uitgelachen werd. Ik had het gevoel dat ik mijn hoofd niet fier omhoog kon houden.

Langs de weg kon je cactusvijgen kopen. Ik schudde de verkopers de hand zoals ik altijd had gedaan, maar dat leerde ik af nadat ik verscheidene malen in de bosjes was getrokken en me er weer uit had moeten knokken. Ik leerde ook stenen op te rapen wanneer de chauffeurs stopten voor hun rondje pissen Marokkaanse stijl. Zodra ze dat zagen, stapten ze weer in en reden snel weg.

Eén kerel op een motorfiets was zich aan het aftrekken terwijl hij langzaam voorbij kwam rijden. Ik noemde hem een zwijn – de grootste belediging die je een moslim kunt toevoegen. Hij gooide stenen naar me. Ik gooide stenen terug. Hij reed verder en bleef op me staan wachten. Toen pakte ik grote stenen op, niet om mee te gooien, maar om hem van dichtbij flink toe te takelen als het zover zou komen. Hij duwde en ik duwde terug, zodat hij van zijn motorfiets viel. Hij kwam opnieuw en stompte me op de rug toen hij voorbijreed. Ik had er genoeg van, liep naar hem toe en brak zijn neus.

Pete wilde achter me aan gaan rijden maar dat wilde ik niet. Dat beetje energie dat we hadden, moesten we in ons werk steken en ons niet laten afmatten door dagelijks acht uur lang in een tempo van zes kilometer per uur voort te kruipen. Ik kon mezelf verdedigen, ik had mijn stenen en zij waren lafaards.

Ergens op een open vlakte kwam een man achter me aan rennen. Ik had aan hem en zijn vader gevraagd hoever het nog naar Marrakech was, omdat ik in dagdromen was opgegaan, al mijn water had opgedronken en niet wist hoever de Land Rover verwijderd was, zodat ik weer een beetje tempo kon maken. Ik rekende uit dat het acht kilometer moest zijn. De man zei dat hij 'nik nik' wilde. Ik zei dat mijn echtgenoot niet ver weg was en bedankte hem dat hij me naar hem toe had vergezeld. Hij gooide stenen naar me. De stenen spatten op het macadam uiteen en de splinters sloegen tegen mijn benen. Zijn gezicht was verwrongen van woede. Ik kalmeerde hem, in de mening dat ik dit gewoon moest volhouden tot er een auto kwam. Ik draaide me om en begon naar zijn huis te lopen, met de woorden dat als hij wat water voor me had, ik graag zijn uitnodiging zou aannemen, en ik informeerde naar zijn vader en zijn boerderij. Hij zei niets meer, maar begon opnieuw om 'nik nik' te schreeuwen en met stenen te gooien.

Hij kwam grommend over de berm op me aflopen. Ik pakte snel een aantal stenen op en gooide die naar hem terug. Er kwam een auto langs en gebaarde dat die moest stoppen, maar ze waren bang en reden door. Jezus, dit begon ernstige vormen aan te nemen. Ik kalmeerde en suste hem en vertelde hem van mijn echtgenoot.

Er kwam een vrachtwagen aan en de kerel ging ervandoor.

'Alles in orde?'

'Alles in orde.'

Ik had hun lift kunnen aannemen en naar Pete kunnen gaan om mee terug te rijden en me te volgen, maar ik dacht: Krijg de kelere, rotzak, jij zult mijn tocht niet verpesten. Ik liep alleen verder, telkens achterom kijkend als ik meende voetstappen te horen. Hij kwam niet meer terug.

Ik kwam in het kamp aan, net op het moment dat Pete op het punt stond terug te rijden omdat ik zo laat was. Ik vertelde hem wat er gebeurd was en vroeg hem of hij me van nu af aan in de gaten wilde blijven houden. Hij was het ermee eens; in feite had hij staan popelen om het me te vragen.

De volgende dag kwamen we in Marrakech aan. Twee dagen lang ondergingen we lijdzaam de flauwekul van de verzamelde Marokkaanse functionarissen die ons wilden ontmoeten: 'Ik hoop dat u een heerlijke tijd in ons land hebt en veel Britse mensen ertoe kunt bewegen hun vakantie hier door te brengen.'

Ik nam het hoofd van het Marokkaanse Verkeersbureau in Engeland apart, de man die al deze mensen bij elkaar had getrommeld en een goedkoop hotel had gevonden om Pete en mij in onder te brengen. Ik vertelde hem van alle moeilijkheden die ik ondervond en hij verzocht mij dit voor te leggen aan het hoofd van het Verkeersbureau in Marrakech.

Toen ik dat deed, zei de man: 'Dit soort dingen gebeurt niet in Marokko! U moet begrijpen dat wij de laatste jaren erg veel last van droogte hebben. In tijden van droogte veranderen de mensen.'

Ik zei: 'Ik heb door heel Afrika veel mensen ontmoet die zeer onder droogte te lijden hebben, en ik kan u verzekeren dat seks wel het laatste is waar zij aan denken.'

Veel van dat getreiter dat ik ondervond, was te wijten aan de grote aantallen Europeanen die sedert de jaren zestig naar Marokko waren gekomen. Drugs en vrije seks waren toen de mode, en de toeristen hadden prostitutie van allerlei soort nog altijd hoog op hun lijstje staan. De Marokkanen vinden dat blanke vrouwen op seks uit zijn; wat nauwelijks verbazing wekt na alles wat ze van ons gezien hebben. En zij denken dat als een vrouw alleen is, zij alle morele normen de rug heeft toegekeerd.

Het maakte niet uit wat ik droeg, daar was ik al achter. Ik was een vrouw alleen en dus dachten ze dat ik op seks uit was.

Pat arriveerde in Marrakech. Ik was razend dat ze had geaccepteerd dat Land Rover nu zo opportunistisch was mee te doen, terwijl ze in het verleden hadden geweigerd me te helpen als ik het hun vroeg. Mijn chauffeurs hadden een bejaard wrak door de Sahara heen onderhouden en verzorgd – dat is nogal wat verantwoordelijkheid op zeer jonge schouders – en nu wilde Land Rover in Marokko opeens een gloednieuwe 110 voor de pers laten rondrijden, en ze hadden enorm schreeuwerige logo's overal op het voertuig en de chauffeur aangebracht.

'Ik wil dat ding niet in mijn buurt,' zei ik. 'Als ze mij willen hebben voor de pers, prima, maar hij komt niet op foto's met mij en rijdt niet achter me aan.'

Pat zei dat ze wilde dat hij van nu af aan achter me aan reed vanwege de problemen.

'En hoe ga je de pers uitleggen dat ik twee wagens achter me aan moet laten rijden als ik er nooit één achter me aan had rijden, behalve op stukken waar groot wild zat en gebieden waar het gevaarlijk was? Dan zul je moeten verklaren dat het in Marokko gevaarlijk is voor vrouwen om alleen te lopen en hoe zullen je maatjes van het Verkeersbureau dat slikken? Stuur die chauffeur terug naar waar hij vandaan is gekomen, ik wil hem niet achter me aan hebben. Wij maken deze voettocht af op de manier zoals het altijd is gegaan – ik en dat stuk oud roest.'

De reactie van Pat vloerde me bijna: 'Maar wat moeten we tegen die chauffeur zeggen?' zei ze. 'Het is zo'n schàtje!'

Zonder met haar ogen te knipperen, vervolgde ze met te zeggen dat ze me aan het eind van de voettocht vier dagen in Tanger wilde houden, omdat ze een heleboel recepties en feestjes in galeries en huizen van beroemde mensen had georganiseerd.

'Dit is een verhaal voor het nieuws,' zei ik. 'Als Sabona enig rendement wil, zal ik onmiddellijk terug moeten. Geen mens is geïnteresseerd in Ffyona Campbell die vier dagen geleden haar voettocht door Afrika heeft afgesloten.'

Ik moest twee dagen praten om haar te overtuigen.

Tom had met de nieuwsredacties van verschillende kranten gesproken. Hij ontdekte dat niemand van het PR-bedrijf over mij of de voettocht had gerept.

Ik raasde dagenlang. Pete was ook razend. Wij bedachten een liedje dat ik onderweg liep te dreunen: 'Als je Pat heet en je komt erachter, verhang je dan maar...'

We probeerden onszelf te beheersen. Nog een week naar Casablanca, nog zo'n belachelijke persconferentie, na een paar zware dagen waarin Pete achter me aan had moeten rijden. We reden naar een punt waar we pauze konden houden, zetten onze spulletjes snel op, waardoor we maar een half uurtje hadden om uit te rusten in de schaduw. Tijdens het middaguur namen we twee uur vrij, zodat Pete zijn Fred Flintstone-oefeningen kon doen met touw en stenen, zandmatten en tentstokken, om te kunnen bankdrukken, armzwaaien en gewichtheffen en op de 'helse machine' te gaan achter de aanhangwagen, waar hij een lus maakte en met een kei in zijn handen achterover ging liggen en weer overeind kwam. Hij nam een Nicorette en ging vervolgens zes kilometer hardlopen, dronk een enorme hoeveelheid water en ontspande zich met een sigaretje. Dat hield de moed er bij mij in. Hij had een uitstekende conditie – dat moest ook wel, want hij moest verscheidene malen de kerels van me af meppen en erop voorbereid zijn dat op ieder moment, de hele dag door te doen.

We kwamen in Casablanca aan en verbleven in het Hyatt, dat persberichten had verzonden over hun sponsoring. Die waren geschreven door Pat. Er stond in dat ik tweeëntwintig meter lang was en in Nigeria begonnen was met de voettocht.

Wij hadden nog een nacht in het hotel kunnen blijven, maar gingen liever terug naar de rimboe. We kampeerden op een heuvel die uitzag over de stad en keken naar de toren van het Hyatt, in de verte. Wij waren veel gelukkiger in de rimboe, waar de dingen gewoon zijn, nuchter, en waar je niet de stemmen van PR-vrouwen met hun felle lippenstift hoort schallen, die je de meest overdreven dingen door je strot duwen. Misschien was deze ontmoeting wel de beste les die ik kon leren. Het deed me sterk denken aan het verhaal dat ik over Eric Taberly had gehoord, de man die alleen om de wereld was gezeild. Toen hij aan het eind van zijn avontuur de haven van Brest naderde, hoefde hij maar één blik op de fanfares en juichende menigte op de kade te werpen om het roer om te gooien en regelrecht weer weg te varen, terug naar zee.

Pete en ik legden onze kampeerbedden naast elkaar, met de waterfles, het mes en de stok binnen handbereik in de ruimte ertussen en vielen in een lichte slaap, kijkend naar de sterren boven het water en de stad. Soms werden we wakker en dan strekten we een arm uit om er zeker van te zijn dat de ander er nog was. 'Ik hou van jou, Fi.' 'Ik ook van jou, Pete.' Ik herinner me dat stukje in *House at Pooh Corner*, waar Piglet achter Pooh opduikt en naast hem gaat zitten.

'Pooh!' fluisterde hij.

'Ja. Piglet?'

'Niks,' had Piglet gezegd, terwijl hij de poot van Pooh pakte. 'Ik wilde er gewoon zeker van zijn dat je er nog bent.'

Gedurende de volgende drie dagen naar Rabat sliepen we slecht. Ik had weer van die gewelddadige dromen over verminking, maar de ochtend erna voelde ik me weer verfrist. Pete vertelde me later dat hij ze verscheidene maanden na de voettocht had. Hij reed achter me aan en keek naar alles wat er gebeurde. Hij zag het aftrekken met eigen ogen, de kinderen die in formatie vijandig tussen de huizen door de weg opstroomden. Hij moest vele keren gas geven en voor me uit rijden om de kerels van me af te houden. 'Dit is verschrikkelijk, Fi. Het lijkt wel of we ons een weg door Marokko moeten vechten.'

Tijdens het kamperen werden we lastiggevallen en 's avonds waren we op onze hoede nadat kinderen met stenen naar ons hadden gegooid, want we wisten dat ze 's nachts terug konden komen. Pete nam zijn stok en hield die als een geweer vast, zodat de kinderen zich verspreidden. Verscheidene malen schrok hij op uit zijn slaap en kroop uit zijn slaapzak toen hij lawaai hoorde. Pas toen ik op een avond ergens diep in het binnenste van de Land Rover ging zoeken naar een pakje kaassausmix ontdekte ik de oorzaak van de herrie waar hij wakker van werd. Een rat. Pete deed langdurig zijn best om dingen uit te vinden waarmee hij de rotzak te pakken kon krijgen, maar de rat wist telkens te ontsnappen.

Op een avond beklommen we een heuvel na zeven voorvallen van seksuele perversiteit en stenigingen binnen een afstand van vijftien kilometer, en we werden gevolgd door een jongen die cactusvijgen verkocht. Ik kocht er een paar van hem in ruil voor een pen en gaf hem een paar sigaretten mee voor zijn grootvader, die op een ezeltje tegen de heuvel opkwam. Op de top rustte hij bij ons uit en toen ik vertelde dat ik nog geen kinderen had, zei hij: ‘Mijn zoon is uw zoon’. Alle gruwelen en angst van die dag smolten weg na deze woorden. Pete en ik waren opgelucht dat het niet weer zo’n rassenprobleem werd, wat gemakkelijk kon gebeuren en ook niet ongerechtvaardigd – als je maar lang genoeg op één bepaalde manier door hetzelfde volk wordt getreiterd, word je dat volk zat, ook als je nieuwe mensen ontmoet.

Wij hadden in Rabat regelrecht naar het Hyatt kunnen gaan voor een dag extra omdat we er vroeg aankwamen, maar we besloten onze rustdag buiten door te brengen. Ook al was dit agrarisch land, we vonden er toch een ravijn tussen pijnbomen, waar we ons laatste kamp opzetten. Het verschilde zo sterk met het landschap om ons heen dat het wel voor ons gemaakt leek. Wij brachten de dag in ons huisje door met bakken, schoonmaken en lachen. Pete werd heel bereven met zijn boemerang – hij wierp hem over het ravijn en de werpknots kwam weer bij hem terug. De tweede keer kwam hij niet terug en viel in de diepte van het ravijn. Pete nam zijn waterfles en ging hem zoeken. Een paar uur later riep ik hem. Hij keek op toen hij de echo hoorde en zag zijn boemerang in een boom hangen.

Die dag moest ik het onvermijdelijke onder ogen zien: mijn voettocht liep ten einde. Ik zou deze manier van leven moeten inruilen voor een leven tussen de huichelaars. Het zou niet zoiets zijn als verhuizen, mijn huis bestond niet meer, ik kon daar niet terugkeren als ik niet weer een voettocht maakte. Maar het thuis zou er wel vanbinnen zijn, ik moest alleen nog leren het met me mee te nemen.

Ik zat ook zonder geld. Alles wat ik ooit verdiend had, was in mijn tochten gaan zitten. Er was niets overgebleven in Engeland. Alleen maar een stapel oude kleren in plastic zakken, ergens in het vochtige flatje van iemand anders. Ik dacht terug aan het leven daar tijdens de evacuaties en werd bang. Ik moest gauw wat geld verdienen, zodat ik mijn volgende reis zonder sponsors kon maken, zonder PR-mensen – en dan daarna een leven opbouwen op de manier zoals ik het wilde, ergens buiten, waar de zon schijnt. Misschien in Australië.

Pete kwam de helling op met zijn boemerang. Wij haalden alles uit de Land Rover wat wij de volgende week niet meer nodig zouden hebben. Het meeste ervan was kapot; slechts één van de stoeltjes was nog intact, het rode, waarmee we de Land Rover uit de zoutpannen van Botswana hadden gekregen. We zetten alles op een stapel voor een dorp in de buurt. De inwoners kwamen spoedig opdraven en namen alles mee. Eén van hen bleef achter, met zijn armen vol hebbedingetjes, en vroeg om een pen. Dan kun je toch alleen maar lachen.

Pete maakte opnieuw een val voor de rat. Hij had onze groenten en fruit aangevreten, overal een hapje uit, had zich een weg geknaagd door plastic dozen heen en overal keutels achtergelaten. Ik had hem gezien, maar was bang dat Pete hem ook zou zien – niet omdat hij hem misschien zou bijten, maar voor het geval hij veel kleiner was dan ik had gezegd!

De volgende dag reden we Rabat binnen, troffen Pat aan in het Hyatt en probeerden die schelle stem van haar niet te horen. Daar ontmoetten wij een fietser uit Rusland, die de randen van elk werelddeel affietste. Hij was in Noorwegen begonnen en na twee jaar hier aangekomen. Hij had geen toestemming gekregen om Libië binnen te gaan en moest dat gedeelte per vliegtuig doen. Nu weigerde Mauretanië de toegang, omdat de grens gesloten was. Ik gaf hem inlichtingen hoe hij het het beste kon aanpakken. Ik wilde hem aanmoedigen, maar zijn reis lag al aan stukken en ik herkende in hem dezelfde wanhoop die ik had gevoeld toen we met de kar aan het worstelen waren.

Wij dineerden met Sir Allan Ramsay, de Britse ambassadeur in Marokko. Hij en zijn vrouw zijn geweldige mensen, en zijn waarnemer, Gordon Pirie, is de vader van Andy, een heel oude vriend van mij uit mijn 'wilde dagen'.

Er werd een ontmoeting met de minister van Sportzaken geregeld en ik zou in zijn kantoor een persconferentie geven. Dat deden we, maar ik beet mijn tong af toen hij opnieuw de hoop uitsprak dat ik vrouwen toch vooral zou aanmoedigen om hun prachtige land te bezoeken. Hij vroeg mij of hij iets voor mij kon doen. Ik verzocht de cameramensen en verslaggevers de kamer te verlaten en legde uit, via de diplomatieke interpretatie van meneer Pirie, wat er precies gebeurde – de stenigingen, het gemasturbeer, dat ik van de weg werd getrokken, de mannen die kwamen staren als ik mijn behoefte deed. De minister antwoordde dat het hem speet dat dit was gebeurd – hij was ervan overtuigd dat het *was* gebeurd, maar hij dacht niet dat het weer zou gebeuren.

'Zo is Marokko niet,' verklaarde hij.

Waar ik zo kwaad over werd, was, dat Marokko miljoenen ponden uitgaf aan reclamecampagnes in Engeland, waarin de mensen worden uitgenodigd hun vakantie hier te komen doorbrengen, en met de andere hand de gevaren daarvan onder het magische tapijt veegde. Toen wist ik nog niet hoever dit gebrek aan erkenning van de problemen ging.

Ik belde Tom. Hij had een artikel voor het tijdschrift *You* geschreven, dat de rechten had gekocht om een reportage te maken van de hele tocht, vanaf het begin. Maar zij wilden het niet afdrukken, ze wilden het verhaal niet en zelfs geen reportage maken van de aankomst. Dus verkocht Tom het verhaal aan de *Daily Telegraph*. Hij begon het verhaal over mijn voettocht met dat artikel en de media begonnen te bellen. Ze hadden de PRpersberichten genegeerd, maar toen ze het verhaal van Tom lazen, werden ze opmerkzaam.

Nadat Pete en ik op de plaatselijke televisie waren geweest, begon iedereen te toeteren en te wuiven toen ik Rabat verliet en de grote weg volgde, terwijl Pete achter me bleef rijden. Dit was Marokko op zijn best. Maar het werd druk op de weg met snelle auto's. Nadat de Land Rover een paar keer op een haar na was geraakt, realiseerde ik me dat er een botsing zou komen. Ik overreedde Pete vooruit te rijden en langs de kant van de weg te stoppen.

'Iedereen kent ons hier,' zei ik vol overtuiging, 'er gebeurt niets.'

Met tegenzin reed hij een paar kilometer vooruit tot een plek waar hij kon stoppen.

Ik liep door een dorp waar iedereen naar me terugzwaaide. Ik stopte en gaf een handtekening aan een kind in een auto, babbelde met de fruitverkopers en wandelde door. Misschien was die persconferentie uiteindelijk toch een goed idee geweest.

Een jongeman kwam achter me aanhollen. Ik draaide me om en groette hem. Hij groette terug. Hij was achter in de twintig, van mijn lengte, tenger van postuur en had slordig lang haar. Hij wilde me een hand geven, maar die nam ik niet aan. Hij wees op de struiken naast de weg en gebaarde 'jij en ik?'

'Nee,' zei ik. 'Donder op.'

Ik pakte een steen op om te laten zien dat ik het meende en twee kerels op een motorfiets stopten om dit geintje gade te slaan.

Hij greep me bij mijn armen, maar ik was niet van plan te wachten tot het menens werd, dus haalde ik uit, stompte hem in zijn gezicht en kneep zijn wangen fijn tussen mijn nagels. Hij sloeg me tegen de grond en begon me aan mijn haren tegen de berm op te trekken. Ik schreeuwde om hulp naar de kerels op de motorfiets. Ze lachten, trapten de motor aan en reden weg.

Er kwamen veel auto's voorbij, maar niemand stopte. Uiteindelijk wist ik me los te rukken en rende de weg op. Mijn kleren waren gescheurd en ik bloedde terwijl ik bezig was een auto te gebaren om te stoppen. Er stopte een taxi. Mijn aanvaller wandelde onmiddellijk naar het raampje van de chauffeur en scheen aan te duiden dat wij vrienden waren. Er stopten nog meer auto's en hij liep gewoon weg. Een goed geklede man, die de passagier van een taxi was, liep hem achterna. Ik liep op mijn beurt hèm achterna. Toen ik hem inhaalde, zei hij: 'Hier moeten gendarmes bij komen.'

De taxi gaf ons een lift naar de Land Rover. Pete was kwaad en in staat om tot de tiende ronde door te vechten, maar ik overtuigde hem ervan dat het verstandigste wat we konden doen, was naar Kenitra te rijden, een grote plaats een paar kilometer verder. Onze vriend, die zichzelf voorstelde als Armed, een fotograaf, legde onze zaak bij de gendarmerie voor, maar het was wel duidelijk dat het niemand een zier kon schelen. Ze keken me gewoon aan en zeiden schouderophalend dat het hun district niet was.

'Ga maar terug naar Bouknadel,' zeiden ze.

Dat deden we, en ongeveer een kilometer van de plaats waar het incident had plaatsgevonden, stuitten we op een verkeersongeval. We spraken twee gendarmes in een politieauto aan, maar die wuifden ons weg. Ik sprak een andere, op een motorfiets, aan, die zei dat we Armed mee moesten nemen om de man te gaan zoeken, omdat zij hun handen vol hadden aan het ongeval. 'Ga anders naar de gendarmerie in Kenitra,' voegde hij eraan toe. 'Het is hun district.'

Toen hadden we er genoeg van. We besloten naar de Britse ambassade in Rabat te gaan, om te zien of zij de gendarmes ertoe konden bewegen naar die knaap te gaan zoeken. Ik had per slot van rekening een goede beschrijving van hem en had hem in zijn gezicht gekrabd.

Meneer Pirie stond ons direct te woord. Hij vergewiste zich ervan of ik in orde was en begon toen te bellen. Het kostte hem, een diplomaat van de hoogste orde, een hele dag om de gendarmes in het eerste plaatsje ertoe te brengen toe te geven dat de plaats van het misdrijf binnen hun jurisdictie viel en ze zover te krijgen dat ze op zoek gingen naar die kerel.

We gingen samen met een tolk van de ambassade, Stephanie Sweet, terug naar de gendarmerie, deden volledig verslag van wat er gebeurd was en gaven een beschrijving van de man. Inmiddels waren er al achtenveertig uur verstreken na het incident.

'We vinden hem wel,' zeiden ze.

Wij bleven de volgende tien uren op het bureau zitten wachten. Stephanie deed haar achternaam eer aan, maar toonde ook een grote vasthoudendheid als dat nodig bleek. Ten slotte reden we terug naar Rabat, maar onderweg kwam er een politieauto slippend op de vluchtstrook tot stilstand. Twee gendarmes sleepten een man uit de bosjes en leidden hem voor me. Ze schenen met een lamp op hem.

'Is dit hem?'

Ik keek hem aan. Het was nogal moeilijk om dat bij het licht van de lamp te zeggen, maar hij had dezelfde lengte en lichaamsbouw, hetzelfde lange, krullende haar en dezelfde kleren, maar ik wilde ook geen vergissing maken. Ik was er niet volkomen zeker van, tot het licht van de lamp recht in zijn gezicht scheen en ik de krassen zag die ik hem had toegebracht.

'Ja, dat is hem.'

Dat zal ik in het vervolg onthouden – laat altijd een teken na. Hij gaf toe dat hij het gedaan had, maar scheen niet te begrijpen wat daar verkeerd aan was.

Toen ik de politiechef confronteerde met de vraag waarom ze ons in het begin hadden laten zitten, zei hij: 'Als we hadden geweten dat u beroemd was, zouden we u onmiddellijk geholpen hebben.'

Ik ben er nooit achtergekomen wat er met die knaap gebeurd is, maar het ongelukkige gevolg van dit incident was dat ik moest accepteren dat er helemaal tot aan Tanger een politie-escorte achter Pete en mij aan zou rijden. Noch Marokko, noch ik kon een nieuwe aanval verdragen.

'Verdomme, Pete, dit betekent dat ik nooit meer alleen in Afrika kan lopen.'

'Na dit alles ik ook niet, maatje.'

Ik moest er op 1 september zijn en had al twee dagen verspild met mijn gezicht te laten hechten en die vent achter slot en grendel te krijgen. Wij logeerden bij de heer en mevrouw Pirie, in de nacht voordat we de weg weer opgingen. De Piries en de meeste andere echtparen die ik op het feestje van de ambassade had ontmoet, hadden in andere moslimlanden gewoond. Ze vertelden me allemaal dat dit land uniek was: de vrouwen konden helemaal nergens alleen heen gaan zonder het risico te lopen gestenigd te worden.

Gedurende de volgende 278 kilometer moesten Pete en ik enorm vechten om de wandeling zo te houden als we gewend waren. Het avondkamp was verschrikkelijk door de herrie van de gendarmes, hun harde muziek die ze 's avonds lieten schallen en het voortdurende gepraat tot in de kleine uurtjes. Wij moesten in onze kleren slapen, omdat ze ons gadesloegen als we 's ochtends opstonden. Het lopen door de dorpen met mijn toegetakelde gezicht en de gendarmes achter me aan was vernederend. De dorpelingen keken me aan alsof ik als een slechte vrouw door de straten werd gevoerd.

Pat arriveerde met Sandra Parsons, een verslaggeefster van de *Mail*. Ze wilde met me meelopen om een interview af te nemen.

O God, dacht ik, daar gaan we: steeds een stukje meer willen ze. Ze zuigen me leeg.

We gingen op pad.

'Misschien zie ik eruit als iets wat bij jullie leven hoort,' zei ik, 'maar innerlijk ben ik volkomen anders.'

Ze gaf een of ander hypocriet antwoord.

Ik keerde me naar haar toe met de woorden: 'Jij bent gekomen met vragen en voorgekookte ideeën. Laat die vallen en luister naar wat ik je te zeggen heb – donder anders op.'

Sandra liet haar lulkoek langs de kant van de weg liggen, liep mee in de pas en ze luisterde. Ze schreef een heel goed verhaal.

Twee dagen voor het einde hadden we het kamp opgezet op een richel, in de wetenschap dat dit onze laatste avond alleen was, voordat Pat met haar hele tamtam arriveerde. Wij konden niet eens afscheid nemen van de voettocht zoals wij die gekend hadden vanwege de gendarmes met hun herrie. Pete ging erheen en zei dat ze zich rustig moesten houden.

Wij zetten een goed kamp op, bijna op een plechtige manier, en staken het vuur aan. Ik verliet het kamp even en schuifelde het pad af in het licht van de vollemaan – mijn drieëntwintigste vollemaan in Afrika.

Soms had ik te zeer gezocht naar de magie van Afrika en me verraden en leeg gevoeld. Maar na Kano was ik me meer gaan ontspannen en had ik mijn thuis daar op de weg gebouwd en het tempo en het ritme door me heen laten stromen. Zonder ernaar te zoeken, had ik tevredenheid gevonden. Ik had het gezien in de gezichten van de vrouwen in de dorpen, bij jong en oud. Dat is de magie van Afrika: konden zij maar zendelingen naar het westen sturen.

Wij hadden een vredige nacht, hielden een tijdje elkaars handen vast, om zeker van elkaar te zijn, en werden wakker van het verschrikkelijkste lawaai dat ik ooit had gehoord – erger dan het hoge gejank van een mug, erger dan joelende kinderen, erger dan het geluid van een scheet.

'Ffyona, Ffyona, ben je daar? Ik ben het, Patricia! Wakker worden! We zijn er!'

Ze was gekomen met twee filmploegen, van de BBC en ITN. Ze wilden ons filmen terwijl we opstonden – ja, natuurlijk kan dat, maar mogen we ons nog wel aankleden terwijl de camera niet loopt?

We schudden handen en zetten koffie voor hen. Gedurende die filmdag hielden ze afstand. Het was een grote groep mensen. Toen we tijdens de lunch een interview weggaven, stelden ze goede vragen en luisterden ze naar ons. Pete en ik hielden vast aan de periode die we samen wilden doorbrengen. Geen van ons beiden wilde dat er een eind aan kwam, maar we begonnen allebei gefrustreerd te raken – er stond iets groots te gebeuren en het wachten was moeilijk.

De volgende dag bleven ze bij ons. Wij probeerden uit te leggen hoe ons leven in elkaar stak, maar het klonk niet zoals het moest. Dat bestond voor een groot deel uit een innerlijk gevoel en dat was intiem, niet uit te leggen.

Die avond, de laatste van de voettocht, kampeerden we op een heuvel. John Passmore van de Londense *Evening Standard* arriveerde. Hij was met Tom, Shuna en Max komen vliegen; ze hadden een vreselijke reis van twaalf uur achter de rug, in plaats van vier uur rechtstreeks. Pat had GB Airways ingeschakeld, maar die wilden hen niet verder dan Gibraltar vliegen, waar ze dus een veerboot moesten nemen vanuit Spanje. We nodigden ze allemaal uit in het kamp.

Pete deed er een uur over om hout te sprokkelen. Het land was zó goed onderhouden dat er niets was overgebleven dan doorntwijgen. Het was voor ons allebei belangrijk dat ze een goede maaltijd kregen en een goed kamp meemaakten. Maar het hout was van zulke slechte kwaliteit dat de quiche niet wilde rijzen. Het deed Pete ook pijn. Weldra zou al deze kennis nutteloos worden. Wat moest ik in 's hemelsnaam in een moderne keuken? Een quiche smaakt niet hetzelfde als ze niet uit een geblutste oven komt, niet naar houtrook smaakt en geen verbrande stukjes heeft. Maar ze hadden wel bier meegebracht! Wij hadden in geen duizenden kilometers bier in ons kamp gehad.

Toen ze weg waren, zetten Pete en ik de kampeerbedden op, naast elkaar, met de stokken en het mes in het midden, en praatten een tijdje, terwijl we nog eenmaal naar de Afrikaanse nachthemel tuurden.

Ik zei: 'Morgen slapen we weer tegen een muur.'

Pete gaf geen antwoord.

'Maar je hoeft in ieder geval niet naar een vrouw te kijken die er constant slaperig uitziet.'

Hij gaf me een zilveren hanger in de vorm van Afrika, met mijn route ingegraveerd, en hij hing hem me om. Hij zou me beschermen: goede medicijn.

Ik was innerlijk verscheurd en wilde dat er geen einde aan kwam. Ik wilde dat de voettocht eindigde, omdat ik moe was, maar ik wilde ook dat het altijd zo bleef als het was. Ik kon het niet ruilen voor datgene wat er na het strand op me wachtte en wat ik niet wilde. Ik wilde niet voor de sponsors dansen of over mijn reis praten. Ik zou anekdotes vertellen over slavenhandelaren, kannibalen en evacuaties, over zendelingen en ziekten, over leeuwesporen, tseetseevliegen en het oversteken van mijnenvelden, maar de intieme gegevens, die zouden ze niet krijgen.

De volgende ochtend ruimden Pete en ik het kamp op. We zeiden de dingen die we altijd zeiden, pakten alles in zoals we altijd hadden gedaan. Maar dit was wel voor het laatst. Ik at mijn meloen en Pete sloeg me vanuit zijn ooghoeken gade toen ik de schil ervan weggooide met die meisjesachtige worp van me waarvan hij altijd krom lag. Hij klom achter het stuur en ik liep naar de weg. Wij waren nog zeventien kilometer verwijderd van Tanger.

Ik had de Sahara doorkruist met een visioen dat me voortstuwde en vandaag zou uitkomen. Het enige dat ik wilde, was Tom om de hals vallen; daar voorbij kon ik niet kijken. Ik had het voor de duizendste keer afgedraaid in mijn hoofd: ik zou de zee inlopen, schreeuwen: 'Ik heb het gehaald!' en hem dan om de hals vallen, Tom om de hals vallen. Telkens weer: Tom om de hals vallen.

De verslaggevers keerden terug en zagen er doodmoe uit. Fiona Hanson van de Press Association kwam om foto's te maken. Even later gingen ze weer weg. Pete en ik waren alleen en ik liep een tijdje naast de Land Rover mee. Om Pat te treiteren, zongen we ons liedje. Toen ging ik weer voor de auto uit lopen.

Ik liet de wandeling in gedachten de revue passeren. Alle chauffeurs, de grenzen die we waren overgegaan, de memorabele kampen die we hadden opgezet, al die ogenschijnlijk kleine overwinningen onderweg die veel groter waren dan deze. Ik dacht aan Blake, die midden in een zwerm tseetseevliegen pannekoeken voor me stond te bakken; aan Bill, die ons kalmpjes door de arrestatie heen praatte, terwijl ik zijn hart onder zijn shirt kon zien bonken. Ik dacht aan de tweede nacht in de Centraalafrikaanse Republiek, toen ik het gevoel had verslagen te zijn, en aan Raymond, over zijn stokjes gebogen met het vuur worstelend. Ik herinnerde me hoe Johann een groep gewapende, agressieve agenten verbood in mijn toilettas te graaien tijdens een doorzoeking van de Land Rover. En Tom, die vanuit een delirium lag te schreeuwen dat ik er nu allang had moeten zijn, en G, die aan het waterfilter bleef pompen tot in de kleine uurtjes. Ik dacht eraan dat ik Gordon de keus liet de Land Rover op een boot te zetten en op me te wachten aan de andere kant van het mijnenveld, maar dat hij niet wilde weggaan. En Pete, die mij op mijn woord geloofde en een kerel die me had aangevallen helemaal lens sloeg. En ik dacht aan het moment dat ik een paar giftige bladeren had geplukt en in mijn hand had fijngewreven, en ook waarom ik ze niet had opgegeten, namelijk omdat we een blik melkpoeder hadden gevonden en we melk bij het ontbijt hadden.

Wij bereikten de buitenwijken van Tanger, en Pete gaf een stoot op de claxon. Er kwam een kerel voorbij die zei dat hij me wilde neuken. *Laat gaan, Fi, het maakt niet meer uit, je kunt je hoofd opheffen!*

De sirene van de gendarme loeide en ik schrok me dood. We waren op een kruispunt aangekomen en ze haastten zich vooruit om het verkeer te stoppen. Er kwamen nog andere gendarmes bij het konvooi. Ik keek achterom en daar zat Pete, die achter me aan sukkelde, maar nog veel meer auto's, met flitsende lichten. Het werd allemaal zo lawaaiig. Ik voelde me zo kleintjes, terwijl ik rustig over de weg liep, omgeven door al die auto's die zoveel herrie maakten en het verkeer ophielden. Ik voelde me verdomd kwetsbaar.

Wij moesten om tien uur op het strand zijn en het was halftien toen we de voet van de heuvel bereikten. Pete parkeerde de Land Rover en we gingen een café binnen om de tijd te doden. We namen een Coke. Pete begon te huilen en ik nam zijn handen in de mijne.

'Ik hou van je, Pete.'

Op dat moment kwam Patricia binnen. Op een of andere manier had ze ons gevonden. God mag weten wat ze allemaal zei, het was alleen maar herrie. Ze vertrok.

Ik keek Pete aan en haalde diep adem.

'Heb je zin om te gaan zwemmen?'

'Reken maar.'

Ik liep het café uit en Pete stapte in de Land Rover om achter me aan te rijden. De gendarmes verzamelden zich weer en zetten hun sirenes aan. Ik liep naar het eind van de weg en sloeg linksaf naar een poort in de strandmuur waar een haag van mensen me de richting stond te wijzen. Iemand gaf me een bos bloemen.

Ik zag het zand en begon te huilen.

Ik liep te hyperventileren en belachelijke snikgeluiden te maken, mijn gezicht in een grimas, en ik probeerde mezelf weer in de greep te krijgen. *Goddomme, Fi, nog even, nu nog niet, nog een klein stukje.*

Door de tranen kon ik niet zien waar ik liep, maar ik besefte dat er mensen naast me meerenden. Op het rulle zand, dat me deed wegzakken, schakelde ik over op mijn eigen vierwielaandrijving, zoals ik in de woestijn had gedaan. Ze riepen naar me dat ik diagonaal het zand over moest steken.

Ik tuurde de kust af om te zien waar mijn mensen stonden en zag daar een hecht groepje staan. Toen drong het tot me door dat het voorbij was. Ik stopte en wachtte tot Pete me had ingehaald. Hij gaf gas en scheurde met Jagga Jagga over het zand. Ik stak mijn hand uit en zei: 'Tot ziens, Pete.'

Ik liep een stukje met zijn hand in de mijne door het autoraampje gestoken en keerde toen terug naar de voettocht. Bij iedere stap probeerde ik me te beheersen, maar verkrampte. Ik bedankte elk van mijn chauffeurs op hun beurt en zei toen: 'Eind van een kwart, eind van de dag, eind van de week, eind van het land, eind van de tocht.'

Ik zag het water snel naar me toe komen rollen, maar kon niet wachten. Ik begon te rennen en zodra mijn voeten het water van de Middellandse

Zee raakten, schreeuwde ik het uit: 'JA! JA! JA! IK HEB HET GEHAALD!'

Ik draaide een heel rondje, zoekend naar Tom. Tussen al die schreeuwende persmensen door zag ik hem aan komen rennen. Toen sloeg hij zijn armen om me heen en tolde met me rond door het water.

Ik omhelsde Shuna en Max en Vanessa en Pete en liep toen het water weer in, wendde me af van dit alles en keek een moment lang uit over de zee. Ik zei: 'Dank je wel.'

Ik pakte de kleine huls van het filmrolletje waarin het zand van Kaapstad zat en vulde het verder met zand van het strand in Tanger. Toen pakten Pete en ik het hout dat we die ochtend hadden verzameld en ontstaken het laatste vuur van een hele keten, die zich over een afstand van 16.800 kilometer uitstrekte, helemaal terug tot aan Kaapstad.

Aanhangsel 1

Datum	*Naar*	*Dagelijkse afstand in km*
Van Camps Bay, Kaapstad		
2-4-91	Goodwood	27
3-4	14 km vóór Paarl	36
4-4	10 km voorbij Wellington	40
5-4	50 km voorbij Wellington	40
6-4	16 km voorbij Ceres	40
7-4	32 km voorbij Ceres	16
9-4	72 km voorbij Ceres	40
10-4	112 km voorbij Ceres	40
11-4	141 km voorbij Ceres	29
12-4	14 km vóór Sutherland	40
13-4	26 km voorbij Sutherland	40
14-4	66 km voorbij Sutherland	40
16-4	Fraserburg	47
17-4	40 km voorbij Fraserburg	40
18-4	80 km voorbij Fraserburg	40
19-4	14 km vóór Canarvon	45
20-4	31 km voorbij Canarvon	45
21-4	76 km voorbij Canarvon	45
22-4	121 km voorbij Canarvon	45
23-4	11 km vóór Prieska	45
24-4	33 km voorbij Prieska	45
26-4	78 km voorbij Prieska	45
27-4	7 km vóór Douglas	45
28-4	38 km voorbij Douglas	45
29-4	25 km vóór Kimberley	45
30-4	13 km voorbij Kimberley (7 km door de stad)	45
4-5	Warrenton	56
5-5	Christiana	47
6-5	47 km vóór Schweize-Reneke	47
7-5	Schweize-Reneke	47
8-5	48 km voorbij Schweize-Reneke	48
9-5	8 km vóór Sannieshof	48
10-5	16 km vóór Lichtenburgh	48
11-5	34 km voorbij Lichtenburgh	50
12-5	7 km voorbij Zeerust	50
13-5	58 km voorbij Zeerust	51
14-5	6 km voorbij de grens van Botswana	49
Botswana		
18-5	31 km voorbij Gaborone	47
19-5	78 km voorbij Gaborone	47
20-5	126 km voorbij Gaborone	48
21-5	174 km voorbij Gaborone	48
22-5	222 km voorbij Gaborone	48
23-5	270 km voorbij Gaborone	48
24-5	8 km voorbij Serowe	49
26-5	154 km vóór Orapa	48
27-5	106 km vóór Orapa	48
28-5	57 km vóór Orapa	49
29-5	41 km vóór Orapa	16
30-5	28 km ten noorden van Letlakane	48
31-5	11 km vóór Verdwenen Stad	48
1-6	33 km ten noorden van Verdwenen Stad	44
2-6	81 km ten noorden van Verdwenen Stad	48
3-6	129 km ten noorden van Verdwenen Stad	48
4-6	16 km ten noorden van Nata	48
6-6	64 km ten noorden van Nata	48

Datum	*Naar*	*Dagelijkse afstand in km*
7-6	112 km ten noorden van Nata	48
8-6	160 km ten noorden van Nata	48
9-6	206 km ten noorden van Nata	46
10-6	256 km ten noorden van Nata	50
11-6	veerboot naar Kazangula	44
Zambia		
18-6	18 km ten westen van veerboot naar Kazangula	18
19-6	66 km ten westen van veerboot naar Kazangula	48
20-6	Masese	48
21-6	48 km ten noorden van Masese	48
22-6	96 km ten noorden van Masese	48
23-6	144 km ten noorden van Masese	48
24-6	192 km ten noorden van Masese	48
25-6	224 km ten noorden van Masese	32
30-6	40 km ten zuiden van Luampa	48
1-7	8 km ten noorden van Luampa	48
2-7	30 km ten westen van Kaoma	48
3-7	10 km ten noorden van Kaoma (8 km door de stad)	48
4-7	58 km ten noorden van Kaoma	48
5-7	106 km ten noorden van Kaoma	48
6-7	154 km ten noorden van Kaoma	48
8-7	202 km ten noorden van Kaoma	48
9-7	24 km ten noorden van Kasempa	48
10-7	82 km ten noorden van Kasempa	48

Datum	*Naar*	*Dagelijkse afstand in km*
11-7	130 km ten noorden van Kasempa	48
12-7	34 km ten zuiden van Solwezi	43
14-7	7 km ten noorden van Solwezi	41
15-7	23 km ten noorden van Solwezi	16
16-7	'grens' met Zaïre	12
22-7	66 km ten westen van Solwezi	43
23-7	8 km ten westen van Kipushi	49
Zaïre		
24-7	Lubumbashi	41
25-7	48 km ten noorden van Lubumbashi	48
26-7	96 km ten noorden van Lubumbashi	48
27-7	16 km ten westen van Likasi	48
29-7	2 km ten westen van Kakansa	48
30-7	50 km ten westen van Kakansa	48
31-7	99 km ten westen van Kakansa	49
1-8	16 km voorbij Kolwezi	48
2-8	Kanzenze	32
3-8	48 km ten noorden van Kanzenze	48
6-8	80 km ten noorden van Kanzenze	32
7-8	100 km ten noorden van Kanzenze	20
8-8	148 km ten noorden van Kanzenze	48
9-8	196 km ten noorden van Kanzenze	48
10-8	Luebo	49
11-8	Kamina	48
13-8	48 km ten noorden van Kamina	48
14-8	96 km ten noorden van Kamina	48
15-8	148 km ten noorden van Kamina	52

Datum	*Naar*	*Dagelijkse afstand in km*
16-8	9 km ten zuiden van Kabongo	48
17-8	2 km ten noorden van Kambo	48
18-8	3 km ten noorden van Kitenge	48
20-8	49 km ten noorden van Kitenge	46
21-8	97 km ten noorden van Kitenge	48
23-8	137 km ten noorden van Kitenge	40
24-8	45 km ten noorden van Kakuyu	50
25-8	93 km ten noorden van Kakuyu	48
29-8	9 km ten zuiden van Lubao	48
30-8	39 km ten noorden van Lubao	48
31-8	88 km ten noorden van Lubao	49
1-9	4 km ten zuiden van Samba	48
8-9	44 km ten noorden van Samba	48
9-9	92 km ten noorden van Samba	48
10-9	21 km ten noorden van Kibombo	48
11-9	69 km ten noorden van Kibombo	48
12-9	37 km ten zuiden van Kindu	48
13-9	Kindu	37
14-9	16 km voorbij Kindu	16
15-9	64 km ten noorden van Kindu	48
16-9	112 km ten noorden van Kindu	48
17-9	160 km ten noorden van Kindu	48
18-9	208 km ten noorden van Kindu	48
19-9	Punia	38
20-9	48 km ten noorden van Punia	48

Datum	*Naar*	*Dagelijkse afstand in km*
21-9	96 km ten noorden van Punia	48
22-9	Lubutu	48
24-9	48 km ten noorden van Lubutu	48
25-9	96 km ten noorden van Lubutu	48

Evacuatie

Het traject met de kar, Centraalafrikaanse Republiek (afstanden bij benadering)

Datum	Naar	Afstand
20-11	22 km ten westen van Bangassou	22
21-11	62 km ten westen van Bangassou	40
22-11	Gambo	15
24-11	30 km ten westen van Gambo	30
25-11	Dimbe	35
26-11	Ngama	38
27-11	Pavica	30
28-11	Alindao	20
29-11	25 km ten westen van Alindao	25
30-11	Puju	30

Zaïre

Datum	Naar	Afstand
21-12	110 km ten noorden van Lubutu	14
22-12	160 km ten noorden van Lubutu	50
23-11	208 km ten noorden van Lubutu	48
24-12	Kisangani	48
30-12	49 km ten noorden van Kisangani	49
31-12	97 km ten noorden van Kisangani	48
1-1-92	6 km ten noorden van Banalia	48
2-1	54 km ten noorden van Banalia	48
3-1	56 km ten noorden van Banalia	2
4-1	104 km ten noorden van Banalia	48

Datum	*Naar*	*Dagelijkse afstand in km*
5-1	152 km ten noorden van Banalia	48
6-1	Buta	48
9-1	48 km ten westen van Buta	48
10-1	93 km ten westen van Buta	45
11-1	Aketi	41
13-1	48 km ten westen van Aketi	48
14-1	96 km ten westen van Aketi	48
15-1	144 km ten westen van Aketi	48
16-1	4 km ten oosten van Bumba	48
18-1	12 km ten westen van Bumba	16
19-1	60 km ten westen van Bumba	48
20-1	108 km ten westen van Bumba	48
21-1	150 km ten westen van Bumba	42
23-1	40 km ten noorden van Lisala	48
24-1	88 km ten noorden van Lisala	48
25-1	136 km ten noorden van Lisala	48
26-1	20 km ten zuiden van Businga	48
28-1	28 km ten noorden van Businga	48
30-1	108 km ten noorden van Businga	32
31-1	4 km ten oosten van Gemina	48
2-2	44 km ten westen van Gemina	48
3-2	92 km ten westen van Gemina	48
4-2	140 km ten westen van Gemina	48
5-2	20 km ten noorden van Boyabo	48
6-2	68 km ten noorden van Boyabo	48

Datum	*Naar*	*Dagelijkse afstand in km*
7-2	Bangui	31
Centraalafrikaanse Republiek		
30-3	50 km ten westen van Bangui	50
31-3	100 km ten westen van Bangui	50
1-4	150 km ten westen van Bangui	50
2-4	200 km ten westen van Bangui	50
3-4	250 km ten westen van Bangui	50
4-4	300 km ten westen van Bangui	50
6-4	350 km ten westen van Bangui	50
7-4	400 km ten westen van Bangui	50
8-4	450 km ten westen van Bangui	50
9-4	491 km ten westen van Bangui	41
10-4	541 km ten westen van Bangui	50
11-4	591 km ten westen van Bangui	50
12-4	Garoua-Boulai	37
Kameroen		
25-4	50 km voorbij Garoua Boulai	50
26-4	1 km ten noorden van Meidougou	50
27-4	34 km ten noorden van Meidougou	50
28-4	84 km ten noorden van Meidougou	50
29-4	134 km ten noorden van Meidougou	50
30-4	15 km ten noorden van Ngaoundere	50
2-5	55 km ten noorden van Ngaoundere	40
3-5	107 km ten noorden van Ngaoundere	52
4-5	157 km ten noorden van Ngaoundere	50

Datum	*Naar*	*Dagelijkse afstand in km*
5-5	106 km ten noorden van Ngaoundere	49
6-5	42 km ten zuiden van Garoua	41
7-5	50 km ten westen van Ngong	50
9-5	11 km ten westen van de grens met Nigeria	43
Nigeria		
10-5	Yola	50
11-5	50 km ten noorden van Yola	50
13-5	20 km ten noorden van Numan	40
14-5	60 km ten noorden van Numan	40
15-5	110 km ten noorden van Numan	50
16-5	151 km ten noorden van Numan	41
19-5	14 km ten noorden van Gombe	50
20-5	64 km ten noorden van Gombe	50
21-5	20 km ten zuiden van Darazo	50
22-5	4 km ten zuiden van Darazo	16
31-5	46 km ten noorden van Darazo	50
1-6	96 km ten noorden van Darazo	50
2-6	144 km ten noorden van Darazo	48
3-6	194 km ten noorden van Darazo	50
4-6	244 km ten noorden van Darazo	50
5-6	8 km ten noorden van Kano	40
6-6	58 km ten noorden van Kano	50
7-6	108 km ten noorden van Kano	50
8-6	Grens met Niger	26

Datum	*Naar*	*Dagelijkse afstand in km*
Evacuatie		
5-2-93	40 km ten westen van Kano	40
6-2	80 km ten westen van Kano	40
7-2	20 km ten westen van Dayi	40
8-2	66 km ten westen van Dayi	46
9-2	6 km ten westen van Tsafi	50
10-2	17 km ten westen van Gusau	50
12-2	16 km ten westen van Kanoma	50
13-2	Anka	31
14-2	50 km ten westen van Anka	50
15-2	100 km ten westen van Anka	50
16-2	135 km ten westen van Anka	35
17-2	185 km ten westen van Anka	50
19-2	40 km ten westen van Jega	50
20-2	27 km ten oosten van Kamba	45
21-2	12 km ten westen van grens met Niger	46
Niger		
22-2	40 km ten westen van Gaya	50
23-2	80 km ten westen van Gaya	50
25-2	20 km ten westen van Falmey	50
26-2	Birni Garare	42
27-2	34 km voorbij Birni Garare	34
28-2	Moli	50
4-3	7 km voorbij Moli/Kohe	7
5-3	7 km voorbij Say	35
6-3	Tamou – grens met Burkina Faso	46
7-3	50 km ten westen van Tamou	50
8-3	18 km ten westen van Kantchari	50

Datum	*Naar*	*Dagelijkse afstand in km*
9-3	68 km ten westen van Kantchari	50
12-3	5 km ten westen van Fada	41
14-3	55 km ten westen van Fada	50
16-3	25 km ten westen van Koupela	50
17-3	69 km ten westen van Koupela	46
18-3	119 km ten westen van Koupela	50
19-3	Ouagadougou	17
21-3	50 km ten westen van Ouagadougou	50
23-3	Koudougou	50
24-3	50 km ten westen van Koudougou	50
25-3	100 km ten westen van Koudougou	50
26-3	10 km ten westen van Dedougou	50
27-3	60 km ten westen van Dedougou	50
28-3	8 km ten oosten van Tansilla	50
30-3	Yorosso, grens met Mali	50

Mali

Datum	*Naar*	*Dagelijkse afstand in km*
31-3	50 km ten westen van Yorosso	50
1-4	10 km ten westen van Katiala	50
2-4	14 km ten westen van Konseguela	50
3-4	64 km ten westen van Konseguela	50
4-4	45 km ten westen van Beleko	50
6-4	18 km ten westen van Fana	50
7-4	70 km ten oosten van Bamako	34
13-4	20 km ten oosten van Bamako	50
14-4	3 km ten oosten van Bamako	17
18-4	42 km ten westen van Bamako	50
19-4	30 km ten westen van Negala	50
20-4	10 km ten westen van Sebekoro	50
21-4	10 km ten westen van Kita	50
22-4	7 km ten oosten van Toukoto	50
23-4	16 km ten westen van Fangala	51
26-4	66 km ten westen van Fangala	50
27-4	3 km ten westen van Mahina	43
28-4	53 km ten westen van Mahina	50
29-4	73 km ten westen van Mahina	20
30-4	8 km ten oosten van Kayes	50
1-5	42 km ten westen van Kayes	50
2-5	Kidira, grens met Senegal	55
5-5	13 km voor Bakel	52
6-5	37 km ten westen van Bakel	50
7-5	80 km ten westen van Bakel	43
8-5	4 km ten westen van Kanel	50
9-5	54 km ten westen van Kanel	50
10-5	Galoye	50
13-5	50 km ten westen van Galoye	50
14-5	100 km ten westen van Galoye	50
15-5	3 km ten westen van Thile-Boubakar	34
16-5	15 km ten oosten van Dagana	50
17-5	Richard Toll	42
20-5	Rosso, grens met Mauretanië	17

Mauretanië

Datum	*Naar*	*Dagelijkse afstand in km*
25-5	34 km ten noorden van Rosso	34

Datum	*Naar*	*Dagelijkse afstand in km*
26-5	84 km ten noorden van Rosso	50
27-5	134 km ten noorden van Rosso	50
28-5	184 km ten noorden van Rosso	50
29-5	Nouakchott	19
10-6	Atlantische Oceaan	9
11-6	59 km ten noorden van Nouakchott	50
12-6	96 km ten noorden van Nouakchott	37
13-6	99 km ten noorden van Nouakchott	3
14-6	134 km ten noorden van Nouakchott	35
15-6	Nouamghar	35
17-6	48 km ten noorden van Nouamghar	48
18-6	98 km ten noorden van Nouamghar	50
19-6	140 km ten noorden van Nouamghar	42
20-6	190 km ten noorden van Nouamghar	50
21-6	236 km ten noorden van Nouamghar	46
22-6	Legerpost Mauretanië	41

Bezette Westelijke Sahara

Datum	*Naar*	*Dagelijkse afstand in km*
27-6	Marokkaanse Legerpost 1	9
28-6	Marokkaanse Legerpost 2	16
29-6	50 km ten noorden van Post 2	50
30-6	105 km ten noorden van Post 2	55
1-7	155 km ten noorden van Post 2	50
2-7	205 km ten noorden van Post 2	50
3-7	255 km ten noorden van Post 2	50
4-7	305 km ten noorden van Post 2	60
5-7	Afslag Dakhla	23
8-7	50 km ten noorden afslag	50
9-7	100 km ten noorden afslag	50
10-7	150 km ten noorden afslag	50
11-7	200 km ten noorden afslag	50
12-7	250 km ten noorden afslag	50
13-7	300 km ten noorden afslag	50
14-7	350 km ten noorden afslag	50
15-7	400 km ten noorden afslag	50
16-7	450 km ten noorden afslag	50
17-7	Laayoune	42
18-7	34 km ten noorden van Laayoune	34
21-7	84 km ten noorden van Laayoune	50
22-7	34 km ten noorden van Tarfaya	50
23-7	84 km ten noorden van Tarfaya	50
24-7	134 km ten noorden van Tarfaya	50
26-7	184 km ten noorden van Tarfaya	50
27-7	25 km ten noorden van Tan-Tan	50
28-7	75 km ten noorden van Tan-Tan	50
29-7	5 km ten zuiden van Guelmim	50
30-7	7 km ten noorden van Guelmim	12
31-7	16 km ten noorden van Boulzakarn	50
1-8	Tiznit	50
2-8	50 km ten noorden van Tiznit	50
3-8	8 km ten oosten van Ait-Melloul	40
6-8	66 km ten noorden van Agadir	50
7-8	116 km ten noorden van Agadir	50
8-8	14 km ten noorden van Imi-n-Tanoute	50
9-8	64 km ten noorden van Imi-n-Tanoute	50
10-8	Marrakech	39
13-8	17 ten noorden van Marrakech	17
14-8	67 km ten noorden van Marrakech	50

Datum	*Naar*	*Dagelijkse afstand in km*
15-8	117 km ten noorden van Marrakech	50
16-8	Settat	50
17-8	46 km ten zuiden van Casablanca	25
20-8	Stadsgrens Casablanca	43
21-8	50 km ten oosten van Casablanca	50
23-8	Rabat	33
26-8	9 km ten zuiden van Kenitra	29
28-8	41 km ten noorden van Kenitra	50
29-8	91 km ten noorden van Kenitra	50
30-8	64 km ten zuiden van Tanger	39
31-8	14 km ten zuiden van Tanger	50
1-9-93	Tanger, Middellandse Zee	14

Tussen 2 april 1991 en 1 september 1993 liep Ffyona Campbell iedere stap vanaf Kaapstad naar Tanger, over een totale afstand van 16.088 kilometer.

Aanhangsel 2

Lijst van spullen op het traject met de kar

Tenzij vermeld, hadden wij elk het volgende bij ons. Verscheidene dingen hadden we dubbel, voor het geval we een rugzak verloren of van elkaar gescheiden raakten. Alles zat in een daarvoor bestemde tas.

1 Berghaus rugzak
1 Rab slaapzak
1 Thermorest
1 vrijstaande Northface tent (gedeeld)
1 hoofdlamp met batterijen
1 Ventile jack
1 halsmes
1 Zwitsers legermes
1 set roestvrijstalen stapelpannen met schaaldeksel van Coleman (gedeeld)
1 mok
1 lepel
1 waterfles (inhoud 1 liter, van Nalgene)
1 paar schoenen
1 lange broek
1 short
2 T-shirts
1 sweatshirt
1 notitieboekje
1 tube zonnebrandcrème
1 tube muggenmelk
1 shampoo en haarconditioner
1 gewoon formaat handdoek
1 binnenhoes voor slaapzak
1 Michelin wegenkaart (geplastificeerd)
1 kompas
1 kortegolfradio (gedeeld)
1 Frans-Engels woordenboek (gedeeld)
1 geldriem – travellers' cheques, contant geld, verzekeringspolis, vluchtticket, paspoort
1 Millbank tas (die je met waspoeder kunt uitwassen)
2 waterzakken van 1 en 2 liter
1 plastic jerrycan van 20 liter (gedeeld)
3 gedehydrateerde maaltijden
1 FM2 Nikon, 24mm lens, 35-105mm lens, SB15 flitsapparaat
20 filmrolletjes Fujichrome, 100 ASA
1 medicijnkist (gedeeld) met: atebrine, erytromycine, oxytetracyclinum, paludrine, avlaclore, pyriton, halfan, pijnstillers, temgesic, fentanyl, imodium, kaliumpermanganaat, Chloromin T.
Alle medicijnen waren overgeschonken in flessen van Nalgene en van etiketten voorzien.
En met: 1 pincet, 1 schaar, 4 scalpelmesjes, 1 fles betadine, elastisch kleefpleister, 1 ooglapje, steriel gaas, rekverband, driehoekig verband, enkelsteun, thermometer.
1 kar met ketting en hangslot (bijna helemaal gedeeld).

Mijn huis – lijst van spullen op het traject Kano-Tanger

Deze kampeerlijst was opgesteld na achttien maanden onderweg te zijn geweest. Dit bood het grootste slaap- en eetcomfort – ongeveer de enige twee zaken waarover je een beetje controle hebt. Alles kreeg een plaatsje in een voorraaddoos van Curver of in een zak die je kon dichttrekken.

DE SLAAPKAMERS

Door de volgende slaapaccommodatie konden we kiezen of we buiten wilden slapen of in een tent:

2 vrijstaande tenten met muggengaas en tentflap (daktenten zijn geweldig als je dak sterk genoeg is; zorg ervoor dat het waterdicht en mugdicht is)
3 Thermorests (driekwart lengte)
3 kampeerbedden – leger (groot is het beste, met poten die gemakkelijk passen)
3 muggennetten – geen doorzichtige
2 slaapzakken
1 dekbed met laken en overtrek
3 kussens met slopen
1 canvas opberghoes voor de slaapspullen

MIJN GARDEROBE

6 lange jurken van honderd procent katoen
6 paar sokken van honderd procent katoen
6 stellen ondergoed
1 korte broek
1 joggingbroek
1 hoofddoek van honderd procent katoen
1 nette jurk
1 jumper
1 Ventile jack
1 donzen vest
1 badpak
1 paar sandalen
4 paar goedkope hardloopschoenen
2 paar orthopedische inlegzooltjes
1 omknoopbare zonnebril
1 kontzak met waterfles, talkpoeder en toiletpapier

EETKAMER

1 klaptafeltje
3 klapstoeltjes (met stof bekleed is beter dan met plastic bespannen)
1 stoffen hangmat met koord

KEUKEN

10 plastic bewaardozen voor restjes, thee, koffie, meel, bonen, etc.
2 tassen met koorden voor fruit en groenten
1 krat met lege colaflesjes (om in te ruilen voor volle)

1 bijl
1 machete
1 koolstofstalen mes (niet van heroïsche afmetingen)
1 kartelmes
Dagkist: bestek, snijplank, kruiden en specerijen, aardewerken borden en mokken (met metalen mokken brand je je mond)
Voedselkist: de belangrijkste produkten die we uit Engeland hadden meegebracht: chocoladepoeder, marmite, instant mix voor aardappelpuree, mix voor kaassaus, pakjes gedroogde soep, pasta, mix voor vegetarische hamburgers
Metalen kookkist: grote braadpan, 1 grote roestvrijstalen sauspan, 1 kleine sauspan zonder steel (om te bakken), 1 ijzeren pot met deksel (die als kachel werd gebruikt) met 3 lege tomatenpureeblikjes op de bodem, 2 ijzeren driepoten, 1 zeef; 1 vierkant inklapbaar metalen vuurscherm; 1 grill (om op de twee driepoten te zetten)

ROMMELKIST

1 scorebord

BIJKEUKEN

3 waszakken
Waskist:
1 waspoeder in plastic doos
2 boenders
1 kleine Nalgene fles met kaliumpermanganaat om fruit en groente te wassen
1 kleine Nalgene fles met Chloromin T om water te zuiveren
3 plastic afwasbakken
1 plastic zeil (om water te laten weglekken)
1 zeep in doosje
1 fles afwasmiddel
1 waslijn zonder knijpers
Wij gebruikten de zijkant van een jerrycan om kleren op te boenen als er geen wasrotsen beschikbaar waren.

PLEE

6 rollen toiletpapier (de allerzachtste)
1 schep

MEDICIJNKIST

Zie de lijst voor het traject met de kar, maar dan met veel meer voorraad.

ELEKTRICITEIT, SANITAIR EN WANDEN

3 hoofdlampen (met normale lampen en batterijen van twee afmetingen)
1 buislamp (met een ingang voor sigarettenaansteker)
3 waterflessen van 1 liter
5 plastic jerrycans voor water (behangen met natte handdoek om ze koel te houden)
1 Katadyn handwaterfilterpomp – geen goed idee, elektrische zijn beter.
1 zwaar canvas afdak met zijflappen, kruispalen en stormlijnen en houten hamer

BIBLIOTHEEK EN ANDER VERMAAK

1 boekenkist – *Africa on a Shoestring*, plaatselijke gidsen, romans, enz.
1 cassetterecorder en doos met cassettebandjes
1 kortegolfradio met wekker
1 koeltas voor films
1 Olympus OM4-camera met 50mm- en 50-250mm-lenzen

SPORTZAAL

1 zandmat
2 stenen met touwen
1 grote kei met touw
2 stroppen
1 tentstok

KANTOOR

1 waterdichte kist voor documenten, met het autopaspoort, bewijs van eigendom, verzekeringspapieren (persoonlijke en voor de auto), passen, vaccinatiebewijzen, logboek, huishoudboekje
1 doos met briefpapier
1 doos met Bic pennen
1 calculator
1 Michelin wegenkaart, geplastificeerd
1 kluis
plaatselijke valuta, Amerikaanse dollars en Franse francs in contanten, en travellers' cheques
1 Visa card
3 gebonden notitieboeken met elastische band

GARAGE

Informatie over de keus van een voertuig, aanhangers, reserve-onderdelen, gereedschap, enz. is overal verkrijgbaar.

DE TUIN EN DE BUREN

Informatie over landen, attracties en de bevolking is overal verkrijgbaar. Maar als je zo gelukkig bent op onbekende plaatsen te stuiten waar het buitengewoon mooi is, zwijg er dan over.